Fischer, Paul Da

Italien und die Italiener

Fischer, Paul David

Italien und die Italiener

Inktank publishing, 2018

www.inktank-publishing.com

ISBN/EAN: 9783747773888

All rights reserved

Italien und die Italiener.

Betrachtungen und Studien

über die

politischen, wirthschaftlichen und sozialen Zustände Italiens.

Von

P. D. Fischer.

Zweite Auflage.

Vagliami 'l lungo studio e il grande amore.

Berlin.

Verlag von Julius Springer.

1901.

4

Vorwort zur ersten Auflage.

Dies Buch ist für Freunde von Italien geschrieben, welche sich nicht, wie es vielfach der Fall ist, ausschließlich für die Geschichte, die Kunstschätze und die Naturschönheiten Hesperiens interessiren, sondern die sich auch über die dort bestehenden politischen, wirthschaftlichen und sozialen Zustände ein Urtheil zu bilden wünschen.

Gäbe es ein Werk, aus dem man sich hierüber einigermaßen ausreichend unterrichten könnte, so hätte ich mich der jetzt abgeschlossenen Arbeit, die mich manches Jahr hindurch beschäftigt hat, nicht unterzogen. Aber trotz der Fülle von Einzelschriften, die sich in kritischen Betrachtungen über das heutige Italien ergehen oder Vorschläge zu Reformen von Uebelständen erörtern, ist doch noch heute zutreffend, was einer der landeskundigsten Italiener, Cesare Correnti, schon im Jahre 1857 gesagt hat: Ein Buch, das uns Italien so zeigt, wie es gegenwärtig ist und wie es zu werden im Begriffe steht, besitzen wir nicht.

Es ist jetzt fast vierzig Jahre her, seit ich im Frühjahr und im Sommer 1861 Italien auf einer Wanderung, die mich durch ziemlich alle Theile des Landes führte, zum ersten Mal aus eigener Anschauung kennen gelernt habe. Seitdem bin ich, so oft es meine Zeit mir gestattete, wieder in Italien gewesen und habe in den letzten Jahren wiederholt längere Zeit an verschiedenen Orten dort

5

verweilt. Die Wahrnehmungen, die ich persönlich eingesammelt habe, bilden die hauptsächlichste Grundlage der nachfolgenden Darstellung. Ich habe den Vorzug genossen, sie durch langjährigen Verkehr mit ausgezeichneten und wohlunterrichteten Italienern, mit denen mich mein Lebensweg hier und in Italien zusammengeführt hat, ergänzen und berichtigen zu können. Durch die unermüdliche Güte des hochverdienten bisherigen Leiters der amtlichen Statistik von Italien, meines verehrten Freundes, des Staatsraths Luigi Bodio sind mir seit fast einem Vierteljahrhundert die reichhaltigen und sorgfältigen Publikationen des Statistischen Amts in Rom zugegangen, aus denen sich über viele und wichtige Gebiete der modernen Entwickelung von Italien ein zuverlässiger Anhalt gewinnen läßt.

Hoffentlich sieht man dem Buch die statistische Grundlage, auf der es beruht, nicht allzusehr an. Zahlen sind in ihm nur soviel gebracht, als es für die Klarlegung der geschilderten Zustände unerläßlich ist. Ebenso ist die benutzte Literatur nur da angeführt, wo es rathsam erschien, den Leser zum Zwecke eigenen näheren Eingehens auf die Quellen hinzuweisen. Denn es war mir nicht um den Anschein von Gelehrsamkeit zu thun, sondern darum, deutschen Landsleuten eine handliche Schilderung der heutigen Zustände in Italien zu geben. Um das Buch nicht zu einem Umfang anschwellen zu lassen, der seine Benutzung als Reisebegleiter beeinträchtigen würde, haben einige Abschnitte nur kurz behandelt werden können; anderes ist ganz weggelassen worden, weil darüber, wie über die Literatur und die Kunst, ausreichende Notizen leicht zu erlangen sind.

Bei der Mannichfaltigkeit, welche der Inhalt der Darstellung trotzdem aufweist, wird es schwerlich ausbleiben, daß der geneigte Leser über eine oder die andere der im Buche berührten Materien gründlicher unterrichtet ist als der Verfasser. Ebenso bin ich darauf gefaßt, manchem Widerspruch gegen die Auffassung zu begegnen, die ich mir, wie ich versichern kann, nach sorgfältigem Studium möglichst unbefangen zu bilden bemüht gewesen bin. Meine lieben Freunde in Italien, deren Pessimismus ich in unseren Gesprächen so oft bekämpft habe, werden vielleicht das Gesamtkolorit der Darstellung etwas zu dunkel finden. Von anderen Seiten wird mir wahrscheinlich auch diesmal der Vorwurf des Optimismus nicht erspart werden. Mögen alle Leser der Schwierigkeiten freundlich eingedenk bleiben, denen der erste Versuch einer zusammenhängenden Schilderung des modernen Italiens unterliegt, und mögen sie die Mahnung jenes Alten beherzigen:

Si quid novisti rectius istis,
Candidus imperti: Si non, his utere mecum.

Berlin, Weihnachten 1898.

P. D. Fischer.

Vorwort zur zweiten Auflage.

In der unerwartet schnell verlangten zweiten Auflage sind die statistischen Angaben durchweg nach dem Stande der neuesten Veröffentlichungen berichtigt worden. Auch in der Darstellung habe ich mich bestrebt, nicht hinter den inzwischen eingetretenen Aenderungen der Zustände zurückzubleiben. Dem aufmerksamen Leser werden die zahlreichen Zusätze (ausführlichere S. 49 ff., 125, 140, 159 f., 195 f., 223 ff., 256 ff., 307 f., 336 f., 424 u. A.) nicht entgehen. Es haben deshalb die auf den Schluß des 19. Jahrhunderts verweisenden Worte des Titels mit Fug und Recht wegbleiben können. Ich hoffe, daß dem Buche auch fernerhin die freundliche Theilnahme treu bleibt, die ihm in Deutschland und zu meiner besonderen Freude auch in Italien bei seinem ersten Erscheinen von einem weiten und ausgezeichneten Leserkreise zugewendet worden ist.

Berlin, im August 1901.

F. D. Fischer.

Inhalt.

1. Das Königreich Italien.

Errichtung, Umfang, Grenzen und Eintheilung.

———

Am 17. März 1861 nahm König Victor Emanuel II. von Sardinien, auf Grund des Gesetzes von demselben Tage, den Titel König von Italien an. Damit war das Königreich Italien konstituirt. Der nationale Staat, das Ziel der Sehnsucht und des Ringens von ganzen Generationen vaterlandsliebender Italiener, trat in die Reihe der europäischen Mächte ein. Italien hatte aufgehört, ein bloßer geographischer Begriff zu sein.

Keine europäische Nation hat das Fehlen eines nationalen Staatswesens so schwer empfunden wie die italienische. Auch wir Deutschen haben hart dafür gebüßt, daß unsere Reichsgewalt von der Kleinstaaterei der Landesherrschaften überwuchert und aufgesogen worden ist, und gewaltiger Anstrengungen hat es auch bei uns bedurft, um aus der unheilvollen Zersplitterung den Weg zur Einheit zu finden. Aber vor dem Schlimmsten, was ein ehrliebendes Volk treffen kann, vor dem Joche der Fremdherrschaft sind wir bewahrt geblieben; die deutschen Fürsten, wenn auch oft uneinig und nicht selten im Bunde mit dem Ausland, sind wenigstens Deutsche geblieben. Italien dagegen hat den Mangel des nationalen Staatswesens Jahrhunderte hindurch mit dem Verluste der Unabhängigkeit zu bezahlen gehabt. Jahrhunderte hindurch haben nicht nur ausländische Fürstengeschlechter, spanische und österreichische Habsburger, spanische und französische Bourbonen auf italienischen Thronen gesessen, sondern große und wichtige Theile von Italien sind ausländischen Staaten als Provinzen angegliedert gewesen und von Statthaltern ausländischer Fürsten regiert worden.

Unmittelbar vor dem Ausbruch des Krieges von 1859 herrschten Seitenlinien der Bourbonen in Neapel und in Parma, habsburgische Sekundogenituren über Toscana und Modena; das lombardisch-venezianische Königreich war eine Provinz des österreichischen Kaiserstaates. Abgesehen von dem priesterlich regierten Kirchenstaat, der die Freiheitsregungen seiner Landesangehörigen nur mit Hülfe einer französischen Okkupationsarmee und mit fremdländischen Soldscharen niederzuhalten vermochte, war das Königreich Sardinien unter der nationalen Dynastie des savoyischen Hauses der einzige nicht von Fremden beherrschte Theil Italiens.

Waren solche Zustände den Italienern des 17. und 18. Jahrhunderts allenfalls erträglich gewesen, so hatte sich ihre Haltlosigkeit in den Stürmen der Revolutionszeit auf das Unzweideutigste erwiesen. Wie Kartenhäuser waren die Duodezstaaten der Apenninenhalbinsel vor dem Hauch zusammengefallen, der von Frankreich her über die Alpen blies. Nicht einmal die uralten Adelsrepubliken von Genua und Venedig hatten den französischen Gewalthabern widerstanden. Und als statt der erhofften Freiheit den Italienern durch den Sieger von Marengo ein neues Joch auferlegt worden war, da hatten sie doppelten Trost darin gefunden, daß die italienische Nation an dem Kriegsruhm der französischen Waffen einen ehrenvollen Antheil nehmen durfte, und daß der Gewaltige, dem beide Völker gehorchten, nach Abstammung und Sinnesart ein Italiener war. Fast zwanzig Jahre lang ist Italien durch Napoleon, der schon als junger Revolutions-General seine hungernden Truppen auf den Ueberfluß jenseits der Alpen hingewiesen hat, in dem allerausgedehntesten Umfang ausgebeutet worden. Die Kunstschätze der italienischen Paläste und Museen, der Kirchen und Klöster sind in der umfassendsten und rücksichtslosesten Weise nach Paris geschleppt worden, vielfach ohne Wiederkehr, so daß noch heutigen Tages in zahlreichen Städten Italiens die Stelle gezeigt wird, wo dies oder jenes berühmte Bild gehangen hat, das jetzt im Louvre ist. Kein Land hat so viel Titel — und zu den Titeln die entsprechenden Dotationen! — für napoleonische Herzöge aufbringen müssen, wie Italien, keins ist so sehr zur Versorgung der Familie Bonaparte herangezogen worden. Vor Allem aber haben nach den Franzosen wohl die Italiener den stärksten Blutzoll für den großen Schlachtenkaiser aufzubringen gehabt. Trotz alledem ist es ein Italiener gewesen, der dem Manne von St. Helena in der Ode auf den fünften Mai jenes unvergleichliche Sterbelied gesungen hat, und noch heut ist es ihm im italienischen Volk unvergessen, daß er der Erste gewesen ist, der nach Jahrhunderten unmännlicher Verweichlichung den Namen Italiens wieder zu Ehren gebracht und die Fahnen italienischer Regimenter mit frischem Lorbeer bekränzt hat.

Angesichts dieses durch Napoleon neu erweckten und gekräftigten Nationalstolzes der Italiener war die Behandlung, welche das Land auf dem Wiener Kongreß erfuhr, ein Anachronismus der verhängnißvollsten Art.

Unter Metternich's Führung ging der Areopag der europäischen Staatskünstler über die italienische Nationalität einfach zur Tagesordnung über. Nicht einmal der Schein eines nationalen Daseins wurde ihr gewährt; ein Bundesverhältniß, wie es für Deutschland in der auf dem Wiener Kongreß beschlossenen deutschen Bundesakte, freilich unter Enttäuschung weitergehender Hoffnungen, festgesetzt wurde, blieb Italien versagt. Dagegen wurde, wie zum Hohn für Italien, Oesterreich eine geradezu leitende Stellung auf der Halbinsel eingeräumt. Nicht bloß das Mailändische wurde, wie vor der Revolution, wieder österreichisch, sondern ganz Oberitalien östlich des Ticino wurde als neugeschaffenes lombardisch-venezianisches Königreich dem vielsprachigen Kaiserstaat der Habsburger einverleibt. Dem ältesten Gemeinwesen Europas, der von den Franzosen ohne jede Spur von Recht vernichteten Republik Benedig, wurde von den Vorkämpfern des Legitimitäts-Prinzips die Wiederherstellung verweigert; Oesterreich behielt, was Frankreich geraubt hatte. Dagegen wurde die habsburg-lothringische Nebenlinie in Toscana wieder hergestellt, ja ein zweites und drittes Thrönchen für österreichische Prinzen, in Modena für den Sohn der mit einem Erzherzog vermählten Erbtochter des Hauses Este, und in Parma zur Versorgung der ungetreuen Gattin des großen Corsen, der Ex-Kaiserin Marie Luise, aufgerichtet. Oesterreich erhielt ferner das Besatzungsrecht in einigen festen Städten des in seinen alten Grenzen und mit all seinen alten Fehlern der Priesterherrschaft wiedererrichteten Kirchenstaates. Auch das den Bour-

1*

bonen zurückgegebene Königreich beider Sicilien stand, namentlich nachdem der Aufstand des Jahres 1821 durch österreichische Truppen niedergeworfen war, völlig unter dem dominirenden Einfluß Oesterreichs. Da endlich auch für die schwache Regierung des Königreichs Sardinien lange Zeit hindurch der Wille der Wiener Hofburg in allen wichtigen Dingen maßgebend war, so stand, um es mit einem Worte zu sagen, von 1815 bis 1848 ganz Italien theils direkt, theils indirekt unter österreichischem Kommando.

Seit dem Eindringen der Franzosen und der Spanier im 16. Jahrhundert hatte eine Fremdherrschaft von solcher Ausdehnung in Italien niemals bestanden. Und dies Joch wurde dem italienischen Volk in demselben Zeitpunkt auferlegt, wo es zum ersten Mal seit Jahrhunderten sich seiner Zusammengehörigkeit bewußt geworden war, und wo in Italien, wie anderwärts, in unmittelbarer Nachwirkung der Revolution das Nationalitätsgefühl eine vorher nicht gekannte Kraft und Bedeutung erlangt hatte; in demselben Zeitpunkte zugleich, wo die italienische Literatur statt der bisherigen Geleise des Klassicismus und der akademischen Spielseligkeit eine durchaus moderne und nationale Richtung einschlug.

War es da ein Wunder, daß die tiefe und allgemeine Erbitterung, dem Volkscharakter entsprechend, theils in heftigen Ausbrüchen aufloderte, theils aber im Verborgenen fortglühte und immer neue Brände hervorrief? Aufstände, Verschwörungen und Geheimbünde — das waren die Früchte, welche die kurzsichtige Politik des Wiener Kongresses mehr als ein Menschenalter hindurch in Italien gezeitigt hat!

In der Geschichte der politischen Wiedergeburt Italiens nehmen die Rebellionen eine breite Stelle ein. Ihre Vorbereitung, ihr Ausbruch und ihre Unterdrückung füllten von 1815 bis 1859 zahlreiche Blätter der italienischen Annalen. Man ist in Italien daran gewöhnt, Alle, die sich an diesen Erhebungsversuchen betheiligt und dafür in irgend einer Weise gelitten haben, unter dem Namen der Märtyrer zu verherrlichen. Ihrem Andenken sind zahlreiche Denkmäler, Ehrentafeln an öffentlichen Gebäuden und in den Sitzungssälen der Rathhäuser, Straßennamen u. dgl. gewidmet; auch in der Literatur haben Schriften wie die Erinnerungen des liebenswürdigen Silvio Pellico an die in Oesterreich erduldete Kerkerhaft oder wie die Schilderung des sicilianischen Verbannten in Vincenzo Ruffinis Doktor Antonio weit über die Grenzen von Italien hinaus Mitgefühl für die Leiden der für die Befreiung ihres Vaterlandes begeisterten italienischen Jugend erweckt. Aber in dem Treiben der Verschwörungen, der Geheimbünde und der Sekten, kurz in dem, was man unter der treffenden Bezeichnung des unterirdischen Italiens zusammengefaßt hat, ist doch auch Vieles geschehen, was den Wiederaufbau des vaterländischen Staates ernstlich gefährdet und den Kampf der Parteien arg vergiftet hat. Gewiß ist der Herrschaft, welche das größte Haupt der Italia sotterranea, der Genuese Guiseppe Mazzini, während seines an den abenteuerlichsten Wechselfällen reichen Lebens über die Geister des jungen Italiens ausgeübt hat, ein großer Theil an dem raschen und nahezu widerstandslosen Zusammenbruch der bestehenden Gewalten zuzuschreiben, als 1859 die Stunde der Befreiung des Landes endlich geschlagen hatte. Auch der beispiellose Erfolg, der Garibaldi im Jahre 1860 auf dem Zuge seiner Tausend begleitete, ist zum großen Theil nur dadurch ermöglicht worden, daß das bourbonische Regiment in Sicilien wie auf dem Festlande durch die rastlose Minirarbeit der geheimen Gesellschaften völlig unterwühlt war. Aber die radikale Staatsfeindschaft, welche in dem Kampfe der Sekten gegen die Unterdrücker groß gezogen wurde, der jeder praktischen Politik abholde Idealismus begeisterter Freiheitsapostel, ferner die Gewöhnung an versteckte Kampfweise und Kampfmittel, an Schleichwege im Dunkeln und an die lichtscheue Thätigkeit geheimer Koterien: das sind Spuren, die von jener Zeit her dem italienischen Parteiwesen schärfer aufgedrückt geblieben sind als in dem politischen Leben anderer Völker, und deren Vorhandensein noch bis in die Gegenwart des Königreichs Italien fortwirkt.

Der Kern, an den das junge Reich sich angliedern konnte, war ein Staat von verhältnißmäßig neuem Ursprung, aber gleichwohl von festem Gefüge. Die oft bemerkte Aehnlichkeit zwischen Piemont und Preußen in dem Werdegange von Deutschland und Italien tritt auch darin zu Tage, daß die Savoyer, wie die Hohenzollern, in harter und langer Arbeit Jahrhunderte hindurch sich zu bewähren gehabt haben, ehe beide Dynastien in rascher Folge die

Königskrone erlangten. Wie die Markgrafen von Brandenburg sich ihr Stammland, die Mark, mühevoll und stückweise, unter kluger Benutzung der Verhältnisse und in andauerndem Kampf mit den Nachbarn erworben haben, so ist es auch den Grafen von Savoyen nicht leicht geworden, aus den Bergthälern ihrer Heimath den Weg über die Alpen in das vom Po und seinen Nebenflüssen durch-strömte Land „am Fuß der Berge" (ad pedem montium, Pede-montium) zu finden und sich dort als Herren zu behaupten. Aber seit der Hohenstaufenzeit ist ihr italienischer Besitz, der sich anfangs auf die Markgrafschaft Susa beschränkte, in allmählichem Wachsthum begriffen geblieben; er überwog schon vor dem Schluß des Mittel-alters an Umfang und Reichthum die angrenzenden Kleinfürsten-thümer und erlangte eine solche Bedeutung, daß die Herzöge von Savoyen in den langen Kämpfen, die zwischen Frankreich, Spanien und Oesterreich über die Herrschaft in Italien stattfanden, ihre Selbständigkeit zu bewahren, ja durch rechtzeitigen Anschluß an die jeweils siegreiche Seite ihr Territorium immer aufs Neue zu ver-größern vermochten.

Ihrer harten Faust als Kriegsmänner und ihrer rücksichts-losen Staatskunst haben die Savoyer es zu verdanken, daß sie auch aus den Kämpfen gegen die erdrückende Uebermacht Ludwigs XIV. ihren kleinen Staat nicht nur unversehrt hervorgebracht, sondern ihn durch die Erwerbung Sardiniens erweitert und durch die Er-langung der Königskrone mit verheißungsvollem, neuem Glanz um-geben haben. Am Schlusse des achtzehnten Jahrhunderts von den Wogen der französischen Revolution überflutet, hat Sardinien dem Anprall ihrer Heere eine Reihe von Jahren hindurch den zähesten Widerstand entgegengesetzt. Mit welcher Hingebung alle Stände dem König dabei zur Seite gestanden haben, ist durch die höchst an-ziehenden Aufzeichnungen, die ein savoyischer Edelmann[1]) aus seinem Familienarchiv vor einigen Jahren veröffentlicht hat, glänzend ans Licht gestellt worden. Nicht unrühmlich, wie andere Nachbarn Frankreichs, hat der König von Sardinien schließlich der Uebermacht weichen müssen und auf dem damals noch mehr als heut welt-

<hr />

[1]) Marquis Costa de Beauregard: Un homme d'autrefois. 7. Ausg. Paris 1896.

fremben Eiland Sardinien ein Asyl gefunden, in welchem er das Ablaufen der Revolutionsfluten abwarten konnte.

Durch den Wiener Kongreß wurden dem Königreich Sardinien seine festländischen Provinzen zurückgegeben, Savoyen und Nizza, die 1814 bei Frankreich belassen worden waren, freilich erst durch den zweiten Pariser Frieden. Außerdem aber erfuhr das Königreich eine ungemein werthvolle Vergrößerung, indem ihm das festländische Gebiet der ehemaligen Republik Genua mit den trefflichsten See= häfen von Norditalien überwiesen ward. Bei einem Areal von 76 000 Quadratkilometer mit etwa 4 Millionen Einwohner trat Sardinien in die lange Friedenszeit, welche den Kriegsstürmen der napoleoni= schen Aera folgte, ein als ein Mittelstaat dritten Ranges, dessen fernere Entwickelung lediglich von der Stellung abhing, welche seine Fürsten zu der italienischen Frage einzunehmen Willens und im Stande sein würden.

Bei dem erdrückenden Uebergewicht Oesterreichs wäre es dem Könige von Sardinien auch beim besten Willen nicht leicht gewor= den, etwas für Italien zu thun. Allein auch am Willen hat es lange Zeit gefehlt. König Victor Emanuel, auf den die Krone während des Exils auf der Insel durch die Abdankung seines Bruders übergegangen war, hatte nach der Rückkehr in seine alten Stammlande nichts Eiligeres zu thun, als das ancien régime möglichst genau so wiederherzustellen, wie es bei der Flucht seines Vorgängers im Jahre 1798 bestanden hatte. Man traut den eigenen Augen kaum, wenn man in den Erinnerungen von Massimo d'Azeglio, einem unverdächtigen Zeugen von loyalster Denkungsart, liest, wie Offiziere, die fast zwei Jahrzehnte hindurch außer Dienst gewesen waren, durch diese geradezu burleske Restauration zu Kommandostellen berufen wurden, denen sie nicht entfernt ge= wachsen waren. Und als der schwache Herr im März 1821 beim Ausbruch eines von jungen Offizieren angezettelten Aufstandes dem Thron entsagte, ging die Regierung auf seinen Bruder Karl Felix (die Italiener haben ihn Carlo Feroce genannt) über, der alsbald die Hülfe Oesterreichs anrief, um die von dem präsumptiven Thron= erben, dem Prinzen Karl Albert von Savoyen=Carignan, publicirte freisinnige Verfassung wieder aufzuheben, und der demnächst, auf eine österreichische Okkupationsarmee gestützt und von Jesuiten ge=

leitet, mit der äußersten Härte gegen alle Anhänger nationaler oder liberaler Ideen vorging.

Karl Albert hatte bei dem Aufstande von 1821 eine Rolle gespielt, die ihn den Oesterreichern wie den Italienern gleich zweideutig machte und die lange Zeit hindurch einen schweren Schatten auf sein ganzes Dasein geworfen hat. Ging man in Wien ernstlich mit dem Gedanken um, ihn trotz seiner Vermählung mit einer Erzherzogin von der Thronfolge in Sardinien auszuschließen, so galt er den Italienern geradezu als Verräther seiner Bundesbrüder. Wie schwer diese Situation auf ihm lastete, wird durch die Aeußerung bezeugt, welche er nach seiner Thronbesteigung (1831) zum Herzog von Aumale that. „Ich stehe," sagte der König, „zwischen dem Dolch der Carbonari und der Chocolade der Jesuiten." Dazu brannte in seiner stolzen Seele der Ingrimm über die persönliche Unbill, die er von den Offizieren der österreichischen Okkupationstruppen zu erdulden gehabt hatte. Trotzdem hat er sich als König lange in den Geleisen seiner Vorgänger bewegt, sich einer zum Mysticismus neigenden Frömmigkeit hingegeben und die Regierung in streng antiliberalem Sinne leiten lassen. Aber als Massimo d'Azeglio ihm 1845 in einer denkwürdigen Audienz im Palaste zu Turin die Lage Italiens und die Hoffnungen der italienischen Patrioten darlegte, die allein auf die Hülfe von Piemont gerichtet waren, da hat ihm der König ohne Besinnen erwidert[1]):

„Sagen Sie diesen Herren, daß sie sich ruhig verhalten sollen und sich nicht rühren, da jetzt nichts zu machen ist. Aber sie können gewiß sein, daß, wenn die Gelegenheit sich bietet, mein Leben, das Leben meiner Söhne, meine Waffen, mein Schatz und mein Heer, Alles für die italienische Sache dargebracht werden wird."

Dies Wort hat König Karl Albert eingelöst, indem er im Februar 1848 eine freisinnige Verfassung proklamirte und nach dem Ausbruch des Märzaufstandes in Mailand die Waffen gegen Oesterreich ergriff. Allein weder seine ungeschulten Scharen waren der österreichischen Armee gewachsen, noch seine Feldherrnkunst der des alten Marschalls Radetzky. Zweimal, bei Custozza am 25. Juli 1848

---

[1]) Massimo d'Azeglio: I miei ricordi (6. ed.) II, 462. Die entscheidenden Worte lauten: la mia vita, la vita dei miei figli, le mie armi, i miei tesori, il mio esercito, tutto sarà speso per la causa italiana.

und nach Ablauf des Waffenstillstandes am 23. März 1849 bei
Novara, von Radetzky aufs Haupt geschlagen, legte der unglückliche
Fürst in der Nacht nach der letzten Niederlage die Krone nieder
und verließ sein Vaterland, um wenige Monate darauf gebrochenen
Herzens in der selbstgewählten Verbannung zu sterben.

In schlimmerer Lage hat wohl selten ein Herrscher die
Regierung angetreten als sein neunundzwanzigjähriger Sohn, König
Victor Emanuel II. Das Heer gänzlich entmuthigt, der siegreiche
Feind im Lande, das Parlament und die Hauptstadt in heftigster
Erregung, Genua im Aufstande: das war die Situation, welcher
der junge König gegenüber stand. Die Italiener haben es ihm nie
vergessen, daß er sich dieser Lage gewachsen gezeigt hat und ohne
Einbuße an der nationalen Würde und unter Aufrechterhaltung der
Verfassung aus der furchtbaren Krise hervorgegangen ist. Damals
und in den darauf folgenden Jahren der Sammlung und des Wieder=
aufbauens der niedergeworfenen Kräfte hat sich der piemontesische
Staat in Wahrheit als der feste Rückhalt der italienischen Hoff=
nungen bewährt. Damals hat sich auch der innere Anschluß aller
besonnenen Vaterlandsfreunde in ganz Italien an die Führung Pie=
monts vollzogen. Und als im Jahre 1852 in dem Grafen Camillo
Cavour ein Meister der praktischen Politik an die Spitze des sar=
dinischen Ministeriums getreten war, da war der Mann gefunden,
um Italien den Weg zu einem nationalen Königreich zu eröffnen.

Freilich nicht ohne fremde Hülfe und nicht ohne Opfer an
die Fremden. Es ist dem König Victor Emanuel nicht leicht ge=
worden, in die Abtretung von Savoyen und Nizza an Frankreich
zu willigen, die Napoleon III. zur Beschwichtigung der patriotischen
Beklemmungen der Franzosen als Preis für seine Zustimmung und
Mitwirkung bei der neuen Schilderhebung Piemonts gegen Oester=
reich gefordert hatte. Handelte es sich doch um die Wiege der
Dynastie und um die Geburtsstadt des schon damals in ganz Italien
gefeierten Volkshelden Garibaldi. Zur Beschönigung ihrer Forderung
haben die Franzosen damals und noch jetzt das Verschiedenste vor=
gebracht, die natürlichen Grenzen, weil sowohl Savoyen als Nizza
auf der französischen Seite der Alpen liegen; ferner das geschicht=
liche Recht, weil beide Landestheile nicht erst 1802, wie das übrige
Piemont, sondern schon einige Jahre früher von Frankreich annektirt

worden sind, und weil sie nicht bloß, wie Piemont, bis 1814, sondern bis 1815 zu Frankreich gehört haben; für Savoyen endlich auch das Nationalitätsprinzip, weil der Dialekt der Savoyarden mehr Aehnlichkeit mit dem Französischen hat als mit dem Italienischen. Angesichts der Thatsache, daß Savoyen das Stammland des einzigen nationalen Fürstengeschlechts von Italien ist, und daß es achthundert Jahre, Nizza fast fünfhundert Jahre mit Piemont vereinigt gewesen ist, sind jene Gründe wenig überzeugend. Die Italiener haben sie von jeher dahin verstanden, daß Frankreich für seinen Beistand einen Lohn gefordert hat. Sie haben diesen Lohn bewilligt, weil sie mußten; aber sie sind sich dabei bewußt gewesen, daß sie Frankreich nun weiter keinen Dank schuldig sind.

„Wir sind nicht unempfindlich für den Schmerzensschrei (grido di dolore), der Uns aus so vielen Theilen von Italien entgegentönt." Mit diesen Worten bei der Eröffnung der sardinischen Kammern leitete König Victor Emanuel im Frühjahr 1859 die neue Schilderhebung seines Landes gegen Oesterreich ein. Ihnen folgte bald die wirkliche Kriegserklärung und die Verkündigung des Bündnisses mit Frankreich, die ganz Italien in die höchste Erregung versetzten. Neben den vereinigten sardo-französischen Armeen ergriffen Freischaren aus allen Theilen Italiens unter Garibaldi's Befehl die Waffen. Alsbald nach den ersten Mißerfolgen der Oesterreicher verließen der Großherzog von Toscana, sowie die Herrscher von Parma und von Modena ihre Staaten. In der Romagna bildete sich sogleich nach dem Abzuge der österreichischen Besatzungen eine provisorische Regierung, die den Anschluß der nördlichen Provinzen des Kirchenstaates an den entstehenden Einheitsstaat vorbereitete.

Die Klugheit, die maßhaltende Energie und der vollendete politische Takt, womit die Italiener in der großen Schicksalsstunde des Jahres 1859 dies Ziel klar erkannt und trotz aller Hemmnisse zu erreichen gewußt haben, bilden eins der schönsten Blätter in der Geschichte von Italiens Wiedererstehung. Unter der weitausschauenden und festen Führung von Cavour, der auch während seines zeitweiligen Rücktrittes aus dem Amte nach dem Waffenstillstand von Villafranca die Seele der politischen Bewegung in Italien blieb, gelang es Ricasoli in Toscana und Farini, in dem unter dem alten römischen Straßennamen der Emilia geschlossenen Bunde von Parma, Modena und der Romagna sowohl jeden Versuch anarchischer Regungen niederzuhalten, als auch partikularistischen Gelüsten zuvorzukommen. Trotz der ihnen zu Villafranca und noch im Friedensvertrage von Zürich verheißenen Wiederherstellung haben die vertriebenen Dynasten ihre Länder nicht wiedergesehen. Ebenso ist Kaiser Napoleons theils verstecktes, theils offenes Liebeswerben um Errichtung eines etrurischen Königreichs für seinen ehrgeizigen Vetter, den Prinzen Napoleon, gegenüber der Feinheit und Entschiedenheit der italienischen Diplomatie erfolglos geblieben. Er, welcher die den Italienern versprochene Befreiung ihres Landes bis zur Adria nicht erfüllt hatte, mußte sich schließlich darin fügen, daß Ricasoli in Toscana, Farini in der Emilia durch Volksabstimmung den Anschluß an Sardinien herbeiführte, und daß König Victor Emanuel die von erdrückenden Mehrheiten geforderte Einverleibung dieser Gebiete in sein durch die Erwerbung der Lombardei schon beträchtlich vergrößertes Königreich vollzog.

Aber noch ehe der König die Huldigung der neuen Provinzen entgegennahm, bereiteten sich größere Ereignisse vor, welche die Vollendung des Einheitsstaates unwiderruflich besiegeln sollten.

Nach dem Tode des autokratischen Ferdinand, des Königs Bomba, war im Mai 1859 sein schwächlicher Sohn Franz II. auf den schwankenden Bourbonenthron in Neapel gelangt. Hatte schon der Vater trotz seiner Menschenkenntniß und seiner langen Erfahrung sich nur durch rücksichtslose Niederwerfung aller widerstrebenden Elemente in der Herrschaft erhalten können, so glitten dem schlecht vorbereiteten und übel berathenen Sohn die Zügel der Regierung beim Ansturm der Einheitsbewegung völlig aus den Händen. Die Niederlagen der Oesterreicher auf den Schlachtfeldern der Lombardei zeigten augenfällig, daß er auf ihren Beistand nicht rechnen durfte; durch den Abfall der Romagna vom Papst verringerte sich der Zwischenraum, der das Neapolitanische von dem italienischen Nationalstaat trennte; die Gefahr eines Zusammenstoßes mit Piemont pochte immer dringender an die Grenzen. Auf die eigene Macht war kein Verlaß. Dem Heere, in welchem sein Vater sich beliebt zu erhalten verstanden hatte, war der Thronfolger völlig fremd geblieben; er stand dem Zwiespalt, der zwischen den ein=

heimischen Truppen und den Schweizerregimentern von jeher be=
standen hatte, rathlos gegenüber, und vermochte nicht, einen blutigen
Zusammenstoß zwischen beiden (im Juli 1859) zu verhindern, der
eine Massenverabschiedung von Schweizern und damit die Erschütte=
rung des zuverlässigsten Theils der Armee zur Folge hatte. Trotz
alledem wies der junge König jeden Versuch, ihn zu der leitenden
Macht Italiens und zu der nationalen Sache in ein besseres Ver=
hältniß zu bringen, auf das Schärfste zurück. „Ich weiß nicht,
was Unabhängigkeit Italiens bedeuten soll, ich kenne nur die Un=
abhängigkeit Neapels," hat er dem russischen Gesandten erwidert,
als dieser ihm beim Regierungsantritt zu einer Verständigung mit
Piemont rieth. Ebenso hat er die Anträge, die ihm Cavour zu
Verhandlungen über ein Bündniß wiederholt machen ließ, schroff
abgelehnt, sich dagegen in geheime Anzettelungen zur Wiederher=
stellung der Habsburger in Toscana und der päpstlichen Herrschaft
in der Romagna verstrickt, die in Turin nicht unbekannt blieben.

Sicilien, obwohl in den Stürmen der Revolutionszeit ebenso
das Asyl der Bourbonen von Neapel wie Sardinien die Zuflucht
des savoyischen Königshauses, war nach der Wiederaufrichtung des
Bourbonenreichs stets der widerwilligste Theil ihrer Herrschaft ge=
blieben. Nach der gewaltsamen Niederwerfung des Aufstandes von
1848, während dessen die Sicilianer ihre Unabhängigkeit und die
Wiederbelebung der ihnen im Jahre 1812 verliehenen autonomen
Verfassung zu erringen versucht hatten, war das schöne Eiland
nur durch strammes Säbelregiment niedergehalten worden. Tausende
seiner besten Söhne hatten wegen politischer Vergehen in den furcht=
baren Kerkern geschmachtet, zu welchen König Ferdinand die durch
Ausnahmegerichte Verurtheilten begnadigt hatte; Tausende hatten
alle Härten der Verbannung und alle Wechselfälle eines politischen
Verschwörerlebens kennen gelernt. Jetzt schien ihnen die langersehnte
Stunde der Vergeltung zu nahen. Aufstände durchzuckten die Insel
und hielten das zahlreiche Besatzungsheer unablässig in Athem;
Flüchtlinge von 1831 und 1848 kehrten zurück und übernahmen
heimlich oder offen die Leitung; ein Netz von Organisationen zum
Anschluß an Italien überzog den vulkanischen Boden. Im geheimen
Einverständniß mit Cavour, welcher einen Freischarenzug nach Rom
abzuwenden bemüht war, gelang es den geistigen Häuptern der

sicilianischen Nationalpartei, Francesco Crispi und Giuseppe Lafarina, Garibaldi zu seinem legendenhaften Zuge nach Sicilien zu bewegen. Tief erbittert über die Abtretung seines Nizza an Frankreich und außer Stande, die ebenso vorsichtige als kühne Politik Cavours zu würdigen, hatte Garibaldi seinen Abschied als General der piemontesischen Armee eingereicht und die Fühlung mit den Radikalen wieder aufgenommen, um Rom dem Papste, Venedig den Oesterreichern durch die Revolution zu entreißen, ein Vorhaben, das, wenn es versucht worden wäre, sicherlich mit der Zertrümmerung des in der Bildung begriffenen Nationalstaates geendet hätte. Um diese drohende Gefahr abzuwenden, blieb Cavour kein anderer Weg offen, als Garibaldi's Thatendrang nach einer Richtung zu lenken, in der sie dem Einigungswerke Nutzen zu bringen vermochte.

Der Zug der „Tausend", den Garibaldi im Mai 1860 begann, und der in wenig Wochen die Bourbonenherrschaft auf Sicilien, im Laufe des Herbstes auch auf dem Festlande zertrümmerte, ist von der Mitwelt als ein Wunder von Kühnheit und List, ein Schiffermärchen am hellen Tage der Gegenwart angestaunt worden. Der Zug übers Meer auf kaum seefähigen Fahrzeugen mitten durch die Wachtschiffe der neapolitanischen Kriegsflotte hindurch, die Landung bei Marsala, der Vormarsch dieser Handvoll Freiwilligen auf Palermo, Garibaldi's verwegener Angriff auf die von zehnfacher Uebermacht besetzte Hauptstadt, dann seine Fahrt über die Meerenge von Messina und der Triumphzug nach Neapel: alle diese Heldenthaten und diese unglaublichen Erfolge waren wie geschaffen, um die Phantasie der Südländer zu bezaubern. Aber ein nicht geringeres Wunder ist die vollendete Staatskunst gewesen, durch welche Cavour es fertig brachte, den wachsenden Groll von Frankreich, Oesterreich und Rußland von einer Intervention zurückzuhalten, trotz aller Entzweiungsversuche mit Garibaldi in fester Fühlung zu bleiben und der Würde der Krone nichts zu vergeben.

Die gleiche Meisterschaft in Beherrschung der schwierigsten Situation hatte er im Kirchenstaate zu erweisen. Gestützt auf die französischen Truppen, die ihm 1849 Rom zurückeroberт und seitdem seinen Schutz dort gebildet hatten, war Papst Pius IX. dem italienischen Einheitsgedanken, den er bei seiner Erhebung auf den Stuhl des heiligen Petrus anzufachen geholfen hatte, immer tiefer

entfrembet worben. Mit wachfender Abneigung hatte er die Er=
ftarkung biefes Gebankens burch bie Piemontefen verfolgt, jebem
Annäherungsverfuche bes Königs unb feines Minifters fich abhold
gezeigt unb beim Beginn ber Schilberhebung von 1859 einen Auf=
ftanb in Perugia mit herber Strenge zu Boben gefchlagen. Als
bie Romagna von ihm abfiel unb fich bem nationalen Königreich
anfchloß, hatte er nicht nur zu ben früher fo furchtbaren Waffen bes
Kirchenbannes gegriffen, fonbern fich auch weltliche Machtmittel burch
Verftärkung feines Sölbnerheeres zu fchaffen gefucht. Sein Gebiet
war ber Sammelpunkt aller Reaktionskräfte in Italien, feine Armee,
unter bem Befehl Lamoricière's, bie Vereinigung aller Gegner bes
neuen Königreichs geworben; fie brohte, bem Reft ber bourbonifchen
Armee, ber am Volturno Garibalbi's locker zufammengefügten
Scharen gegenüberftanb, bie Hanb zur Wiederherftellung bes Bour=
bonenthrones zu bieten. Da griff Cavour ein. In einem kurzen
Felbzug wurbe bas päpftliche Heer von ben Piemontefen unter
Fanti unb Cialbini bei Caftelfibarbo zerftreut, Ancona zur Er=
gebung gezwungen unb ber Kirchenftaat, mit Ausnahme bes von
ben Franzofen befetzten weftlichen Theils, von ber päpftlichen Ge=
walt befreit. In rafch aufeinanber folgenben Volksabftimmungen
vollzog fich im Oktober unb im November 1860 ber Anfchluß bes
bisherigen Königreichs beiber Sicilien fowie ber Marken unb Um=
briens an ben nationalen Staat.

Das neue Königreich umfaßte, als Victor Emanuel am
17. März 1861 ben Titel König von Italien annahm, ein Gebiet von
248692 Quabratkilometern mit (bamals) etwa 22 Millionen Ein=
wohnern. In noch nicht zwei Jahren hatte fich ber Umfang unb
bie Einwohnerzahl bes von ber Dynaftie Savoyen beherrfchten Lanbes
auf bas Vierfache vergrößert. Weit über bie kühnften Hoffnungen
ber Vaterlanbsfreunbe hinaus hatte fich ber Zufammenfchluß ber
Nation zu einem Einheitsftaate mit reißenber Schnelligkeit voll=
zogen. Von ben Sonberherrfchaften, in welche ber Wiener Kon=
greß Italien zerftückelt hatte, waren bas Königreich beiber Sicilien,
bas Großherzogthum Toscana, bie Herzogthümer Parma unb
Mobena völlig in bas Königreich Italien aufgegangen; Oefterreich
hatte bie Lombarbei, bie reichfte unb am ftärkften bevölkerte Hälfte
feines italienifchen Befitzes, ber Kirchenftaat etwa zwei Drittel

seines Gebiets mit mehr als drei Vierteln seiner Bevölkerung an den Nationalstaat abgegeben. An die Stelle eines Konglomerats von kleinen, durch widerstrebende Interessen getrennten, zum großen Theil ausländischem Einfluß unterworfenen Staatswesen war eine geschlossene, unabhängige europäische Großmacht, an die Stelle auto= und theokratischer Herrschaften fremden Ursprungs ein natio= nales verfassungsmäßiges Königthum getreten.

Dieser beispiellose Erfolg hat damals in Italien selbst Be= sorgniß erregt. Sogar Cavour's kühner Geist fand das Land und das Volk für einen so schnellen Zusammenschluß nicht ge= nügend vorbereitet. Er hätte, wenn es in seiner Macht gestanden hätte, den Anschluß des Südens lieber hinausgeschoben. Denn es war ihm zweifelhaft, ob der Kern des so plötzlich entstandenen Großstaates ausreichende Kraft besitzen würde, um die tiefgreifenden Verschiedenheiten seiner Bestandtheile zu einem organisch verbun= denen Ganzen auszugleichen, und um namentlich die tiefe Kluft zu überbrücken, welche den unter Jahrhunderte langer Mißregierung politisch, wirthschaftlich und moralisch arg verkommenen Süden von dem strafferen, staatlich besser geschulten Norden trennte. Noch auf dem Todtenbette hat sich der Schöpfer des italienischen Einheitsstaates mit nichts angelegentlicher beschäftigt als mit dem Geschick der Süditaliener. „Unsere armen Neapolitaner," hatte er am Tage vor seinem Tode (6. Juni 1861) dem Könige bei dessen letztem Besuch gesagt, „man muß sie waschen, waschen (si lavi)!" Und diese Sorge war in weiten Kreisen vorherrschend. Wer im Frühjahr 1861 in Italien verweilt hat, wird sich erinnern, welchen Wirrwarr die italienischen Beamten und Offiziere bei Her= stellung geordneter Zustände in dem von den Garibaldi=Zuge des Vorjahres überfluteten Südprovinzen vorfanden, und wie wenig Verständniß ihr kühles zugeknöpftes Wesen trotz aller geschäftlichen und persönlichen Zuverlässigkeit bei den erreglichen, phantasievollen Südländern fand.

Cavour's Tod war in jeder Hinsicht ein furchtbarer Schlag für Italien. Denn neben den ungeheuren Schwierigkeiten der inneren Organisation war das junge Königreich auch nach Außen hin noch nicht völlig konstituirt, solange ihm Venedig und Rom fehlten. Den Oesterreichern war kraft des Züricher Friedens das gesammte venezianische Gebiet verblieben mit einigen Strichen rechts des Mincio um Peschiera und Mantua; mehr als zwei Millionen Italiener und zwar gerade die, welche bis zum Ende des 18. Jahrhunderts dem ältesten nationalen Staatswesen von Italien angehört hatten, waren nicht von der Fremdherrschaft befreit worden. Auf sein Festungsviereck gestützt, nahm Oesterreich trotz der Verminderung seines Besitzes und seines Einflusses in Italien immer noch eine Machtstellung ein, welche unter allen Umständen ernste Gefahren für die Aufrechterhaltung der nationalen Unabhängigkeit in sich schloß und beim Eintritt von politischen Verwickelungen leicht zu einer Zerreißung der nationalen Einheit führen konnte. Nicht minder verhängnißvoll konnte es für das neue Königreich werden, daß der Papst noch immer, auf eine ausländische Macht gestützt, über einen wenngleich wesentlich eingeschränkten Theil des Kirchenstaates als weltlicher Herrscher gebot. Ihm war ein Küstenstrich am tyrrhenischen Meer bis an das Tiberthal und an die Sabinerberge, im Wesentlichen das alte Patrimonium Petri verblieben. Mitten im Herzen ihres Landes sahen die Italiener von Civitavecchia bis Terracina die Fahnen der französischen Besatzungen wehen, auf deren Verbleiben im Lande die Fortdauer dieses Restes der weltlichen Papstherrschaft beruhte. Auf den Heerstraßen, die aus Italien nach Rom führten, standen an der neu errichteten Grenze französische Schildwachen den italienischen von Angesicht zu Angesicht gegenüber. Vor allem war es dem Ehrgefühl der Italiener unerträglich, die französische Trikolore nach wie vor auf dem römischen Kapitol flattern zu sehen, Rom, die alte Weltherrscherin, unter der Herrschaft der Fremden zu wissen. Auch hatte der Papst sich nicht wie Oesterreich vertragsmäßig in das Geschehene gefügt; er hielt seinen Anspruch auf Zurückgabe der mit Italien vereinten Theile des Kirchenstaates in aller Schärfe aufrecht und rief bei jedem Anlaß die Hülfe des katholischen Auslandes zur Beseitigung des kirchenräuberischen Aergernisses herbei. Sowohl mit der Kurie als mit ihrem Beschützer, dem Franzosenkaiser, schien die Verständigung über einen friedlichen Anschluß von Rom an das neue Königreich völlig ausgeschlossen. Cavour's Nachfolger in der Leitung der Staatsgeschäfte erkannten dies nothgedrungen an, indem sie, da Turin bei seiner Abgelegenheit nicht Sitz der Regierung bleiben konnte und Rom dauernd nicht zu erlangen schien, sich schweren Herzens entschlossen, Florenz zur Hauptstadt von Italien zu machen.

Aber das unerhörte Glück, das die Entstehung des National= staates seit 1859 begleitet hatte, sollte auch seine Vollendung in ganz unerwartet schneller Folge herbeiführen. Der Krieg zwischen Preußen und Oesterreich brachte den Italienern, trotz der schweren Niederlagen, welche sie im Jahre 1866 zu Lande und zu Wasser durch Oesterreichs Heer und Flotte erlitten, den heiß ersehnten An= schluß der venezianischen Provinzen. Und als während des deutsch= französischen Krieges die Franzosen nach den erschütternden Schlägen um Metz ihre Besatzungstruppen aus Rom heimriefen, da sank nach kurzem Widerstand der letzte Rest der Papstherrschaft zusammen. Am 20. September 1870 zogen die italienischen Regimenter in das befreite Rom ein. Die Wiederkehr dieses Tages wird von den Italienern als Gedenktag des Abschlusses ihrer nationalen Wieder= geburt gefeiert.

Mit der Verlegung des Regierungssitzes nach Rom war die Errichtung des italienischen Nationalstaates nach außen hin vollendet. Seitdem haben die Italiener mehr als ein volles Menschenalter Zeit gehabt, um ungestört durch äußere Ereignisse an seiner inneren Befestigung zu arbeiten. Auf das an Wechselfällen der Geschicke reiche, der südländischen Phantasie schmeichelnde Drama der Be= freiung vom Joche der Fremdherrschaft ist die nüchterne Prosa eines mühevollen und langwierigen Organisationswerkes gefolgt. Selbst von Männern, welche Italien kannten und ihm nicht abgeneigt gegenüberstanden, ist lange an dem Gelingen dieses Werkes ge= zweifelt worden. Historiker, welchen die uralten Theilungen des Landes vor Augen standen: die Stammesunterschiede seiner Be= wohner, die Eifersucht und der Haß zwischen den Nachbarn, die Entfremdung der ferner Wohnenden, der Municipalgeist der Städte, die Abgeschlossenheit der Landbewohner, Geographen, welche die Ausdehnung des langhingestreckten schmalen Gebietes erwogen, die Unwegsamkeit der Gebirge und der Bergländer im Innern der Halbinsel, den Mangel an Verbindungen zu Lande und zu Wasser, Volkswirthe, welche auf die wirthschaftlichen und sozialen Ungleich=

heiten zwischen Norden und Süden hinwiesen, auf die ungeheuren Anforderungen einer modernen Großmachtsstellung und auf die knappen Hülfsmittel von Italien: kurz von den verschiedensten Gesichtspunkten aus hat man die Möglichkeit eines italienischen Einheitsstaates wissenschaftlich lange Zeit hindurch in Abrede gestellt.

Aber das Dasein der Nationen hängt glücklicherweise nicht von der Erlaubniß der Doktrin ab; sie existiren frisch drauf los und schaffen sich praktisch freie Bahn, wo ihnen theoretisch jeder Weg versperrt wird. So haben auch die Italiener ihre Aufgabe begriffen und ihre Lösung in Angriff genommen, so unüberwindlich auch selbst den Muthigsten die obwaltenden Schwierigkeiten erscheinen mochten. Galt es doch bei ihnen, neben allem Andern, was durch die Einrichtung eines modernen Großstaates verlangt wird, einem großen Theile der Nation den Staatsgedanken überhaupt erst verständlich zu machen. Jahrhunderte lang hatten Bewohner der verschiedensten Theile von Italien in der jeweils bestehenden Herrschaft nur ihre Unterdrücker, in der Staatsgewalt lediglich ein Werkzeug zu ihrer Knechtung und Ausbeutung erblickt. Ihnen war der Staat der natürliche Feind gewesen; ihn zu hintergehen hatte nicht für unerlaubt, sondern für klug, ihn zu bekämpfen für mannhaft und ehrenvoll gegolten. Hier Wandel zu schaffen, das war vielleicht das Schwerste, was als Erbe der Fremdherrschaft und des Partikularismus auf den neuen Einheitsstaat überging.

Um so schwerer, als an die Leistungsfähigkeit der neuen Staatsbürger harte Anforderungen gestellt werden mußten, die nicht sonderlich geeignet waren, die unteren und mittleren Klassen der Bevölkerung mit der neuen Ordnung der Dinge zu befreunden. Es handelte sich um nichts mehr und nichts weniger, als die militärischen, die finanziellen, die administrativen und die wirthschaftlichen Grundlagen des neuen Staates einheitlich zu regeln und dauernd sicher zu stellen. Zu gleicher Zeit mußten die Armee und die Flotte geschaffen, die Steuerverfassung und das gesammte Finanzsystem geordnet, die Verwaltung und die Rechtspflege organisirt, im Münz=, Maß= und Gewichtswesen neue Normen eingeführt werden. Dazu kamen die umfassendsten und schwierigsten Aufgaben für die Pflege des geistigen Lebens der Nation; die Ein=

führung der Volksschule in dem klassischen Lande der Analphabeten, die Grenzregulirung zwischen Staat und Kirche, die Regelung des Verhältnisses zum Papst, zu welchem, auch wenn er fortfuhr, die Italiener als Kirchenräuber zu verdammen, doch namentlich seitdem im Vatikan und Quirinal die Träger der dreifachen Tiara und der nationalen Krone unmittelbare Nachbarn geworden waren, schlechthin ein praktischer modus videndi gefunden werden mußte. Endlich auf dem Gebiete der Wohlfahrtspflege der Nation, welche Unsumme uralter Vernachlässigung des Gesundheitswesens, der Landeskultur, der Bodenvertheilung, der Armenpflege gingen als brennende Fragen der Gegenwart und als schwierigste Probleme der Zukunft auf den neuen Staat über!

Selbstverständlich können Aufgaben von solcher Wucht und solchem Umfang garnicht in Angriff genommen, geschweige denn gelöst werden ohne den Einsatz der ganzen Kraft der Nation, und sie erfordern einen Aufwand von persönlicher Anstrengung und von Opfern aller Art, an den man in den meisten Theilen von Italien in solchem Maße wenig gewöhnt war. Sie erfordern ferner eine Ausdauer und eine Beständigkeit, welche mit dem Temperament des Südländers schwer vereinbar sind, und denen überdies durch die Form des Staatslebens noch ganz besondere Erschwerungen bereitet werden. Italien ist ein konstitutioneller Staat im vollen Sinne des Worts. In der praktischen Handhabung hat sich das italienische Verfassungsleben sogar zum Parlamentarismus entwickelt, sodaß, wenn auch nicht gesetzlich, so doch nach fester Uebung der Bestand des Ministeriums an die Mehrheit der Deputirtenkammer gebunden ist und bei deren Schwanken einem häufigen Wechsel unterliegt. Ein Ministerwechsel aber bedingt den Rücktritt nicht bloß des leitenden Staatsmannes und der politischen Minister, sondern auch der Chefs der technischen und Fachministerien, bei denen die Kontinuität in der Fortführung der Verwaltung besonders noth thut. Man denke nur, was uns in Preußen die Einführung der allgemeinen Militärdienstpflicht, des allgemeinen öffentlichen Unterrichts und die Gründung des Zollvereins gekostet haben würden, wenn wir neben den in der Sache liegenden Schwierigkeiten auch noch mit alljährlichem Wechsel der leitenden Persönlichkeiten und der leitenden Ideen zu rechnen gehabt hätten.

2*

Es soll später nach verschiedenen Richtungen des Volkslebens zu zeigen versucht werden, wie sich die Wehrkraft, die öffentliche Ordnung, der Wohlstand, die Bildung und die Sittlichkeit des italienischen Volkes seit der Wiedererlangung der Unabhängigkeit gestaltet haben. Fest steht das Eine, daß Italien mit der Errichtung des nationalen Staates in die Reihe der europäischen Großmächte und in den Kreis der europäischen Kulturstaaten eingetreten ist, und daß das junge Königreich sich den Aufgaben, welche diese Stellung ihm auferlegen, nicht entzogen hat. Wer Italien unmittelbar vor der Vollendung seiner politischen Wiedergeburt, im Jahre 1861, zum ersten Male gesehen und seitdem öfters wieder besucht hat, wird je nach dem politischen, sozialen und konfessionellen Standpunkt, den er einnimmt, auch heut noch Vieles zu wünschen finden. Aber wer die heutige Lage der Dinge unbefangen mit der damaligen vergleicht, wird gern anerkennen, daß die Italiener seit 1861 sehr wesentliche Fortschritte zum Bessern gemacht haben, und daß man an der Zukunft ihres Staates und ihrer Nation nicht zu verzweifeln braucht.

Das Königreich Italien umfaßt einen Flächenraum von 286 648 qkm mit einer Bevölkerung, deren Zahl bei der Volkszählung des Jahres 1871 auf 26,8 Millionen, im Jahre 1881 auf 28,4 Millionen ermittelt wurde. Seitdem ist, volle zwanzig Jahre hindurch, aus Sparsamkeitsgründen die Bevölkerungsziffer nicht durch wirkliche Zählungen ermittelt, sondern durch Zuschreiben des wahrscheinlichen Zuwachses berechnet worden. Ende 1898 betrug die auf dieser unsicheren Grundlage ermittelte Zahl 31,6 Millionen. Durch die im Februar 1901 nach so langer Unterbrechung wieder aufgenommene wirkliche Volkszählung, von der bisher nur das summarische Ergebniß vorliegt, ist die gegenwärtige Bevölkerung von Italien auf 32,4 Millionen Einwohner festgestellt worden. Bei der hieraus sich ergebenden Zahl von 113,2 auf den qkm gehört Italien zu den am dichtesten bevölkerten Ländern von Europa. Es steht in dieser Hinsicht nur Großbritannien (mit 126 Köpfen auf den qkm) und einigen kleinen Ländern nach, während es alle übrigen Großstaaten, namentlich auch Deutschland (104,2) und

Frankreich (71,8) übertrifft. Die Bevölkerungsdichtigkeit Italiens ist trotz der seit zwei Jahrzehnten rasch angewachsenen überseeischen Auswanderung in beträchtlicher Zunahme begriffen; sie hatte bei den Volkszählungen von 1871 und 1881 sich auf 93 und 99 Köpfe auf den qkm belaufen. Seit der Errichtung des Königreichs hat sich die Bevölkerung seines Gebietes um nahezu 6 Millionen vermehrt.

Dieser hohe Grad von Bevölkerungsdichtigkeit ist um so bemerkenswerther, als ein beträchtlicher Theil des italienischen Bodens dem Anbau Schwierigkeiten bereitet, ein nicht geringer Flächenraum ihm sogar völlig entzogen ist. Die Alpen, welche von der ligurischen Küste die West-, Nord- und Ostgrenzen Ober-Italiens umziehen, strecken trotz ihres nach der italienischen Seite im Ganzen jähen Abhanges doch von allen Seiten Hochthäler nach Italien hinein, deren Umwallungen sich vielfach über die ewige Schneegrenze erheben, wie beim Thale von Cogne, das von der Grivola, oder der Balsavaranche, die vom Gran Paradiso zur Dora baltea abfällt, nicht minder aber bei den Thälern, die von den Hochgipfeln des Matterhorns (Valtournanche) und des Monte Rosa (Gressoney) ins Baldostanische niedersteigen. Ebenso wird in der nördlichen Lombardei ein erheblicher Theil des Bodens, namentlich das Veltlin in der Provinz Sondrio von den Ausläufern der Berninakette, und im Venezianischen insbesondere die Provinz Belluno von den Dolomiten um die Thäler des Cismon, des Cordevole und der Piave bedeckt. Den schmalen Leib der Halbinsel durchziehen in fast ununterbrochener Folge die Apenninen, die mit Parallelketten und Querriegeln weite Räume anfüllen und sich an manchen Stellen, wie in den Abruzzen um die bis an die Schneegrenze aufragenden Häupter des Gran Sasso d'Italia, oder in Calabrien im Waldgebirge der Sila, zu ausgedehnten, schwer zugänglichen Bergländern von geringer Anbaufähigkeit aufschichten. Die Apenninenkette, welche an der Spitze des Stiefels in Calabrien mit den Steilwänden des Aspromonte abbricht, setzt sich jenseits der Meerenge fort, indem sie die Nordküste von Sicilien mit herrlich gefalteten Bergrändern umsäumt und einen großen Theil des trinakrischen Dreiecks bis zu der abflachenden Südküste mit Gebirgszügen bedeckt. Nicht minder breiten sich auf Sardinien verschiedene Bergsysteme aus, die für Ebenen nur wenig Raum frei lassen. Als steile Felsen ragen die meisten der kleineren Inseln auf, welche vereinzelt wie Elba, Capraja, Giglio und Gorgone an der Küste von Toscana, und wie Ischia, Nisida und Capri um den Golf von Neapel, oder gruppenweise, wie die liparischen Inseln nördlich von Sicilien, den schönen Bogen der Halbinsel umgeben. Endlich entziehen ausgedehnte Sumpfbildungen, wie die Maremmen in Toscana und die pontinischen Sümpfe in Latium, trotz aller Kultivirungsversuche noch immer bedeutende Strecken ebenen Landes dem Anbau. Die Campagna, welche Rom mit einer grandiosen Einöde umschließt, ist trotz der Fruchtbarkeit ihres Bodens durch ausgedehnte Weidewirthschaft und die schlimme Geißel der Malaria immer mehr entvölkert worden.

Diese Verhältnisse rufen in der Bevölkerungsdichtigkeit Italiens sehr erhebliche Verschiedenheiten hervor. In der Lombardei, wo die Bevölkerungsziffer im Ganzen den Durchschnitt des Landes um die Hälfte übersteigt (168,9 Köpfe auf den qkm), sinkt sie in der Provinz Sondrio (43) auf zwei Fünftel, im Benezianischen (127,8) in der Provinz Belluno mit 52,9 auf die Hälfte dieses Durchschnittes. Toscana, wegen seiner Fruchtbarkeit und seiner hohen Kultur als Garten von Italien gefeiert, bleibt mit 96,7 Köpfen auf den qkm unter dem Durchschnitt, weil der Bevölkerungsstand in den Provinzen Grosseto (nur 28,1) wegen der Maremmen und Siena (54,6) wegen der Unwirthlichkeit des toscanischen Hochlandes auf ungewöhnlich niedrige Ziffern sinkt. Der fast unglaublichen Entvölkerung der Campagna, die auf einer Bodenfläche von 2000 qkm nur wenige Hundert ständige Bewohner zählt, hat die Provinz Rom es zuzuschreiben, daß sie mit 86,4 Köpfen auf den qkm hinter dem Landesdurchschnitt zurückbleibt, obwohl die Hauptstadt mit ihren nahezu 500 000 Einwohnern allein fast die Hälfte der Gesammt-bevölkerung der Provinz stellt. In Süditalien spricht sich in der geringen Bevölkerung der Provinzen Aquila (60,6) die vorhin er-wähnte Anbauschwierigkeit des alten samnitischen Gebirgslandes, Foggia (60) die Menschenleere der apulischen Weideflächen, Cosenza (71) die fiebererzeugende Versumpfung der Küste am Meerbusen von Tarent aus.

Indessen stehen diesen dünner bevölkerten Gebieten in allen Theilen des Landes dichtbewohnte Provinzen gegenüber. Sieht man von Sardinien ab, dessen geringe Kultur mit einer Bevölkerung von nur 31 K. auf den qkm eine auch geschichtlich stets vorhanden gewesene Sonderstellung zum Ausdruck bringt, so lassen sich, bei allen Verschiedenheiten im Einzelnen, durchgreifende Unterschiede in der Bevölkerungsdichtigkeit von Ober=, Mittel= und Unteritalien nicht erkennen. Der hohe Kulturstand des gesammten Landes spricht sich auch in der nahezu gleichmäßigen Vertheilung der Großstädte aus. Von Städten über 100 000 Einwohner entfallen auf Ober= italien Mailand, Turin, Genua und Venedig, auf Mittelitalien Rom, Florenz, Bologna, Livorno, auf Unteritalien Neapel, Palermo, Messina und Catania. Das hohe Alter dieser Kultur tritt sehr be= zeichnend darin hervor, daß mit Ausnahme von Venedig und Livorno alle großen Städte des heutigen Italiens bereits im Alterthum vorhanden gewesen sind und mit den durch die Lautgesetze der italienischen Sprache bedingten Aenderungen noch jetzt ihre römischen Namen tragen. Jedenfalls sind die Ungleichheiten, welche die Be= völkerungsdichtigkeit der einzelnen Landestheile von Italien aufweist, nicht größer, als sie in anderen Ländern ebenfalls vorhanden sind, und sie sind nicht von der Bedeutung, daß man aus ihnen ein Bedenken gegen die Bestandsfähigkeit des italienischen Einheitsstaates herleiten könnte.

Italien gehört den Italienern in einem Umfange, wie wenige Nationen dies von ihrem Vaterlande behaupten können; es wird ganz und gar von Italienern bewohnt. Trotz der so häufigen Ueberflutung durch fremde Volksstämme und trotz langjähriger Fremdherrschaft giebt es innerhalb des Königreichs Italien von den Abhängen der Alpen bis zu den Spitzen Siciliens keinen nennenswerthen Landstrich, der Nichtitalienern verblieben wäre. In einzelnen abgelegenen Alpenthälern, dem Thal von Gressoney südlich vom Monte Rosa, ferner in den sette comuni nördlich von Bassano in der Provinz Vicenza und den tredici comuni nordwärts von Verona haben sich vom Mittelalter her noch kleine deutsche Sprachinseln erhalten. Wohl mag der deutsche Alpinist, der von Zermatt über die vergletscherten Joche des Theodulpasses und der Betta Forca oder über den schwierigen Pfad des Lysjoches ins Gressoney hinabsteigt, sich freuen, in den schmucken Gehöften auf den grünen Matten der oberen Thalstufe deutsche Namen, deutschen Brauch und vielfach auch noch deutsche Sprache anzu=

treffen. Ebenso wird der deutsche Wanderer, der aus der Valsugana an der Brenta abwärts gehend, oder von Primiero her dem Laufe des Cismone folgend nach Asiago gelangt, gern einzelne jener sieben Gemeinden aufsuchen, in denen, wie in den tredici comuni um Ghiazza, eine alte, aber seit lange als irrig erkannte Ueberlieferung die Reste der von Marius vernichteten Cimbern hat erblicken wollen. Aber weder diese kleinen deutschen Enklaven, noch die wenig zahl= reicheren Slaven, welche als westlichster Ausläufer der Slovenen in Krain sich in einigen Bergthälern von Friaul vorfinden, wollen etwas anderes als italienische Staatsangehörige sein. Das Gleiche ist bei den Abkömmlingen der Griechen und der Albanesen der Fall, die beim Untergang des oströmischen Reichs sich vor der Türken= herrschaft nach Unteritalien geflüchtet haben und von denen in ein= zelnen Gemeinden auf der Halbinsel von Otranto und in Calabrien, namentlich aber in Sicilien die griechische Sprache und das griechische Bekenntniß noch bis heute bewahrt werden. Auf das lebhafteste endlich würden die Piemontesen um Aosta im Thal der Dora baltea und an der Dora riparia westlich von Susa, sowie die ihnen benachbarten Waldenser am Chifone sich dagegen verwahren, wegen ihres dem Französischen verwandten Dialekts für etwas anderes als für gute Italiener gehalten zu werden. So ist dem Königreich Italien erspart geblieben, daß es neben anderen ihm wahrlich reich genug zugemessenen Schwierigkeiten auch noch mit widerstrebenden Nationalitäten auf italienischem Boden sich zu ver= ständigen oder sie zu bekämpfen hätte. Vielmehr ist das Gefühl nationaler Zusammengehörigkeit, das alle Staatsangehörigen durch= dringt und das durch das feste Band der Allen theuren und ver= ständlichen italienischen Sprache in wachsendem Maße gekräftigt wird, eine der stärksten und widerstandsfähigsten Wurzeln, auf denen das junge Königreich beruht. Es zeugt von der starken Lebenskraft der italienischen Kultur, daß es ihr trotz der überaus ungünstigen politischen Lage, in welcher Italien sich bis zum Be= ginn seiner staatlichen Wiedergeburt Jahrhunderte hindurch befunden hat, dennoch gelungen ist, die großen Stammesverschiedenheiten der Landesbewohner zu einem wesentlich homogenen Volkswesen von ausgeprägt nationalem Charakter zusammenzuschmelzen. Noch Gioberti hatte diese Stammesverschiedenheiten und die daraus sich ergebenden Abstände zwischen den einzelnen Regionen Italiens, namentlich zwischen dem Norden und dem Süden, für so unüberbrückbar gehalten, daß er ihretwegen die Errichtung eines italienischen Einheitsstaates als eine Unmöglichkeit ansah. Jetzt sind trotz sehr erheblicher Abweichungen im Wohlstand, in der Gesittung und in der Landeskultur die provinziellen Unterschiede der Italiener in fortschreitender Ausgleichung begriffen.

Italien gehört den Italienern; aber nicht alle Italiener, das heißt nicht Alle, die der Abstammung und der Sprache nach zu den Italienern zu zählen sind, gehören zu Italien. Vielmehr sind auch nach der Errichtung des nationalen Königreichs Theile des italienischen Sprachgebiets in fremden Staatsverbänden geblieben. Frankreich hat Corsica behalten und die altitalienische Grafschaft Nizza, das heutige Departement der Seealpen, dazu erworben. Die Schweiz ist innerhalb der Grenzen, welche nach dem Falle der napoleonischen Herrschaft aufgerichtet wurden, von der Wiedererhebung Italiens unberührt geblieben; der Kanton Tessin bildet, obwohl fast ausschließlich von italienisch redenden Menschen bewohnt, ein Glied des schweizerischen Bundesstaates, und die Eidgenossenschaft zählt nach wie vor das Italienische zu den gleichberechtigten Landessprachen der Schweiz. Malta, das mit seinen Nebeninseln Gozzo und Comino zwar von einer Bevölkerung gemischten Ursprungs bewohnt wird, aber beim Vorwiegen des italienischen Blutes und dem allgemeinen Gebrauch der italienischen Sprache zum Gebiete der letzteren gehört, wird seit 1800 von den Engländern beherrscht, welche durch Verstärkung der aus der Zeit des maltesischen Ritterordens überkommenen Festungswerke aus der Hauptstadt La Valette einen Kriegshafen ersten Ranges und den Stützpunkt ihrer Flottenmacht im Mittelmeer geschaffen haben. Endlich ist Oesterreich auch nach dem Verlust seiner lombardischvenezianischen Provinzen im Besitze von Gebietstheilen in Südtirol und an den Küsten des adriatischen Meeres geblieben, in denen das Italienische die vorherrschende Landessprache ist.

Während nun gegenüber Frankreich, der Schweiz und England von den Italienern ein Anspruch auf Herausgabe der jenen Staaten gehörigen Theile des italienischen Sprachgebietes niemals ernstlich erhoben, ja die nothgedrungene, einem großen Theile der

Nation unerwartete und unwillkommene Abtretung von Nizza ehr=
lich eingehalten und leidlich verschmerzt worden ist, hat man in
Italien die Abtrennung von Südtirol und Istrien aus dem öster=
reichischen Staatsverbande und ihre Vereinigung mit dem König=
reich Italien wiederholt zum Ziel einer geräuschvollen Agitation
gemacht. Unter dem Schlagwort der Italia irredenta haben
Wortführer dieser Partei die öffentliche Meinung dahin zu beein=
flussen gesucht, die Befreiung Italiens von der Fremdherrschaft
könnte nicht eher für vollbracht gelten, als bis Oesterreich jene
Landschaften herausgegeben hätte.

Mit Ausnahme weniger Jahre, während deren Südtirol dem
von Napoleon errichteten und von ihm beherrschten Königreich
Italien einverleibt gewesen ist, hat der italienisch redende Theil
von Tirol niemals in irgendwelchem politischen Verbande zu Italien
gestanden. Die Fürstbischöfe von Brixen und von Trient sind bis
zum Eindringen der Franzosen deutsche Reichsstände gewesen. Die
Grenze, welche in Südtirol zwischen Oesterreich und Italien besteht,
ist dieselbe, welche seit Jahrhunderten das Gebiet der Republik
Venedig von dem deutschen Reiche getrennt hat. Uebrigens fällt
jener uralte politische Grenzzug auch mit der natürlichen Grenze
überein. Denn diese folgt nicht dem Hauptkamme der Alpen, der
durch die tiefen, von Norden her bequem zugänglichen Einschar=
tungen der Reschenscheideck und des Brenners unterbrochen ist,
sondern sie wird durch die hohen, gegen die Thäler der Lombardei
und Venetiens scharf abfallenden Bergzüge gebildet, welche das
obere und mittlere Etschthal im Westen und im Osten umgeben
und sich gegen Süden keilförmig zu dem alten Thor von Italien,
dem Engpaß der Veroneser Klause zuspitzen. Innerhalb dieses
Dreiecks, das immer zu Deutschland gehört hat, das den Schau=
platz uralter deutscher Volkssagen bildet und das im Mittelalter
eine Heimath des besten deutschen Minnesanges gewesen ist, befin=
det sich seit dem sechszehnten Jahrhundert das italienische Idiom
zwar im Vordringen, allein es hat selbst im Süden, dem Trien=
tinischen, keineswegs die Alleinherrschaft erlangt. Denn sowohl
westlich der Etsch im Nonsberger und im Sulzberger Thal, als
auch namentlich in den Bergthälern im Osten der Etsch haben sich
zahlreiche deutsch gebliebene Gemeinden erhalten. Der Norden nun

gar, der doch auch jenseits des Hauptkammes der Alpen liegt, ist bis über den Bozener Boden hinaus ganz und gar deutsch. Von einem Rechtstitel, auf Grund dessen Oesterreich zur Abtretung von Südtirol an Italien angehalten werden könnte, liegt nicht eine Spur vor. Auf Istrien und an der Küste von Dalmatien haben die Venezianer Besitzungen gehabt, aber kraft Eroberungsrechtes auf nicht italienischem Boden und unter einer fremdsprachigen Bevölkerung. Der Landstrich, auf welchem Triest steht, hat überhaupt nicht unter venezianischer Herrschaft gestanden; Triest selbst, das seit mehr als einem halben Jahrtausend zum Hausgut der Habsburger gehört, ist als Hafen und Handelsplatz durchaus eine Schöpfung österreichischer Unternehmungskraft und österreichischen Kapitals. Die Auslieferung dieses für das weite Binnenland des Kaiserstaates grabezu unentbehrlichen Seehafens deshalb zu begehren, weil zwei Drittel seiner Bewohner italienisch reden, ist eine starke Zumuthung an die österreichische Gemüthlichkeit.

Bei dieser Sachlage hat sich im Königreich Italien bisher noch kein für die Leitung des Staates verantwortlicher Politiker gefunden, der die Berechtigung der Bewegung auf Abtretung der italienisch redenden Gebietstheile Oesterreichs anerkannt hätte. Die italienische Regierung hat vielmehr wiederholt tumultuarische Kundgebungen, die zu Gunsten der Italia irredenta in der Hauptstadt und anderwärts in Scene gesetzt wurden, mit Festigkeit zurückgewiesen. Es kann ihr sicherlich nur ungelegen sein, das mühsam hergestellte und mit beiderseitigem Entgegenkommen aufrechterhaltene Einverständniß mit Oesterreich und damit Italiens Stellung im Dreibunde durch eine halt- und aussichtslose Agitation gefährdet zu sehen. Daß diese Agitation in der öffentlichen Meinung von Italien, namentlich unter der Jugend, Anklang hat finden können, ist bei dem Zauber wohl zu begreifen, den die von den Leitern der Bewegung verbreiteten großen Losungsworte der Vollendung des nationalen Befreiungswerks, der Erlösung vom Joche der Fremden u. s. w. auf leicht empfängliche Gemüther ausüben.

Wer Italien liebt, kann die Irreleitung wohlmeinender und besser zu verwendender Kräfte, deren diese Agitation sich schuldig macht, nur bedauern. Es würde für das Königreich Italien einen Rücktritt von seiner Stellung in Europa bedeuten, wenn seine

Staatslenker sich dazu herbeiließen, ein Treiben zu begünstigen, das den jungen Staat nicht nur mit Oesterreich und den in ganz gleicher Lage befindlichen anderen Grenznachbarn auf das Heilloseste verfeinden müßte, sondern ihn auch zum Spielball revolutionärer Faktionen machen, ihn in die glücklich abgeschlossene Aera der Sekten und der Verschwörungen zurückdrängen würde. Für den Ueberschuß an Thatkraft, welcher sich in Italien Raum zu schaffen sucht, giebt es dringendere, würdigere und schwerere Aufgaben genug, und zwar innerhalb der jetzigen Grenzen des Königreichs. Große, ehemals fruchtbare Teile seines besten Ackerbodens veröden, weil sie durch die unrichtige Vertheilung des Grundbesitzes der Kultur entzogen oder durch Fieberplage zu dauernder Besiedelung ungeeignet werden. Die wahre Italia irredenta liegt nicht in Südtirol und Istrien, sondern dicht um Rom in der Campagna und überall da, wo die Malaria ihr Todesbanier aufpflanzt. Dies leidende Italien ist nicht durch Zeitungsartikel und Parlamentsreden von dem Joche zu erlösen, das auf ihm lastet, sondern durch die Spitzhacke und die Schaufel des Drainirungsarbeiters und den seinen Spuren folgenden Pflug des Ackerbauers, nicht • durch wüste und lärmende Volksbewegungen, sondern durch zähe, anhaltende und mühevolle Bodenverbesserung, der freilich vielfach erst durch nicht minder schwierige Landeskulturgesetze die Bahn frei gemacht werden müßte. Noch heute gilt durchaus, was vor zwei Jahrzehnten Heinrich von Treitschke, bekanntlich einer der wärmsten Freunde des italienischen Nationalstaates, aus Rom an seine Frau geschrieben hat:

„Wäre ich Italiener, ich böte meine ganze Kraft, statt für das Narrengeschrei um Triest, vielmehr um die Besiedelung der Campagna auf; hier ist eine friedliche Eroberung von unermeßlichem Segen möglich."

Auch in seiner jetzigen Gestaltung ist das Staatsgebiet des Königreichs Italien wie wenig andere Länder einheitlich gebaut und scharf umgrenzt. Noch heute treffen die Worte zu, mit denen der deutsche Kosmograph Sebastian Münster die Karte von Italien erläutert: die Meere gehen darum gleich als große mächtige Gräben um eine große Stadt, und auf dem Rücken hat es, als eine unzerbrechliche Mauer, das große und hohe Schneegebirge. Die scharfe Umgrenzung des italienischen Landes durch die Alpen und das Meer, die Jedem, der Italien besucht, sinnfällig entgegentritt, hat von jeher für eine der allerprägnantesten Eigenthümlichkeiten der Apenninenhalbinsel gegolten. Petrarca's bekannter Vers

                          . . bel paese
        Ch'Apennin parte e 'l mar circonda e l'Alpe . . .

ist von Bembo weiter ausgemalt:

        O pria si cara al ciel del mondo parte
        Che l'acqua cinge e 'l sasso orrido serra,
        O lieta sopra ogni altra e dolce terra,
        Che il superbo Apennin segna e diparte . . .

und er klingt noch in dem bewundernden Ausruf von Goethe's Tasso nach

                    das Vaterland,
            das Eine, schmale, meerumgebene Land . .

Die scharf umrissene Gestalt der Halbinsel hat von den ältesten Zeiten her zu Vergleichen herausgefordert. Während es seit dem sechszehnten Jahrhundert ganz allgemein üblich geworden ist, Italien einen Stiefel zu nennen — noch Giusti fragt:

                Wer kann dem schlaffen
            Stiefel einen Leisten schaffen,
                Da der Schuster schlafen ging? —

hat sich seit dem Alterthum die viel zutreffendere, auch die Bergformationen der Halbinsel glücklich versinnlichende Bezeichnung Italiens als Eichenblatt bis in die neuere Zeit erhalten. Folio maxume querno assimilata nennt Plinius sein Vaterland, dessen Beschreibung er mit dem begeisterten Gruße: Haec est Italia, diis sacra, hae gentes eius, haec oppida populorum einleitet. Ihm ist sichtlich der früheste der modernen Topographen Italiens gefolgt, Fazio degli Uberti, der in seinem etwa 1360 entstandenen Dittamondo sagt:

            Italien ist schmal und langgezogen
            Gleich einem Eichenblatt, und von drei Seiten
            Umgürtet es das Meer mit lauten Wogen.

Schlank und zierlich gegenüber dem kompakten Bau der iberischen Halbinsel, nicht so aufgelöst und in schmale unzusammen= hängende Landzungen zersplittert wie Griechenland, bildet Italien trotz seiner feinen Gliederung ein einheitliches Ganze, das in sich geschlossen eine treffliche Unterlage für die Bildung eines Einheits= staates darbietet. Mag man es, wie in geographischen Beschreibungen üblich ist, in das kontinentale, das peninsulare und das Inselland zerlegen: allen Theilen ist die Abgeschlossenheit gegen das Festland durch den Wall der Alpen und allen der schon in Ober=Italien beginnende, die Halbinsel bis zur Meerenge von Messina durch= ziehende und jenseits des Faro als gleichartiger Gebirgsstock sich fortsetzende Rückgrat der Apenninen gemeinsam. Einheit in der Verschiedenheit nennt Cesare Correnti,[1] einer der feinsten Kenner italienischer Landeskunde, den hauptsächlichsten Charakterzug seines Vaterlandes, und man wird dem Patriotismus, den er sein ganzes Leben hindurch als einer der treuesten Helfer bei dem politischen Wiederaufbau Italiens bewährt und bethätigt hat, einige Ueber= treibung gern nachsehen, wenn er fortfährt: es giebt in der Welt kein anderes großes Land, das geographisch besser umgrenzt wäre, als Italien, und keins, das reicher gegliedert ist.

Schon die Alten haben die hohen Gebirgsketten, die Italiens Landgrenze bilden, eine Mauer genannt, und dies Gleichniß drängt sich noch heut, wie Nissen[2] treffend bemerkt, jedem Beschauer auf, der von einem Aussichtspunkt der Po=Ebene (etwa von der Kapuziner= Terrasse in Turin oder vom Dache des Mailänder Doms) die lange Reihe der Schneezinnen mit seinen Blicken verfolgt. Denn gleich Mauern fallen ihre Abhänge nach der Italien zugewandten Seite steil ab, während sie sich nach Frankreich, der Schweiz und Oester= reich zu viel allmählicher abdachen. Deshalb ist die Mauer der Alpen, so mächtig sie sich auch aufthürmt, für Italien niemals ein wirksamer Schutz gegen Einfälle feindlicher Nachbarn gewesen. Selbst in den unwegsamen Zeiten des frühen Alterthums ist sie von den Keltenscharen überstiegen worden, deren Ansturm ganz Italien mit

---

[1] Ces. Correnti scritti scelti, edizione postuma. Vol. II, Roma 1892, p. 371 ff.

[2] H. Nissen, Italische Landeskunde I. 136.

Schrecken erfüllt hat. Gleich ihnen hat Roms furchtbarster Feind, sogar mit geordnetem Kriegsheer, den Uebergang über die Alpen zu finden gewußt. Im Mittelalter sind unzählige Male die Volks= könige deutscher Stämme und später die sächsischen, salischen und Hohenstaufen=Kaiser über die Alpen nach Italien hinabgestiegen, um ihres Herrscherrechtes dort zu walten. Ihnen sind in der neueren Zeit nicht minder oft französische, schweizer und deutsche Heerscharen gefolgt. Heute, wo die Grenze des Königreichs über den Gipfel der höchsten Berge unseres Kontinents, über den Mont= blanc und den Monte Rosa, hinweggeht und in ihrem Zuge eine namhafte Zahl der höchsten Alpenzinnen berührt, die Bernina= wie die Ortlergruppe, den Adamello und die Marmolata, ist der Alpen= wall weniger als je eine unübersteigliche Schutzmauer für Italien. Denn zu den Hochstraßen, die Napoleon über den Simplon, den kleinen St. Bernhard und den Mont Cenis, die Oesterreicher über den Brenner und das Stilfser Joch erbaut haben, sind zahlreiche andere Fahrwege aus Frankreich, aus der Schweiz und aus Oester= reich hinzugekommen, so daß in einem 1840 erschienenen Werk des sardinischen Generalstabes bereits damals nicht weniger als 25 Haupt=, 98 fahrbare Nebenstraßen und 121 Saumwege über die Alpen auf= geführt werden konnten. Ihnen sind seitdem die großen Völker= straßen der Alpenbahnen hinzugetreten, die theils durch den festen Kern gewaltiger Gebirgsstöcke, theils mit Ueberschienung von Pässen nach Italien hineinführen. Wir werden bei Betrachtung der Wehr= kraft Italiens der Vorkehrungen zu gedenken haben, mit denen die Italiener ihre Landgrenze, die insgesammt rund 1900 Kilometer beträgt. (487 gegen Frankreich, 672 gegen die Schweiz und 779 km gegen Oesterreich), für den Kriegsfall zu sichern bestrebt sind.

Weit ausgedehnter ist die Seegrenze Italiens, denn sie umfaßt allein für das Festland, von Ventimiglia an der Riviera bis Ma= rana im venezianischen Littoral, entlang den Küsten des tyrrhenischen, jonischen und adriatischen Meeres nicht weniger als 3383 km, und diese Zahl steigt auf mehr als das Doppelte, wenn die Grenzen der Inseln Sicilien (1115 km), Sardinien (1336) und der kleineren Eilande (im Ganzen 1022 km) hinzugerechnet werden. Bringt diese ganz ungewöhnliche Küstenausdehnung sowohl für die Ge= sundheitsverhältnisse als für die Sicherheit Italiens mancherlei

Schwierigkeiten und Gefahren mit sich, so bildet sie andererseits eine unvergleichliche Gelegenheit zu maritimer Entwickelung, die im Alterthum von Etruskern und Großgriechen und ihrem Erben Rom, im Mittelalter von den seemächtigen Handelsstädten Pisa, Genua und Venedig auf das Erfolgreichste benutzt worden ist. In Nichts hat sich der politische Verfall Italiens deutlicher und nachhaltiger ausgeprägt, als in der Wehrlosigkeit, mit der die Bewohner seiner Küsten sich Jahrhunderte hindurch von den Korsarenschiffen der Barbaresken haben ausplündern lassen und in die Sklaverei nach Algier, Tunis und Tripolis verschleppt worden sind. Noch heute ragen auf den Felsklippen der Riviera und des Golfs von Salerno, aus den toscanischen Maremmen wie an der veröbeten Küste Latiums die Wachthürme auf, deren Feuerzeichen bis in die zwanziger Jahre des vorigen Jahrhunderts hinein beim Herannahen solcher Raubschiffe den Anwohnern das Signal zu schleunigster Flucht gaben. Der Weiterausbau der schmählich vernachlässigten Häfen und die Neuschaffung einer Achtung gebietenden Kriegsflotte haben eine der ersten Sorgen des neuerstandenen Nationalstaates gebildet. Allerdings nimmt Italien im Schiffsverkehr der Welt auch jetzt noch lange nicht die Stelle ein, die ihm bei seiner außerordentlich günstigen Lage und bei seiner Küstengestaltung zukommen könnte. Auch sind die weitgehenden Hoffnungen, welche man in Italien an den Durchstich der Landenge von Suez geknüpft hatte, für die Theilnahme an den internationalen Märkten Ostasiens und Ozeaniens nur kärglich in Erfüllung gegangen. Um Tunis, auf das die Erwartungen der Italiener sich alsbald nach ihrer politischen Wiedererstehung gerichtet hatten, und auf dessen Erwerbung sie nach der Bedeutung ihrer dortigen Interessen und bei der nahen Nachbarschaft Siciliens Ansprüche erheben zu können vermeinten, sind sie durch die französische Okkupation grausam betrogen worden, und die Versuche ihrer Koloniegründungen am Rothen Meer haben ihnen bis jetzt nur Dornen eingebracht. Allein trotz dieser Enttäuschungen hat das maritime Leben Italiens seit der Errichtung des Königreichs einen kräftigen Impuls erfahren, der schon jetzt wesentliche Fortschritte zur Folge gehabt und für die Zukunft größere verheißt. Genua und Neapel, Palermo und Messina, Livorno und Venedig haben sich unter Erweiterung ihrer Hafenanlagen zu bedeutenden

Handelsemporien entwickelt. Orte, deren Namen als Seeplätze seit dem Alterthum verklungen waren, wie Syracus, Agrigent (durch die Schaffung des Porto Empedocle), Tarent und Brindisi sind zu neuem Verkehrsleben, wenngleich zum Theil von bescheidenem Umfang, erweckt worden. Spezia zählt jetzt zu den bedeutendsten Kriegshäfen des Mittelmeeres.

*　　*　　*

Das Staatsgebiet des Königreichs Italien umfaßt in seiner gegenwärtigen Begrenzung 286648 qkm, während das europäische Territorium von Rußland 5298171, Oesterreich-Ungarn 676585, das Deutsche Reich 545135, Frankreich 536408 und England 314956 qkm aufweisen. Auch in der Bevölkerungszahl bleibt die jüngste europäische Großmacht hinter den älteren zurück, indem den 32,4 Millionen Italienern 106 Millionen europäischer Russen, 56,3 Millionen Reichs-Deutsche, 45,3 Millionen Oesterreicher-Ungarn, 40 Millionen Engländer und 38,5 Millionen Franzosen gegenüber stehen.

Von den Eintheilungen, in die das italienische Staatsgebiet nach sehr verschiedenen Gesichtspunkten zerfällt, ist die wichtigste und am meisten durchgreifende die in Provinzen, deren nicht weniger als neun und sechszig vorhanden sind. Um die Uebersicht über diese große Zahl von Verwaltungsbezirken etwas zu erleichtern, pflegt man sie auf Grund der alten geographischen und geschichtlichen Landesverbände in sechzehn Landschaften (compartimenti oder regioni) zusammenzufassen, wonach sich in der natürlichen Gliederung Italiens die Provinzen wie folgt gruppiren:

A. **Ober-Italien.**

1. Piemont: Alessandria, Cuneo, Novara, Turin.
2. Ligurien: Genua, Porto-Maurizio.
3. Lombardei: Bergamo, Brescia, Como, Cremona, Mailand, Mantua, Pavia, Sondrio.
4. Venezien: Belluno, Padua, Rovigo, Treviso, Udine, Venedig, Verona, Vicenza.
5. Emilia: Bologna, Ferrara, Forli, Modena, Parma, Piacenza, Ravenna, Reggio.

B. **Mittel-Italien.**

   6. Toscana: Arezzo, Florenz, Grosseto, Livorno, Lucca, Massa-Carrara, Pisa, Siena.

   7. Marken: Ancona, Ascoli-Piceno, Macerata, Pesaro-Urbino.

   8. Umbrien: Perugia.

   9. Latium (Lazio): Rom.

C. **Unter-Italien.**

  10. Campanien: Avellino, Benevento, Caserta, Neapel, Salerno.

  11. Abruzzen und Molise: Aquila, Campobasso, Chieti, Teramo.

  12. Basilicata: Potenza.

  13. Calabrien: Catanzaro, Cosenza, Reggio di Calabria.

  14. Apulien: Bari, Foggia, Lecce.

D. **Inseln.**

  15. Sicilien: Caltanisetta, Catania, Girgenti, Messina, Palermo, Syracus, Trapani.

  16. Sardinien: Cagliari, Sassari.

Es ist wiederholt versucht worden, der Regional-Eintheilung, die gegenwärtig lediglich statistischen Zwecken dient, einen rechtlichen und administrativen Inhalt zu verleihen. Man hat namentlich angeregt, die Regionen zu Selbstverwaltungskörpern mit eigenen Rechten und Pflichten zu erheben, um auf diese Weise Träger einer decentralisirten Verwaltung zu gewinnen, zu denen die Provinzen wegen ihrer Kleinheit und Ungleichheit sich wenig eignen. Hierdurch würden die Regionen wirkliche Provinzen im Sinne etwa der preußischen Verwaltungsorganisation werden, während den italienischen Provinzen gegenwärtig nur die Bedeutung der französischen Departements zukommt. Allein gegen diesen Gedanken des Regionalismus hat sich die öffentliche Meinung in Italien bisher gesträubt, weil sie darin eine Gefahr für die mühsam errungene Einheit des Staates und eine Versuchung zum Rückfall in den alten Partikularismus zu erblicken glaubt.

So dienen als wichtigste Verwaltungseinheit die Provinzen, von denen die umfangreicheren in Kreise (circondari, im Ganzen 197, daneben in den venezianischen Provinzen und Mantua noch 87 distretti), alle aber in Aemter (mandamenti, im Ganzen 1806) und Gemeinden (comuni, 8262) zerfallen. —

2. Die Dynastie.

―――――

König Victor Emanuel III. führt verfassungsmäßig den Titel: von Gottes Gnaden und durch den Willen der Nation, König von Italien. Durch diese Nebeneinanderstellung gelangt zum Ausdruck, daß der König von Italien die Krone ebensowohl kraft Erbrechts wie durch Volksbeschluß trägt, daß er gleichzeitig der Chef eines uralten Herrscherhauses und das Haupt eines Verfassungsstaates, in einer Person der Vertreter der Legitimität und der Erwählte des Volkswillens ist. Beide Bestandtheile der Formel entsprechen der Sachlage und der geschichtlichen Entwickelung.

Von Gottes Gnaden nennt sich der König von Italien, wie sich seine Vorgänger als Grafen und Herzöge von Savoyen und als Könige von Sardinien viele Jahrhunderte hindurch genannt haben. Ihr Nachfolger ist er geblieben, auch nachdem sein Reich sich über ganz Italien ausgedehnt hat. Der erste Monarch des neuen Einheitsstaates hat dies in der unzweideutigsten Weise dadurch beurkundet, daß er bei Annahme der Krone von Italien die Nummerfolge, die ihn in der Reihe der sardinischen Herrscher als Victor Emanuel den Zweiten bezeichnete, auch als König von Italien beibehalten, ja mit klarer Erkenntniß der staatsrechtlichen Idee auf die Beibehaltung seiner Königsnummer den entschiedensten Werth gelegt hat.

Als Begründer der Dynastie gilt nach alter Ueberlieferung Humbert mit der weißen Hand, Graf von Maurienne, ein Vasall des ehemaligen Königreichs Burgund, dessen Lehnsbesitz hauptsächlich in Savoyen belegen war. Um den Anfang des elften Jahrhunderts taucht sein Name aus dem Gewirr der kleinen Machthaber auf,

3*

45

deren Fehden die Blätter der mittelalterlichen Chroniken ausfüllen. Spätere Heraldiker haben seinen Stammbaum bis auf den Sachsen= herzog Wittekind zurückführen wollen, Andere in ihm einen Ab= kömmling jener Markgrafen von Ivrea erblickt, die mit Kaiser Otto dem Großen und seinen Nachfolgern wiederholt um die Königskrone von Italien gestritten haben. Geschichtlich steht fest, daß Graf Humbert durch die Vermählung seines Sohnes Otto mit Adelheid, der Erbtochter des Markgrafen von Turin, seinem Geschlecht den Weg über die Alpen nach Italien gewiesen und den Grund zur Herrschaft über Piemont gelegt hat.

Achtzehn Grafen, vierzehn Herzöge und neun Könige dieser casa Savoia, wie sie in Italien heißt, sind hinter einander in ge= duldiger Arbeit bemüht gewesen, den Länderbesitz ihres Geschlechts zu erhalten und zu erweitern. Als harte Kriegsmänner und ver= schlagene Diplomaten haben sie sich unter den zahlreichen Landes= herren an den Westabhängen der Alpen und im oberen Pothal allmählich zu Ansehen und wachsendem Einfluß emporgerungen. Vielfach als kaiserliche Vögte in den großen Kampf verwickelt, den die deutschen Kaisergeschlechter von den Sachsen bis zu den Luxem= burgern um die Herrschaft über Italien geführt haben, sind die Savoyer Jahrhunderte hindurch mit der größten Geschicklichkeit und Zähigkeit darauf bedacht gewesen, die Wechselfälle dieses Kampfes zu ihrem Vortheil auszunutzen. Amadeus II., der Bruder der deutschen Kaiserin Bertha, leistete seinem Schwager Heinrich IV. auf seinem Zuge nach Canossa Beistand. Ein anderer Amadeus gehörte zu den treuesten Anhängern Kaiser Friedrichs II. und wurde von ihm mit dem Herzogthum Aosta belehnt. Amadeus V., wegen seiner Kriegsthaten der Große genannt, hat als Vikar Heinrichs VII. gewaltet, des letzten deutschen Kaisers, der mit den Waffen in der Hand in Italien für das Reich gestritten hat.

Aber auch aus dem Verfall der Kaisermacht haben die Grafen von Savoyen für sich Vortheile zu ziehen verstanden. Amadeus VI., der grüne Graf, ließ sich von Kaiser Karl IV. zum Reichsvikar in der Südschweiz ernennen und leitete eine Politik ein, die sein Ge= schlecht lange Zeit hindurch in den Besitz der Ufer des Genfer Sees, wiederholt auch in den der Stadt Genf selbst gebracht hat. Von dem letzten Luxemburger, Kaiser Sigismund, ist Amadeus VIII. im

Jahre 1416 zum Herzog von Savoyen erhoben worden. Dieser erste Herzog besaß bereits ein Gebiet, das außer dem Stammlande Savoyen und Besitzungen im Waadtlande den größeren Theil von Piemont, nämlich die Markgrafschaften Susa, Turin und Ivrea, einen Theil von Asti, das Herzogthum Aosta und die Grafschaft Nizza umfaßte und sich an Umfang und Macht weit über die angrenzenden Kleinfürstenthümer erhob. Schon damals fingen die Savoyer an, neben den Visconti von Mailand und neben Venedig, Genua und Florenz zu den politisch bedeutenden Faktoren in Oberitalien zu zählen.

Eine Zeitlang schien es, als solle der kleine Staat das Schicksal theilen, welches mit dem Ende des fünfzehnten Jahrhunderts über den größten Theil Italiens hereinbrach. Die Herzöge von Savoyen wurden in den Kampf verwickelt, der zwischen Frankreich und den österreichisch-spanischen Habsburgern zwei Jahrhunderte hindurch um die Herrschaft über Italien geführt worden ist. In den Kriegen zwischen Franz I. und Kaiser Karl V., die Italien zum Tummelplatz französischer, deutscher, spanischer und schweizerischer Heere machten, ward Savoyen, das Thor Italiens, auf längere Zeit von den Franzosen besetzt, Piemont wiederholt zum Kriegsschauplatz gemacht und schließlich zwischen den kriegführenden Herrschern getheilt. Die Besitzungen in der Südschweiz gingen dauernd an die Eidgenossenschaft verloren, so daß Herzog Karl III. von Savoyen eine Zeitlang wie sein mailänder Nachbar ein länderloser Fürst war. Aber die Tüchtigkeit und die Ausdauer seines Sohnes Emanuel Philibert (1553—1580) entriß das Land dem Geschicke der Fremdherrschaft, dem Mailand verfallen geblieben ist.

Aus der langen Reihe der savoyischen Herrscher ragt Emanuel Philibert durch ungewöhnliche Begabung und reichbewegtes Leben hervor. Als jüngerer Sohn wegen seiner körperlicher Schwächlichkeit zum geistlichen Beruf bestimmt, wurde das Kardinälchen, wie man den kleinen Savoyer spottweis nannte, durch den Tod seines älteren Bruders zur Thronfolge berufen. Er legte von Stund an das geistliche Gewand ab, härtete sich durch Leibesübungen ab und trat, auch darin seinem späteren großen Geschlechtsgenossen, dem Prinzen Eugen ein Vorbild, in kaiserliche Dienste, um gegen Türken

und Franzosen zu fechten. Hierbei legte er so ausgezeichnete Feld=
herrngaben an den Tag, daß ihm bald selbständige Kommandos
übertragen wurden. Er befehligte, noch nicht dreißig Jahre alt,
die spanischen und niederländischen Truppen König Philipp's II.
und erfocht an ihrer Spitze den Sieg von St. Quentin. Durch
den Frieden von Cateau=Cambresis erhielt er die von den Kaiser=
lichen und von den Franzosen besetzten Theile seiner Erblande
zurück; er verstand es, sie in den fortdauernden Zwistigkeiten zwischen
Frankreich und Spanien noch mehrfach zu erweitern und vortheil=
haft abzurunden und sich nicht nur die Unabhängigkeit zu erhalten,
sondern eine Achtung gebietende Stellung zwischen den beiden feind=
lichen Mächten einzunehmen. Um seiner Politik den erforderlichen
Nachdruck zu geben, befestigte er seine Landeshauptstadt Turin und
schuf durch Errichtung einer wohlbewaffneten Miliz die Grundlage
einer ständigen Heeresmacht, durch Erbauung von Kriegsschiffen im
Hafen von Villafranca sogar den Anfang einer Seemacht. Seine
Galeeren haben an der Vernichtung der Türkenflotte in dem großen
Seesieg bei Lepanto mitgeholfen, der dem Vordringen des Halb=
mondes Einhalt gebot, und dessen Andenken man auch in Rom
in der dem päpstlichen Feldhauptmann Marcanton Colonna aus
Anlaß dieses Sieges verliehenen Ehrentafel begegnet. In den Dienst
dieser neu geschaffenen Wehrkraft zog der Herzog den zahlreichen
Adel seines Landes, der so der im übrigen Italien um sich grei=
fenden Verweichlichung entrissen und zu einer Pflanzschule tapferer
Offiziere und zuverlässiger Staatsdiener erzogen wurde. „In Deutsch=
land," heißt es in dem Bericht eines venezianischen Gesandten über
diesen auch durch seine Sprachkunde ausgezeichneten Fürsten, „wird
er wegen seiner Abstammung aus einem sächsischen Geschlecht für
einen Deutschen gehalten, von den Portugiesen wegen seiner Mutter
für einen Portugiesen, unter Franzosen gilt er wegen alter und
neuer Verwandtschaft für einen Franzosen. Aber er ist Italiener
und will für einen solchen gehalten werden. (Ma lui è Italiano
e vuol essere tenuto per tale.)"

Auf Emanuel Philibert, der als Wiederhersteller und Neu=
begründer des savoyischen Staates noch jetzt in gutem Andenken
steht, folgte sein Sohn Karl Emanuel I., der sich während seiner
fünfzigjährigen Regierung gleichfalls als ein tüchtiger Soldat und

geriebener Politiker bewährte und an allen Händeln seiner bewegten
Zeit den lebhaftesten Antheil nahm. „Unaufhörlich vernehmen
Wir," schrieb Papst Urban VIII. über diesen unruhigen Fürsten,
„den Klang der sabaudischen Trompete, der Uns nicht zur Ruhe
kommen läßt." Der Herzog aber hat seinen Wünschen und Hoff=
nungen für Italien in Versen Ausdruck gegeben, die von seiner
vaterländischen Gesinnung ehrenvolles Zeugniß ablegen und zu=
gleich seinen Nachfolgern die Richtschnur ihrer Politik prophetisch
vorzeichnen:

> Italia! ah non temer! Non creda il mondo
> Ch'io muova a danni tuoi l'oste guerriera.
> Chi desia di sottrarti a grave pondo,
> Contro te non congiura. Ardisci e spera!

Die größte Gefahr, aber auch den reichsten Gewinn brachte
den Herrschern von Piemont das Zeitalter Ludwigs XIV. Gegen=
über der rücksichtslosen Vergrößerungslust, mit welcher der fran=
zösische Selbstherrscher gegen seine Nachbarn vorging, versagte die
Schaukelpolitik, mit welcher die Herzöge von Savoyen sich bis dahin
zwischen Frankreich und der habsburgischen Monarchie im Gleich=
gewicht zu halten verstanden hatten, mehrmals auf das Vollständigste.
Schon Karl Emanuel hatte der von Richelieu und demnächst von
Mazarin geleiteten Uebermacht Frankreichs vieles nachgeben müssen,
weil ihm Oesterreich, im dreißigjährigen Kriege begriffen, den Stütz=
punkt versagte. Sein Nachfolger, Victor Amadeus, ist wiederholt
gezwungen worden, vor den französischen Heerführern aus dem
Lande zu weichen, und auch als er sich nach dem Ausbruch des
spanischen Erbfolgekrieges der großen Verbindung der europäischen
Mächte gegen Frankreich anschloß, sind seine Lande rechts und
links der Alpen noch zu verschiedenen Malen von den Franzosen
überflutet worden. Dafür wußte er seine Ansprüche auf einen
Antheil an der Beute beim Friedensschlusse um so nachdrücklicher
geltend zu machen. Durch den Frieden zu Utrecht (1713) erlangte
der vielgewandte Savoyer die Königskrone und neben verschiedenen
mailändischen Gebietstheilen die schönste Insel des Mittelmeeres,
Sicilien. Zum Andenken an die Entscheidungsschlacht vor Turin,
in welcher der größte Kriegsheld des savoyischen Geschlechts, Prinz

Eugen, der edle Ritter, an der Spitze kaiserlicher, brandenburgischer und savoyischer Regimenter einen seiner schönsten Siege erfocht, und als Denkmal der durch diesen Sieg gesicherten Unabhängigkeit seines Landes hat König Victor Amadeus die stolze Votivkirche der Superga bei Turin erbauen lassen, die Grabstätte der Savoyer, deren Kuppelbau von ihrem Berggipfel auf die Königsstadt am Po und weit über die Lande von Piemont hinabschaut.

Freilich mußte der neue König bald darauf (1720) in den ihm von Oesterreich aufgezwungenen Umtausch Siciliens gegen Sardinien willigen, das dem norditalienischen Königreich nunmehr den Namen lieh. Und wenn dieser Verlust schwer zu verschmerzen war, so hat der zweite König der Dynastie Savoyen, Karl Emanuel, durch sein kluges Verhalten und sein entschlossenes Vorgehen in den Kabinetskriegen der ersten Hälfte des 18. Jahrhunderts das Wort eines seiner Vorgänger, daß man das Mailändische essen müsse wie eine Artischocke, Blatt für Blatt, wiederholt zur Wahrheit gemacht. Sowohl im polnischen wie im österreichischen Erbfolge=kriege ist es ihm gelungen, altmailändischen Besitz westlich vom Lago Maggiore und vom Ticino mit seinen piemontesischen Erb=landen zu vereinigen und den Ruhm tapferer Soldaten und um=sichtiger Diplomaten, der von seinen Vorfahren auf ihn überge=gangen war, noch zu vermehren. Sardinien aber, der neueste und fremdartigste Zuwachs des savoyischen Landbesitzes, erwies sich in den Stürmen der französischen Revolution als der feste Anker für das Staatsschiff der neuen Monarchie. Denn während die fest=ländischen Provinzen des Königreichs nach tapferem Widerstand von den Franzosen besetzt und nach dem Frieden von Lüneville einfach mit Frankreich vereinigt wurden, fand der König mit seinem Hofstaat und seinen Würdenträgern im Frühjahr 1798 auf Sar=dinien eine sichere Zuflucht, in welcher er, unbekümmert um alle Wechselfälle der Geschicke, bis zum Zusammenbruch der napoleoni=schen Herrschaft verweilen konnte.

In der strengen Zucht dieser langen Kriegszeiten und in den Stürmen der Revolutionsaera war im Staate der Savoyer ein köstlicher Besitz erstarkt, das Gefühl unzertrennlicher Zusammenge=hörigkeit der Dynastie und des Volks. Während alle andern italieni=schen Fürstengeschlechter theils die Herrschaft verloren hatten, wie

die Visconti, die Sforza, die Montefeltro, die Gonzaga, theils aus=
gestorben waren, wie die Este und die Medici, sahen die Savoyer
allein auf eine ununterbrochene Reihe von Herrschern zurück, die
aus kleinen Anfängen ihren Staat auferbaut und Stein auf Stein
fest zusammengefügt hatten. Das Bewußtsein gemeinsam überstan=
dener Gefahren, die Freude an gemeinsam errungenen Siegen hatten
die kleinen Absplisse, aus denen dieser Bau erwachsen war, rasch zu
einem Ganzen verschmolzen, in welchem Fürst und Volk durch ein
reges Vaterlandsgefühl verbunden und auf einander stolz waren.
Hier allein in ganz Italien regierte eine nationale Dynastie, ohne
ihre Herrschaft von fremder Gunst abhängig zu machen und ohne
sich auf fremde Machtmittel stützen zu müssen. Nicht mit ironischer
Gleichgültigkeit, wie die Toscaner auf die ihnen aufgedrungenen
Lothringer, oder mit schlecht verhehlter Abneigung, wie die Sici=
lianer und Neapolitaner auf den Thron der Bourbonen, sondern
mit fester Anhänglichkeit und ehrlicher Liebe blickten die Bewohner
der savoyischen und der penninischen Alpenthäler, die Ackerer der
Po=Ebene und die Weinbauern der Astigiana, Valdostaner und
Nizzarden auf die Herrscher hin, deren Geschlecht sie zusammenge=
bracht und zusammengehalten hatte. In einer Zeit, wo das ganze
übrige Italien sich weichlichem Müßiggang oder ästhetisch=literarischen
Liebhabereien überließ, blieb im Staate dieser Dynastie der Gedanke
an seinen nationalen Beruf lebendig und erhielt die Geister in
mannhafter Selbstzucht.

Dies Gefühl der Zusammengehörigkeit von Dynastie und
Volk ist auch die festeste Stütze der Könige von Sardinien in ihrem
Kampfe für die Befreiung Italiens vom Joch der Fremdherrschaft
gewesen. Es hat die Feuerprobe der schweren Mißerfolge bestanden,
mit denen die Feldzüge von 1848 und 1849 endigten. Es hat, als
Karl Albert nach der furchtbaren Niederlage von Novara zusammen=
brach, seinen Sohn befähigt, die gefährlichste Krise zu überwinden,
der das subalpinische Königreich ausgesetzt worden ist. Hingegen
haben die unerschütterliche Standhaftigkeit, mit welcher der junge
König an der von seinem Vater beschworenen Verfassung festhielt,
die Klugheit, mit der er seine Rathgeber zu wählen, und der große
Sinn, in welchem er ihnen freien Raum für ihre Thatkraft zu ge=
währen verstanden hat, ihm die Bewunderung aller gebildeten

Italiener erworben; sein ungestümer Muth auf den Schlachtfeldern von 1859 hat das ganze Volk mit Stolz erfüllt. Wegen seiner Verfassungstreue haben die Italiener ihrem ersten König den Ehrennamen des Re-galantuomo gegeben, und unter dieser Bezeichnung ist sein Andenken noch heutigen Tages in Italien volksthümlich.

Im Gegensatz zu dem feierlichen Ernst und der asketischen Frömmigkeit, welche die geheimnißvolle und melancholische Gestalt Karl Albert's seinen Zeitgenossen zu einem peinvollen Räthsel machten, war König Victor Emanuel von jeher ein fröhlicher Lebemann von soldatisch offener zwangloser Haltung, ein abgesagter Feind jeder Pose, dem schönen Geschlecht nichts weniger als abhold. Schon als Prinz hatte er sich für den Zwang, den ihm die am Hofe seines Vaters herrschende strenge Etikette auferlegte, durch tolle Streiche in nächtlichen Jagdausflügen und verwegenen Ritten schadlos zu halten gesucht. Von außergewöhnlicher Körperkraft, gegen Strapazen jeder Art unempfindlich, war der kurze gedrungene Mann mit dem Stiernacken und dem fast grotesk häßlichen Gesicht ein unermüdlicher Jäger, dem am wohlsten zu Muthe war unter den schlichten Forst= und Waldmenschen seiner Steinbock= und Gemsenreviere an den Abhängen des Gran Paradiso. Noch heut erzählt man sich im Valdostanischen tausend Geschichten von der behaglichen Art, in welcher der König während seiner Jagdzeit im Val de Cogne und in Valsavaranche mit Jedermann aus dem Volke verkehrt, wie er jedes Gesicht, namentlich jedes hübsche Mädchen gekannt, für Jeden ein Scherzwort und einen Spitznamen gehabt und sich bis in's Kleinste über die Lokalchronik unterrichtet gezeigt hat. Dabei setzte er seine Jagdgenossen immer aufs Neue durch seine unglaubliche Abhärtung gegen Hitze und Kälte, Hunger und Durst und Unbilden der Witterung und durch sein frühes Aufstehen in Erstaunen und in Verlegenheit. Er pflegte in Höhen von über zweitausend Metern über dem Meere in einem Jagdzelt auf einem Feldbette zu übernachten und des Morgens um drei Uhr aufzustehen, um, leicht bekleidet, in der eisigen Bergluft seine geliebte Havanna rauchend, seine Frühpromenade zu machen, zum Schrecken seines Gefolges, das wegen der Angst vor Erkältungen vom König ausgelacht wurde.

Um das feurige Temperament und die unbezähmbare Lebens=
lust des jungen Fürsten nicht auf Abwege gerathen zu lassen, war
er früh vermählt worden, und er hat in seiner sanften Gattin, der
Erzherzogin Marie Adelheid, eine Lebensgefährtin von unvergleich=
licher Herzensgüte und immer gleichmäßiger Freundlichkeit gefunden,
der er allezeit unbegrenztes Vertrauen und die achtungsvollste Be=
wunderung gewidmet hat. Aber sein Dasein vermochte sie nicht
auszufüllen. Sein heißes Blut begehrte aufregendere Zerstreuungen.
So ist er bald nach seiner Vermählung in seine lockeren Jung=
gesellensitten zurückgefallen und hat sie im Verkehr mit dem weib=
lichen Geschlecht auch als König zeitlebens beibehalten. Es ist be=
kannt, daß er schon als Kronprinz eine Doppelexistenz geführt hat,
in welcher die schöne Tochter eines Tambourmajors die Hauptrolle
spielte. Nach dem Tode der Königin ist die bella Rosina als
Gräfin Mirafiore zur morganatischen Gemahlin des Königs erhoben
worden. Aber neben dieser ständigen Doppelexistenz ging eine wahre
Laterna magica vorübergehender Liebschaften her. Stolz bei aller
Ungebundenheit, glaubte Victor Emanuel sich im Verkehr mit Frauen
niemals etwas zu vergeben; es genügte, daß die Betreffende jung,
schön und gefällig war, der Rang, den sie auf der gesellschaftlichen
Stufenleiter einnahm, war gleichgültig.

Liebhabereien dieser Art pflegen kostspielig zu sein, um so
mehr, wenn mit der leichten Entzündlichkeit des königlichen Lieb=
habers eine königliche Freigebigkeit Hand in Hand geht, wie dies
bei Victor Emanuel im ausgedehntesten Maße der Fall war. Die
Zeitgenossen haben sich lachend erzählt, in welcher unerhörten Weise
die offne Hand des Königs bei seinen Liebesabenteuern ausgebeutet
worden ist, und wie er im Verkehr mit leichtfertigen Schönen trotz
seines scharfen Verstandes immer wieder pekuniär den Kürzeren ge=
zogen hat. Die Verlegenheiten der königlichen Schatulle gaben
einst dem Finanzminister Sella den Muth, dem Könige wegen seiner
Verschwendung eindringliche Vorstellungen zu machen. Im Eifer
der Rede ließ sich der Sparsamkeitsapostel, dessen hohe Verdienste
der Monarch zu würdigen wußte, zu der Aeußerung hinreißen:

Eure Majestät können wirklich mit einer Kuh verglichen
werden, die von Allen gemolken wird.

Victor Emanuel soll sich bei seinen Vertrauten über diesen Vergleich bitter beklagt haben: „Wenn er mich noch einen Stier genannt hätte! Aber nein, wahrhaftig — eine Kuh!"

Durch diesen gesunden Humor und durch seine unbefangene Natürlichkeit pflegte der König seine schärfsten Kritiker zu entwaffnen und sich die Herzen selbst strenger Sittenrichter wieder zu gewinnen. Das Herz des Volkes haben ihm seine Abschweifungen vom Tugendpfad nie entfremdet. Das Volk sah in ihm trotz alledem den König, der ihm den Weg zur Unabhängigkeit und zur Einheit gebahnt hat.

In der That ist König Victor Emanuel trotz seiner lockeren Sitten und seines burschikosen Auftretens eine Herrschernatur von nicht gewöhnlichen Gaben gewesen, die sich jeder politischen Situation gewachsen gezeigt und niemals die Leitung der Geschäfte aus der Hand gegeben hat. Es bildet eines seiner unvergänglichsten Verdienste um Italien, daß er das politische Genie Cavour's erkannt und ohne Rücksicht auf seine persönlichen Neigungen und ohne kleinliche Eifersucht dem genialen Minister freie Hand gelassen hat. Aber selbst Cavour gegenüber hat er seine Stellung als Monarch und seine fürstliche Würde vollkommen zu wahren gewußt. „Wenn Cavour meint," hat er wohl zu seinem vertrauten Generaladjutanten gesagt, „daß ich alles unbedingt genehmige, was er haben will, dann irrt er sich. Wenn wir einig sind, ist's gut; wenn nicht, ist es an ihm, das zu thun, was ich haben will." Freilich, setzt General della Rocca in seinen werthvollen Aufzeichnungen[1]) hinzu, endigte die Sache in der Regel damit, daß der König doch der Meinung von Cavour nachgab und seinem heilsamen Rath folgte, weil er sich gewöhnlich davon überzeugte, daß er damit der Sache Italiens am besten diente.

Einem Mann von so lebhaftem Temperament kann es nicht leicht geworden sein, seine persönlichen Neigungen in der Leitung der Geschäfte den politischen Rücksichten vollständig unterzuordnen. König Victor Emanuel hat diese schwere Kunst der Selbstverleugnung in der Auswahl seiner Rathgeber mit voller Hingebung an die sach=

---

[1]) Enrico della Rocca Autobiografia di un veterano. 2. edizione. Bologna 1897, I. 378.

lichen Interessen ausgeübt. Er hat Männer in den Rath der Krone berufen, die ihm nach ihrer ganzen Persönlichkeit sehr antipathisch waren. Alfons della Marmora war als jüngerer Offizier im Gefolge des Kronprinzen gewesen und hatte sich durch rechthaberisches Wesen, Eigendünkel und Ruhmredigkeit so unleiblich gemacht, daß er aus dieser Stellung entfernt worden war. Als König hat Victor Emanuel ihn das nie entgelten lassen, ihn vielmehr zu den wichtigsten Kommandos herangezogen, ihm den Oberbefehl über die nach der Krim entsandten Truppen anvertraut und mit ihm als Kriegsminister und als Ministerpräsidenten wiederholt Jahre lang zusammen gearbeitet. Durch seinen klaren Blick, seine rasche Auffassung, durch festen Willen und unerschrockenen Muth ist der König in allen schwierigen Lagen eine Stütze seiner Rathgeber gewesen, die bald inne wurden, was sie an ihm hatten, und in großen Fragen sich gern seiner Einsicht und seiner Erfahrung fügten. Da er seiner Autorität sicher war, brauchte er sie selten geltend zu machen, doch besaß er ein starkes Gefühl seiner fürstlichen Würde und wußte bei aller Bonhomie seiner Umgebung Ehrfurcht einzuflößen und jede Ueberhebung fern zu halten. Ein Feind aller Etikette, verstand er bei gegebenen Anlässen als Herrscher würdevoll aufzutreten und sowohl seinen Italienern, als auch seinen Verbündeten, den Franzosen und bei seinem Besuch in London dem englischen Publikum zu imponiren. Della Rocca erzählt, wie der König ihm auf der Fahrt zum Lord Mayor gesagt hat, er werde sich heute 'rausreißen. „Victor Emanuel hörte dann vor den Tausenden, die sich in der riesigen Guildhall zusammendrängten, die englische Rede des Lord Mayors an, als ob er alle Feinheiten verstände; er grüßte und dankte mit vollendeter Würde; dann begann er seine Erwiderungsrede im besten Französisch, mit kraftvoller Stimme, vorzüglicher Diktion und Gebärde, wenige packende Sätze, die den weiten Saal von donnerndem Beifall wiederhallen ließen."

Sein Nachfolger, König Humbert, hatte im Feldzug von 1866 unzweideutig bewiesen, daß er ein echter Sohn seines kriegerischen Geschlechts gewesen ist. An dem Unglückstage von Custozza, wo La Marmora's Kopflosigkeit die anfänglichen Erfolge der italienischen Armee in eine schwere Niederlage umwandelte, hatte er als Kronprinz seine Division vorwurfsfrei geführt und dem Ansturm der österreichischen Ulanen wacker die Stirn geboten. Die Veteranen des neunundvierzigsten Regiments denken mit Stolz daran, mit welcher kühlen Unerschrockenheit der junge Fürst im Carré ihres vierten Bataillons gehalten und das Feuer geleitet hat. Als König hat er keine Gelegenheit gehabt, Feldherrngaben zu bethätigen, wohl aber an der inneren Festigung der Wehrkraft der Nation stets reges Interesse bewiesen. Ohne an dem soldatischen Friedenshand= werk sonderliches Wohlgefallen zu finden, ist er auf die feldmäßige Ausbildung der Truppen, auf Verbesserung ihrer Ausrüstung und Bewaffnung ernstlich bedacht gewesen; er hat lebhaften Antheil an dem Ausbau der Kriegsflotte genommen und sich mit ihren Leitern in regem persönlichen Verkehr gehalten. Dem Kolonialunternehmen am Rothen Meer hat er die vollste Theilnahme gewidmet; er hat die Ausrüstung der dorthin entsandten Truppen sorgfältig über= wacht und ist ihren Operationen mit Spannung gefolgt.

Im Gegensatz zu seinem lebenslustigen Vater ein ernster, sittenstrenger, maßvoller Charakter, trat König Humbert aus seiner gewohnten Zurückhaltung heraus, sobald die Lage der Dinge dies erforderte, und setzte sich dann rücksichtslos den größten Ge= fahren und Anstrengungen aus. Als die Cholera im Jahre 1883 in Neapel wüthete, und das unwissende Volk die Aerzte, die ihm Hülfe bringen wollten, zu bedrohen anfing, begab sich der König alsbald nach Neapel; er besuchte die von der Krankheit am schlimmsten heimgesuchten Stadtviertel, betrat Häuser, in denen Kranke hülflos gelassen waren, und bewies seine Mißachtung vor Ansteckungsgefahr, indem er im Choleralazareth den Leidenden Trost spendete und Muth zusprach. Nach der furchtbaren Explosion, die im Frühjahr 1891 das Pulvermagazin vor der Porta Por= tuense in Rom in die Luft sprengte und deren weitgehende Zer= störungen man noch jetzt an den zertrümmerten Fenstern der großen Basilika S. Paolo fuori le mura wahrnimmt, war der König als= bald zur Stelle und trug für die Verunglückten Sorge, die er demnächst im Hospital besuchte. Unter ihnen befand sich ein alter Arbeiter, der einen Schädelbruch erlitten hatte, und der, nachdem er dem König auf verschiedene Fragen geantwortet hatte, ihn seinerseits fragte:

„Sie nehmen viel Antheil an mir. Sind Sie Arzt?"

„Nein."

„Ich kenne Sie nicht. Wer sind Sie denn?"

„Ich bin ein Freund."

In diesem Augenblick flüsterte einer der Aerzte, die den König begleiteten, dem Verwundeten zu: Es ist der König. Es soll eine sehr rührende Scene gewesen sein, wie der Leidende dem König für seine Theilnahme gedankt und ihm gesagt hat, er thäte recht daran, zu den Kranken zu kommen; sein Kommen thäte ihnen wohl.

Die Theilnahme des Königs an den Armen und Leidenden hat sich nicht auf solche Nothfälle beschränkt. Die schlimme Lage, in der sich ein großer Theil der italienischen Landarbeiter befindet, war ihm bekannt; er hat ihr, soweit es in seinen Kräften stand, abzuhelfen gesucht. Bei dem großen Werk der Austrocknung der Sümpfe im Tiberdelta hatte sich die Kooperativgenossenschaft der Arbeiter von Ravenna als Unternehmerin von Erdarbeiten betheiligt. Nach ihrer Beendigung hatte ein Theil der Arbeiter den Wunsch, sich auf dem ausgetrockneten Areal als Ackerbauer anzusiedeln. Die Genossenschaft bat die Regierung, ihr zu diesem Zweck ein in der Nähe von Ostia belegenes Domanialgrundstück zu überlassen, das wegen der bis dahin herrschenden Fieber unbewohnbar gewesen war und nur geringen Ertrag gebracht hatte. Man erzählt sich in Rom, daß es der Intervention des Königs bedurft hat, um die in den Schreibstuben der Ministerien gegen diese Bitte obwaltenden Bedenken zu überwinden. König Humbert hatte auf seinen Jagd=ausflügen nach Castel Porziano die fleißigen Leute aus der Romagna wiederholt gesehen und sie öfters angesprochen, um sich nach ihren Verhältnissen und Wünschen zu erkundigen. Der König ist auch mit seinen Mitteln eingesprungen, um der neuen Ackerbaukolonie über die Schwierigkeiten der ersten Jahre hinwegzuhelfen.[1]

Während Victor Emanuel nur vorübergehend in Rom verweilte und allemal froh war, wenn er ihm den Rücken kehren konnte, hat König Humbert jeden Winter in dem weiten Palast auf der Höhe des Quirinals residirt, dem gegenüber am

---

[1] Es ist eine der ersten Regierungshandlungen seines Nachfolgers gewesen, durch ein beträchtliches Geldgeschenk für das fernere Gedeihen der Kolonie zu sorgen.

anderen Tiberufer auf der Höhe des Vatikans der noch weitläu-
figere Palast des Papstes emporragt. Der König pflegte bei Eröffnung der Parlamentssitzungen, meist im November, nach Rom
zu kommen und bis tief ins Frühjahr hinein dort zu bleiben.
Man sah ihn täglich im Wagen, den er meistens selbst kutschirte,
den Korso hinauf zur Villa Borghese fahren; Fremde erkannten in
dem ernsten Herrn mit dem großen weißen Schnurrbart den König
gewöhnlich erst dann, wenn sie von ihm durch Abnehmen des
Hutes höflich begrüßt wurden. Nicht minder häufig zeigt sich der
Wagen der Königin Margherita, auf weite Entfernung an den
rothen Livreen des Kutschers und der Diener erkennbar, in den
Straßen in und um Rom. Langsamen Schritts pflegte ihre Equi-
page sich dem Wagengewirr anzureihen, das sich an schönen Winter-
nachmittagen auf der sonnigen Höhe des Monte Pincio zu einem
durch die Klänge der Militärmusik belebten Korso zusammenfindet.
Den zahlreichen Lustwandlern, die durch die Wagenreihen hindurch
mit südländischer Zwanglosigkeit promeniren, war oft aus unmittel-
barster Nähe Gelegenheit geboten, die heitere Lebhaftigkeit wahrzunehmen, mit welcher die Königin von Italien sich dem von ihren
Landsleuten so hochgeschätzten Vergnügen der Unterhaltung mit
ihren Begleitern oder mit grüßenden Bekannten hingab. Uebrigens
war der Zutritt zu dem königlichen Paar auch sonst weder für
Fremde noch für Einheimische schwer zu erlangen. Auf den Hof-
festen König Humberts — gewöhnlich eine Antrittscour bei der
Königin und zwei Hofbälle — vereinigten sich die römische und die
fremde Aristokratie, das Offizierkorps, die Büreaukratie, die Landesvertretung, Kunst und Wissenschaft, um die Festräume des Palastes,
in denen die Gobelins der casa Savoia prangen, mit einer zahlreichen und glänzenden Versammlung zu füllen. Bei der Antrittscour war es üblich, daß die Königin in ihren Empfangssälen, in
denen die mit Damen erschienenen Gäste von den einzelnen Herren
getrennt werden, die Runde machte, wobei sie an jeden der ihr
Vorgestellten mit jener gewinnenden Anmuth, die ihr eigen ist,
freundliche Worte, an Italiener, Deutsche, Engländer und Franzosen
je in ihrer Landessprache zu richten pflegte.

Die Königin stand ihrem Gemahl in der Erfüllung seiner
Repräsentationspflichten auch sonst auf das Wirksamste zur Seite.

Man begegnet ihrem Namen in Rom überall da, wo es sich um Förderung einer guten und nützlichen Sache handelt. Sie ist die Protektorin zahlloser mildthätiger Institute und Veranstaltungen, vieler Erziehungsanstalten, Waisen- und Krankenhäuser. Die Vorsteherin der Gewerbe-Mädchenschule in Rom weiß zu rühmen, wie nachhaltig ihr vortreffliches Institut durch die unablässige Theilnahme der Königin, durch häufige Besuche der Lehrräume und der Ausstellungen, durch Bestellungen kunstgewerblicher Arbeiten, durch persönliche Fürsorge für die Lehrerinnen und Schülerinnen der Anstalt gefördert wird. An dem Cyklus von Vorträgen, den der von der Marchesa Capranica del Grillo (Adelaide Ristori) präsidirte Verein für Frauenerziehung im Winter in den Räumen des Collegio romano zu veranstalten pflegt, erscheint die Königin regelmäßig als eine der aufmerksamsten Zuhörerinnen. Sie ist eine eifrige Leserin; alle neueren literarischen Erscheinungen müssen ihr vorgelegt werden, und man erzählt sich, daß sie über ihren Inhalt nicht selten sich von den Autoren näheren Aufschluß geben läßt oder ihnen ihre Bedenken ausspricht. Nicht minder lebhaft interessirt sich Königin Margherita für die Kunst; sie nimmt namentlich an der Pflege guter Musik regen Antheil, ist selbst eine geübte Pianistin, die mit Herrn von Keudell, dem früheren deutschen Botschafter in Rom, vierhändig zu spielen liebte, und die auch ernstere Kammermusik in Rom einzubürgern sich bemüht. Als vor einigen Jahren ein italienischer Musikhistoriker im Beisein der Königin einen Vortrag über die Musik der Renaissance hielt, waren unter anderen älteren Instrumenten auch zwei der Königin gehörige Lauten jenes Zeitalters im Saale ausgestellt. Giosuè Carducci hat diesen Anlaß in einer seiner schönsten odi barbare zu einer poetischen Ansprache der Laute und der Leier Italiens an die auch sonst von ihm gefeierte Königin benutzt, die Sabauda Margherita, die er im Schlußverse

> figlia e regina del sacro
> rinnovato popolo latino

nennt.

Mehr als zwanzig Jahre hindurch haben König Humbert und seine Königin dem italienischen Volk das Beispiel unermüdlichster Pflichterfüllung gegeben. War es dem Könige vermöge seiner zu-

rückhaltenden Art weniger als seiner schönen Gemahlin gegeben,
die Herzen für sich einzunehmen, so hatten ihm doch seine Loyalität,
sein zuverlässiger Charakter, die schlichte Güte seines Wesens auch
unter Fernerstehenden Achtung und Ansehen erworben; die bürger=
liche Einfachheit seines Auftretens, das rückhaltlose Vertrauen, mit
welchem der König bei öffentlichen Anlässen sich mitten in der Volks=
menge zu bewegen pflegte, wurden in Italien allgemein gewürdigt
und als eine erfreuliche Abweichung von dem Verhalten anerkannt,
das den Staatschefs anderer Nationen durch Gebrauch und Eti=
kette auferlegt wird. Die Nachricht, die am Morgen des 30. Juli
1900 die Welt erschreckte, daß Abends zuvor der König von Italien
beim Besuch des Turnerfestes in Monza von Mörderhand erschossen
worden war, wirkte jenseits und diesseits der Alpen betäubend wie
ein Donnerschlag. Der tiefe Schmerz, mit dem ganz Italien die
Schreckenskunde vernahm, wurde noch verschärft durch die bittere
Scham darüber, daß ein Italiener die Frevelthat verübt hatte. Mit
beispielloser Einmüthigkeit erhob sich die Stimme des ganzen Landes,
um die Trauer über den Tod Humberts des Guten, das Beileid
der Nation an dem Schmerz der königlichen Familie, das Vertrauen
auf den in der Ferne weilenden Thronerben zu bekunden. Und wie
in Italien alle Parteien wetteiferten, jede Gesinnungsgemeinschaft
mit dem Mörder von sich abzuweisen, so erhoben auch im Auslande
die Stimmführer aller gebildeten Völker einmüthig Protest gegen
das verbrecherische Treiben der Anarchisten, in deren Kreisen die
Schandthat ersonnen und vorbereitet worden war. Von allen Kund=
gebungen jener Tage aber hat keine in dem Herzen des italienischen
Volkes einen stärkeren Wiederhall gefunden als die Todtenklage,
welche die Königin Margherita über den ihr so jäh entrissenen
Gemahl erhob. Das Gebet „zum Angedenken König Humberts I.,
meines Herrn und geliebtesten Gatten“, das die königliche Wittwe
wenige Tage nach der Schreckensthat dem Bischof von Cremona
mit der Bitte um Veröffentlichung zusandte, ist wirklich, wie sie in
ihrem Begleitschreiben es aussprach, mit dem Herzen geschrieben und
schlicht, damit Alle es verstehen können,[1] und es schlägt Töne an,

---

[1] l'ho scritta, come l'ho pensata, col cuore e piana, perchè tutti
la possano capire.

in denen sich die Liebe der Gattin, die Trauer der Italienerin und die königlichen Gedanken einer Tochter des savoyischen Hauses zu einer ergreifenden und majestätisch einfachen Harmonie vereinigen. —

Victor Emanuel III., der neue König von Italien, der einzige Sproß seiner Eltern, ist als Kind zart und schwächlich gewesen. Seine Erziehung ist sowohl in der körperlichen Ausbildung als in geistiger Hinsicht von der Mutter auf das Sorgsamste überwacht und geleitet worden und Händen anvertraut gewesen, die es bei aller Strenge verstanden haben, die guten Anlagen des jungen Prinzen auszubilden und ein starkes Pflichtgefühl in ihm zu entwickeln.[1] Er hat bis zu seiner Thronbesteigung von seiner Geburtsstadt den Titel Prinz von Neapel geführt, der an die Stelle der für die Thronfolger der Dynastie früher üblichen Bezeichnung als Herzog von Savoyen getreten ist, und in Neapel hatte er als kommandirender General des X. Armeekorps auch nach seiner Vermählung mit der schönen Tochter des Fürsten der Schwarzen Berge seinen Wohnsitz behalten. Die Zurückhaltung im öffentlichen Auftreten, die naheliegende Rücksichten dem Thronfolger auferlegen, ist bei ihm theils durch natürliche Neigung, theils durch die langsame Entwickelung seines Wuchses, die ihn lange Zeit hindurch auffallend unscheinbar machte, in ungewöhnlichem Maße ausgebildet worden: man hörte und sah, nach den üblichen Kundgebungen, die seine Eheschließung begleitet hatten, in Italien und im Auslande wenig oder nichts von dem kronprinzlichen Paar. Unter denen, die dem jungen Fürsten näher standen, galt der Prinz von Neapel für einen ausnehmend wohl unterrichteten jungen Herrn, der die weitgehenden künstlerischen und wissenschaftlichen Interessen seiner Mutter theile, seine Kenntnisse auf ausgedehnten Reisen erweitere und sich in Kennerkreisen eines gewissen Ansehens als Numismatiker und eifriger Münzsammler erfreue. Als Militär wurden ihm Dienstkenntniß, soldatischer Blick und ein in Italien nicht häufiges Maß von Schneidigkeit beigemessen, von dem er wiederholt Proben abgegeben haben soll, die bei seiner Stellung als Thronfolger doppelt überraschend gefunden wurden.

---

[1] Sehr anziehende Mittheilungen hierüber enthält die soeben erschienene Schrift eines seiner Lehrer, des Prof. Luigi Morandi, Come fu educato Vittorio Emanuele III. 1901. Paravia e Ca.

4*

Im Ganzen war der junge Fürst, den die Trauerbotschaft von der Ermordung des Vaters auf einer Lustfahrt im Mittelmeer erreichte, seinem Volk wenig bekannt, als er den väterlichen Thron unter so tragischen Umständen bestieg. Es war begreiflich, daß sich die Blicke der Nation mit Spannung auf dies unbeschriebene Blatt richteten, und erfreulich, daß diese Spannung nach dem ersten Auftreten des jugendlichen Herrschers sich in Hoffnung und in Vertrauen umwandelte. Das Manifest an sein Volk, mit welchem König Victor Emanuel III. die Regierung antrat, spricht mit unumwundenen Worten den Willen des neuen Königs aus, gleich seinen Vorfahren die Institutionen des Landes mit fester und energischer Hand zu schützen. „So helfe mir Gott und tröste mich die Liebe meines Volkes, auf daß ich alle meine königliche Sorge dem Schutze der Freiheit und der Vertheidigung der Monarchie widmen kann, die beide durch unauflösliche Bande mit den höchsten Interessen des Vaterlandes verknüpft sind." Und in den Schluß= worten wird die Einheit des Vaterlandes kräftig betont und Roma intangibile, das Symbol und Unterpfand der Unabhängigkeit Italiens, gefeiert. „Das ist mein Glaube, ist mein Ehrgeiz als Bürger und als König!"

So ist das erste Wort des jungen Königs die unzweideutige Zusage gewesen, daß er gesonnen ist, als Haupt des italienischen Einheitsstaates den Ueberlieferungen seiner beiden Vorgänger treu zu bleiben und die Stellung zu behaupten, die sie dem wieder er= standenen Italien gegeben haben. Die Worte, in denen diese Zu= sage abgegeben worden ist, lassen deutlich erkennen, daß sich in ihnen nicht nur der Träger der Krone, sondern auch die Persönlich= keit des Herrschers ausspricht. Sie sind in Italien allgemein als ein politisches Glaubensbekenntniß des jungen Monarchen, als der Ausdruck seines eigensten Willens verstanden und begrüßt worden. Persönliche Züge werden auch in der ersten Thronrede vernehmbar, die der König nach seiner Eidesleistung vor der vereinigten Ver= sammlung des Senats und der Deputirtenkammer gehalten hat. „Ein Volk, das in das Buch der Geschichte eine Seite wie die unserer Wiedererstehung eingeschrieben hat, hat das Recht die Stirn hoch zu tragen und auf die höchsten Ideale hinzublicken. Und mit erhobener Stirn und den Blick auf die höchsten Ideale gerichtet,

weihe ich mich meinem Lande mit aller der Hingebung und Wucht,
deren ich mich fähig fühle, mit der ganzen Kraft, die mir die Bei=
spiele und die Ueberlieferungen meines Hauses verleihen." Und
spricht sich hier der frische, von dem landesüblichen Pessimimus un=
angekränkelt gebliebene Jugendsinn des königlichen Redners aus, so
lassen die Worte, in denen der König seiner Rechte und Pflichten
gedenkt, klar erkennen, daß ihm die Schwierigkeit der Aufgaben, die
ihn erwarten, nicht unbekannt geblieben ist, und daß er gewillt ist,
seine volle Kraft an ihre Lösung zu setzen. „Nie wird mir die
heitere Zuversicht auf unsere freien Einrichtungen fehlen und nie
die starke Initiative und die Energie der Aktion, um unsere ruhm=
reichen Institutionen zu schätzen." —

Die neue Königin Helena, eine der vielen Töchter des Fürsten
von Montenegro, ist bei ihrer Vermählung mit dem italienischen
Thronerben in ihrer neuen Heimath sympathisch begrüßt worden,
weil ihre fremdländische Schönheit, ihre Anmuth und die im
Lande verbreitete Meinung, daß diese Heirath auf persönlicher
Neigung beruhe, das Volk für sie einnahmen. Die junge Monte=
negrinerin scheint die Zurückhaltung und die Kinderlosigkeit der ersten
Jahre ihres Ehestandes mit Erfolg benutzt zu haben, um sich als
Italienerin einzuleben. Einige Monate vor der Thronbesteigung
ihres Gemahls brachten die Blätter Proben von italienischen Ueber=
tragungen montenegrinischer Volkslieder, die von der Kronprinzessin
herrühren sollen und, wenn dies zutrifft, ihrem Geschmack und
ihrem Sprachgefühl Ehre machen.

Mit seinem einzigen Bruder, dem Herzog Amadeus von
Aosta, war König Humbert durch treue Freundschaft und Waffen=
brüderschaft besonders eng verbunden gewesen. Der unerwartete
Tod dieses ausgezeichneten, in manchen Wechselfällen der Geschicke
bewährten Fürsten hat nicht nur in den Kreis der königlichen Fa=
milie eine äußerst empfindliche Lücke gerissen, sondern wird auch
im Volk und im Heer, in welchem der Herzog von Aosta als ein
Vorbild aller militärischen Tugenden verehrt wurde, als ein schwer
zu ersetzender Verlust betrauert. Von den drei Söhnen aus seiner
ersten Ehe mit der Prinzessin Pozzo della Cisterna hat sich der
Graf von Turin durch sein ritterliches Eintreten für die Ehre des
italienischen Offizierkorps und durch die Züchtigung, die er dem

dreiſten Beleidiger deſſelben, dem Prinzen Heinrich von Orleans zuertheilt hat, in weiten Kreiſen der Nation Sympathien erworben. Man ſah ſeine friſche, jugendliche Erſcheinung häufig in der un=mittelbarſten Umgebung des Königs Humbert, der aus ſeinem beſonderen Wohlgefallen an dem jungen Duellanten kein Hehl machte. Sein jüngerer Bruder Ludwig, Herzog der Abruzzen, iſt durch ſeine Forſchungsreiſen in den nordamerikaniſchen Polar=ländern noch in jugendlichem Alter in weiten Kreiſen bekannt ge=worden. Seine neueſte, an Entbehrungen und Gefahren reiche Nord=polarfahrt mit der Stella Polare wird allgemein als eine hervor=ragende Leiſtung anerkannt und hat dem kühnen Reiſenden bei ſeiner Heimkehr eine begeiſterte Aufnahme eingetragen. Die noch jugendliche Stiefmutter dieſer Prinzen, die verwittwete Herzogin Lätitia von Aoſta, wohnt mit ihrem kleinen Sohn, dem Grafen von Salemi, meiſt in Turin, wo die lebensluſtige Dame, als Tochter des Prinzen Napoleon Bonaparte und der Prinzeſſin Clotilde von Savoyen zugleich des Königs Couſine, wegen ihrer Munterkeit und Schönheit gern geſehen wird. Der Bruder der Königin Margherita, Herzog Thomas von Genua, iſt Admiral der italieniſchen Flotte; aus ſeiner Ehe mit der Prinzeſſin Iſabella von Bayern ſind drei junge Söhne und ein Töchterchen vorhanden, ſo daß es dem ſavoyiſchen Hauſe an friſchem Nachwuchs nicht fehlt.

―――――

Trotz der ungemeinen Schwierigkeiten, welche die offene Feind=ſchaft der Kurie dem Hauſe der Savoyer bereitet, iſt es den Köni=gen von Italien gelungen, die Nation nach Außen hin würdig zu vertreten. König Victor Emanuel II. verſtand auch im Verkehr mit ausländiſchen Herrſchern, ſelbſt widerſtrebende Naturen durch ſeinen Freimuth und ſeine Mannhaftigkeit zu verſöhnen und für ſich ein=zunehmen. „Ohne dieſe Beiden“, hat er, auf Minghetti und Visconti=Venoſta deutend, zu Kaiſer Wilhelm I. bei ihrer erſten Begegnung im September 1873 geſagt, „würde ich 1870 gegen Euch gefochten haben.“ Dies männliche Bekenntniß der Sympathien, die Victor Emanuel bei Ausbruch des Krieges zwiſchen Deutſchland und Frankreich für ſeine alten Waffengefährten von 1859 empfun=ben hatte, hat ihm Kaiſer Wilhelm hoch aufgenommen. Der deutſche

Kronprinz hat von dem Tage an, wo er zur Beisetzungsfeier König Victor Emanuels in Rom erschien, mit dessen Nachfolger ein enges Freundschaftsverhältniß geschlossen, das sich bis zum Tode Kaiser Friedrichs erhalten und demnächst auf seinen Sohn vererbt hat. König Humbert hat den Besuch des deutschen Kaisers mehrmals in Italien empfangen und in Deutschland erwiedert. Seit dem Bestehen des Dreibundes ist Italien mit Deutschland und Oesterreich-Ungarn für die Erhaltung des Friedens bei jedem Anlaß eingetreten. Es ist in Italien kein Geheimniß, daß dies Festhalten an den zuerst von Crispi eingeschlagenen Wegen der internationalen Politik wesentlich der beharrlichen Bundestreue des Königs Humbert zu verdanken gewesen ist, den Kaiser Wilhelm in der Depesche, die er bei Empfang der Todesnachricht an die Königin Margherita sandte, mit vollem Recht seinen treuen Freund und Verbündeten genannt hat.

In welchem Maß der König von Italien sich an der Leitung der inneren Staatsgeschäfte über die ihm obliegende formelle Behandlung hinaus betheiligt, ob er dabei schöpferische Gedanken entwickelt, ob er seiner Theilnahme für das Loos der arbeitenden Klassen auch gesetzgeberischen Ausdruck zu geben strebt, das alles entzieht sich dem Blick des Fernstehenden. Während die peinlich sorgfältige Loyalität, mit der sein Vater die Grenzen einzuhalten beflissen gewesen ist, welche seinem Eingreifen in die Staatsgeschäfte durch die Verfassung gezogen sind, von vielen Seiten gerühmt und König Humbert oft als Muster eines konstitutionellen Herrschers gepriesen worden ist, hat es schon zu seinen Lebzeiten auch in Italien nicht an Stimmen gefehlt, welche die Zurückhaltung des Königs zuweitgehend fanden. Je stärker die Mißbilligung geworden ist, mit welcher vaterländisch gesinnte Männer auf das unfruchtbare Fraktionswesen des Parlaments hinblicken, desto lauter ergeht die Aufforderung an den König, aus seiner Zurückhaltung herauszutreten und dem Lande den Weg zur Heilung seiner schweren sozialen Schäden zu weisen. Es ist charakteristisch, daß bei den Wahlen zur Deputirtenkammer zahlreiche Wähler für Umberto I. zu stimmen pflegten. Bei den Wahlen des Jahres 1892 ist dies insbesondere auch in den Provinzen des früheren Königreichs beider Sicilien geschehen. Selbst unter den wegen ihres Mangels an

Staatsgefühl arg verrufenen Neapolitanern giebt es einfache Menschen, die vom Könige die Erlösung von den Uebeln der politischen Parteiwirthschaft erwarten und ihn durch ihr Votum zu stärkerem Eingreifen in die Leitung der Staatsgeschäfte auffordern.

Italien leidet keinen Mangel an klugen Politikern, an geschickten Parteiführern, an gewandten und namentlich an redefertigen Parlamentariern. Aber seitdem die in Cavour's Schule großgewordenen und unter seiner Leitung praktisch bewährten Gehülfen seines großen Einigungswerkes Einer nach dem Anderen früh dahin geschieden sind, fehlt es dem Lande an Staatsmännern, die mit Autorität sich über das Fraktionstreiben der Kammer zu erheben und die vorhandenen Kräfte zu organisatorischen Reformen zusammenzufassen vermögen. Dieser Situation gegenüber kann sich die Monarchie auf die formelle Erledigung der Geschäfte nicht beschränken, ohne sich und das Land schweren Gefahren auszusetzen. Die Fiktion der Unverantwortlichkeit des Monarchen hat vor dringenden Uebelständen, an denen ein Staat krankt, noch niemals Stand gehalten. Schließlich ist es immer der König, an den das Volk sich hält, wenn ihm die Geduld ausgeht.

In Italien thut ein kräftiges Vortreten des Königs doppelt noth, weil der erste italienische König es daran niemals hat fehlen lassen, und weil die Dynastie in einem großen Theil des Landes sturmfeste, widerstandsfähige Wurzeln noch nicht geschlagen hat. Jenes Gefühl der Zusammengehörigkeit von Dynastie und Volk, das sich in dem kleinen Gebiet Piemonts allmählich ausgebildet hatte, ist in dem übrigen Italien lange nicht in gleichem Maße vorhanden. Was der gemeine Mann in der Lombardei und im Venezianischen, im ehemaligen Kirchenstaat und gar in Neapel und Sicilien dem Herrschergeschlecht entgegenbringt, das ist nicht eine in Fleisch und Blut der Bevölkerung übergegangene, altererbte Königstreue, sondern eine von der Person des Vaters auf den Sohn und den Enkel übertragene Dankesempfindung, die persönlicher Einwirkungen bedarf, um lebendig erhalten zu werden.

Vor der Bilderzerstörung, von der anderwärts politische Umgestaltungen begleitet werden, sind die Italiener durch ihren geschichtlichen Sinn und ihre Liebe zur Kunst bewahrt worden. Aller Orten findet man die Standbilder, die Abzeichen, die Inschriften unversehrt, welche auf die früheren Landesherren hinweisen. In Florenz und Livorno stehen medicäische und lothringische Groß= herzöge in Marmor und in Bronze, zu Fuß und zu Pferde auf den Plätzen, ohne daß Jemand Anstoß daran nimmt. Im Dogen= palast von Venedig ist eine Marmorbüste des Kaisers Franz ruhig an ihrer Stelle belassen worden. Selbst in Bologna und in Perugia stehen Bronzestatuen von Päpsten unversehrt vor den schönsten Gebäuden dieser Städte, die so oft gegen die Papstherrschaft sich erhoben haben und so empfindlich dafür gezüchtigt worden sind. Trotzdem ist das Andenken an diese früheren Landesherren politisch so gut wie erloschen. Abgesehen von den Klerikalen, die in der Annektion des Kirchenstaates ein nur durch seine Zurückgabe an den Papst zu sühnendes Unrecht erblicken, giebt es in Italien nirgends Parteien, die eine Wiederherstellung des früheren Parti= kularismus, die Wiederaufrichtung der Throne von Parma und Modena, Toscana und beider Sicilien erstreben. Legitimisten, wie noch jetzt in Frankreich oder wie die Anhänger des Welfenhauses in Hannover und Braunschweig, sind in Italien nicht vorhanden; einen Widerstand, welcher sich auf Treue gegen die früheren Herrschergeschlechter stützt, hat die savoyische Dynastie nicht zu überwinden. Aber gerade dieser völlige Mangel an Anhängern des Legitimitätsprinzips zeigt unzweideutig, auf wie lockerem Boden in dem größten Theile dieses Landes die Monarchie überhaupt ruht. Für Fürstengeschlechter, die Jahrhunderte hindurch geherrscht hatten, hat sich, als die Einheitsbewegung der Jahre 1859 und 1860 sie von ihren Thronen hinwegfegte, kaum eine Hand ihrer bisherigen Unterthanen erhoben; fast spurlos,

> Wie auf der Haide Grund ein Wurmgeniste
> Von einem Knaben scharrend weggewühlt,

sind sie verschwunden. Wird sich, wenn neue Stürme durch das Land wehen, die Dynastie der Savoyer fester begründet erweisen? Ihre stärkste Grundlage beruht, abgesehen von der altererbten Anhänglichkeit innerhalb der alten sardinisch=piemontesischen Pro= vinzen, auf der noch heute in Italien weitverbreiteten, ja vor= herrschenden Ueberzeugung, daß die Monarchie zur Erhaltung des Einheitsstaates unbedingt nothwendig ist. Wie der nationale Staat nur unter der Führung der Könige hat errichtet werden können, so wird er auch nur durch die Monarchie zusammengehalten. „Die Monarchie eint uns, die Republik zertheilt uns;“ dies Wort Crispi's bezeichnet mit epigrammatischer Schärfe das Vernunfträsonnement, welches der monarchischen Gesinnung eines großen Theils der italienischen Bevölkerung zu Grunde liegt.

Aber diese Ueberzeugung wird nicht von allen Parteien in Italien getheilt. Der Klerikalismus wird nicht müde, die Dynastie des Kirchenraubes anzuklagen; er erblickt im Fortbestehen des Einheitsstaates ein fortdauerndes Unrecht und sucht unter seinen Gläubigen Anhänger für einen Staatenbund zu erwerben, dessen Oberleitung dem in den Besitz des Kirchenstaates wiedereingesetzten Papst zufallen würde. Auf der anderen Seite erhebt der Radikalismus immer kühner sein Haupt. Er bekämpft in der Dynastie, gleichviel ob mit Recht oder mit Unrecht, den Schirmherrn der kapitalistischen Bourgeoisie und erwartet alles Heil von der Aufrichtung des sozialdemokratischen Staates, der nach der offenen Erklärung hervorragender Führer natürlich nur eine Republik sein kann.

Die Gefahren, welche der Monarchie von beiden Seiten drohen, sind nicht zu unterschätzen. Wer das Land kennt, kann sich gegen die Wahrnehmung nicht verblenden, daß der Klerikalismus in den letzten Jahrzehnten aufs Neue mächtig um sich gegriffen hat. Die Sprache seiner Presse, die Haltung seiner Anhänger werden immer herausfordernder. Für republikanische Gesinnung aber ist in dieser alten Heimath des Sektenwesens und des politischen Doktrinarismus der Boden besonders gut vorbereitet und aufnahmefähig. Den Irrlehren der Sozialdemokratie verschafft die Noth, in welcher sich ein großer Theil der Arbeiterbevölkerung befindet, namentlich auch auf dem Lande willige Hörer. Die Aufstände in Sicilien und der Straßenkampf, der im Mai 1898 Mailand durchtobt hat, lassen keinen Zweifel darüber bestehen, daß der Radikalismus in Italien zur Verwirklichung seiner Ideale vor Gewaltthaten nicht zurückscheut.

Bisher sind die Aufruhrversuche der antimonarchischen Parteien an der festen Haltung der Regierung gescheitert und durch das kräftige Einschreiten der bewaffneten Macht ohne viel Blutvergießen unterdrückt worden. Aber mit der bloßen Repreſſion iſt auf die Dauer nichts auszurichten. Für die Zukunft der ſavoyiſchen Dynaſtie wird die Stellung entſcheidend ſein, welche ſie zu der unausweichlich an ſie herantretenden Frage einer umfaſſenden Sozialreform einnimmt. Das Wort, das Ceſare Balbo einſt ſeinen Speranze d'Italia als das Programm der politiſchen Wiedergeburt Italiens vorangeſetzt hat, jenes Porro unum est necessarium gilt mit gleicher Dringlichkeit für die Heilung der ſchweren ſozialen Schäden, an denen Italien gegenwärtig leidet. Das ſavoyiſche Haus iſt auf den Königsthron von Italien gelangt, weil es in dem Kampfe um die Unabhängigkeit und die Einheit der Führer des italieniſchen Volkes geweſen iſt. Zu ihrem und zu Italiens Heil iſt es nothwendig, daß die Dynaſtie der Nation ihre Führerſchaft auch in der ſozialen Reformbewegung nicht verſagt, und daß König Victor Emanuel III. hierbei die kraftvolle Initiative und die Energie der Aktion bethätigt, die er in ſeiner erſten Thronrede für den Schutz der vaterländiſchen Inſtitutionen verheißen hat.

3. Die Organisation der Staatsverwaltung.

Bei dem Werdegang, den die politische Wiedergeburt Italiens durchgemacht hat, wäre die Möglichkeit nicht ausgeschlossen gewesen, daß die Organisation der Staatsverwaltung des neuen Königreichs sich an die historische Gliederung des nationalen Gebiets angeschlossen hätte. Hierbei wären zwar nicht geringe Schwierigkeiten zu überwinden gewesen, denn die Mannichfaltigkeit, welche die sieben verschiedenen Staatsgebilde der Halbinsel sowohl in ihrer politischen Verfassung, als in den Verwaltungs= und Gerichtseinrichtungen aufzuweisen hatten, war eine sehr große und hatte mitunter sogar innerhalb der einzelnen Staatsgebiete starke Gegensätze enthalten. Bestanden doch zwischen einzelnen Theilen des Kirchenstaates, ferner zwischen Sicilien und den festländischen Provinzen des Königreichs Neapel weitgehende, altgeschichtlich begründete Verschiedenheiten in den rechtlichen Grundlagen und der thatsächlichen Handhabung der Verwaltung. Bei Uebernahme des bestehenden Zustandes hätten seine vorläufige Anpassung an die Konstitution des leitenden Staates und die allmähliche Ausgleichung der vorhandenen Kontraste sich durch eine zielbewußte kraftvolle Staatsleitung wohl ohne Schädigung der nationalen Einheit vollziehen lassen. Eine derartige organische Angliederung der neu hinzutretenden Gebiete an den Staatskörper des subalpinischen Königreichs hätte den Italienern Zeit gelassen, sich ineinander einzuleben, und zugleich die Möglichkeit, das dauernd zu erhalten und zum Besten der Gesammtheit zu verwerthen, was von den Einrichtungen der einverleibten Regionen sich administrativ bewährt hatte und den Landesangehörigen werth geworden war.

Aber dieser Weg, an sich weit ausschauend und beschwerlich, hätte nur an der Hand eines Führers betreten werden können, der die volle Autorität besaß um den Widerstand zu überwinden, den das Temperament der Nation und ihre politische Lage einem solchen Verfahren entgegenstellten. Durch die ungeahnt schnellen Erfolge von Cavour's Staatskunst auf das heftigste erregt, in ihren Erwartungen mit südländischer Phantasie die Grenzen der Wirklichkeit weit hinter sich zurücklassend, forderten alle patriotisch gesinnten Italiener, als der Friede von Villafranca ihnen am Mincio ein Halt gebot, auf das Lebhafteste die sofortige Sicherstellung des Erreichten, den unbedingten und unverzüglichen Anschluß der Lombardei an Piemont, und die baldigste Einverleibung Toscanas und der Emilia in den entstehenden Nationalstaat. Diese Forderung wurde durch die politische Konstellation verschärft, die bei der schwankenden Haltung des französischen Kaisers, bei der von Oesterreich geforderten Wiedereinsetzung der vertriebenen Kleinfürsten und bei der offenen Feindseligkeit der römischen Kurie dringende Gefahr im Verzuge erscheinen ließ.

Cavour wäre allein im Stande gewesen, auch in dieser Situation die Geister zu beherrschen und eine Lösung der inneren Fragen im Sinne des allmählichen Ausgleichs offen zu halten. Allein Cavour hatte, tief erbittert durch den ihm gänzlich unerwarteten Stillstand der kriegerischen Aktion, die Italien, nach seinen Abmachungen mit Napoleon III, bis zur Adria frei machen sollte, seine Entlassung genommen. Die Leitung der Regierung befand sich in diesem für die Verwaltungsorganisation Italiens entscheidenden Moment in der Hand seines früheren politischen Gegners und späteren Ministerkollegen Urban Rattazzi, und zwar unter Fortdauer der dem Ministerium bei Ausbruch des Krieges ertheilten diktatorischen Vollmacht.

Rattazzi war nicht der Mann, eine solche Gelegenheit, sich als Schöpfer und Organisator vor den Augen von ganz Italien zu zeigen, unbenutzt vorübergehen zu lassen. Ganz in den Anschauungen des fortgeschrittenen Liberalismus der Ideen von 1789 aufgewachsen, als Führer der demokratischen Partei im Turiner Parlament zu politischem Einfluß gelangt, hatte der gewandte und redekundige Advokat stets Frankreichs Vorbild vor Augen gehabt.

Die von jeder geschichtlichen Grundlage losgelöste, aber logisch klare und als Instrument einer straffen Centralleitung unübertrefflich wirksame Gliederung der französischen Staatsverwaltung erschien ihm als das Ideal, das sich ohne Weiteres allenthalben hin übertragen ließe. So oktroyirte er, neben einem Schauer von anderen „organischen" Gesetzen, im Herbst 1859 auch eine der französischen in allen Stücken nachgebildete Verwaltungsorganisation, die zunächst in dem durch die Annektion der Lombardei erweiterten Staatsgebiet des sardinischen Königreichs, dann in den im Frühjahr 1860 hinzugetretenen Territorien Toscanas und der Emilia, ferner 1861 im Königreich beider Sicilien und so fort in allen dem Königreich Italien hinzugewonnenen Provinzen zur Einführung gelangt ist und die noch heute die Grundlage der italienischen Staatsverwaltung bildet.

So ist es gekommen, daß trotz der Verschiedenheiten, welche zwischen den einzelnen Regionen Italiens in ihrem gesamten Kulturzustande bestehen, die Staatsverwaltung in allen ihren Gliederungen, von der obersten Spitze bis zum untersten Vollstreckungsorgan, nach einer völlig gleichmäßigen Norm eingerichtet ist. Alle ihre Verzweigungen, von der Centralgewalt an durch die Provinzialinstanzen bis zu den Lokalbehörden hinab, weisen vom Abhang der Alpen bis zum Cap S. Maria di Leuca, von den Lagunen des adriatischen Meeres bis zur Südspitze von Sicilien die gleiche Schablone auf; Gericht und Verwaltung, Gemeinden und Territorialeintheilung sind schlechthin uniform eingerichtet in den halbwilden Bergwäldern Sardiniens, wie in den hochkultivirten Niederungen des Pothals und des toscanischen Hügellandes. Dem Einheitsbedürfniß der italienischen Volksseele ist durch dies Ergebniß in einem Umfange entsprochen worden, der die kühnsten Erwartungen der Vorkämpfer von Italiens politischer Wiedergeburt weit hinter sich zurückgelassen hat. Ob diese mechanisch vollendete Organisation in gleichem Maße dem dynamischen Bedürfniß der Staatsleitung und der gemeinschaftlichen Interessen der Staatsangehörigen entspricht, ist freilich eine andere Frage, auf die später näher einzugehen sein wird.

Ihren durchaus modernen, von den geschichtlichen Grundlagen der früheren Zustände völlig abgelösten Charakter erweist die Organisation der italienischen Staatsverwaltung namentlich auch in der bis in die untersten Glieder durchgeführten Trennung der Gerichte von der Verwaltung. Der Lehre von den drei Staatsgewalten entsprechend, die nach Montesquieu's theoretischem Recept und nach dem praktischen Vorgange der Konstitution des Abbé Sieyès die staatsrechtliche Doctrin des modernen Konstitutionalismus beherrscht, ist in Italien die Vollstreckungsgewalt von der gerichtlichen durchweg streng geschieden. Weder steht den Lokalorganen der Verwaltung, den Gemeindevorstehern eine Gerichtsgewalt zu, wie sie nach den älteren Landesverfassungen in manchen Theilen Italiens die Amtmänner, capitani, oder wie sonst immer ihre Benennung gewesen war, besessen hatten; noch ist den Gerichtsbehörden irgend eine in die Verwaltung eingreifende oder sie erleichternde Funktion im italienischen Staatsleben übertragen worden. Die Verwaltungsgliederung steht der Gerichtsverfassung völlig getrennt gegenüber; die Gerichte sind vielfach sogar in der räumlichen Abgrenzung ihrer Sprengel von den Verwaltungsbehörden gänzlich geschieden. Dieser Scheidung gemäß wird die nachfolgende Uebersicht zunächst die Central-, die Provinzial- und die Lokalorgane der Verwaltung, demnächst die Gerichtsorganisation ins Auge fassen.

Die Leitung der Staatsverwaltung, das, was man in Italien il governo nennt, verkörpert sich in der Centralinstanz, dem Ministerium. Die Minister sind nach der Verfassung die obersten Räthe der Krone; sie tragen staatsrechtlich die Verantwortlichkeit für alle Regierungshandlungen des Monarchen, die erst durch ihre Gegenzeichnung rechtlich bindende Kraft erhalten. Diese Verantwortlichkeit kann im Wege der Ministeranklage geltend gemacht werden, die nach dem Statut von der Deputirtenkammer erhoben und über die von dem Senat in seiner Eigenschaft als hoher Gerichtshof entschieden wird. Als Mitglieder des Ministeraths (consiglio dei ministri, gabinetto) sind die Minister die Vermittler zwischen der Krone und der Landesvertretung, der sie entweder als Senatoren oder als Deputirte anzugehören pflegen; sie vertreten die Exekutivgewalt dem Parlament gegenüber und halten sich solidarisch für die politische Direktive verpflichtet, auf welche hin sie die Leitung der Geschäfte übernommen haben.

Nach der Verfassung ernennt und entläßt der König die Minister. Während die Verfassung dem Monarchen in der Ausübung dieser höchsten Regierungsfunktion keine Schranken gezogen hat, ist die Krone durch die Entwickelung, welche der Parlamentarismus seit mehr als einem Vierteljahrhundert in Italien genommen hat, in der Wahl der Minister thatsächlich in hohem Maße durch die Rücksicht auf die Deputirtenkammer beschränkt. Der Gebrauch hat sich dahin gestaltet, daß der König zu Ministern nur Männer beruft, von denen anzunehmen ist, daß sie bei allen wichtigen Fragen die Mehrheit der Deputirtenkammer auf ihrer Seite haben werden, und daß er die Minister nur so lange behält, als sich diese Annahme durch die Abstimmungen der Kammer bestätigt. Wir werden auf diese, für Italien keineswegs heilsame Umgestaltung, durch welche die konstitutionelle Regierungsform des Staates sich nicht rechtlich, aber thatsächlich nahezu zur parlamentarischen verwandelt hat, im nächsten Abschnitt ausführlicher eingehen und beschränken uns für jetzt darauf, auf das Ueberwiegen der politischen Seite hinzuweisen, die sich für die Centralleitung der italienischen Staatsverwaltung aus dieser Sachlage ergiebt. In seiner Stellung durchaus abhängig von dem Votum der Deputirtenkammer, sucht jedes Kabinet in Italien sich so lange wie irgend möglich die Stimmen der Majorität zu erhalten. Die Aktion der Staatsgewalt wird daher als erstes und unerläßlichstes Ziel auf die Gewinnung und die Erhaltung der Kammermehrheit gerichtet; es werden nur Maßregeln vorgelegt, die mit diesem Ziel vereinbar erscheinen; Schritte, denen die Mehrheit voraussichtlich abgeneigt ist, unterbleiben von vornherein, obgleich sie im Interesse des Landes nützlich, ja vielleicht nothwendig sein mögen. So ist es u. A. erklärlich, daß die soziale Gesetzgebung Italiens weit hinter den Anforderungen zurückgeblieben ist, die sich aus der Lage der arbeitenden Klassen ergeben.

Der schnelle Wechsel, den die Abhängigkeit der Minister von den Abstimmungen der Kammer nach sich zieht, hat außer der soeben berührten Einschränkung der Regierungsaktion auch ferner ebenso häufige als namhafte Schwankungen in ihrer Richtung zur Folge. Es entspricht dem Dogma der herrschenden Doktrin, daß jedes dem Ministerium nachtheilige Votum der Kammer zum

Abgange nicht blos desjenigen Ministers führt, dessen Ressort dadurch betroffen wird, sondern zum Rücktritt des gesammten Kabinets. Als im November 1897 bei der Etatsberathung ein die Beförderung einer Offizierstlasse regelnder Satz mit zwei Stimmen Mehrheit von der Kammer abgelehnt wurde, gab nicht nur der Kriegsminister General Pelloux seine Entlassung, sondern es folgte ihm am nächsten Tage das ganze Kabinet Rudini, um nach einer peinvollen Krise von vierzehn Tagen demnächst mit starken Veränderungen und mit verminderter Lebensfähigkeit wieder zusammengeleimt zu werden. Ein völlig unerheblicher, für die Interessen des Landes gleichgültiger Anlaß genügte, um in der Leitung von Ressorts, die durchaus Stetigkeit in der Handhabung der Geschäfte erfordern, im Unterricht, in der Landwirthschaft, in den öffentlichen Arbeiten einen Wechsel der Inhaber herbeizuführen.

Das Uebergewicht der politischen Seite im Ministeramt zeigt sich auch darin, daß bei der Auswahl der Minister das Hauptgewicht auf den Einfluß gelegt wird, den sie im Parlament besitzen, und daß die technische Befähigung für das besondere Ressort gegen diesen Gesichtspunkt völlig in den Hintergrund tritt. Je nach der Konstellation der Parteien, oder vielmehr, da es eigentliche politische Parteien in der Kammer kaum noch gibt, nach der jeweiligen Gruppirung der politischen Gefolgschaften werden die Ministerien ohne Rücksicht auf die administrative Qualifikation der Mitglieder gebildet. Nicht selten geben landsmannschaftliche Interessen bei der Vertheilung der Portefeuilles unter Nord und Süd, womöglich unter die hauptsächlichsten Regionen, den Ausschlag. Hatte Cavour seine Ministerlaufbahn als Landwirthschaftsminister begonnen, um zu den Finanzen, dem Innern und dem Aeußern überzugehen (in seinem letzten Kabinet ist er sogar auch Marineminister gewesen), so haben seine Nachfolger, ohne ihm an Fähigkeit gleichzukommen, als Minister nicht mindere Vielseitigkeit bewiesen. Rattazzi hat abwechselnd die Justiz, das Innere und das Aeußere, Minghetti Inneres, Finanzen und Landwirthschaft, Depretis Inneres, Finanzen und Aeußeres verwaltet. Für die technischen Aufgaben des Ministeriums der öffentlichen Arbeiten sind ein Jurist wie Zanardelli, ein Finanzier wie Branca und ein Fahrräderfabrikant wie Prinetti (gegenwärtig Minister des Aeußeren) für gleichbefähigt erachtet worden; Lacava, der erste Inhaber des unter Crispi errichteten Postministeriums, hat später unter Giolitti die Landwirthschaft geleitet und ist dann Minister der öffentlichen Arbeiten im Kabinet Rudini gewesen, in welchem der Professor Gianturco vom Unterrichts= zum Justizminister gemacht wurde. Auf diese Weise ergänzen sich die italienischen Minister fast aus= schließlich aus Männern, die sich, nach vorgängiger Laufbahn als Advokaten, Journalisten, Professoren oder Ingenieure, im Parlament zu Berufspolitikern herangebildet haben. Neben ihnen finden ein= zelne Grandseigneurs oder Diplomaten von Fach ihre Stelle. Ganz ungewöhnlich ist es, daß ein Beamter zum Minister avancirt, und auch dann nur wegen seiner Stellung im Parlament, und immer mit einem gewissen Beigeschmack. Giolitti, der anderthalb Jahre lang Ministerpräsident gewesen ist, wird von seinen Gegnern spöttisch l'impiegattuccio, der kleine Beamte, genannt, weil er Staatsanwalt und Ministerialbeamter war, bevor er Abgeord= neter wurde.

Die schweren Uebelstände, die sich aus dem häufigen, oft gänzlich unvermutheten Wechsel in den Personen der Minister und aus dem Absehen von ihrer technischen Befähigung ergeben, werden noch dadurch vergrößert, daß auch ihre nächsten Mitarbeiter, die Unterstaatssekretäre, genau wie die Minister selbst, als politische Beamte gelten und ganz nach denselben Gesichtspunkten behandelt werden. Sie kommen samt und sonders mit dem Kabinet ins Amt, müssen, wie die Minister, dem Parlament angehören, und scheiden sämtlich beim Falle des Ministeriums aus. Während in England die mangelnde berufsmäßige Vorbildung der Minister und der häufige Wechsel ihrer Personen dadurch erträglich gemacht ist, daß neben den parlamentarischen Untersekretären in jedem Ressort ein ständiger vorhanden ist, der, aus den Berufsbeamten hervor= gegangen, die Traditionen der Verwaltung in sich verkörpert und mit Autorität zur Geltung bringt, hat man die konstitutionelle Doktrin in Italien soweit getrieben, daß die Unterstaatssekretäre lediglich nach politischen Rücksichten ernannt werden und mit den Ministern kommen und gehen. Ein Kabinetswechsel macht in Italien nicht nur die elf Ministerfauteuils leer, sondern bedingt auch eine neue Garnitur von Unterstaatssekretären. —

Die starke Centralisation der italienischen Staatsverwaltung findet auch darin ihren Ausdruck, daß alle Centralbehörden des Staates ohne Ausnahme ihren Sitz in Rom haben, und zwar nicht bloß die Ministerien selbst, sondern auch die ihnen beigeordneten Kollegien und Körperschaften, wie der Staatsrath, der Rechnungshof und die zahlreichen Centralkommissionen, die den Verwaltungsressorts als berathende Organe beigegeben sind. In Preußen hat bekanntlich die Rechnungskammer noch heut ihren Sitz in Potsdam, der oberste Gerichtshof des Deutschen Reichs den seinigen in Leipzig.

Von den elf Ministerien sind nur für das Kriegsministerium, sowie für die beiden Finanzressorts (das Finanz= und das Schatz= ministerium) neue Dienstgebäude errichtet worden. Der Umfang des Finanzpalastes in der Via venti Settembre hat namentlich französischen Autoren Anlaß zu vielfachen Spöttereien über die italienische Großmannsucht gegeben. Aber in diesem Gebäude sind nicht nur zwei volle Ministerien mit allen ihren Abtheilungen, sondern außerdem auch der Rechnungshof und die Staatsschulden= verwaltung untergebracht, Behörden, die anderwärts jede für sich umfangreiche Gebäude beanspruchen. Die übrigen Ministerien haben in vorhandenen Gebäuden Unterkommen gefunden, das Aeußere im Palast der päpstlichen Consulta auf dem Gipfel des Quirinals neben der Residenz des Königs, das Innere im Palast Braschi an der Piazza Navona und die Landwirthschaft im Palast Poli neben der Calcografia nahe der Fontana bi Trevi. Für die anderen sind vormals geistliche Gebäude hergerichtet worden. Die Justiz wartet in einem ehemaligen Kloster an der Piazza Firenze, bis der seit 20 Jahren im Bau begriffene Justizpalast in den Prati del Castello nahe der Engelsburg fertig sein wird. Ganz in ihrer Nähe ist das Marineministerium in einem zur Kirche des heil. Augustinus gehörigen Kloster versteckt. Der Unterricht, sowie Post und Telegraphie theilen sich in den umfangreichen Komplex von Klostergebäuden, der sich in der Nähe des Pantheons zwischen der Via del Seminario und S. Maria sopra Minerva befindet. Die öffentlichen Arbeiten haben sich an der Piazza S. Silvestro mit dem Hauptpostamt in dem großen an die Kirche S. Silvestro in capite anstoßenden Kloster eingerichtet.

5*

Diese zeitweiligen Unterbringungen, die nun zum Theil schon ein Vierteljahrhundert dauern, sind dadurch erleichtert worden, daß mit alleiniger Ausnahme des Auswärtigen kein italienischer Minister eine Dienstwohnung hat. Die Ressortchefs kommen vielmehr so gut wie jeder andere Beamte ins Ministerium, um dort ihre Geschäfte zu erledigen, und gehen, wenn sie fertig sind, wieder nach Hause. In der Regel behalten sie als Minister die Wohnung, die sie als Privatmänner inne hatten. Agostino Depretis hat auch als Premierminister immer sein bescheidenes Logis in der vierten Etage eines Miethshauses behalten. Von Sellas Wohnung, fünf Treppen hoch im obersten Stockwerke des Hauses an der Ecke der Via nazionale und Via Quattro fontane, ist noch jetzt in Rom das Scherzwort eines auswärtigen Diplomaten in Umlauf: Monsieur le ministre loge au premier en descendant du ciel. Zu gesellschaftlicher Repräsentation besteht für italienische Minister, immer mit Ausnahme des Auswärtigen, keinerlei Verpflichtung; wer von ihnen Gäste empfängt, thut es als vornehmer Herr, oder weil er eine schöne Frau hat, oder sonst Vergnügen daran findet, nicht aber um Pflichten seiner Stellung zu erfüllen. Gegenüber dem Pomp, mit dem das republikanische Frankreich seine Minister auszustatten fortfährt, ist die demokratische Einfachheit, welche die Haushaltung und das amtliche Auftreten der italienischen Minister in der Regel kennzeichnet, doppelt bemerkenswerth. Das Ministergehalt (25 000 Lire) ist auch für italienische Verhältnisse gering, die Dienstzeit als Minister ist selbst für diejenigen Rathgeber der Krone, die aus dem Beamten- und Richterstande hervorgehen und nach ihrer Entlassung wieder in ihre frühere Berufsstellung zurückkehren, nicht pensionsfähig. So darf von den italienischen Ministern wohl ausnahmslos gesagt werden, daß sie als Minister arm geblieben sind, wenn sie arm waren, und daß sie meistens im Amte zugesetzt haben, wenn sie etwas hatten.

Der Geschäftskreis der Ministerien deckt sich meist mit der Bezeichnung, die sie führen. Abweichend von unsern deutschen Begriffen sind dem Marineministerium neben der Kriegsmarine auch sämtliche auf die Handelsmarine bezüglichen Angelegenheiten, Schiffahrt, Häfen, Leuchtthürme, überwiesen; im Justizministerium wird neben den durch den Namen bezeichneten Dingen die umfangreiche Ver-

waltung des Fonds für den Kultus, d. h. der eingezogenen geistlichen Güter und der Einkünfte der vakanten geistlichen Pfründen
geführt. Das landwirthschaftliche Ministerium, vom römischen Witz
ministero delle carote[1]) genannt, hat außer dem Ackerbau gleichzeitig Handel und Gewerbe zu verwalten. Die öffentliche Gesundheitspflege, sowie die umfangreiche Gefängnißverwaltung gehören
zum Geschäftskreise des Innern. Post und Telegraphie, die früher
Abtheilungen des Ministeriums der öffentlichen Arbeiten bildeten,
sind seit 1889 zu einem besonderen Ministerium erhoben worden.
Die Finanzverwaltung hat wie anderwärts so auch in Italien lange
ein einheitliches Ressort gebildet, bis sich bei ihrem außerordentlich
großen Umfange das Bedürfniß einer Trennung geltend machte.
Sie erfolgte im Jahre 1877 in der Weise, daß dem Finanzministerium die direkten und indirekten Steuern, die Staatsmonopole (Salz, Tabak, Lotto) und die Domänen verblieben, während
das gesamte Etats- und Rechnungswesen, sowie die Schuldenver-
waltung auf das neu errichtete Schatzministerium übergingen.
Doch blieben beide Ministerien zehn Jahre lang unter der Leitung
des ausgezeichneten Finanzministers Magliani in Personal-Union
vereinigt. Erst nach Magliani's Ausscheiden hat seit 1889 jedes
der beiden Ministerien stets einen besonderen Minister gehabt
Endlich ist zu erwähnen, daß dem auswärtigen Ministerium die
Verwaltung der Kolonialangelegenheiten zugewiesen ist, und daß
ihm demzufolge der Gouverneur von Erythräa mit seinem Beamten-
personal unterstellt ist.

Innerhalb der einzelnen Ministerien sind die Geschäfte, nach
französischem Muster, an Generaldirektionen vertheilt, die in Divisionen und Sektionen zerfallen. Die Beamtenlaufbahn ist nach den
besonderen Anforderungen jedes Ressorts besonders geregelt, stimmt
aber darin überein, daß überall drei Gruppen als bestimmte Berufe behandelt werden, die eigentlichen Verwaltungsbeamten (il con-
cetto), die Rechnungs- und Kassenbeamten (ragionieri) und das
Registratur- und Kanzleipersonal (impieghi d'ordine). Die Bu-
reauverfassung ist durch Reglements derartig geordnet, daß nicht

---

[1]) carota, die Mohrrübe, hat volksthümlich den Nebensinn von Flausen,
Aufschneiden; vendere carote heißt aufschneiden.

nur jeder Generaldirektion, sondern auch jeder Division, ja jeder einzelnen Sektion ein ganz bestimmt umgrenzter Geschäftskreis zugewiesen ist. Hierdurch ergibt sich innerhalb desselben Ressorts ein Uebermaß von Arbeitstheilung, das den Zusammenhang erschwert, und bei dem die innere Einheit nicht selten unter dem Streit über die Zuständigkeit und sonstigen Auswüchsen des Bureau-Patriotis=mus verloren geht. Bei der starken Neigung der Italiener, über dem eigenen Ich die gemeinsamen Gesichtspunkte aus dem Auge zu verlieren, ist die Zersplitterung der Centralstellen in lauter kleine, von einzelnen Dezernenten als Lebensaufgabe geleitete Bureaus doppelt gefährlich. In Italien, sagt ein sorgfältiger und patriotischer Beobachter[1]), hält sich jeder Theil der Staatsverwaltung für autonom und unabhängig von den anderen und glaubt die ihm anvertrauten Interessen am besten dadurch zu vertreten, daß er sie in offenem Widerspruch und Gegensatz zu den Interessen betrachtet, die anderen Dienststellen anvertraut sind.

Der italienische Staatsrath (Consiglio di Stato) besteht nicht wie in Preußen aus einer unbegrenzten Zahl von hohen Beamten und Notablen, die nur selten zusammenberufen werden, um Ge=setzesvorlagen zu begutachten, sondern er bildet, wie in Frankreich, eine ständige Centralbehörde mit weitgehenden administrativen und richterlichen Befugnissen. Der Staatsrath ist ein Kollegium, das aus einem Präsidenten, vier Vicepräsidenten, 32 Räthen und einer Anzahl Referendären besteht und in vier Sektionen zerfällt. Drei von ihnen bilden, für das Innere, die Justiz und die Finanzen, begutachtende Körperschaften, denen die Prüfung von Gesetzent=würfen, sowie die Mitwirkung bei der Vorbereitung königlicher Ver=ordnungen und beim Erlaß von Reglements und Ausführungsbe=stimmungen, sowie bei gewissen Verwaltungsakten (Abschluß von Lieferungsverträgen, Veräußerungen 2c.) zusteht. Die vierte Sektion fungirt seit 1889 als oberster Verwaltungsgerichtshof, indem sie in richterlicher Eigenschaft und in den Formen des gerichtlichen Ver=fahrens in letzter Instanz über streitige Verwaltungsangelegenheiten entscheidet. Diesen hohen Funktionen entspricht die Stellung, die

---

[1]) Pasquale Turiello Governo e governati 2. edizione Bologna 1889. I. 297.

ben Mitgliedern des Staatsraths nach Verfassung und Gesetz bei=
gelegt ist. Sie werden aus bewährten hohen Beamten und aus
sonst politisch oder wissenschaftlich hervorragenden Persönlichkeiten
auf Vorschlag des Ministeriums vom König ernannt, sind an
Rang und Gehalt den obersten Ministerialbeamten gleichgestellt,
können aber wie Richter nur mit ihrer Zustimmung in andere
Stellungen versetzt und nur in gesetzlich geordnetem Verfahren aus
ihrem Amte entfernt werden. Dem Ansehen, welches der Staats=
rath in Italien wegen der Unabhängigkeit und Sachkunde seiner
Mitglieder genießt, entspricht auch die Würde seiner Diensträume.
Sie befinden sich in den Sälen des Palastes Spada, der wegen
seiner mit Stucksfulpturen geschmückten Fassade und seines schönen
Säulenhofes auch in der Nachbarschaft des mächtigen Farnesebaues
einen wirkungsvollen Anblick gewährt. Den Sitzungssaal des
Plenums ziert eine von Giulio Romano gemalte Decke in reicher
Stuckgliederung, und auf die Sessel und Tische, die Königsbilder
und Präsidentenbüsten, welche die Ausstattung der vornehmen Halle
bilden, schaut „in nackter Majestät" (um mit Byron's Childe
Harold zu reden) jene Kolossalstatue des Pompejus hinab, zu deren
Füßen, nach einer jahrhundertelangen Tradition, Julius Cäsar den
Dolchen der Verschworenen erlegen ist. —

Eine gleich unabhängige Stellung nimmt der Rechnungshof
(Corte dei conti) ein, der wie der Staatsrath ein Kollegium
bildet. Ihm sind politische, administrative und richterliche Funktionen
von hoher Bedeutung übertragen. Politisch hat er zu fungiren,
indem er alle von den Ministern ausgehenden Erlasse vor ihrer
Publikation einer Prüfung ihrer Legalität zu unterziehen, mit
seinem Visum zu versehen und zu registriren hat. Diese Präven=
tivkontrole, die den italienischen Rechnungshof von der deutschen
Behörde dieses Namens wesentlich unterscheidet, ist nicht eine bloße
Formalität, sondern von erheblich aktueller Bedeutung. Denn wenn
die Minister eine Maßregel, die der Rechnungshof mit seinem Visum
zu versehen ablehnt, dennoch für nothwendig halten, so können sie
zwar verlangen, daß das Dekret mit Vorbehalt registrirt und zur
Ausführung gebracht wird, aber sie sind alsbann gesetzlich verpflichtet,
bei der Kammer unter der Angabe der Gründe, wegen deren die
Maßregel nothwendig und unaufschieblich erschien, eine Indemnitäts=

erklärung nachzusuchen. Als Verwaltungsbehörde hat der Rechnungs=
hof die Rechnungen der öffentlichen Behörden zu prüfen, soweit
dies nicht in der Provinzialinstanz geschieht, sowie bei Feststellung
von Pensionen und bei der Ausgabe von Schatzanweisungen mit=
zuwirken. Als richterliche Behörde endlich entscheidet er endgültig
über die Haftpflicht der Staats= und Gemeindebeamten aus Anlaß
ihrer Rechnungslegung. Um den Mitgliedern des Rechnungshofes
— ein Chefpräsident, zwei Vicepräsidenten, 12 Räthe und 20 obere
Rechnungsbeamte (ragionieri) — die für die Ausübung ihrer Funk=
tionen erforderliche Unabhängigkeit zu sichern, sind sie in Rang
und Gehalt, sowie in richterlicher Stellung den Staatsräthen gleich=
gestellt. Ihre Versetzung in den Ruhestand oder sonst unfreiwillige
Entfernung aus dem Amte kann nur durch königlichen Erlaß, in
Uebereinstimmung mit dem Gutachten einer aus den Präsidenten
und Vicepräsidenten des Senats und der Deputirtenkammer bestehen=
den Kommission bewirkt werden. —

Die Organisation der Provinzialbehörden schließt sich, mit
vereinzelten Ausnahmen, ganz überwiegend der territorialen Landes=
eintheilung an. In jeder der 69 Provinzen steht ein Präfekt an
der Spitze der Provinzialverwaltung. Er fungirt für die politische,
die allgemeine Landes= und Gemeindeverwaltung als unmittelbarer
Vorgesetzter, während er über die Provinzialorgane der Finanz=
ressorts, der Landwirthschaft, der Post und der öffentlichen Arbeiten
die Oberaufsicht ausübt. Der Präfekt ist kraft seines Amtes zur
Vertretung der Staatsgewalt in seiner Provinz berufen; unmittelbar
dem Minister des Innern unterstellt, ist er dem gesamten Staats=
ministerium für die Aufrechthaltung der Ordnung, für die Wahrung
der Autorität und der Rechte des Staats verantwortlich; ihm steht
als Delegirten des Ministeriums die oberste Civilgewalt in seinem
Amtsgebiet zu. Gleich seinem französischen Kollegen und Muster,
ist auch der italienische Präfekt in erster Linie ein politischer Be=
amter und als solcher verpflichtet, den Standpunkt der Regierung
innerhalb des ihm anvertrauten Interessenkreises nach Kräften zur
Geltung zu bringen; er kann gleich jenem ohne Weiteres und ohne
Angabe von Gründen, als daß das Interesse des Dienstes es verlangt,
versetzt, zur Disposition gestellt oder pensionirt werden. Er ist
ferner gleich Jenem zur Repräsentation verpflichtet und wird zu

ihrer Ausübung in den Stand gesetzt durch freie Dienstwohnung in dem von der Provinz errichteten Präfekturpalast, durch ein für italienische Verhältnisse hohes Gehalt (9—12000 Lire, während die Unterstaatssekretäre nur 10000, die Generaldirektoren der Ministerien nur 9000 L. beziehen) und durch Repräsentationsgelder, die in den Hauptprovinzen bis zu 15000 L. steigen.

Der politische Charakter der Präfekten kommt auch darin zum Ausdruck, daß ihre Ernennung von keiner amtlichen Qualifikation abhängig ist, sondern lediglich nach dem freien Ermessen des Ministeriums erfolgt. Weder Dienstalter in der Beamtenlaufbahn noch Prüfungen verleihen irgend welchen Anspruch auf Berücksichtigung. Häufig werden politische Persönlichkeiten ohne vorherige Beamtenlaufbahn, Deputirte, Großgrundbesitzer ꝛc. zu Präfekten ernannt. Das Aufrücken aus der Zahl der Berufsbeamten erfolgt seltener, als im Interesse der sachkundigen und unparteiischen Geschäftsleitung und zur Aufrechthaltung eines berechtigten Ehrgeizes unter der Beamtenschaft wünschenswerth erscheint. Wie bei der Ernennung, so machen sich auch bei der Versetzung oder Zurückziehung der Präfekten nicht selten Lokaleinflüsse, namentlich der Abgeordneten der Provinz, geltend.

Zur Unterstützung des Präfekten in seinen Verwaltungsgeschäften ist ihm ein Präfekturrath (consiglio di prefettura) beigegeben, der aus einem oder mehreren Oberbeamten (consiglieri) besteht und dem das entsprechende Bureaupersonal von Verwaltungs-, Rechnungs- und Kanzleibeamten unterstellt ist. Zerfällt die Provinz in Kreise, so fungiren in ihnen Unterpräfekten als Delegirte des Präfekten, die im Rang und Gehalt den Präfekturräthen gleichgestellt sind, aber gleich den Präfekten Anspruch auf freie Dienstwohnung oder, wo sie nicht vorhanden ist, auf Wohnungsgeld haben. In großen Präfekturen ist dem Präfekten noch in der Person des Consigliere delegato ein oberer Beamter beigegeben, der etwa dem französischen Generalsekretär der Präfektur entspricht; außerdem sind in solchen Präfekturen ein oder zwei Consiglieri aggiunti zur Hülfeleistung vorhanden.

Der unmittelbaren Verwaltung des Präfekten unterliegt die politische und die Verwaltungspolizei, die durch Polizeiämter (uffici di pubblica sicurezza) in der Provinzialhauptstadt sowie in den

Kreishauptorten ausgeübt wird. In den Großstädten von mehr als 100000 Einwohnern werden die Polizeiämter von Polizei= präsidenten (questori), in den anderen von Inspektoren geleitet. Wo keine königlichen Polizeiämter bestehen, liegt die Handhabung der Polizei dem Bürgermeister der Gemeinde ob.

Unmittelbar mit der Präfektur verbunden ist ferner der staatliche Sanitätsdienst, zu dessen Leitung dem Präfekten ein Provinzialarzt unterstellt und ein aus Sachverständigen der Medizin, Pharmacie und Thierheilkunde, Ingenieuren und einigen Verwaltungsbeamten zusammengesetztes Sanitätskollegium (consiglio provinciale sani- tario) beigegeben ist.

Ferner fungirt zur Leitung des Unterrichtswesens der Provinz bei jeder Präfektur ein Studiendirektor (provveditore agli studi), dem zur Beaufsichtigung des Volksschulwesens für jeden Kreis Schulinspektoren unterstellt sind, und dem gleichfalls ein aus Beamten, Schulmännern und Delegirten der Provinz und der Gemeinden gebildetes Provinzial=Schulkollegium (consiglio provinciale sco- lastico) zur Seite steht.

Endlich besteht seit 1889 in jeder Provinz unter dem Vor= sitz des Präfekten die giunta amministrativa provinciale, ein Kollegium, zu dessen Mitgliedern zwei durch königliche Ernennung aus den Präfekturräthen bestimmt und vier andere von dem Provinzial= rath aus angesehenen und sachkundigen Bewohnern der Provinz erwählt werden. Der Giunta liegen theils administrative theils verwaltungsgerichtliche Funktionen ob. Sie wirkt als Verwaltungs= behörde bei der dem Präfekten zustehenden Staatsaufsicht über die autonomen Körperschaften der Provinz, sowie über die Gemeinden mit, indem alle finanziell erheblichen Maßregeln der Provinzial= und der Gemeindeverwaltungen, namentlich Veräußerung und Be= lastung ihres Vermögens, Abschluß längerer Miethsverträge, An= leihen, Steuern und Gebührenfestsetzungen, ihrer vorgängigen Ge- nehmigung unterliegen. Die innerhalb der Provinz entstehenden Verwaltungsstreitigkeiten, soweit sie nicht durch besondere Gesetze vor speziell bezeichnete Behörden gewiesen sind, hat die Giunta als Verwaltungsgericht zu entscheiden; sie ist namentlich die Rekurs= instanz für Beschwerden gegen Verfügungen der Lokalbehörden in bau=, gewerbe= und gesundheitspolizeilichen Dingen, auch entscheidet

sie Streitigkeiten, die zwischen den Gemeinden und deren Ange=
stellten über das Dienstverhältniß der letzteren entstehen.

Dem Präfekten liegt ferner die Vermittelung zwischen dem
Staat und den Selbstverwaltungsbehörden der Provinz ob. Denn
die Provinz ist nicht nur ein Theil des Staatsgebietes und eine
Grundlage der staatlichen Verwaltungsorganisation, sondern sie ist
auch eine juristische Persönlichkeit und Trägerin eigener Vermögens=
rechte und Pflichten und bedarf als solche eigener Verwaltungs=
organe. Diese bestehen, in Uebereinstimmung mit der italienischen
Gemeindeverfassung, aus dem Rath (consiglio provinciale) und
einem von diesen niedergesetzten ständigen Ausschuß, der deputazione
provinciale. Der Provinzialrath ist eine Vertretungskörperschaft
von 20—60 Mitgliedern (je nach der Einwohnerzahl der Provinz),
die von den zu den Gemeindewahlen berechtigten Einwohnern in
einem nach den Aemtern (mandamenti) geordneten Wahlverfahren
auf fünf Jahre erwählt wird und die sich durch alljährliches Aus=
scheiden eines Fünftels der Mitglieder erneuert. Er wird alljährlich
im August vom Präfekten zu Sitzungen berufen, die mehrere Wochen
zu dauern pflegen, und wählt seinen Vorsitzenden sowie dessen
Stellvertreter selbst. Er stellt das Budget der Provinzialverwaltung
fest und ernennt die Beamten für die Verwaltung der von der
Provinz unterhaltenen Institute und für die Besorgung der ihr
vom Staate übertragenen Angelegenheiten. Hierzu gehören einerseits
die von der Provinz eingerichteten oder von ihr übernommenen
Wohlfahrtseinrichtungen, wie Kranken=, Irren=, Waisen= und
Findlingshäuser, Erziehungsanstalten, namentlich Mittelschulen,
andererseits die Errichtung und Instandhaltung der Provinzial=
straßen und sonstigen Verkehrseinrichtungen. Für diese Zwecke be=
stehen in der Provinzialhauptstadt, dem Sitze des Provinzialraths,
ein Verwaltungs= und ein Bauamt, dem die nöthigen Lokalbeamten
unterstellt sind. Zur dauernden Beaufsichtigung dieser Beamten der
Provinz und zur fortwährenden Ausübung der dem Provinzialrath
obliegenden Funktionen besteht ein ständiger Ausschuß, die deputazione provinciale, ein Kollegium von 6—10 Mitgliedern und
2—4 Stellvertretern, das vom Provinzialrath aus seinen Mit=
gliedern erwählt wird und sich alljährlich um die Hälfte erneuert.
Dieser Ausschuß führt die eigentliche autonome Provinzialverwaltung,

ohne daß ihm dazu Oberbeamte, wie die Landeshauptmänner oder Landesdirektoren der preußischen Provinzialverfassung, zu Gebote stehen.

Da alle diese Staats= und Selbstverwaltungsbehörden der Provinz ein mehr oder weniger zahlreiches Personal von Expedienten, Rechnungs=, Kanzlei= und Registraturbeamten sowie die obligaten Unterbeamten an Kanzleidienern, Hausdienern, Pförtnern 2c. besitzen, so ergiebt sich schon aus dem Bisherigen, wie stark das Beamtenheer ist, das sich in jeder Provinzialhauptstadt zusammenfindet. Aber seine Zahl wird noch wesentlich vermehrt durch die Angehörigen derjenigen Provinzialverwaltungsstellen, die direkt von den ihnen vorgesetzten Ressortministern abhängen, und über welche dem Präfekten nach dem vorhin Bemerkten nur die Oberaufsicht zusteht. Hierher gehören in erster Linie die Finanzintendanzen, denen sämtliche Finanzstellen der Provinz, die Domänen=, Zoll=, Steuer=, Kataster=, Register= und Stempelämter, die Verwaltungen der Salz=, Tabak= und Lotterie=Monopole, die Rezepturen der direkten Steuern, die Finanzwache und die technischen Hülfskräfte (ufficio tecnico di finanza) unterstellt sind. Zur Ueberwachung, Leitung und Inspizirung dieser zahlreichen Behörden, zur Führung ihres Kassen= und Rechnungswesens, das gleichzeitig nach französischem Brauch als Hauptkasse für die gesamte Provinzialverwaltung fungirt, sowie zur Vermittelung des sehr regen Verkehrs mit den beiden vorgesetzten Ministerien der Finanzen und des Schatzes bedürfen die Finanzintendanzen eines so vielfältigen und zahlreichen Büreaupersonals, daß sie zu einem sehr beträchtlichen Umfang anschwellen und sich förmlich zu kleinen Ministerien ausgestaltet haben. Neben ihnen sind als Provinzialbehörden zu erwähnen für die öffentlichen Arbeiten die Staatsbauämter (uffici del genio civile) für die dem Staat obliegenden Hoch=, Straßen= und Wasserbauangelegenheiten, für das Landwirthschaftsministerium die Handelskammern, die Landwirthschaftsräthe (comizi agrari) und das landwirthschaftliche Schulwesen, die Aichanstalten für Maße und Gewichte (uffici metrici e di saggio) und die Forstinspektionen, endlich für die Post und Telegraphie die Provinzialpostdirektionen mit ihrem Aufsichts=, Büreau= und Rechnungspersonal.

Man ist in Italien seit lange ziemlich einstimmig der Meinung, daß die Provinz in ihrer durch die Rattazzische Gesetzgebung von

1859 erschaffenen Begrenzung ein willkürliches Gebilde ohne innere geschichtliche oder auch nur territoriale Existenzberechtigung ist. An räumlichem Umfang wie an Bevölkerungszahl weisen die italienischen Provinzen unter einander Unterschiede auf, die es schwer machen, sie sich als gleichberechtigte Träger einer für alle nach der gleichen Schablone zugeschnittenen Verwaltung vorzustellen. Ueber den Durchschnitt, der sich auf 4—500000 Einwohner stellt, gehen Provinzen wie Turin mit 1,1 Million, Mailand mit 1,3 Millionen, Rom mit 1 Million Einwohner weit hinaus, während Porto Maurizio mit 146000, Sondrio mit 136000, Livorno mit 126000 und Grosseto mit 125000 Einwohnern weit darunter zurückbleiben. Der Zwergprovinz Livorno mit 344 Quadratkilometer Bodenfläche stehen Provinzen wie Turin mit 10000 und Rom mit 12000 Quadrat= kilometer gegenüber. Durch die aller geschichtlichen Grundlagen entbehrende Provinzialabgrenzung wurden an vielen Orten die Ein= wohner ganzer Gegenden aus ihren bisherigen Zusammenhängen losgerissen und mit Orten verbunden, mit denen sie in keinerlei Verkehrs= oder sonstigen Interessengemeinschaft gestanden hatten. Aber auch abgesehen von derartigen Mißgriffen ist die italienische Provinz zur Trägerin der Provinzialverwaltung wenig geeignet, weil sie für die Mittelinstanz zu klein, für eine wirksame Lokal= verwaltung aber mit wenigen Ausnahmen zu groß ist. Sie ist zu klein, um dem vielgestaltigen Organismus der Provinzialbehörden eine ausreichende räumliche Unterlage und ein genügendes Feld für fruchtbringende Thätigkeit bieten zu können. Vielen dieser Mühlen fehlt das Korn zum Mahlen, und ihr Geklapper bringt nur nutz= lose Reibungen, kein Mehl zu Wege. Andererseits ist die Provinz, außer der Gemeinde, das einzige wirkliche Verwaltungsglied in der territorialen Ordnung der italienischen Staatsleitung; die Kreise und die Aemter entbehren jeder Selbständigkeit und können als Träger der Verwaltung, wie sie es in Preußen sind, in keiner Weise angesehen werden. Für eine wirksame Leitung der über den Kreis der Gemeinde hinausgehenden örtlichen und territorialen Interessen — und an diesen ist naturgemäß auch in Italien kein Mangel — haben die meisten italienischen Provinzen einen viel zu großen Umfang.

Bei den großen Unterschieden im Umfange der Provinzen hat man sich gezwungen gesehen, die Gehälter der in ihnen fun=

girenden Beamten nach verschiedenen Stufen zu bemessen. Es ist begreiflich, daß ein Provinzialbeamter, gleichviel welchen Ressorts, in Rom oder Neapel stärker in Anspruch genommen wird als in Forli, Grosseto oder Belluno, und billig, daß er dafür höheres Gehalt bezieht. Aber ebenso natürlich ist das Streben der meisten Beamten, aus Provinzen mit den geringeren Gehaltsstufen möglichst schnell in eine der höheren Besoldungsklasse versetzt zu werden; sie gewöhnen sich daran, ganze Provinzen nur als Ausgangspunkte oder Zwischenstationen ihrer amtlichen Laufbahn anzusehen und ihre dienstliche Thätigkeit dieser Auffassung entsprechend einzurichten. Hierdurch kommt ein Element der Unruhe, ein Streberthum, ein Konnektionswesen und schließlich ein nomadenhaftes Hin- und Her- ziehen unter die Beamtenschaft, die ihr Ansehen und die Interessen der seßhaften Bevölkerung gleich empfindlich schädigen.

Minghetti, der in Cavour's letztem Kabinet und unter Rica- soli Minister des Innern war, hat schon damals die fehlerhafte Grundlage der italienischen Provinzialverwaltung klar erkannt und den Versuch gemacht, die von Rattazzi künstlich geschaffene Territorial- eintheilung unter Anlehnung an die historisch und wirthschaftlich besser fundirten Landschaften Italiens, die Regionen, durch eine natürlichere und bessere zu ersetzen. Allein dieser Versuch ist 1861 an der Abneigung der Italiener gegen den Regionalismus ge- scheitert, in dem die Verfechter der nationalen Einheit eine Rückkehr zu dem eben erst glücklich überwundenen Partikularismus witterten. Dieser mehr doktrinären Gegnerschaft schlossen sich damals im Parlament namentlich die Süditaliener an, weil sie von der Ein- theilung in Regionen eine Gefährdung der praktischen Interessen des Südens befürchteten. Denn sie argwöhnten, daß der Staat bei größerer Selbständigkeit der Regionen dem reichen Norden nicht soviel Mittel würde abfordern können, als sie für erforderlich hielten, um den wirthschaftlichen und den Kulturschäden des arg zurück- gebliebenen Südens möglichst schnell abzuhelfen.

So ist die Region, die nach wie vor von italienischen Volks- und Landeskundigen für die naturgemäße Eintheilung ihres Vater- landes gehalten und wissenschaftlich als solche behandelt wird, für die Gliederung der Verwaltung unbenutzt geblieben. Sie dient amtlich nur für die formelle Gruppirung statistischer Ermittelungen,

weil sie für diesen Zweck handlicher und übersichtlicher ist als die
Menge der Provinzen. Zur Schöpfung gemeinsamer Organe für
die Regionen ist es auch auf dem reichhaltigen Gebiete der nicht=
amtlichen Lebensäußerungen, der Selbsthülfe, der Wohlfahrtspflege,
der wissenschaftlichen Thätigkeit, mit verschwindend geringen Aus=
nahmen nicht gekommen. Inzwischen haben sich Rattazzi's Pro=
vinzen seit vier Jahrzehnten derartig mit den lokalen Interessen=
kreisen verflochten, daß der Gedanke, sie wieder zu beseitigen, aus=
sichtslos sein würde. Auch die Ausgleichung der am meisten in
die Augen springenden Fehler, die Zusammenlegung der nicht
existenzfähigen Zwergprovinzen zu größeren, würde voraussichtlich
einem so erbitterten Widerstande der dadurch in ihrer Eigenschaft
als Provinzialhauptstadt gefährdeten Orte und ihrer Vertreter im
Parlament begegnen, daß der reformlustigste Minister sich wahrschein=
lich fragen wird, ob es sich der Mühe lohne, so viel Lärm um die
bessere Abrundung von einigen Provinzen zu erregen. — Unter
Beibehaltung der bestehenden Provinzen aber die Regionen als ein
neues Glied in den Verwaltungsorganismus einzufügen, wie dies
von einzelnen italienischen Publizisten zum Zwecke einer stärkeren
Decentralisirung empfohlen wird, würde die büreaukratische Maschinerie
um ein neues Rad vermehren, ohne ihren Gang zu vereinfachen.
Denn der Drang, alle Dinge bis zur Entscheidung der Central=
instanz zu treiben, ist in Italien so allgemein und er ist in dem
Mißtrauen, welches einen unterscheidenden Zug des Volkscharakters
bildet, so tief gewurzelt, daß es schwer ausführbar sein würde, der
Regionalleitung Sachen von irgend welcher Bedeutung zur end=
gültigen Entscheidung zu übertragen. —

Während die territoriale Grundlage der Provinzialverwaltung
eine moderne Improvisation ist, knüpft die der Ortsverwaltung
an den ältesten und ruhmvollsten Faktor der politischen Ent=
wickelung Italiens, an die Gemeinde, an. Aber von den ältesten
Zeiten her ist die Gemeinde (il comune, wie der Italiener be=
zeichnend sagt) in Italien etwas Anderes gewesen als bei uns.
Ueber den Rahmen der innerhalb derselben Ortschaft vereinigten
Stadt= oder Dorfgenossen hinaus hat die italienische Gemeinde

von den Tagen an, wo Rom sein Stadtgebiet über das Pomörium des servianischen Mauerrings hinaus auf die Feldmark der bezwungenen Nachbarstädte ausdehnte, stets den Charakter einer autonomen Körperschaft an sich getragen, die innerhalb des von ihr beherrschten Territoriums ihre Geschicke selbständig leitete. So haben die Kommunen des Mittelalters sich zu kraftvollen politischen Gebilden entwickelt, die in unablässigen Kämpfen ihre Freiheit gegenüber Kaiser und Reich zu erringen und gegen die Begehrlichkeit lokaler Machthaber Jahrhunderte lang zu behaupten wußten. Während manche dieser Gemeinden, nach dem Vorbilde des Alterthums, zu mächtigen Kolonialstaaten aufwuchsen, wie Pisa, Venedig und Genua, errangen andere, wie Mailand, Florenz, Lucca, die Herrschaft über Gebiete, die nach dem Untergang der Gemeindefreiheit zur Begründung von fürstlichen Dynastien ausreichten. Die Erinnerung an die Tage, in denen die Kommunen die Trägerinnen eines reich bewegten politischen Lebens, die Wiege des neu erwachenden Handels und Gewerbefleißes und die Pflegerinnen einer unvergleichlich ruhmvollen Kunstentwickelung waren, sind in Italien noch heutzutage ungemein lebendig; sie machen sich nicht nur in den großen Centren, sondern auch in Mittelstädten, wie Siena, Perugia, Pistoja, und selbst in ganz kleinen Städten, wie Gubbio, San Gimignano, mit oft überraschender Stärke geltend, und sie verleihen diesen Städten jenes individuelle charaktervolle Gepräge, auf welchem ein Hauptreiz des Reisens in Italien beruht.

Ein Unterschied zwischen städtischen und Landgemeinden, wie er sich durch die ganze Entwickelung des deutschen Gemeindewesens hindurchzieht und noch gegenwärtig wichtige politische, wirthschaftliche und soziale Wirkungen ausübt, hat in Italien kaum jemals bestanden. Beinah durchgehends sind die Landbewohner schon früh in ein Abhängigkeitsverhältniß zu den benachbarten Städten getreten, das die Bildung selbständiger ländlicher Ortsgemeinden ausschloß und zur Bildung umfangreicherer Samtgemeinden führte. Der große Kaiser, der am hartnäckigsten und energischsten die Centrifugalkraft der italienischen Kommunen zu brechen versucht hat, Friedrich Barbarossa, war sich nicht unklar darüber, wie sehr diese Vorherrschaft der Städte über das Land ihre Wehrhaftigkeit und ihr Unabhängigkeitsgefühl stärkte. Deshalb stellte er im Konstanzer

Frieden 1183 das Landgebiet, um es von den Stadtgemeinden zu trennen, unter kaiserliche Beamte. Unter dem Schutze dieser Vögte hätte sich bei längerem Bestande in Ober- und Mittelitalien vielleicht ein freier Bauernstand entwickeln können. Aber mit dem Untergange der Hohenstaufen brach ihre Schöpfung zusammen, und die alte Oberherrlichkeit der Städte über das flache Land stellte sich wieder her. Es giebt in Italien keine politisch selbständigen Landgemeinden. Die Gemeinde umfaßt innerhalb eines mehr oder minder geschichtlich begrenzten Territoriums unterschiedslos Stadt und Land. Der Agro romano, das Gemeindegebiet von Rom, bildet ein Territorium von zweitausend Quadratkilometer, das den Umfang mancher Provinz übertrifft. In nicht wenigen Gemeinden bleibt die Bevölkerung der Hauptorte hinter der des zugehörigen Landgebietes zurück. Die Bevölkerung der Gesamtgemeinde Belluno wird auf rund 18000 Köpfe berechnet, während das reizende Städtchen kaum 6000 Einwohner zählt. Von den 80000 Einwohnern der Gemeinde Lucca kommen wenig über 20000 auf die von ihren grünen Wällen umschlossene schöne alte Stadt. Die Gemeinde Perugia umfaßt 60000 Menschen, aber nur 18000 von ihnen bewohnen die auf hohem Bergrücken stattlich thronende Hauptstadt Umbriens.

Neben diesen großen, ganze Landschaften umfassenden Gemeinden giebt es freilich auch nicht wenige kleine, ja ganz winzige Gemeindeverbände. Sowohl in den Gebirgen, die ja einen sehr großen Theil des Gesamtareals von Italien einnehmen, als im Hügellande von Toscana, dessen uralter Anbau in der Form des Theilbaues, der mezzadria, das Entstehen und die Fortdauer kleiner selbständiger ländlicher Centren begünstigte, haben sich zahlreiche nur aus ländlichen Anwesen bestehende Gemeinden erhalten. Von den 8262 Gemeinden Italiens weisen etwa 2000, also nahezu ein Viertel, weniger als tausend Einwohner auf. Von ihnen bleiben rund siebenhundert unter fünfhundert, fünf Gemeinden sogar unter der bescheidenen Ziffer von hundert Einwohnern zurück.

Aber weder diese nicht unbeträchtlichen Unterschiede des räumlichen Umfanges und der Bevölkerungszahl, noch die tiefer greifenden Verschiedenheiten der wirthschaftlichen Lage und des Kulturzustandes haben die hastige Gesetzgebung Rattazzi's davon abgehalten, alle

Fischer. 2. Aufl. 6

Gemeinden Italiens über einen Kamm zu scheeren. Es besteht für sie alle unterschiedslos ein und dieselbe Gemeindeverfassung; allenthalben dieselben Gemeindeorgane, das gleiche Wahlrecht, dieselben Rechte und Pflichten, das gleiche Maß von Autonomie und dieselbe Ueberwachung durch die Staatsgewalt. Rein mechanisch nach der Bevölkerungszahl abgestuft, ist nur die Zahl der Mitglieder des Gemeinderathes und der Giunta — unser Ausdruck Magistrat deckt sich nach verschiedenen Richtungen nicht damit — verschieden bemessen.

Jede Gemeinde hat einen Gemeinderath (Consiglio comunale), der in Gemeinden von über 250000 Einwohnern 80, bei mehr als 60000 Einwohnern 60, bei über 30000 Einwohnern 40, mehr als 10000 Einwohnern 30, mehr als 3000 Einwohnern 20 und bei unter 3000 Einwohnern 15 Mitglieder zählt. Bleibt die Zahl der Wahlberechtigten unter 15 zurück, so bilden sie sämtlich den Gemeinderath. Das Wahlrecht steht allen Gemeindeangehörigen zu, welche in der Liste der politischen Wähler eingeschrieben sind, und darüber hinaus Allen, die einen sehr gering bemessenen Betrag (5 Lire) an Gemeindesteuern zahlen oder als Pächter Grundstücke mit einem Grundsteuerertrage von mindestens 15 Lire inne haben, oder für ihre Wohnung eine nach der Einwohnerzahl der Gemeinde von 20 bis 200 Lire abgestufte Miethe bezahlen. Also eine Wahlberechtigung, die an breitester Grundlage kaum etwas zu wünschen übrig läßt, indem sie in dem Census noch unter dem Maße zurückbleibt, welches für das politische Wahlrecht nach seiner letzten umfassenden Erweiterung übrig gelassen worden ist. Wählbar sind alle Gemeindewähler, mit einigen für den Charakter des Landes bezeichnenden Ausnahmen. Sie schließen zunächst alle Geistlichen aus, welche seelsorgerische Funktionen ausüben. Sie verbieten ferner die Wahl von Beamten, welche zur Ueberwachung der Gemeindeverwaltung berufen sind, sowie von Gemeindebeamten und anderen von der Gemeinde besoldeten oder mit ihr in Abhängigkeits- und Schuldverhältnissen stehenden Personen. Ferner die Analphabeten, insofern die Gemeinde doppelt soviel Wähler als Gemeinderathsmitglieder zählt. Endlich dürfen Väter und Söhne, Brüder, Schwiegervater und Schwiegersohn nicht zusammen im Gemeinderath sitzen.

Bei dem auf dieser demokratischen Grundlage erwählten Kollegium, das in größeren Städten seiner Mitgliederzahl nach einem kleinen Parlament gleichkommt, und welchem es auch weder an Parteien noch an Interessengruppen fehlt, liegt der Schwerpunkt der Gemeindeverwaltung. Der Gemeinderath tritt nach Vorschrift des Gesetzes zweimal im Jahre, im Frühling und im Herbst, zu regelmäßigen Sitzungen zusammen. Er kann vom Bürgermeister und muß auf Antrag eines Drittels seiner Mitglieder sowie auf Anordnung des Präfekten auch zu außerordentlichen Sitzungen berufen werden, und solche Sitzungen finden in der Regel in kurzen Zwischenräumen statt. Dem Präfekten ist von ihrer Einberufung zuvor Anzeige zu machen; er und der Unterpräfekt sind berechtigt, an der Sitzung theilzunehmen oder sich durch einen Delegirten vertreten zu lassen. Der Beschlußfassung des Gemeinderaths unterliegen die Feststellung des Gemeindebudgets, alle die Gemeinde finanziell irgendwie erheblich belastenden Verträge, Veräußerungen oder Verfügungen über das Gemeindevermögen, die Festsetzung von Gemeindeabgaben, der Erlaß von lokalen Reglements, die Aufsicht über die Wohlfahrtseinrichtungen.

Als ständige Organe des Gemeinderaths fungiren der Bürgermeister und die Giunta. Die Letztere, welche je nach der für die Mitgliederzahl des Gemeinderaths maßgebenden Einwohnerziffer aus zehn bis vier Beisitzern (assessori) und vier bis zwei Stellvertretern besteht, wird vom Gemeinderath aus seinen Mitgliedern erwählt und erneuert sich alljährlich um die Hälfte. Die Giunta steht dem Oberhaupte der Gemeinde in der Erledigung der laufenden Verwaltungsgeschäfte zur Seite. Es ist üblich, daß ihren einzelnen Mitgliedern vom Bürgermeister gewisse Theile der städtischen Verwaltung, die Aufsicht über die Polizei, oder die Gesundheitspflege, das Bauwesen, der Unterricht, die Armenpflege u. dergl. als dauernde Dezernate übertragen werden, und es ist nicht selten, daß die italienischen Gemeinde-Assessoren sich diesen Aufgaben mit dem gleichen Eifer, und wenn sie länger im Amte bleiben, mit derselben Sachkunde widmen, wie es von ihren deutschen Kollegen, den unbesoldeten Stadträthen unserer städtischen Magistrate, zu geschehen pflegt. In Rom fungirt seit fast zwei Jahrzehnten derselbe Beisitzer der Giunta als assessore dell' istruzione pubblica, und seiner einsichtsvollen und hingebenden Thätigkeit ist zu nicht geringem

6*

Theil der gute Zustand zu verdanken, in welchem sich das Volksschulwesen der ewigen Stadt befindet.

Der Bürgermeister (sindaco) wird in den Provinzial- und
Kreishauptstädten, sowie in allen Kommunen von mehr als
10 000 Einwohnern vom Gemeinderath aus seiner Mitte auf drei
Jahre erwählt. In den übrigen Gemeinden wird er auf Vorschlag
des Präfekten vom König aus der Mitte des Gemeinderaths ernannt. Er ist das Haupt der Gemeinde; er beruft den Gemeinderath und die Giunta und führt in beiden den Vorsitz. Außer
der Leitung der Gemeindeverwaltung liegen ihm, da die Kommune
neben ihrer autonomen Stellung zugleich ein wichtiges Glied der
Staatsverwaltung bildet, zahlreiche und wichtige Funktionen als
Staatsbeamter ob. Er fungirt entweder selbst oder durch Delegirte
als staatlicher Standesbeamter; er ist, wo die Polizei nicht durch
königliche Beamte wahrgenommen wird, der Chef der lokalen Polizei-
verwaltung; er hat bei den Wahlen, bei der Steuerfestsetzung und
-Erhebung mitzuwirken; er hat dafür zu sorgen, daß die Gemeinde
den ihr staatlich auferlegten Pflichten in Beziehung auf den Unterricht,
die Armenpflege, die Gesundheitspflege, das Straßen- und Wege-
wesen, die Wohlfahrtseinrichtungen usw. nachkommt. Das Amt
des Sindaco, in Italien wie in Frankreich durchweg Ehrenamt,
bringt seinem Inhaber eine Fülle von Verantwortlichkeit und von
politisch wie sozial schwerwiegenden Pflichten.[1] Es gewährt
andererseits dem Stadtoberhaupte bei seiner Doppelstellung als
Gemeinde- und als politischer Beamter und bei der Autonomie,
welche der Gemeinde in der Verwaltung ihrer eigenen Angelegenheiten
thatsächlich belassen wird, ein so hohes Ansehen und einen so weitgehenden Einfluß, daß die Stellung des Bürgermeisters auch von
den vornehmsten und reichsten Gemeindeangehörigen als eine be-
gehrenswerthe und als Ziel eines berechtigten bürgerlichen Ehrgeizes
angesehen zu werden pflegt. Es ist daher wie in England und in Frankreich so auch in Italien durchaus nichts Ungewöhnliches, Mitglieder
der Geburtsaristokratie oder reiche Grundbesitzer als Bürgermeister

---

[1] Eine anziehende Schilderung der Stellung des Sindaco und der
italienischen Gemeindeverwaltung giebt Antonio Fogazzaro in seinem
neuesten, jetzt auch in Buchform erschienenen Roman Piccolo mondo moderno.

ihrer Heimatsgemeinde fungiren zu sehen. In Rom ist seit der Vereinigung mit Italien die Würde des Sindaco u. A. von den Fürsten Doria-Pamphili und Pallavicini, dem Grafen Pianciani, dem Marchese Guiccioli, den Herzögen Torlonia und Caetani bekleidet worden; der Fürst Emanuel Ruspoli hat bis zu seinem vor kurzem erfolgten Tode viele Jahre hindurch als Bürgermeister von Rom fungirt. In Florenz steht ein Torrigiani, in Venedig ein Grimani an der Spitze der Gemeindeverwaltung; in Neapel ist lange Zeit der Herzog von San Donato Bürgermeister gewesen.

Selbst in kleinen Städten pflegt das Rathhaus, der Palazzo municipale, mit einer den geschichtlichen Traditionen und dem Kunstsinn der Bürger entsprechenden Würde ausgestattet zu sein. Wer Perugia besucht hat, dem wird der mächtig aufragende Bau des Stadthauses mit den bronzenen Wappenthieren, die auf Konsolen an der dem Dome zugewendeten Seite alte Siegestrophäen der stolzen Stadt zur Schau tragen, mit der durch Perugino's Fresken geschmückten Halle des Cambio und mit der eine große Zahl von Meisterwerken der umbrischen Schule vereinigenden Gemälde-galerie in den stattlichen Sälen des obersten Geschosses unvergeßlich bleiben. In ähnlicher Weise bilden in Siena, Brescia, Lucca und an vielen anderen Orten die Gemeindepaläste den Mittelpunkt der historischen und der künstlerischen Interessen. In dem durch die Schönheit seiner Frauen wie durch die Anmuth seiner sprudelnden Brunnen berühmten Viterbo präsentirt sich das Rathhaus mit seinen Wappenlöwen nicht nur äußerlich als ein hervorragend statt-licher Hallenbau, sondern es bietet in seinem Innern eine Reihen-folge von künstlerisch ausgestatteten Sälen für dienstliche Zwecke und repräsentative Anlässe, sowie in den Unterräumen eine bis in die Vorzeit der Etrusker zurückgeführte Sammlung städtischer Alter-thümer und Kunstschätze. Selbst in dem kleinen San Gimignano, das wegen seiner den Stadtfelsen überragenden weithin sichtbaren Krone mittelalterlicher Wehrthürme den Beinamen delle belle torri führt, ist der Stadtpalast durch einen prachtvollen Thurm, durch eine äußerst wirksame Architektur, sowie durch Wandgemälde des großen Sitzungssaales ausgezeichnet, die laut der darunter befind-lichen Inschriften im Jahre 1317 auf Befehl des Capitano und der Bürgerschaft von Lippo Memmi gemalt und 1467 von keinem

Geringeren als Benozzo Gozzoli restaurirt worden sind. Und wie jeder Stadtbeamte von Rom bis zum Polizisten und Feuerwehrmann das antike S. P. Q. R. am Hute oder am Helme trägt, so wetteifern auch kleine Städte gern in einer an ihr Alterthum erinnernden Devise mit der ehemaligen Weltherrscherin. Der Stadtpolizist, der auf dem Markt von Frascati die öffentliche Autorität mit gelassener Würde repräsentirt, ist nicht nur mit Federhut, Epaulettes, Fangschnüren und Schärpe glanzvoll in Scene gesetzt, sondern er trägt an seiner Kokarde die Buchstaben S. P. Q. T., die daran erinnern, daß Frascati die Stelle der im Mittelalter von den Römern zerstörten antiken Latinerstadt Tusculum einnimmt.

Unter den besoldeten Kommunalbeamten steht der Stadtsekretär obenan. Ist er in kleinen Gemeinden der einzige, so ist er in großen die bureaukratische Spitze der zahlreichen Gemeindebeamten, die Triebfeder, die den ganzen, oft recht verwickelten Amtsmechanismus des großen Gemeindewesens in Bewegung erhält und die Verbindung zwischen den einzelnen Aemtern und Bureaus vermittelt, in die sich dieser Mechanismus zerlegt. In den Großstädten fehlt es natürlich nicht an zahlreichen, theils administrativ und technisch, theils als Rechnungs= und Kassenführer vorgebildeten Beamten, die im Stadtbauamt, im Gesundheitsamt, in der Polizei- und Armenverwaltung, im städtischen Schuldienst und in der Verwaltung des mitunter recht ausgedehnten Grundbesitzes der Gemeinde mitwirken. Die Instandhaltung und Verbesserung der Landwege und der städtischen Straßen, die Entwässerung und Kanalisirung, die Straßenbeleuchtung und =Reinigung, die Markt= und Gesundheitspolizei, die Unterhaltung eines den gesetzlichen Anforderungen entsprechenden Sanitätsdienstes, Hospitäler, Armen= und Waisenhäuser, die Kirchhöfe — kurz alle die Einrichtungen, ohne die wir uns ein Zusammenleben von Menschenmassen in modernen Großstädten nicht vorstellen können, bilden ein ausgedehntes und mannichfaltiges Gebiet für das Verwaltungstalent und die Schaffenslust auch der italienischen Gemeindebeamten.

Um den Anforderungen, welche die Gesundheit, die Sicherheit und die Bildung der Gemeindeangehörigen, sowie der Staat an die Gemeinde stellen, gerecht zu werden, steht ihr ein ausgedehntes Besteuerungsrecht zu, auf das, wie auf die Gemeindefinanzen überhaupt, in einem späteren Abschnitt näher eingegangen werden wird. Hier sei nur hervorgehoben, daß die Beaufsichtigung des kommunalen Finanzwesens einen wesentlichen Theil der Kontrole bildet, welche der Staat durch den Präfekten und durch seine Rechnungsbehörden über die Gemeindeverwaltung ausübt. Diese Aufsicht soll namentlich verhindern, daß die nothwendigen Ausgaben über den fakultativen verabsäumt, oder daß die fakultativen vorweg geleistet werden, damit für die nothwendigen auf Zuschlagsteuern, Anleihen oder sonst fragwürdige Auswege gegriffen werden muß. Dem Präfekten, dem die Beschlüsse des Gemeinderathes und der Giunta binnen drei Tagen vorgelegt werden müssen, steht das Recht zu, ihren Vollzug zu suspendiren und sie zu annulliren; er kann auch zur Auflösung des Gemeinderaths schreiten, wenn dieser die Bewilligung von Mitteln für gesetzlich nothwendige Gemeindeausgaben verweigert. Ebenso kann der Bürgermeister aus Gründen der öffentlichen Ordnung vom Präfekten suspendirt und durch königlichen Erlaß seines Amtes entsetzt werden.

Wenn von italienischen Publizisten und Politikern mehrfach die Einmischung der Staatsgewalt in die Kommunalangelegenheiten als zu weitgehend bezeichnet und die Gewährung größerer Selbständigkeit an die Gemeinden gefordert wird, so fehlt es nicht an Stimmen, welche die Autonomie der Gemeinden schon gegenwärtig für viel zu groß, die ihnen zugewiesenen Aufgaben für zu mannichfaltig und ausgedehnt, die Grundlage ihrer Verfassung für unrichtig und den Interessen der minder Bemittelten zuwiderlaufend erkären. Turiello[1]) geht so weit, die Zustände, welche sich aus dieser Gemeindeverfassung namentlich in den südlichen Provinzen entwickelt haben, als eine Cliquen- und Coterienwirthschaft der schlimmsten Art zu schildern, die auf die Ausbeutung der Aermeren zu Gunsten der Besitzenden hinauskomme, und in welcher er die Aufrichtung eines neuen schlimmen Hörigkeitsverhältnisses beklagt. Das Urtheil dieses ausgezeichneten Schriftstellers ist durch zahlreiche Beispiele von krassen Mißbräuchen belegt; allein es ist doch fraglich, in wie weit er durch seine unverhohlene Abneigung gegen das in seiner jetzigen Gestalt dem Süden vor 1861 unbekannt gewesene Institut

---

[1]) P. Turiello, Governo e governati I, 180 ff., 206 ff., 234.

der Gesamtgemeinde und überhaupt gegen die aus dem Ideenkreise der französischen Revolution entstammenden Einrichtungen in seiner Auffassung beeinflußt worden ist.

Die Organisation des Gerichtswesens lehnt sich territorial gleichfalls an die allgemeine Landeseintheilung an; doch deckt sie sich mit ihr nur in den untersten Stufen, während die Sprengel der Kollegialgerichte besonders abgegrenzt sind. Wie für die Verwaltung, so haben auch für die Gerichtsverfassung Italiens durchaus die französischen Einrichtungen zum Vorbild gedient. Sowohl der hierarchische Aufbau der Gerichte als die Anordnung ihrer Zuständigkeit, die Scheidung des Gerichtspersonals in Richter (magistratura) und Staatsanwaltschaft (Pubblico Ministero), die Gliederung der Rechtsanwaltschaft in Advokate und Anwälte folgen fast ausschließlich französischen Mustern, wie denn auch das bürgerliche Gesetzbuch und der Civil- und der Strafprozeß, die für ganz Italien einheitlich geregelt sind, in ihren Grundzügen auf der napoleonischen Gesetzgebung beruhen.

Als eine Vorstufe der ordentlichen Gerichte, aber bereits mit eigener Gerichtsbarkeit ausgestattet, ist das Institut der Schiedsrichter (conciliatori) anzusehen, das im Königreich beider Sicilien bald nach der Wiederherstellung der Bourbonenherrschaft errichtet worden war und sich so bewährt hatte, daß es nach 1861 auf ganz Italien ausgedehnt worden ist. Die Conciliatori sind keine Berufsbeamte und bedürfen keiner technisch-juristischen Vorbildung. Sie werden aus notablen Gemeindemitgliedern auf Vorschlag des Oberstaatsanwalts vom Präsidenten des Appellhofes kraft königlicher Delegation auf drei Jahre ernannt und fungiren ehrenamtlich. In jeder Gemeinde (bei großen in jeder Sektion) amtirt ein Conciliator, dem ein Vice-Conciliator zur Seite steht. Er entscheidet ausschließlich über einfache Civilstreitigkeiten bis zu einem Betrage, der ursprünglich sich auf 30 Lire beschränkte, seit 1893 aber auf 100 Lire erhöht worden ist. Bei Beträgen bis 50 Lire ist seine Entscheidung endgültig; darüber hinaus kann sie durch Berufung an den Amtsrichter angefochten werden. Das Verfahren ist einfach und nicht kostspielig und kommt dem Bedürfniß der Bevölkerung, in deren Mitte der Schiedsrichter lebt, in hohem Maße entgegen. Weder gegen die Befähigung noch gegen die Unparteilichkeit der Schiedsgerichte sind von der sonst keineswegs zahmen Kritik des italienischen Publikums Klagen erhoben worden; die Schiedsgerichte erfreuen sich, soweit ersehen werden kann, vielmehr einer wachsenden Autorität und Beliebtheit. Jedenfalls wird die weitaus größte Mehrzahl aller zur gerichtlichen Entscheidung gelangenden Civil=streitigkeiten von den Schiedsgerichten erledigt. Die Zahl der vor ihnen anhängigen Sachen hat sich seit 1875 verdoppelt; sie betrug 1897 1 085 114, mehr als zwei Drittel aller Civilsachen (1 454 093). Nur gegen 7732 dieser Entscheidungen wurde an die Amtsrichter appellirt, alle übrigen, also mehr als eine Million an kleinen Civil=streitigkeiten wurden durch schiedsrichterliches Urtheil endgültig ent=schieden.

Die unterste Stufe der eigentlichen Gerichte bilden die Amts=gerichte (preture). Ihre Zahl, die sich früher im Wesentlichen mit der der Aemter (mandamenti) deckte, ist auf Grund eines im Jahre 1890 erlassenen Gesetzes durch Zusammenlegung von Aemtern und anderweitige Abgrenzung der Gerichtssprengel vermindert worden und beträgt jetzt 1549. Die Großstädte sind in mehrere manda-menti zerlegt, in deren jedem ein pretore urbano fungirt. Jedes Amtsgericht besteht aus einem Richter (pretore), dem nach Bedarf ein oder mehrere Vice=Prätoren beigegeben sind, sowie aus einem Gerichtsschreiber (cancelliere); die Verrichtungen der Staatsanwalt=schaft werden durch junge Juristen im Vorbereitungsdienst (uditori), durch Assessoren (aggiunti) oder durch Polizeibeamte wahrgenommen. Die Zuständigkeit der Amtsgerichte erstreckt sich auf Civil= und Straffachen. Sie umfaßt mit Ausnahme einiger dinglichen und der Steuerprozesse alle bürgerlichen Rechtsstreitigkeiten bis zum Objekte von 1500 Lire; ferner die Appellationen gegen die Entscheidungen der Schiedsgerichte, die freiwillige Gerichtsbarkeit und die Vormund=schaften. In Straffachen gehören alle Uebertretungen, sowie Ver=gehen mit einer Strafe von höchstens drei Monat Gefängniß, ein Jahr Haft oder 3000 Lire Geldbuße vor das Amtsgericht. Der Amtsrichter fungirt ferner in den vor das Tribunal gehörigen Straf=sachen als Delegirter des Untersuchungsrichters, er leitet die gericht=liche Polizei, wo nicht eigene Organe dafür bestehen, und er hat bei der Aufstellung der Geschworenenliste als Vorsitzender der Giunta seines Bezirks mitzuwirken.

Als Kollegialgerichte der untersten Instanz fungiren die Civil- und Straftribunale (tribunali civili e penali), deren Bezirke einen oder mehrere Kreise oder Distrikte umfassen. Es sind 162 Tribunale vorhanden, von denen die größten in mehrere Kammern (sezioni) zerfallen. Jedes Tribunal besteht mindestens aus einem Präsidenten und zwei Richtern (diese Ziffer steigt bei großen Gerichten nach Bedarf bis zu dreißig und mehr), einem Gerichtsschreiber und dem Staatsanwalt (Procuratore del re). Statt der Richter können Assessoren, statt des Staatsanwalts Gehülfen (sostituti) fungiren. Wo Sektionen bestehen, präsidiren ihnen Vicepräsidenten oder in deren Ermangelung der dienstälteste Richter. Die Tribunale entscheiden in Civil- und Strafsachen; ihre Zuständigkeit umfaßt in erster Instanz alle über die Kompetenz des Amtsrichters hinausgehenden Sachen mit Ausnahme derjenigen Straffälle, welche den Schwurgerichten vorbehalten sind; in zweiter Instanz entscheiden sie über Rekurse und Appellationen gegen die Entscheidungen des Amtsgerichts. Seitdem die Handelsgerichte aufgehoben worden sind, entscheiden die Tribunale auch über handelsrechtliche Streitigkeiten; es ist ihnen freigestellt, in solchen Fällen zwei Besitzer aus den Notablen des Handelsstandes hinzuzuziehen. Bei jedem Tribunal fungirt ein Untersuchungsrichter, dem die Organe der gerichtlichen Polizei für seine Zwecke unterstellt sind.

Appellhöfe sind zwanzig vorhanden, in Ancona, Aquila, Bologna, Brescia, Cagliari, Casale, Catania, Catanzaro, Florenz, Genua, Lucca, Messina, Mailand, Neapel, Palermo, Parma, Rom, Trani, Turin und Venedig; außerdem fungiren in Macerata, Modena, Perugia und Potenza detachirte Kammern von Appellrichtern. Ihre Sprengel umfassen mehrere Provinzen; sie erreichen indessen, bei einer Durchschnittszahl von etwa anderthalb Millionen Gerichtseingesessenen, bei weitem nicht den Umfang der deutschen Oberlandesgerichte. Mehrfach ist eine Verminderung ihrer Zahl angeregt worden; sie würde bei der Leichtigkeit der Kommunikationen und bei der großen Nähe, in der sich einzelne Appellhöfe zu einander befinden, ohne große Beschwerde für die Rechtsuchenden durch=

zuführen sein, wenn ihr nicht, wie jeder Verringerung der Staats=
organe, die Eifersucht der Lokalinteressen entgegenstände. Jeder
Appellhof besteht aus einem Präsidenten, einem oder mehreren Vice=
präsidenten, der seiner Größe entsprechenden Zahl von Richtern,
für die als Ergänzungsrichter der Präsident oder ein Vicepräsident
des am Size des Appellhofes befindlichen Tribunals herangezogen
werden können. Das öffentliche Ministerium wird durch den Ober=
staatsanwalt (Procuratore generale), einen oder mehrere General=
advokaten, sowie durch Substituten und Hülfssubstituten vertreten.
Die Appellhöfe entscheiden in Kammern, die mit je fünf Richtern
in Civil=, vier in Strafsachen, besetzt sind, über die Rekurse und
Appellationen gegen die civil= und strafrechtlichen Entscheidungen
der Tribunale, soweit gegen dieselben Rechtsmittel gesetzlich zulässig
sind. Ferner besteht bei jedem Appellhof eine aus drei Richtern
gebildete Anklagekammer, die über die Versetzung in den Anklage=
zustand bei Schwurgerichtsfällen zu entscheiden hat.

Für die Bildung der Schwurgerichte besteht eine besondere
Eintheilung, vermöge deren der Bezirk der Appellhöfe in mehrere
Kreise zerfällt. In jedem derselben wird das Richterpersonal des
Schwurgerichts aus einem Rath des Appellhofes als Präsidenten und
zwei Richtern des Tribunals alljährlich durch königliches Dekret
im Voraus bestimmt. Die Geschworenen werden auf Grund von
Listen, die in den Gemeinden entworfen, von den Amtsrichtern
revidirt und durch die Tribunals=Präsidenten unter Mitwirkung
von Vertretern des Provinzialraths festgestellt werden, zu jeder
Schwurgerichtsperiode in der Zahl von 30 ordentlichen, 10 stell=
vertretenden und 10 Ergänzungsgeschworenen einberufen. Aus
ihnen wird für jede Sitzung die Jury in der Zahl von 12 Ge=
schworenen und 2 Ergänzungsgeschworenen durch das Loos gebildet.
Den Schwurgerichten ist die Entscheidung über Verbrechen, die mit
Zuchthaus oder mit Gefängniß von über fünf Jahren, ferner
über Verbrechen gegen die Sicherheit des Staates, Vergehen der
Religionsdiener bei Ausübung des geistlichen Amtes u. a. m. vor=
behalten.

Die höchste Stufe der Gerichtsorganisation bilden die Kassations=
höfe, deren trotz der Einheit des materiellen Rechts und des Gerichts=
verfahrens noch immer fünf, in Florenz, Neapel, Palermo, Rom

und Turin vorhanden sind, beinahe der einzige Rest, der sich von dem Partikularismus des früheren politischen Zustandes erhalten hat. Diese Anomalie ist um so auffallender, als der Beruf dieser höchsten Gerichte sich darauf beschränkt, über Nichtigkeitsbeschwerden zu entscheiden, welche sich auf die Verletzung von Rechtsvorschriften stützen, also dazu dienen soll, die Rechtseinheit aufrecht zu erhalten, was an und für sich auch die Einheitlichkeit des entscheidenden Gerichts voraussetzt. Aber die Gründe, die der Verminderung der Appellhöfe im Wege stehen, treffen auch bei den Kassationshöfen und zwar bei ihrem Ansehen und bei ihrem Umfange in verstärktem Maße zu. Als eine Anbahnung der einheitlichen Rechtsprechung kann es indessen betrachtet werden, daß seit 1888 die oberste Entscheidung in Strafsachen ausschließlich dem Kassationshof in Rom übertragen worden ist. Diesem höchsten Gerichtshof, der vor den anderen als corte suprema bezeichnet zu werden pflegt, hatten schon vorher die Entscheidungen über Kompetenzkonflikte zwischen den anderen Kassationshöfen oder Gerichten verschiedener Kassationsbezirke, sowie Disciplinaruntersuchungen gegen Richter und einige andere wichtige Angelegenheiten zugestanden. Seiner überwiegenden Bedeutung entspricht auch seine Besetzung. Während die anderen Kassationshöfe nur je einen Senat mit einem Präsidenten und 8 bis 15 Räthen besitzen, besteht der römische Kassationshof aus drei Senaten mit einem Ersten Präsidenten, drei Vicepräsidenten und 48 Räthen; er hat ein stärkeres Richterpersonal als die anderen vier zusammen.

Um den Gerichten die verfassungsmäßige Unabhängigkeit zu gewährleisten, ist die Stellung der Richter auch in Italien mit den im modernen Staatsrecht üblichen Garantien versehen. Sie werden vom Könige ernannt, sind in der Ausübung ihres richterlichen Amtes unabhängig und erlangen nach dreijähriger Amtsführung das Recht, nur mit ihrem Willen aus ihrer Stellung versetzt zu werden. Ebenso können sie nur unter Anwendung eines bestimmt geregelten Verfahrens wider ihren Willen in den Ruhestand versetzt oder entlassen werden. Auch bestehen für ihr Aufrücken in die einzelnen Stufen der Magistratur Vorschriften, die dazu bestimmt sind, willkürliche Begünstigungen nach Möglichkeit auszuschließen. Zum Amtsrichter kann nur ernannt werden, wer nach Ablegung des Vorbereitungsdienstes und der vorgeschriebenen Examina mindestens zwei Jahre als Assessor oder als Advokat fungirt hat. Um Richter bei einem Tribunal zu werden, muß man entweder vier Jahre Amtsrichter oder Staatsanwaltsgehülfe gewesen sein, oder sich als Assessor oder Amtsrichter durch besondere Verdienste ausgezeichnet haben. In ähnlicher Weise sind das Aufrücken in die Präsidenten= stellen bei den Tribunalen und die Ernennung zum Mitglied eines Appell= oder eines Kassationshofes von längerer Dienstzeit oder be= sonderem Verdienst in der nächst unteren Stufe abhängig gemacht.

Freilich hat die Unabhängigkeit der Richter im Jahre 1878 eine nicht unbeträchtliche Einschränkung dadurch erfahren, daß der Justizminister ermächtigt worden ist, nach Anhörung einer aus Mitgliedern des römischen Kassationshofes und einigen Vertretern der Staatsanwaltschaft gebildeten Kommission, die Versetzung von Richtern auch gegen ihren Willen zu verfügen, wenn er dies im Interesse des Dienstes für erforderlich erachtet. Auf Grund dieser Neuerung sind, nach dem Zeugniß von Minghetti[1]), damals binnen sechs Monaten nicht weniger als hundert und zwanzig Richter unfreiwillig versetzt worden. —

Der Vorbereitungsdienst für die Richterlaufbahn ist in Italien derartig geregelt, daß die Bewerber, nach Absolvirung eines vier= jährigen Rechtsstudiums und Erlangung der juristischen Doktor= würde (la laurea di legge), sich einem Examen zu unterwerfen haben, welches gegenwärtig nur in Rom vor einer aus sieben Mitgliedern bestehenden Kommission abgelegt werden kann. Nach Maßgabe des Ausfalles dieser Prüfung werden die Bewerber beim Eintritt von Vakanzen zu Referendaren (uditori) ernannt und einem Tribunal, Amtsgericht oder einer Staatsanwaltschaft zur Ausbildung und Beschäftigung überwiesen. Schon nach sechs Monaten können sie vom Staatsanwalt zur Vertretung des öffentlichen Ministeriums bei einem Amtsgericht delegirt werden. Abweichend von dem Brauch anderer Länder beziehen die uditori bereits eine Entschädigung von 1500 L. jährlich. Nach achtzehn Monaten können sie sich zur Ablegung eines, ihre praktische Ausbildung betreffenden zweiten

---

[1]) M. Minghetti. I partiti politici e la ingerenza loro nella giustizia e nell' amministrazione. Bologna 1881 p. 130. ff.

Examens melden, das vor derselben Kommission abgelegt wird. Dann rücken sie bei eintretenden Vakanzen zum Gerichtsassessor (aggiunto giudiziario) auf und werden als solche gegen eine Entschädigung von 2000 L. jährlich bei einem Tribunal als Hülfsrichter, bei einem Amtsgericht als Viceprätor, beides ohne richterliche Eigenschaft, oder als Staatsanwaltsvertreter beschäftigt, bis sie als Amtsrichter oder als Staatsanwaltsgehülfe endgültig angestellt werden.

Außer auf diesem Wege können italienische Juristen aber auch auf dem Wege der Advokatur in die Richterlaufbahn gelangen, indem ihnen nach einigen Jahren wirklicher Advokatenpraxis die Bewerbung um vakante Richterstellen freisteht. Von diesem Wege wird häufig Gebrauch gemacht. Ebenso ist es nicht selten, daß Advokaten zur Staatsanwaltschaft übergehen.

Die Rechtsanwaltschaft ist ein Beruf, der den Italienern nach ihrer ganzen Anlage, der behenden Auffassung, der geriebenen Schlauheit, dem Bedürfniß zum öffentlichen Auftreten und der ungemeinen Redefertigkeit, sehr bequem liegt. Seine Anziehungskraft wird noch wesentlich erhöht durch den weiten Wiederhall forensischer Erfolge, sowie durch einflußreiche Stellungen in der Gemeinde-, Provinzial- und Staatsverwaltung, zu denen einem talentvollen Advokaten der Zutritt erleichtert ist. Im Parlament sowohl wie in den Provinzial- und Gemeindevertretungen finden sich Advokaten in Ueberzahl, denen namentlich von den Bänken der Abgeordneten jede politische Laufbahn offen steht. Statt diesen Verlockungen durch scharfe Auswahl ein Gegengewicht zu bieten, haben die Gesetzgebung und die Praxis in Italien förmlich gewetteifert, dem Andrange der Jugend das Thor zur Advokatur möglichst weit zu öffnen. Gesetzlich besteht in Italien die freie Advokatur im weitesten Sinne des Wortes; Jeder, der die Befähigung zum Advokaten nachgewiesen hat, kann sich in die Advokatenrolle eintragen lassen und ist dadurch ohne Weiteres zur Praxis bei allen Tribunalen und Appellhöfen berechtigt. Der Nachweis der Befähigung setzt Absolvirung des Studiums der Rechte, sowie eine zweijährige Praxis im Bureau eines Advokaten oder im gerichtlichen Vorbereitungsdienst voraus; er wird durch Ablegung eines praktischen Examens beim Appellhof geführt. Thatsächlich stellt sich die Sache häufig so, daß der junge Jurist sich gegen das Ende seines juristischen Quadrienniums zum Doktorexamen einpauken läßt, durch welches durchzufallen übrigens kaum möglich ist, und daß er dann nach zweijährigem Voluntariat bei einem befreundeten Advokaten die Formalität der Zulassungsprüfung ohne jede Schwierigkeit überwindet. Während der Zutritt zur richterlichen Laufbahn durch verschiedene Erschwerungen eingeschränkt ist, steht der zur Advokatur Jedem frei, der die Mittel zum Studium und zur Vorbereitungszeit aufzubringen vermag. In Folge dessen ist der Andrang zur Advokatur ein ganz riesiger, namentlich in Neapel und Sicilien, wo sich die vorhin erwähnten Anlagen für diesen Beruf unter dem Strahl der südlichen Sonne zum Superlativ steigern. Um diese Flut einzudämmen und Elemente von der Advokatur auszuschließen, die sie nur als Durchgangspunkt für andere Ziele benutzen, würde es gerechtfertigt sein, den Zutritt zu ihr durch scharfe Prüfungen zu erschweren.

Wer in Italien einmal Advokat geworden ist, d. h. wer in die Rolle eingetragen ist, pflegt die Bezeichnung als Advokat („avv." vor dem Namen) wie bei uns die Doktorwürde zeitlebens beizubehalten und sie auch bei Erlangung der höchsten Würden und Auszeichnungen nicht abzulegen. Crispi, obgleich mehrmals Premierminister und als Ritter des Annunziaten-Ordens Vetter des Königs, bleibt auch in amtlichen Verzeichnissen immer Crispi avv. Francesco. Uebrigens ist es keine Seltenheit, daß italienische Minister nach dem Aufhören der Ministerschaft wieder zur Advokatur zurückkehren, wie dies Crispi selbst trotz seiner siebenundsiebzig Jahre nach dem Sturz seines letzten Ministeriums 1896 gethan hat.

Welche Triumphe die italienische Rednergabe vor Gericht feiert, welche Redeströme des Anwalts vor dem Richterkollegium oder gar des Vertheidigers vor den Geschworenen sich ergießen, davon kann man sich im Norden kaum eine Vorstellung machen. Noch weniger von der Lebhaftigkeit, der Natürlichkeit und der Eindringlichkeit des Mienenspiels, der Gebärden und der Gestikulationen, mit denen der italienische Advokat seinen Vortrag begleitet und unterstützt. Solche Plaidoyers üben auf das südländische Publikum einen zauberischen Reiz aus, sie reißen die Zuhörer zu stürmischen Ausbrüchen des Entzückens und der Bewunderung hin und bringen

den Namen des Redners sofort in Aller Mund. Freilich wird ein
solcher Aufwand an Beredsamkeit nicht bei jedem Anlaß getrieben.
Nach dem italienischen Strafprozeß muß jeder Angeschuldigte vor
dem Tribunal einen Advokaten zum Vertheidiger haben; nimmt er
keinen an, so wird ihm vom Gericht ein Offizialvertheidiger bestellt,
und jeder Advokat ist zur Uebernahme dieses Amtsmandats ver=
pflichtet. Aber nach dem Zeugniß eines Schriftstellers[1]), der selbst
Advokat ist, halten es die Offizialvertheidiger, wenn sie bereits eine
gewisse Praxis haben, für angemessen, einfach auszubleiben. Da
der Gerichtshof ohne Vertheidiger nicht verhandeln kann, so wird
der Gerichtsdiener in solchem Fall ausgeschickt, um jeden beliebigen
Advokaten, der gerade im Gerichtshause anwesend ist, zum Offizial=
vertheidiger zu pressen. Dann beginnt in den Korridoren eine
wahre Jagd nach dem Vertheidiger, bis schließlich ein Advokat ab=
gefaßt wird, der sich dazu bequemt, dem Boten der Gerechtigkeit
in den Sitzungssaal der Strafkammer zu folgen und sich dort von
dem Vorsitzenden in der Eile sagen läßt, wer sein Klient ist und
was ihm zur Last gelegt wird. In solchen Fällen, sagt unser Ge=
währsmann, pflegt sich, nachdem der Staatsanwalt seine Anträge
gestellt hat, das Plaidoyer auf die Formel zu beschränken: „Ich
stelle den Beschluß dem Ermessen des Gerichtshofes anheim."

---

[1]) Giovanni Saragat. La commedia della giustizia.

4. Das Parlament.

Nach der italienischen Verfassung wird die gesetzgebende Gewalt gemeinschaftlich vom König und zwei Kammern ausgeübt: dem Senat und der Deputirtenkammer. Die Bezeichnung der Landes= vertretung als nationales Parlament, die allgemeiner Sprachgebrauch geworden ist, findet sich nicht im Statut. Das Zweikammersystem, welches die italienische Verfassung nach dem Vorbilde Spaniens, Belgiens und anderer konstitutioneller Länder beherrscht, kommt auch darin zum staatsrechtlichen Ausdruck, daß die Sitzungsperioden des Senats und der Deputirtenkammer gleichzeitig zu beginnen haben und geschlossen werden, und Versammlungen der einen Kammer außerhalb der Sitzungsperiode der anderen für ungesetzlich, ihre Akte für null und nichtig erklärt sind. Die Mitglieder beider Kammern haben vor ihrer Zulassung zu schwören, daß sie dem Könige treu sein, die Verfassung und die Gesetze des Staates ge= wissenhaft befolgen und ihre Funktionen ausschließlich zu dem unzertrennlichen Wohl des Königs und des Vaterlandes ausüben wollen. Gemeinsam ist ihnen ferner, daß kein Mitglied der Landes= vertretung für seine Meinungsäußerungen oder Abstimmungen in der Kammer zur Verantwortung gezogen, kein Senator oder Deputirter während der Sitzungsperiode ohne vorgängige Zustimmung des be= treffenden Hauses verhaftet werden darf, außer bei Ergreifung auf frischer That, und keiner eine Entschädigung für seine Verrichtungen bezieht.

Der Senat besteht aus einer gesetzlich nicht begrenzten Zahl von Mitgliedern, welche vom König auf Lebenszeit ernannt werden. Die Prinzen des Königlichen Hauses sind aus eigenem Recht Mit= glieder des Senats, in den sie mit einundzwanzig Jahren eintreten

und an deſſen Abſtimmungen ſie mit fünfundzwanzig Jahren theil=
nehmen können. Für die übrigen Mitglieder iſt ein Lebensalter
von über vierzig Jahren und eine Befähigung vorgeſchrieben, die
entweder durch Bekleidung beſtimmter hoher Kirchen= und Staats=
ämter, oder durch hervorragende Verdienſte um das Vaterland,
oder endlich durch einen hohen Cenſus erlangt wird. Von den
Biſchöfen und Erzbiſchöfen, welche die Verfaſſung in erſter Linie
als zur Ernennung zum Senator befähigt nennt, gehört dem
Senat gegenwärtig Keiner mehr an. Unter den Staatsdienern ſind
namentlich Miniſter, die Botſchafter und Geſandten, die Präſidenten
und Räthe der Kaſſationshöfe und des Rechnungshofes, die Präſidenten
und Vicepräſidenten der Appellhöfe und die Oberſtaatsanwälte, die
Mitglieder des Staatsraths und des oberſten Schulraths, die
Präfekten, ſowie Offiziere des Heeres und der Marine im Generals=
range nach Ablegung einer gewiſſen Dienſtzeit ſenatsfähig. Ferner
können Mitglieder der Deputirtenkammer nach drei Legislaturen
und mindeſtens ſechs Sitzungsjahren zu Senatoren ernannt werden.
Auch innerhalb dieſer einzelnen Kategorien ſteht der Krone die
Auswahl unbeſchränkt zu. Während der Senat Anfangs nur etwa
hundert Mitglieder zu zählen pflegte, iſt dieſe Zahl allmählich ſtark
gewachſen und hat ſchon ſeit längerer Zeit einen Beſtand von
mehr als dreihundert Mitgliedern erreicht. Gegenwärtig ſind etwa
dreihundertachtzig Senatoren vorhanden, darunter gegen hundert
ehemalige Deputirte, und ungefähr eben ſo Viele, die kraft ihres
Reichthums (ſie müſſen über 1000 Lire direkte Steuern aus Ver=
mögen oder Gewerbethätigkeit entrichten) zu Senatoren ernannt
worden ſind. Unter denen, welche das Vaterland durch hervorragende
Dienſte oder Verdienſte geziert haben (Coloro che con ſervizi o
meriti eminenti avranno illuſtrata la patria, ſagt das Statut),
befinden ſich als Koryphäen der nationalen Kunſt Giuſeppe Verdi,
Gioſuè Carducci, der Bildhauer Monteverde und der Maler Morelli.
Seit 1879 iſt auf dieſen Titel hin Niemand mehr in den Senat
berufen worden; die Strenge, mit der gerade bei dieſer Auswahl,
gegenüber der Milde bei anderen Kategorien, verfahren wird, bildet
in Italien den Gegenſtand der Verwunderung und der Kritik.

Der italieniſche Senat zählt zahlreiche Notabilitäten aus allen
Bereichen des öffentlichen Lebens unter ſeinen Mitgliedern. Neben

ehemaligen Ministern wie Visconti=Venosta, L. Ferraris, Finali, Taiani, Saracco, Codronchi, und ausgezeichneten Diplomaten wie Blanc, Nigra, Greppi und Graf Lanza, Italiens Botschafter beim Deutschen Reich, sitzen im Senate Gelehrte wie Cannizzaro, Blaserna, Durante, Gemellaro, Bodio, Schiaparelli, Tobaro; hervorragende Schriftsteller wie Pasquale Villari, Antonio Fogazzaro, Gerolamo Boccardo, Tullo Massarani und Paolo Mantegazza; Führer der Land= und Seemacht wie die Generale Cosenz, Pelloux, de Sonnaz und der Admiral Canevaro. Zu diesen Vertretern der politischen, literarischen, wissenschaftlichen und militärischen Tüchtigkeit gesellen sich die der großen sozialen und wirthschaftlichen Interessen. Der Adel Italiens ist durch Namen vertreten, die in der Geschichte ihrer Landestheile oft mit Ruhm genannt worden sind, die Pie=montesen Alfieri, Revel, Saluzzo, die römischen Fürsten Boncom=pagni, Odescalchi, Sforza=Cesarini, die Florentiner Cambray=Digny, Corsini und Torrigiani, die Spinola aus Genua, die Pallavicini und Trivulzio aus Mailand, die Caracciolo aus Neapel; die Fürsten Doria, Colonna, Strozzi gehören zur höchsten Aristokratie von Europa. Die Bürgermeister von Rom, Neapel, Turin, Florenz erinnern an die hervortretende Stellung, welche die italienischen Städte in der Kulturentwickelung ihres Landes eingenommen haben. Die Landwirthschaft ist durch eine erhebliche Zahl von Großgrund=besitzern, durch Vorsitzende der Landwirthschaftsvereine, der Handel und die Gewerbe durch einige Handelskammerpräsidenten und durch eine nicht geringe Zahl von Großindustriellen und Aufsichtsräthen bedeutender Finanzinstitute vertreten.

Aber im Ganzen überwiegt doch die hohe Bureaukratie im Senate in einem Maße, das seinem Ansehen als nationaler Ver=tretungskörper nicht förderlich ist. Die große Zahl von amtlichen Respektabilitäten, denen durch die Verleihung der in Italien ge=sellschaftlich ungemein hochgeschätzten Senatorwürde nach langer Dienstzeit eine Auszeichnung verliehen wird, giebt dem Senate Italiens etwas Greisenhaftes, was ihn von den Oberhäusern anderer Länder nicht zu seinem Vortheil unterscheidet. Da außer den Prinzen des Königlichen Hauses, die sich an den Berathungen des Senats ohnedies nicht zu betheiligen pflegen, ihm sonst Niemand durch das Recht der Geburt angehört, so fehlt das jugendliche

7*

Element, das die erbliche Pairie von England, Preußen, Oesterreich unter die Mitglieder des Oberhauses mischt, dem italienischen Senate vollständig. Lediglich auf königlicher Ernennung beruhend, mangelt ihm ferner das Gewicht der auf erblicher Berechtigung und auf der Vertretung autonomer Gliederungen beruhenden Mitgliedschaft. Weder den Städten, noch den Hochschulen, noch den großen wirth=schaftlichen Körperschaften steht ein Präsentationsrecht zu. Für das Ernennungsrecht der Krone pflegen die Vorschläge des Ministeriums entscheidend zu sein, und diesen Vorschlägen liegt nicht selten, statt der Würdigung von amtlichem Verdienst und hervorragender wirth=schaftlicher Stellung, der Zweck zu Grunde, politische Anhänger zu belohnen oder zu werben. Die Freigebigkeit, mit der hierbei ver=fahren zu werden pflegt, reizt die südländische Spottlust; man be=zeichnet das, was anderwärts ein Pairschub genannt wird, in Italien als einen Backofen voll neuer Senatoren (infornata) und erzählt sich die augenscheinlich übertriebensten Dinge von den zahllosen Erwartungen, die trotz der großen Zahl der Neugebackenen, gegen=über der noch weit größeren Fülle von Versprechungen, bei solchen Anlässen unerfüllt bleiben.

Indem die Verfassung ebenso das demokratische Prinzip der Wahl wie das ständische der Vertretung bei der Bildung des Senats völlig ausschloß, hat sie ohne Zweifel beabsichtigt, dieser Körperschaft einen Charakter der Stabilität und der Solidität zu geben, welcher sie befähigen sollte, der Krone gegenüber den Wand=lungen und dem Wechsel der Wahlkammer als feste Stütze zu dienen. Allein dadurch, daß die Berufung lediglich von der Er=nennung durch den König oder, wie es sich in der Praxis gestaltet hat, von dem Vorschlag des gerade am Ruder befindlichen Mi=nisteriums abhängig gemacht wurde, ist der Senat in den Augen des Publikums gegen „die Erwählten des Volkes" etwas zu stark in den Hintergrund gerückt worden, und die korrekten, geschäfts=mäßigen Formen, welche die überwiegend sehr bejahrten Herren bei ihren Verhandlungen einzuhalten pflegen, tragen nicht dazu bei, das Interesse der Menge anzureizen und den Senat populär zu machen.

Die politische Bedeutung des Senats ist, der Wahlkammer gegenüber, auch gesetzlich dadurch vermindert, daß alle Steuergesetze, das Budget und die Rechnungen verfassungsmäßig zuerst der De=

putirtenkammer vorgelegt werden müssen. Da die Budgetberathung in der Kammer meist sehr lange dauert, so erfolgt die Vorlegung an den Senat im letzten Augenblick, wo zu einer ernstlichen Prüfung nicht mehr Zeit übrig bleibt; die Mitwirkung des Senats bei dem wichtigen Akte der Feststellung des Staatshaushalts sinkt daher mehr und mehr zu einer bloßen Formalität herab. Wer den Daumen auf dem Beutel hat, dem steht im politischen wie im wirthschaftlichen Leben naturgemäß das entscheidende Wort zu. Daher sieht der Senat dem Ministerstürzen der Deputirtenkammer mit einer gewissen Resignation zu, ohne sich an dieser Beschäftigung, die dem italienischen Geschmacke so außerordentlich zusagt, betheiligen zu können.

Außer den Vorrechten, welche den Senatoren mit den Abgeordneten gemeinsam sind, steht ihnen verfassungsmäßig noch das besondere zu, daß der Senat allein über Strafhandlungen zu urtheilen hat, die seinen Mitgliedern zur Last gelegt werden. Ebenso hat er über die von der Deputirtenkammer erhobenen Ministeranklagen zu Gericht zu sitzen. Endlich kann ihm durch königliches Dekret die Entscheidung über Anklagen wegen Landesverrathes und Attentats auf die Sicherheit des Staates übertragen werden. In allen diesen Fällen fungirt der Senat unter dem Titel eines hohen Gerichtshofes (Alta Corte di giustizia) als richterliche Behörde und in den Formen eines gerichtlichen Verfahrens.

Seitdem der Regierungssitz nach Rom verlegt worden ist, hat der Senat den Palast Madama als Heim angewiesen erhalten, einen vornehmen Monumentalbau, dessen Name sich, wie die Einen wollen, auf Margarethe von Parma, die Tochter Karls V., wie Andere meinen, auf Katharina von Medici zurückführt. Beide Damen haben in den fürstlichen Räumen dieses Palastes gelebt, der im vorigen Jahrhundert in das Eigenthum der Päpste übergegangen und mit der Erinnerung an ihr Regiment auf kuriose Weise verbunden geblieben ist. Denn alle Sonnabend fand auf dem Balkon dieses Palastes unter entsprechenden Feierlichkeiten und athemloser Spannung der auf der Piazza Madama dicht gescharten Volksmenge die öffentliche Ziehung des päpstlichen Lotto statt. Von diesem Balkon weht jetzt während der Sitzungsperiode die italienische Fahne, und die Schildwachen vor dem Thorweg, der stattliche

Portier in der Vorhalle, die zahlreichen Huissiers auf den Treppen bezeugen, daß in der Residenz der Medizäerin eine der ersten Körperschaften des nationalen Staates tagt. Noch jetzt bewahren die zu Konferenz= und Geschäftszimmern umgewandelten Gemächer in der soliden Pracht ihrer Holzdecken und ihrer Friesmalereien einen Anklang an die Zeiten dynastischen Glanzes. Dem größten dieser Räume ist durch eine der besten Schöpfungen der modernen Malerei Italiens, durch die Fresken von Cesare Maccari, welche hervorragende Scenen aus der Geschichte des römischen Senats darstellen, ein Wandschmuck von monumentaler Bedeutung verliehen worden. Der Saal für die Plenarsitzungen ist in einem Seitenflügel geschickt und zweckmäßig neu erbaut worden und macht in seiner soliden ruhigen Ausstattung den mit dem Charakter der Senatssitzungen harmonirenden Eindruck behaglicher Würde.

*   *   *

Die Deputirtenkammer zählt fünfhundert und acht Mitglieder, welche in 135 Wahlkollegien durch direkte Wahlen gewählt werden. Das aktive Wahlrecht war nach dem urspünglichen Wahlgesetz, dem französisch=belgischen Muster entsprechend, neben anderen Vorbedingungen an einen ziemlich starken Census (40 L. direkte Steuern) gebunden gewesen. Infolgedessen hatte die Zahl der politischen Wähler nur einen sehr geringen Bruchtheil der Gesamtbevölkerung ausgemacht. Unter den Angriffen, welche die klerikale Presse auf das nationale Staatswesen zu richten pflegte, kehrte mit besonderer Schärfe die Behauptung immer wieder, daß die weitaus größte Mehrheit des Volkes von den Wahlen gänzlich ausgeschlossen sei, und daß die angebliche Majoritätsherrschaft auf einer falschen und fiktiven Grundlage ruhe.

Um diesen Vorwürfen zu begegnen und um den arbeitenden Klassen der Bevölkerung das politische Wahlrecht in weiterem Umfange zugänglich zu machen, ist im Beginn der achtziger Jahre eine Reform des Wahlrechts in Angriff genommen, die in dem jetzt geltenden Wahlgesetz von 1882 ihren Abschluß gefunden hat. Der Grundgedanke dieser Reform läßt sich kurz dahin zusammenfassen, daß der Census beträchtlich herabgesetzt und neben ihm, als ein neuer Rechtstitel für die Wahlberechtigung, der Nachweis einer gewissen Befähigung eingeführt worden ist. Statt des früheren Steuersatzes von jährlich 40 Lire genügt jetzt die Entrichtung von 19,80 Lire an direkten Abgaben, um dem Zahler den Zutritt zum politischen Wahlrecht zu eröffnen; dieser Steuersatz kann überdies durch Entrichtung eines nicht hoch bemessenen Satzes an Pacht und an Wohnungsmiethe ersetzt werden. Als Grundlage des Befähigungsnachweises dient die Vorlegung des Zeugnisses über die mit Erfolg bestandene Prüfung nach Absolvirung des obligatorischen Schulunterrichts, d. h. der beiden untersten Klassen der Elementarschule. Von der Beibringung dieses Prüfungszeugnisses ist aber eine sehr große Zahl von Personen befreit, deren Befähigungsnachweis wegen der Vorbildung, die ihre Stellung erfordert, ohne Weiteres als geführt gilt; z. B. alle Staats- und Gemeindebeamte jeglichen Grades, ferner alle Personen, die während des Militärdienstes mindestens zwei Jahre lang die Regimentsschulen besucht haben. Als eine sowohl für den Census als für die Kapazität geltende Voraussetzung ist im Wahlgesetz von 1882 freilich noch bestimmt, daß der Wahllustige lesen und schreiben können soll, und diese Ausschließung der Analphabeten würde in manchen Landestheilen eine nicht unbeträchtliche Verringerung der Wahlberechtigten nach sich ziehen, wenn sie ernstlich gehandhabt würde. Dies ist jedoch nach der Praxis der Wahlvorstände durchaus nicht der Fall, da Niemand ausgeschlossen wird, der seinen Wahlzettel selbst auszufüllen vermag.

Während vor 1882 die Zahl der eingeschriebenen politischen Wähler sich auf etwa 600 000 (23 auf 1000 Einwohner) beschränkt hatte, ist sie seitdem auf mehr als zwei Millionen gestiegen und hat sich somit mehr als verdreifacht. Es ist berechnet worden, daß unter diesen zwei Millionen Wählern etwa ein Drittel auf Grund ihrer Abgaben, zwei Drittel wegen ihrer Befähigung wahlberechtigt sind. In seiner jetzigen Gestalt kommt das politische Wahlrecht Italiens bei der Ausdehnung auf alle Volksklassen dem allgemeinen Stimmrecht praktisch ziemlich nahe; auf keinen Fall kann ihm plutokratische Beschränkung vorgeworfen werden. Die Wahlberechtigung beginnt mit Vollendung des einundzwanzigsten Lebensjahres.

Dagegen ist das passive Wahlrecht einigen Beschränkungen unterworfen, die anderwärts entweder gar nicht, oder doch nicht in solchem Umfange bestehen, und die für die politischen Anschauungen der maßgebenden Volksklassen charakteristisch sind. Zunächst sind ausgeschlossen alle Geistliche. Sodann ist die Wählbarkeit der Beamten in hohem Maße theils durch die völlige Ausschließung bestimmter Kategorien, theils durch die Vorschrift beschränkt, daß nicht mehr als vierzig Beamte überhaupt, darunter nicht mehr als zehn Richter und ebensoviel Professoren, gleichzeitig Abgeordnete sein dürfen. Zu den Beamten werden auch Gemeindebeamte, namentlich Bürgermeister und Provinzialdeputirte gerechnet. Ferner sind die Direktoren von industriellen und Handelsgesellschaften, an welche der Staat dauernd Subventionen zahlt oder denen er Zins- und sonstige Erträgnisse gewährleistet, ebenso die Unternehmer von Lieferungen für den Staat von der Wählbarkeit ausgeschlossen. Dagegen können Generale und Stabsoffiziere des Heeres und der Marine ohne Weiteres zu Deputirten gewählt werden.

Während die Wahl bis 1882 in soviel Wahlbezirken erfolgte, als Abgeordnete zu wählen waren, hat das neue Wahlgesetz das Listenskrutinium eingeführt und zu diesem Zweck Wahlkollegien geschaffen, in deren jedem zwei bis fünf Abgeordnete in gemeinschaftlichen Abstimmungen zu wählen sind. Den Wahlbezirken liegt die Provinzialeintheilung in der Art zu Grunde, daß in 28 Provinzen je ein Wahlkollegium besteht, während die übrigen 41 Provinzen auf eine, wie allgemein anerkannt wird, recht künstliche Weise in 107 Kollegien eingetheilt sind. Der Wahlakt vollzieht sich in Sektionen, die nach Gemeinden oder Theilen von Gemeinden gebildet werden. Die Bildung der Wahlvorstände, die Abstimmung und die Kontrole sind mit allen möglichen gesetzlichen Garantien ausgestattet, um Beeinflussungen auszuschließen oder Fälschungen des Wahlergebnisses zu verhindern. Jeder Wähler tritt bei Aufruf seines Namens aus der Wählerliste einzeln an den Tisch des Wahlvorstandes und empfängt aus der Hand eines Beisitzers einen Wahlzettel, den der Vorsitzende demnächst abstempelt, und auf den der Wähler die Namen der von ihm gewählten Kandidaten eigenhändig niederzuschreiben hat. Dann wird der Zettel zusammengefaltet vor seinen Augen in die Wahlurne gelegt. Nach Schluß der Abstimmung wird das Resultat durch Protokoll festgestellt und an den Vorstand des Wahlkollegiums abgegeben. Diejenigen Kandidaten, welche die meisten Stimmen des ganzen Wahlkollegiums erhalten, gelten für gewählt, falls sie mindestens ein Achtel der in die Liste eingetragenen Wähler auf sich vereinigt haben. Anderenfalls findet ein Ballottement statt. Die Abgeordneten werden auf Legislationsperioden von je fünf Jahren erwählt. Doch erreicht ihr Mandat meist durch Auflösung der Kammer ein vorzeitiges Ende.

Die Aufregung, in welche die Parlamentswahlen alle Theile der Bevölkerung versetzen, ist eine ganz außerordentlich lebhafte. Bis in die entlegensten Alpenweiler hinein bedecken sich die Mauern der Häuser, der Hütten, der armseligsten Capannen mit umfangreichen Plakaten, in denen die verschiedenen Wahlkomités mit einem uns Nordländern befremdlichen Aufwande von Pathos und unter starker Anwendung klassischer Rhetorik den Wählern ihre Kandidaten empfehlen und die der Gegenpartei mit entsprechendem Nachdruck zu diskreditiren suchen. Auch pflegen die Kandidaten selbst gedruckt das Wort zu ergreifen und sich unter Darlegung ihres Programmes sowie unter Hinblick auf die von ihnen dem Vaterlande und der Partei geleisteten Dienste dem politischen Verständniß und der regen Phantasie der Wähler eindringlich vorzuführen. In diesen Wettkampf der Maueranschläge greift die lokale Parteipresse mit einer Leidenschaftlichkeit ein, gegen welche die gewiß nicht unbeträchtlichen Leistungen unserer Zeitungen auf diesem Gebiete als zahm und farblos zu bezeichnen sind, und die sich in dem Maße, wie der Wahltag herannaht, zu einer wahren Siedehitze steigert. Ist der Boden durch die gedruckte Kampagne genügend vorbereitet, dann erscheinen die Kandidaten selbst auf dem Kampfplatz; sie bereisen den Wahlbezirk, und suchen durch persönliche Vorstellung, durch öffentliche Reden, durch alle die Praktiken, die sich für derartige Bewerbungen ausgebildet haben, die einflußreichen Wähler für sich zu gewinnen.

Die Kosten einer Parlamentswahl sind, neben all dem Aufwand an Arbeit und Stimmenkraft, die sie mit sich bringt, auch pekuniär nicht gering. Sie wurden für die Neuwahlen des Jahres 1892 auf dreißig Millionen Lire geschätzt[1]), gewiß eine für den

---

[1]) P. Turiello, Politica contemporanea. Napoli 1894, p. 31.

öffentlichen Wohlstand des Landes und bei der Wiederkehr dieser Ausgabe nicht unbeträchtliche Summe. Die Wahlauslagen der Kandidaten pflegen 20—25000 Lire zu betragen. Bei scharfen Wahlkämpfen steigert sich dieser Betrag jedoch sehr erheblich; es fehlt nicht an Beispielen, wo dem siegreichen wie dem unterliegenden Kandidaten Wahlspesen von hunderttausend Lire und mehr nach= gerechnet wurden. Natürlich sind Bestechungen durch offnen Stimmenkauf verboten, und Korruptionen, wie sie bei englischen Parlamentswahlen früher allgemein üblich waren, kommen, wie glaublich versichert wird, in Italien nicht vor. Aber es gilt für selbstverständlich, daß der Kandidat diejenigen Wähler, die außerhalb des Wahlortes wohnen, auf seine Kosten dorthin fahren läßt, und daß er ihre Wirthshauskosten trägt[1].

Die südliche Leidenschaftlichkeit spitzt sich bei heftigem Wahl= kampf nicht selten zu dem Versuch zu, das Wahlergebniß zu beein= flussen. In den Schriften über den italienischen Parlamentarismus werden Beispiele von Wahlfälschungen erzählt, denen manchmal weniger die Lust, den Gegner zu unterdrücken, als das Bedürfniß, den Sieg des Erwählten möglichst glänzend erscheinen zu lassen, zu Grunde liegt. Turiello führt Fälle an, wo in neapolitanischen Wahlkollegien bei unbestrittenen Wiederwahlen von Abgeordneten, denen nicht einmal Gegenkandidaten gegenüber standen, mehr Stimmen gezählt worden sind, als Wähler eingetragen waren. Die Wahl= vorstände hatten eben die Stimmen der Anwesenden und der Ab= wesenden, mögliche und unmögliche, zusammengehäuft und verviel= fältigt, ohne eigentlichen bösen Willen, sondern zum Prunk und gewissermaßen aus einem mißverstandenen Gefühl von Höflichkeit[2]. —

Der Sitz auf den Bänken der Deputirtenkammer bildet in Italien, wie anderwärts und mehr noch als anderwärts, das Ziel des politischen Ehrgeizes und eines ungemein regen Mitbewerbs. Zwar sind die unmittelbar an ihn geknüpften Vorrechte nicht von

---

[1] Eine anschauliche, anscheinend der Wirklichkeit entnommene Schilderung des Wahltreibens in einem norditalienischen Wahlkolleg giebt der auch sonst lesenswerthe Roman von Enrico Castelnuovo, L'onorevole Paolo Leon- forte. Milano 1895.

[2] P. Turiello, Governo e Governati I. 204 „per pompa e quasi per un senso confuso di cortesia . . .“

Belang. Sie beschränken sich, da die italienischen Deputirten keinerlei
Entschädigungen beziehen, auf die Immunität, die sie während der
Sitzungsperiode, gemeinsam mit den Senatoren, vor strafrechtlichen
Verfolgungen schützt. Dazu kommt für die Deputirten noch das
Vorrecht, während dieser Zeit auch nicht Schuldenhalber verhaftet
werden zu können. Die den Mitgliedern des Parlaments früher
gewährte Portofreiheit ist wegen des umfangreichen Mißbrauchs,
der damit getrieben wurde, schon seit einer Reihe von Jahren ab=
geschafft worden. Dagegen hat sich die Sitte, die ihnen freies
Reisen auf den Staatsbahnen gewährte, nach dem Uebergang des
Eisenbahnbetriebes in die Verwaltung von Privatgesellschaften zu
einem gesetzlich anerkannten Priviläg befestigt. Der Etat sieht als
Erstattung für die Kosten, die den Bahngesellschaften und den staatlich
subventionirten Dampfschiff=Unternehmungen durch das unbeschränkte
kostenfreie Reisen der Senatoren und der Deputirten entstehen,
die stattliche Summe von 860000 Lire als Jahresausgabe im
Staatshaushalt vor. Die Praxis hat dies Priviläg dahin aus=
gedehnt, daß den Parlamentsmitgliedern sogar die freie Fahrt auf
den Dampfschiffen nach Erythräa zuerkannt wird.

Ungleich verlockender als diese beiläufigen und an sich gering=
fügigen Privilegien des Deputirtensitzes sind die Aussichten auf
politischen Einfluß, auf eine maßgebende Stellung in der heimat=
lichen Gemeinde und Provinz, auf Parteiführerschaft und auf den
Ministersessel, die sich an die Erlangung des Mandats knüpfen.
Sie üben auf die Begehrlichkeit, auf den Egoismus und auf den
Ehrgeiz des Südländers einen ungemein starken Reiz aus und
lassen seiner erreglichen Einbildungskraft den Beruf des Deputirten
als den denkbar verlockendsten erscheinen. Bei dem Zauber, den
die Gabe der Beredsamkeit auf italienische Ohren und Herzen aus=
übt, ist es nicht zu verwundern, daß diejenigen Berufsklassen, welche
diese Begabung professionell auszubilden in der Lage sind, in dem
Wettlauf um das Mandat einen starken Vorsprung vor anderen
Mitbewerbern haben. Die italienische Deputirtenkammer zählt unter
ihren Mitgliedern in der Regel mehr als ein volles Drittel an
Advokaten. Die Beschränkung, welcher die Wählbarkeit der Professoren
unterliegt, wird in nicht seltenen Fällen dadurch illusorisch gemacht,
daß der zum Abgeordneten gewählte Professor während der Dauer

des Mandats auf die Professur oder das Lehramt (denn unter den Professoren sind nicht nur die Hoch=, sondern auch die Mittel= und Volksschullehrer zu verstehen) verzichtet.

Die Uebelstände, die sich aus dem starken Uebergewicht abstrakt gebildeter und zum politischen Doktrinarismus neigender Männer ergeben, und die bei der Redegewandtheit dieser Vertreter nicht gering anzuschlagen sind, werden durch die Ausschließung anderer, in der Wirklichkeit des politischen, kommunalen und namentlich des wirthschaftlichen Lebens stehender Kapazitäten noch verstärkt. Nach dem italienischen Wahlgesetz kann Niemand Deputirter werden, der mit der Leitung der großen Gesellschaften verknüpft ist, welche das gesamte Eisenbahnnetz des Landes verwalten, oder welche die Dampferverbindungen im Mittelmeer, nach Amerika, Afrika und Ostasien unterhalten. Durch das Verbot, Unternehmer von Staats= lieferungen zu wählen, sind viele Eigenthümer industrieller Unter= nehmungen, die Inhaber der größten Schiffswerften, Eisengießereien, Maschinenfabriken ꝛc. von der Wahl ausgeschlossen. Durch die Unvereinbarkeit des Abgeordnetenmandats mit der Stellung als Bürgermeister und als Provinzialdeputirter wird die Zahl der durch praktische und verantwortliche Thätigkeit im Gemeindedienst mit den örtlichen Verhältnissen vertrauten Deputirten unzweckmäßig ver= mindert. Endlich halten auch die starken Beschränkungen, denen die Wählbarkeit von Richtern und Verwaltungsbeamten unterliegt, zum Nachtheil der Deputirtenkammer eine Menge von tüchtigen, im öffentlichen Dienste bewährten Kräfte von ihr fern. Wir werden öfters Gelegenheit haben, auf die nachtheiligen Folgen zurückzu= kommen, die sich aus dem ungenügenden Zusammenhang der De= putirtenkammer mit den Trägern des wirthschaftlichen Lebens der Nation ergeben. Viele italienische Publizisten sehen die mangelhafte Vertretung der wirthschaftlichen Interessen in der Kammer als eine der stärksten Ursachen der Uebelstände an, an denen der Parlamen= tarismus in Italien krankt.

Daß demgemäß die Interessenvertretung auch auf die Partei= bildung unter den Abgeordneten einen geringeren Einfluß ausübt, als in den Vertretungskörpern anderer Länder, soll nach den Er= fahrungen, die anderwärts damit gemacht werden, nicht gerade als ein Nachtheil bezeichnet werden. Aber bei der Zersplitterung, in der die politischen Parteien des Landes und der Landesvertretung in Italien schon seit langer Zeit begriffen sind, macht sich der Mangel an sachlichen Gesichtspunkten und Zielen innerhalb der Gruppen, in die sich die Kammer theilt, doch nicht zum Vortheil ihrer Berathungen geltend. Die alten Parteibezeichnungen der Rechten und der Linken bestehen wohl noch, aber sie decken sich schon lange nicht mehr mit scharf abgegrenzten politischen Richtungen. Die Unterschiede, welche sachlich zwischen der mehr konservativen Rechten und der liberaleren Linken früher bestanden haben, sind einer Auf= lösung in kleine Gefolgschaften — die Italiener nennen sie be= zeichnend chiesole, kleine Kirchgemeinden — gewichen, für deren Zusammensetzung und Zusammenhalt der politische Ehrgeiz, die Geschicklichkeit, der Einfluß, kurz die Persönlichkeiten ihrer Führer maßgebend sind.

Früher war für die Parteibildung neben anderen jetzt zurück= getretenen Gesichtspunkten auch die Landsmannschaft der Abgeordneten von Bedeutung. Die Eifersucht, mit welcher das mehr angebliche als wirklich vorhandene Uebergewicht der Piemontesen in der Rechten von Mittel= und Süditalienern, namentlich von den Meridionalen betrachtet wurde, ist einer der stärksten Gründe für den Uebergang der Regierungsgewalt von der Rechten auf die Linke gewesen. Dann hat Agostino Depretis, sowohl wegen der ungewöhnlichen Dauer seiner Ministerpräsidentschaft, als wegen seines wallenden weißen Bartes der Ewige Vater (Padre eterno) geheißen, ein Jahrzehnt hindurch es verstanden, durch Köderung mit persönlichen Interessen eine Mehrheit zusammenzuhalten. Dem zersetzenden Ein= fluß dieses Systems des Transformismus schreiben die Italiener vornehmlich die Auflösung des alten Parteistandes zu. Richtiger ist wohl, daß sich unter dem Einfluß seiner Behandlung die lands= mannschaftlichen Gegensätze unter den Abgeordneten stark ausge= glichen haben, so daß sie bei der jetzigen Gruppenbildung nur noch von geringer Bedeutung sind. Es kommt nicht mehr vor, daß die Gruppen sich nach regionalen Bezeichnungen sondern, wie dies noch 1876 der Fall war, wo eine Anzahl von toscanischen Ab= geordneten, von der südlichen Spottlust die Lucumonen genannt, durch ihren Uebertritt zur Linken den Fall des Ministeriums Minghetti herbeiführte. Namentlich seitdem sich zwei Sicilianer,

Crispi und Rubini an der Spitze von Kabinetten verschiedener Richtung in der Leitung der Geschäfte gefolgt sind, sind auch die Südländer in allen Parteien stark vertreten. Unter den nicht nach persönlichen Gefolgschaften, sondern auf ein sachliches Programm vereinten Gruppen der Kammer nehmen die Sozialisten und die ihnen nahe verwandten Radikalen weniger durch die Zahl als durch die unversiegliche Redelust ihrer Mitglieder einen unverhältnißmäßig großen Theil der Verhandlungen in Anspruch. Eine katholische Partei giebt es in Folge der Wahlenthaltung, welche der Vatikan seinen Anhängern bei den politischen Wahlen auferlegt, in der italienischen Deputirtenkammer seit 1870 nicht mehr.

Die Deputirten halten ihre Sitzungen auf Monte Citorio ab, wie der eine Seite dieses Platzes bildende, von Bernini entworfene Palast kurzweg genannt zu werden pflegt, ein düsterer hoher Bau, dessen etwas abschreckende Physiognomie seiner früheren Bestimmung als Sitz der päpstlichen Polizei besser entspricht als seiner jetzigen. Zum Sitzungssaal ist der Hof umgewandelt; die Geschäfts= und Repräsentationsräume der Kammer befinden sich im Vorderhause sowie in den Seitenflügeln des weitläufigen Baues. Man kann aus der geräumigen Vorhalle hinter dem Eingang ohne Weiteres in den zu ebener Erde gelegenen Sitzungssaal gelangen. Wie in einem antiken Theater sind die Sitzreihen der Abgeordneten, gegen= über der Rückwand des Vorderhauses, an welcher auf erhöhter Estrade der Präsidenten=Fauteuil und die Plätze für das Büreau angebracht sind, im Halbrund ziemlich steil und hoch aufsteigend angeordnet. Gänge oder vielmehr Treppen theilen dies Halbrund in Kreisabschnitte, deren Bänke nach oben zu immer mehr Sitzplätze enthalten. Die untersten auf dem Fußboden des Saales haben nur zwei oder drei Sitze, auf denen die Parteiführer vor ihren Gefolgschaften Platz zu nehmen pflegen, auf gleichem Niveau und fast Aug' in Auge mit den Ministern, deren Tisch mit den elf Sesseln den Raum unter der Präsidenten=Estrade einnimmt. Hoch über den obersten Sitzreihen der Deputirten sind an drei Seiten des Hofvierecks die Tribünen für die Zuhörer angebracht, von denen die für die Journalisten die besten Plätze enthält.

Dem nordischen Besucher wird, wenn er aus der Vogelper= spektive einer der reservirten Tribünen in die Tiefe des Sitzungs=

saales hinabschaut, zunächst die ungezwungene, fast kameradschaft=
liche Haltung auffallen, die sich in den Begegnungen, Begrüßungen
und Unterhaltungen der Abgeordneten untereinander sowie in ihrem
äußerst regen Verkehr mit den Ministern zu erkennen giebt. Nicht
blos die Fraktionsgenossen, sondern die Abgeordneten aller Seiten
und Schattirungen des Hauses sind in einem beständigen Kommen
und Gehen, im lebhaftesten Meinungsaustausch begriffen, der sich
ohne Unterschied der Parteistellung zwischen Allen mit jener Liebens=
würdigkeit der Gebärde, mit der Freundlichkeit des Mienenspiels
und mit den karessirenden Augen vollzieht, die dem Südländer
so leicht und gegen Jedermann zu Gebote stehen. Es ist bezeich=
nend, daß die Abgeordneten sich zum großen Theil mit Du anreden,
selbst wenn keine alten Beziehungen diese Brüderschaft begründen.
In dem Brief des konservativen Abgeordneten Macola an den ra=
dikalen Parteiführer Cavallotti, der das bekannte Duell zwischen
Beiden und Cavallotti's Tod zur Folge hatte, war der Empfänger
ebenfalls mit Du angeredet. Von diesen fast familär vertraulichen
Umgangsformen schließen sich, wenigstens im persönlichen Verkehr,
auch die Sozialisten nicht aus, die überhaupt sich durch Lebens=
haltung und Berufsstellung weit weniger schroff als in anderen
Parlamenten von den Mitgliedern der Ordnungsparteien absondern.
Die sozialistische Fraktion der italienischen Deputirtenkammer hat
einen einzigen Arbeiter aufzuweisen; übrigens sind die Advokaten
und Journalisten in ihrer Mitte kaum zahlreicher als in anderen
Gruppen.

Bei den Berathungen selbst wird auf das äußere Dekorum
etwas mehr Werth gelegt als bei uns. Der Präsident nimmt auf
dem rothsamtnen vergoldeten Fauteuil in Gesellschaftstoilette Platz
und zeigt in seinen Bewegungen, daß er sich der repräsentativen
Pflichten seiner hohen Stellung bewußt ist. Die zahlreichen
Huissiers, die ihn umringen (ihre Zahl ist noch vermehrt worden,
als der ehemalige Revolutionär Crispi Präsident der Kammer war),
harren seines Winkes und nähern sich ihm, die breite Amtskette
ihrer Würde um den Hals, mit Zeichen tiefer Ehrerbietung. Wie
der Präsident bei Handhabung des Vorsitzes, so befleißigen sich die
Abgeordneten auch bei sehr hitzigen Debatten einer gewissen for=
mellen Höflichkeit. Nicht leicht wird, selbst bei stürmischen Unter=

brechungen und heftigen Repliken, der Name eines Mitgliedes ohne
das ständige Beiwort ehrenwerth (onorevole) ausgesprochen; der
Präsident ertheilt das Wort dem onorevole So und so, er ruft
den onorevole Dingsda zur Ordnung und titulirt die Mitglieder,
wenn er ihre Gesamtheit anredet, gleichfalls als onorevoli. Auch
in der Diktion der Redner, die übrigens sämtlich vom Platz sprechen,
macht sich mehr von Beachtung der Formen, von forensischer
Haltung, von rhetorischer Sorgfalt geltend, als in den oft sehr
formlosen Aeußerungen englischer und deutscher Parlamentarier.
Diese Höflichkeit wird allerdings auch in Italien nicht so weit ge=
trieben, daß die Mitglieder es für nöthig halten, einem Redner zu=
zuhören, der nicht das Ohr des Hauses zu gewinnen weiß. Es
giebt in Italien wie anderwärts Hausleerer, die nur das Wort zu
ergreifen brauchen, um die Mehrzahl der im Saal anwesenden
Kollegen den Ausgängen zueilen zu sehen.

Auf gleichem Niveau mit den Abgeordneten sitzend, den
Blicken aller Mitglieder und des ganzen Hauses beständig ausge=
setzt, in jedem Augenblick von einem an ihrem Tische gerade vor=
beigehenden Onorevole angesprochen, haben die Minister, nament=
lich bei erregten Debatten, keinen leichten Stand. Nach italienischem
Brauch liegt die Vertretung der Regierung in den Plenarsitzungen
lediglich den Ministern und den Unterstaatssekretären ob. Sie
können sich dabei durch Regierungskommissare, die dem Hause nicht
angehören, nicht unterstützen lassen. Die Angriffe, welche die Gegner
auf sie richten, gewinnen vor den Augen der Versammlung
und der eifrig theilnehmenden Zuhörerschaft an Wirksamkeit und
Schärfe dadurch, daß sie bei bedeutenden Anlässen aus dem Munde
der Parteiführer den Ministern aus allernächster Nähe direkt ins
Gesicht geschleudert werden. Dabei pflegt der Redner von einer
Corona von Parteigenossen umgeben zu sein, die den Strom seiner
Donnerworte mit den lebhaftesten Gebärden und dröhnenden Bei=
fallsbezeugungen begleiten. Wenn der Minister sich zur Erwiderung
erhebt, hat er die Schar seiner Antagonisten sich unmittelbar gegen=
über, und er muß seine Rede so einrichten, daß sie die Gegner
trifft und doch auch im ganzen Hause verstanden wird. Er darf
namentlich die Journalistentribüne nicht außer Acht lassen; denn
ihre Inhaber, in deren Mitte er vielleicht vor nicht langer Zeit

gefeffen hat, sind gegen Rücksichtslosigkeiten des früheren Kollegen
doppelt empfindlich und geniren sich nicht, diesen Gefühlen durch
Zwischenrufe Ausdruck zu geben. Dazu vibrirt an Tagen, wo ein
Sturm auf das Ministerium erwartet wird, ein elektrisches Fluidum
im Saale, das alle Anwesenden mit Spannung erfüllt und die
natürliche unruhige Beweglichkeit der Mitglieder noch erhöht. Es
erfordert viel Uebung und Anlage, um eine solche Situation zu
beherrschen, durch sicheres Auftreten die schwankenden Parteigenossen
zu beruhigen, sich mit Autorität Gehör zu schaffen und zu erhalten,
durch glückliche Paraden den feindlichen Angriff abzuwehren und
der Abwehr den kräftigen Hieb folgen zu lassen.

Die Abstimmungen der Kammer entscheiden, nach der Gestalt,
die das parlamentarische Regierungssystem in Italien seit mehreren
Jahrzehnten angenommen hat, über Sein oder Nichtsein der Kabi-
nette. Es bildet daher eine unerläßliche Obliegenheit der leitenden
Politiker, aus den Gruppen der verschiedenen Parteischattirungen
eine ausreichende Mehrheit zusammenzubringen und bei der Fahne
zu erhalten. Bei der Auflösung der Parteien, bei dem schwankenden, rasch wechselnden Bestande der einzelnen Gruppen und Gefolgschaften ist diese Aufgabe ganz außerordentlich schwierig. Die
Leichtigkeit, ein Ministerium zu Fall bringen zu können, erhöht die
Lust dazu; sie fordert nicht blos die grundsätzlichen Gegner des gerade am Ruder befindlichen Staatsmannes, sondern auch den persönlichen Ehrgeiz jedes Unbefriedigten, die Rachsucht jedes Zurück-
gesetzten geradezu zu unvermutheten Ueberfällen heraus, und sie
gewährt der dem italienischen Temperament tief eingewurzelten
Neigung zur Intrigue, zum Miniren, zur Ueberlistung des Gegners
ein ausgedehntes Aktionsfeld. Sucht der Kabinetschef seine Majorität auf alle Weise an sich zu fesseln, Schwankende oder Be-
stimmbare zu sich herüberzuziehen, das Reservekorps jener an sich
Farblosen, die im Zweifel mit jedem Ministerium stimmen (der
Sprachgebrauch von Monte Citorio nennt diese im entscheidenden
Moment oft unzuverlässige Truppe die Ascaris), so lange als
irgend möglich bei guter Laune zu erhalten: so wird von der
anderen Seite mit allen Mitteln der feinsten Fraktions-Diplomatie,
mit dem höchsten Aufwand von List, Gewandtheit und Ueberredungs-
kunst daran gearbeitet, die Mehrheit des Ministeriums abzubröckeln

und durch geschickte Kombination der widerstrebendsten Elemente seinen Sturz herbeizuführen.

Wie wenig diese Unsicherheit der parlamentarischen Zustände und die daraus folgende sprichwörtlich gewordene Kurzlebigkeit italienischer Ministerien geeignet sind, große politische Ziele ins Auge zu fassen und zu erreichen, liegt auf der Hand. Ueber dem täglichen Existenzkampf geht den leitenden Politikern nur zu leicht das Verständniß für allgemeine Zwecke, für dauernde Aufgaben, ja die Lust, an ihnen zu arbeiten, verloren. Minister, die nach dem bezeichnenden Worte eines Veteranen der italienischen Politik[1]) dazu verdammt sind, sich wie Seiltänzer auf dem straffen Seil im Gleichgewicht zu erhalten, verlieren die Bewegungsfreiheit für kraft=volle und weitausschauende Aktionen. So wird die Initiative der Regierung immer schwächer; nothwendigste Reformen bleiben un=angerührt, weil kein Ministerium in das Wespennest der durch sie bedrohten Privat= oder Lokal=Interessen hineinzugreifen Lust hat, oder sie werden verzögert, um den Gegnern die Neigung zur Uebernahme der Regierung zu verleiden.

Gleichzeitig mit diesem Zurücktreten der großen allgemeinen Ziele hat sich die Deputirtenkammer zu einer Befürwortung persön=licher und örtlicher Sonderinteressen herbeigelassen, die in Italien selbst auf das Lebhafteste als eine Entartung des Parlamentarismus empfunden und beklagt wird. Jeder Deputirte wird von seinen Wählern als der natürliche Vermittler für die Erreichung aller möglichen Privatwünsche angesehen und in Anspruch genommen. Schon vor zwanzig Jahren hat ein früherer italienischer Minister, Graf Stefano Jacini, darauf hingewiesen, daß der Beruf des Deputirten immer mehr zu einem Bittstelleramte für Lokal=Interessen und für die Privatanliegen der einzelnen Wähler herabsänke. Bald darauf hat Marco Minghetti, einer der achtbarsten und loyalsten der politischen Epigonen, die nach Cavour's Tode ihn in der Leitung der Geschäfte ersetzen mußten, ein eigenes Buch geschrieben, um die Einmischung der politischen Parteien in die Gerechtigkeitspflege und in die Staatsverwaltung zu schildern und die Heilmittel zu

---

[1]) Staatsminister Graf L. Ferraris, Lo stato italiano nelle con-dizioni presenti. Torino 1889, p. 112.

erwägen, mit denen diesem schweren Uebelstande abgeholfen werden könnte. Seitdem hat die Sache den Verlauf genommen, daß nicht mehr die Parteien, sondern jeder Deputirte für sich von seinen Wählern, die ihn als Mitglied des allmächtigen Parlaments eben= falls für allvermögend ansehen, in einem geradezu unglaublichen Umfange für die Erreichung ihrer Privatzwecke nach allen Richtungen hin in Anspruch genommen wird. Der italienische Wähler hat sich daran gewöhnt, es als sein gutes Recht zu betrachten, daß „sein Deputirter" seine Privatwünsche zu vertreten hat, und er ist nicht geneigt, einen Abgeordneten wiederzuwählen, der sich für derartige Wünsche nicht durch persönliches Eingreifen ausreichend und vor allem mit Erfolg ins Zeug legt. Unter dem Damoklesschwert der Neuwahlen und dadurch, daß alle Anderen es auch so machen, sieht sich der unabhängigste Abgeordnete zur Nachgiebigkeit gegen die Wünsche des Wählers bestimmt; er macht für ihn die Runde in den Büreaus der Ministerien, er geht den Minister, die General= direktoren, die Dezernenten persönlich an oder überschwemmt sie mit Empfehlungsbriefen, die in den Verwaltungsstellen zu einer wahren Landplage anschwellen und den geordneten Gang der Geschäfte auf das Aeußerste erschweren und benachtheiligen. Es wird behauptet, daß während der Sitzungsperiode jeder Abgeordnete täglich etwa dreißig Briefe im Interesse seines Wahlkreises zu schreiben habe.

Von dem Umfange dieser Einmischung kann man sich bei uns glücklicher Weise nicht leicht eine zutreffende Vorstellung machen. Die naive Begehrlichkeit des Südländers, der Mangel an politischer Erziehung, die gänzliche Abwesenheit von Scheu und Zurückhaltung, die namentlich den Neapolitaner charakterisiren, kommen in der Zahl und in dem Umfange der Wünsche, für welche der italienische Wähler die Vermittelung seines Deputirten beansprucht, zum rück= sichtslosesten Ausdruck. Bei den Erinnerungen, welche die Gerechtig= keitspflege im Kirchenstaat, im Reich der Bourbonen von Neapel und anderwärts im Volke zurückgelassen hat, wird es dem Klein= bürger der Marken, dem Landwirth aus der Basilicata oder aus Sicilien nicht leicht zu verstehen, daß ihm sein Abgeordneter nicht dazu helfen könnte, einen Prozeß zu gewinnen, den er wegen einer Wegeservitut oder wegen einer Wassergerechtigkeit führt. Bei jeder strafrechtlichen Verurtheilung aber erwartet er mit Bestimmtheit,

8*

daß er durch Vermittelung des Abgeordneten begnadigt wird. Einflußreiche Wähler nehmen diese Vermittelung nicht bloß für sich, sondern für die ganze Klientel in Anspruch, die hinter ihnen steht und ihrem Winke bei Gemeinde- und politischen Wahlen so lange folgt, als der Patron für ihre Interessen eintritt. Hier ist ein Schwiegersohn, der als Kaufmann nicht prosperirt, in einem Aemtchen in dieser oder jener Verwaltung unterzubringen. Dort hat sich ein Finanz- oder Postbeamter dem einflußreichen Wähler nicht genügend gefällig erwiesen; der Abgeordnete wird dringend aufgefordert, die sofortige Versetzung des Ungefälligen zu betreiben. Beamte, die von ihren Vorgesetzten aus dienstlichen Rücksichten an einen andern Posten versetzt worden sind, suchen durch den Abgeordneten ihre Belassung an der bisherigen Stelle durchzusetzen. Ein einflußreicher Wähler hat die Kränkung erfahren, daß sein Sohn von dem Klassenlehrer des Gymnasiums oder Lyceums nicht reif zum Aufrücken aus der Secunda in die Tertia befunden worden ist; der entrüstete Vater verlangt von dem Deputirten die Entfernung des störrigen Schulmannes aus seinem Amte.

Der ungeheuerlichen Einmischung des Parlaments in die Verwaltung entspricht der nicht minder umfangreiche und schädliche Einfluß, den die Staatsregierung, von der Pflicht der Selbsterhaltung getrieben, auf die Zusammensetzung der Kammer und auf die Bildung einer Regierungsmehrheit auszuüben bestrebt ist. Fast jeder Zweig der Staatsverwaltung bietet Gelegenheit zu Bewilligungen, die mehr oder minder vom Ermessen des Ressortchefs abhängen. Die Zuertheilung einer Garnison, die Errichtung oder die Vervollständigung einer staatlichen Mittelschule, die Anlage einer Telegraphenlinie sind durch die öffentlichen Interessen nicht so strikt vorgeschrieben, daß die Ausführung dieser und vieler anderer ähnlicher Maßregeln nicht von dem politischen Gutverhalten des betreffenden Wahlbezirks stillschweigend abhängig gemacht werden könnte. Vor allen Dingen aber bieten die öffentlichen Arbeiten ein fast unerschöpfliches Feld für Wahlbeeinflussungen und für die Ausübung der zum Zusammenhalten einer Majorität unerläßlichen politischen Alchymie. Die Anlage von Straßen, Wasserleitungen, Entwässerungen, Meliorationen ist, nach dem übereinstimmenden Zeugniß glaubwürdiger Schriftsteller, häufig von Wahl- oder Stimmrücksichten abhängig gemacht worden. In ganz besonderem Umfange lassen die Eisenbahnen sich zu derartigen Einwirkungen benutzen. Depretis hat sie als eines seiner wirksamsten Mittel angewendet, um seinen Kabinetten eine mehr als durchschnittliche Lebensdauer zu verleihen; man erkannte die Geschicklichkeit, mit welcher der schlaue Taktiker gegnerische Anzettelungen durch die Bewilligung einiger Lokalbahnen auseinander zu sprengen wußte, allgemein lächelnd an; mancher dieser Bahnen ist der Name einer Depretis= bombe verblieben. Minghetti behauptet in seinem vorhin angeführten Buche, daß sich mit dem Kursbuche in der Hand angeben ließe, auf welchen Deputirten das Anhalten der Eilzüge bei den einzelnen Stationen zurückzuführen ist. Ein weiteres ergiebiges Feld der Beeinflussung der Abgeordneten gewährt einem rücksichtslosen Ver= waltungschef die Vergebung der für den Staat auszuführenden Arbeiten und Lieferungen. Minghetti führt eine Vorlage an, welche die Ausführung von Straßenanlagen, Häfen und dgl. im Gesamt= betrage von 165 Millionen Lire zum Gegenstande hatte, und die während der Berathung in der Kammer, um den örtlichen In= teressen entgegenzukommen, auf nicht weniger als 225 Millionen erhöht worden ist.

Auf diese Weise sind der Parlamentarismus und die Staats= verwaltung nicht nur in Gefahr, sondern im Begriff, sich gegen= seitig zu verfälschen und unter tiefer Schädigung ihres Ansehens und der allgemeinen Interessen von der Ausübung ihrer wahren Pflichten abzuhalten. Die Minister werden von der öffentlichen Meinung vielfach lediglich als die Vollstrecker des Willens der Kammer, als ein ausführendes Komité der jeweils regierenden Gruppen angesehen, das sich, um am Ruder zu bleiben, jedem Privatinteresse gefügig erweisen muß. Diese Herabwürdigung der Organe der Staatsleitung zu Dienern einer schwankenden Kammer= mehrheit beschränkt sich naturgemäß nicht auf die parlamentarisch verantwortlichen Verwaltungschefs, sondern greift zersetzend bis tief ins Innere des ganzen Verwaltungskörpers ein. Gleich dem Habicht über dem Sperling schwebt, nach dem drastischen Ausdruck, den Turiello[1]) aus einer schon im Jahre 1880 gehaltenen Rede Minghetti's

---

[1]) Governo e Governati I. 200.

anführt, über dem Verwaltungsbeamten die Furcht vor dem Depu=
tirten, dem einflußreichen Bürgermeister, die seine Versetzung be=
treiben, seine Beförderung verhindern, wenn er sich ihnen und ihren
Klienten nicht genügend willfährig zeigt. Vor einigen Jahren hatten
zehn Deputirte die Dreistigkeit, in einer Eingabe an den Justiz=
minister die Beförderung eines Richters in seiner Amtslaufbahn zu
begehren, weil er sich um die Interessen ihrer politischen Partei
verdient gemacht hatte. Die obersten Provinzialbeamten sehen sich
durch das beständige Eingreifen der Deputirten in ihren Ent=
schließungen gelähmt, die Präfekten fühlen sich vom Einflusse der
parlamentarischen Vertretung abhängig und werden durch wiederholte
Versetzungen, die sich auf solche Einflüsse zurückführen, abgestumpft
und gleichgültig.

Nicht minder aber leidet das Parlament unter dem Bewußtsein
der Einwirkung der Regierung in die Wahlen und unter dem
Vorwiegen egoistischer und persönlicher Interessen oder kleinlicher
Lokalkoterien. Man kann aus dem Munde einsichtiger und unab=
hängiger Politiker bittere Klagen über die Herabwürdigung hören,
die sie als Einzelne gegenüber den erniedrigenden Zumuthungen
ihrer Wähler, als Mitglieder der Gesamtheit in dem rücksichtslosen
Aufbau künstlicher Mehrheiten, in dem unaufhörlichen und un=
fruchtbaren Intriguenspiel beim Zusammenleimen und Umstürzen
von machtlosen Kabinetten empfinden. Durch die Nation geht ein
tiefer Zug von Enttäuschung und Entmuthigung über die Ent=
artung des Parlamentarismus. Man erinnert sich daran, daß
Carlo Botta, am Schluß seiner großen Geschichte von Italien, vor
mehr als einem halben Jahrhundert vorausgesagt hat, die Parlamente
würden dort nicht blühen können, wo die Orangen blühen. Als
nach der Niederlage von Dogali die Kammer sich zu keiner ent=
schiedenen Politik aufraffte und sich in ihrem üblichen Parteigetriebe
nicht stören ließ, hat ein alter Parlamentarier wie Ruggero Bonghi
seiner Entrüstung in dem Ausruf Luft gemacht, daß die Fünf=
hundert auf Monte Citorio viel weniger werth wären als die fünf=
hundert bei Dogali Gefallenen. Dieser Ausruf spitzte sich im
Volksmunde zu dem scharfen Epigramm zu, das damals die
Runde durch das Land machte, und in welchem Neapel zu
Italien sagte:

Questo lutto che porti
È segnale di vita e non mortorio:
I cinquecento morti
Stanno a Montecitorio.

Wer derartige Verdammungsurtheile von Italienern über die politischen Zustände ihres Landes hört oder liest, möge eingedenk bleiben, daß es in Italien von jeher als eins der unveräußerlichsten Staatsbürgerrechte gegolten hat, auf die Regierung zu schimpfen (dire mal del governo), und daß die Urheber solcher Schmähungen sehr erstaunt und entrüstet sein würden, wenn der Ausländer ihre Worte für baare Münze nehmen oder seinerseits sich ähnlicher Ausdrücke bedienen wollte. Auch ist nicht zu vergessen, daß der Parlamentarismus nicht bloß in dem Land, wo die Orangen blühen, sondern in vielen anderen, südlichen und nördlichen, europäischen und außereuropäischen, Zeichen des Niedergangs, ja der Entartung zu erkennen giebt. Die Frage, ob dieser Niedergang in Italien hoffnungsloser ist und die allgemeinen Interessen, namentlich auch die Volksmoral, tiefer schädigt, als es anderwärts der Fall ist, verdient eine unbefangene und eingehende Erwägung. Hier mag nur darauf hingewiesen werden, daß die konstitutionelle Regierung in dem weitaus größten Theile von Italien erst von 1861, in einzelnen Landestheilen von noch später datirt, daß Italien daher zu den jüngsten Verfassungsstaaten gehört, und daß wenige Völker für den plötzlichen Uebergang vom autokratischen Regiment zu demokratisch freien Staatsformen so völlig unvorbereitet gewesen sind, wie der überwiegende Theil der italienischen Nation. Welche Aufgabe, Millionen von unwissenden Menschen, die von einem gesetzlich geordneten Staatswesen keine Ahnung hatten, die in der Staatsgewalt nur ihren Feind zu erblicken gewohnt waren, den auf alle Weise zu hintergehen und zu schädigen für durchaus erlaubt, ja ehrenvoll galt, in kürzester Frist zu selbständigen und verant= wortlichen Bürgern eines freien Staatswesens umzuwandeln! Und das in der alten Heimat des Sekten= und Verschwörerwesens, im Vaterland der Mafia und der Camorra und wie alle die Geheim= bünde sonst heißen, in denen sich die Neigung zu heimlicher, unter=

irbischer Minirarbeit noch heutzutage ein Genüge thut! Und gleich=
zeitig unter dem Widerstande der Klerisei, unter der vom Papst
seinen Gläubigen anbefohlenen Zurückhaltung zahlreicher konservativer
Elemente vom politischen Leben, unter stets erneuerten Verwünschungen
aus dem Munde des Oberhauptes der katholischen Kirche gegen den
neuen Staat und seine Leiter!

In England, der Wiege des Verfassungslebens, hat es Zeiten
gegeben, wo Parlamentssitze einfach für baares Geld gekauft wurden,
und wo ein leitender Minister sich cynisch rühmte, den Tarif jedes
Parlamentsmitgliedes zu kennen. In Frankreich sind Minister des
liberalen Julikönigthums und der noch liberaleren dritten Republik
der Annahme von Bestechungen gerichtlich überführt worden. Wie
tief das französische Parlament in den Sumpf des Panamaskandals
hineingerathen war, ist trotz aller Untersuchungen nur zum ge=
ringsten Theil aufgedeckt worden. Gegenüber einer derartigen
Korruption der politisch maßgebenden Klassen sind die unsauberen
Beziehungen, die einzelnen italienischen Politikern zu verkrachten
Baubanken, zum Zusammenbruch der Banca romana und anderer
Finanzinstitute zur Last gelegt wurden, von geringer Bedeutung.

Aber auch wenn man sich vor Uebertreibungen hütet, wird
Niemand verkennen, daß schwere Uebelstände vorliegen, die der
Heilung dringend bedürfen. Diese Uebelstände haben neuerdings
sich noch wesentlich verschlimmert durch das Obstruktions=Unwesen,
das, von den radikalen Parteien in die italienischen Parlaments=
sitten importirt, mit südlicher Leidenschaft gehandhabt wird, um die
Berathung über einen mißliebigen Gegenstand einfach unmöglich zu
machen. Der Versuch, diesem Unfug durch Erlaß einer strafferen
Geschäftsordnung zu steuern, ist an der Unentschlossenheit und
Uneinigkeit der bürgerlichen Fraktionen gescheitert. Es ist seitdem
ein offenes Geheimniß in Monte Citorio, daß das Damoklesschwert
der Obstruktion stets über dem Hause schwebt und den an sich
schwankenden Bestand des jeweilig am Ruder befindlichen Ministe=
riums noch unsicherer macht.

Die Mittel, die zur Heilung dieser Schäden vorgeschlagen
werden, sind sehr verschiedener Art.

Sie betreffen zunächst eine Reform des Senats. Er ist durch
die Deputirtenkammer allzusehr zurückgedrängt worden und bietet in

feiner gegenwärtigen Zusammensetzung kein ausreichendes Gegengewicht gegen die unruhige und unregelmäßige Bewegung, welche sie der Staatsmaschine aufzwingt. Um dem Senat stärkere Widerstandskraft zu geben, muß die Ernennung der Senatoren in einer Weise erfolgen, die ihnen mehr Selbständigkeit und eine höhere Autorität gewährleistet. Nach der Ansicht einzelner Publizisten würde dazu genügen, daß die Krone bei Ausübung des ihr verfassungsmäßig zustehenden Ernennungsrechts mit freierer Initiative vorginge, als gegenwärtig, wo der König sich in zu formeller Auffassung seines Amts fast ausschließlich an die Vorschläge des Ministeriums bindet. Der kürzlich verstorbene Senator Artom[1]), einst einer der ausgezeichnetsten Gehülfen Cavour's, will dies Ziel dadurch erreichen, daß er die Vorschläge zur Ernennung von Senatoren von dem Gutachten eines nach englischem Vorbilde zu bildenden Geheimen Rathes abhängig macht. Etwas weiter geht Turiello[2]), der den Universitäts-Professoren, dem Richterstande, den Großgrundbesitzern und den Handelskammern das Recht beilegen will, alle drei Jahre aus ihrer Mitte Kandidaten für den Senat vorzuschlagen, von denen er hofft, daß die Krone sie demnächst bei der Ernennung von Senatoren aus der betreffenden Kategorie vorzugsweise berücksichtigen würde.

Für die Stärke, mit welcher in Italien die französischen Doktrinen selbst freie und weitblickende Politiker beherrschen, ist es sehr bezeichnend, daß keiner dieser Vorschläge sich zu einem selbständigen Präsentationsrecht aufschwingt, wie es in Preußen dem Großgrundbesitz, den großen Städten und den Universitäten für die Berufung zum Herrenhause gesetzlich zusteht. Trotz der Autonomie, die den italienischen Kommunen in mancher Hinsicht bei Ordnung ihrer inneren Angelegenheiten eingeräumt ist, sind sie politisch, gleich den französischen, doch nichts als Unterabtheilungen der Staatsverwaltung, so daß man, auch bei Erwägung von Reformplänen, gar nicht auf den Gedanken kommt, ihnen eine selbständige Vertretung im Senat beizulegen. Ohne das preußische Herrenhaus als Muster einer gesetzgebenden Körperschaft zu betrachten,

---

[1]) In der Vorrede zu seiner Uebersetzung von Gneist's Rechtsstaat (Lo Stato secondo il diritto. Bologna 1884, p. 34 ff.).

[2]) Governo e governati II. 179 ff.

läßt sich doch nicht verkennen, daß die zwanzig oder dreißig Bürger=
meister, die auf Präsentation ihrer Städte in seine Mitte berufen
werden, seinen Berathungen eine kräftige und sachkundige Anwalt=
schaft der Kommunalinteressen sichern. Nicht minder ist dies hin=
sichtlich der Wissenschaft und des geistigen Lebens durch die kraft
des Präsentationsrechts der Universitäten berufenen Mitglieder der
Fall. In Italien wird der Mangel von Körperschaften, die unab=
hängig von der Schablone des Gemeinde= und Provinzial=Wahl=
rechts zu einer geordneten Mitwirkung am Staatsleben berufen und
befähigt wären, von vielen Seiten schmerzlich empfunden. Warum
entschließt man sich nicht, die vorhandenen größten Korporationen,
die Städte, dem Banne der französischen Staatsauffassung zu
entziehen und ihnen auch politisch, durch Verleihung des Präsen=
tationsrechts zum Senat, ein Maß von Selbständigkeit zu gewähren,
das sich, wie Preußens Vorgang zeigt, mit straffer Einheit der
Staatsleitung sehr wohl verträgt?

Viel weiter gehen die Vorschläge zur Reform der Deputirten=
kammer auseinander. Der Pessimismus, der auch in Italien
gegenwärtig das große Wort führt, ergeht sich natürlich auch hier=
bei in der radikalsten Kritik des Bestehenden. In der geistreich=
paradoxen Schrift eines jüngeren Rechtslehrers[1], die den
sensationellen Titel „Gegen den Parlamentarismus" führt, wird der
angebliche Erfahrungssatz, daß die Kräfte einer Mehrzahl von
Menschen sich nicht summiren, sondern aufheben, auf die Spitze
getrieben, um jede Wahl als eine Erniedrigung des Gewählten,
jede Repräsentativ=Versammlung als an sich zur Erfüllung politischer
Aufgaben ungeeignet hinzustellen. Indessen statt daraus die
Konsequenz zu ziehen, daß allein von der Rückkehr zum autokratischen
Regiment Heil zu erhoffen sei, begnügt sich der Kritiker des
Parlamentarismus mit dem schwächlichen Vorschlag, die Zahl der
Deputirten auf Hundert zu vermindern. Daß dadurch der Einfluß,
die Klientel und der Ehrgeiz der Einzelnen naturgemäß verfünffacht
werden würden, läßt ihn unbekümmert.

Nicht minder schwarz als Sighele sieht Filippo Ottonieri[2]
die politische Lage Italiens und speziell die Entartung der

----

[1] Scipio Sighele, Contro il Parlamentarismo. Milano 1895.

[2] Filippo Ottonieri, L'Italia presente e i suoi fati. Roma 1897.

Parlamentsherrschaft an. Aber auch er versteigt sich zu hand=
greiflichen Uebertreibungen, wenn er behauptet, daß die Mehrzahl
der Abgeordneten Leute ohne Verdienst, ohne Bildung und ohne
Charakter seien, und daß die Besten der Nation sich vom politischen
Leben zurückziehen oder durch die Mängel des jetzigen Wahlsystems
davon ausgeschlossen werden. Trotz seiner Mahnung zu heroischen
Entschlüssen: „Ai mali estremi, rimedi estremi!" weiß er indessen
kein anderes Heilmittel als eine kräftige Politik nach Außen und
Innen vorzuschlagen, während Andere auf Grund seiner Dar=
stellungen den Muth haben, einfach eine Diktatur der Krone an=
zuempfehlen.

Mehr auf dem Boden der Wirklichkeit bleiben Vorschläge,
welche das Uebergewicht der Deputirtenkammer durch Eingrenzung
der Befugnisse auf gesetzlichem Wege beschränken wollen. Turiello[1])
verspricht sich namentlich viel Gutes von einer Beschränkung des
Ausgabenbewilligungsrechts der Kammer, indem er nach dem Vorbild
anderer Länder gewisse nothwendig feststehende Theile des Ausgabe=
budgets von der jährlich wiederkehrenden Bewilligung durch die
Volksvertretung unabhängig machen will. Auf derselben erfahrungs=
mäßigen Grundlage beruht sein fernerer Vorschlag, der Einmischung
des Parlaments in die Verwaltung und der Unsicherheit in der
Leitung der Staatsgeschäfte bei dem häufigen Ministerwechsel durch
die Einsetzung von unveränderlichen Generalsekretären vorzubeugen,
wie sie in England bekanntlich neben den parlamentarischen Unter=
staatssekretären bestehen und zur Wahrung der Ständigkeit in der
Verwaltung kräftig beitragen.

Allein Turiello beschränkt sich nicht auf diese kleinen prak=
tischen Heilmittel; er und Andre[2]), die ihm folgen, reden vielmehr
für die Zukunft einer gründlichen Reform des Wahlrechts das
Wort, das sie nicht durch bloß territoriale, mechanisch gebildete
Wahlkollegien ausüben lassen, sondern durch organische Vertretung
der einzelnen Berufsklassen, durch die Wiederbelebung selbständiger
Körperschaften verbessern wollen. Ihnen schweben dabei, in etwas
nebelhaften Umrissen, theils die aus den einzelnen Gewerben her=

---

[1]) Governo e Governati II. 99.

[2]) Turiello, l. c. II. 176 ff., Pietro Chimienti, La vita politica
e la pratica del regime parlamentare. Torino 1897.

vorgegangenen Rathsversammlungen mittelalterlicher Städte, theils die modernen Gliederungen der Arbeiterbewegung, die Trade-Unions Großbritanniens und andere große Genossenschaften vor.

Näherliegend als diese unbestimmten Ausblicke auf eine zu- künftige Wahlreform ist es, die Heilung der Uebelstände des Par- lamentarismus von einer Rückkehr zu dem ursprünglichen Sinn und Geist der Verfassung zu erwarten. Sie beschränkt die Krone, wie bereits wiederholt hervorgehoben wurde, in keiner Weise in der Wahl der Minister. Die Sitte, welche den Bestand der Ministerien in Italien von den Abstimmungen der Deputirtenkammer abhängig macht, findet in der Verfassung keinen gesetzlichen Boden; sie hat sich unter Ueberschreitung der der Wahlkammer verfassungsmäßig zustehenden Befugnisse in die Praxis eingeschlichen, und sie kann ohne jede Aenderung der bestehenden Gesetze in jedem Augenblick einfach abgeschafft werden, sobald die Krone sich entschließt, von ihrem Recht freien, vollen und thatsächlichen Gebrauch zu machen. Ohne vorübergehend die Diktatur zu übernehmen und ohne Staats- streich, lediglich innerhalb des verfassungsmäßigen Rechtszustandes, kann König Victor Emanuel III. zu Räthen der Krone berufen, wen er nach seiner Beurtheilung der politischen Sachlage und nach den Forderungen der Bedürfnisse des Staats dazu am besten für geeignet hält. Dazu gehört freilich, daß der König aus der Zurück- haltung heraustritt, die sein Vorgänger sich auferlegt hat, und daß er, statt die Bildung und den Zerfall von Kammermajoritäten durch die Ernennung und Entlassung von Ministerien zu registriren, mit selbständigem Urtheil und eigenem Willen an der Leitung der Staatsgeschäfte sich betheiligt.

Hierzu ist der König von Italien verfassungsmäßig vollauf berechtigt. Nicht das Statut, sondern nur die Auslegung, die ihm in einer nun freilich fast ein Vierteljahrhundert dauernden Tradition gegeben worden ist, hat dem Träger der italienischen Krone die Schranken in Ausübung seiner Herrscherrechte auferlegt, denen König Humbert sich fügen zu müssen geglaubt hat. Seine Resignation ist als Loyalität gefeiert worden; Tieferblickende haben schon bei seinen Lebzeiten auf die dringende Nothwendigkeit hingewiesen, daß die Krone sich ihrer Pflicht, das Wohl des Staats zu wahren, auch gegenüber den Auswüchsen des Parlamentarismus gewachsen zeige. Diese Nothwendigkeit ist durch die Mörderhand, welcher König Humbert trotz seiner Güte und seiner Loyalität zum Opfer gefallen ist, blutig gekennzeichnet worden. Sie wird überdies durch die Zuchtlosigkeit des Obstruktionsunwesens, das ernstliche Berathungen der Deputirtenkammer illusorisch zu machen droht, auf das Schlagendste dargethan. Der Parlamentarismus scheint in Italien an einem todten Punkt angekommen zu sein, zu dessen Ueberwindung es des thatkräftigen Eingreifens des Monarchen bedarf.

Die bloß formelle Erledigung der königlichen Amtspflichten hat in Italien schon wiederholt Anlaß zu der Frage gegeben, ob sie nicht auf einem minder kostspieligen Wege besorgt werden könnten. Wortführer der vorgeschrittenen Demokratie haben die Hoffnung ausgesprochen, daß die Monarchie, wenn sie fortfährt, den Parlamentarismus schalten und walten zu lassen, eines Tages einen sanften Sonnenuntergang (un placido tramonto) erleben, also zu bestehen aufhören würde. Durch nichts können die Auswüchse des Parlamentarismus einfacher und schneller beseitigt werden, als dadurch, daß die Krone ihres königlichen Amts kraftvoll waltet. Die Allmacht der Deputirtenkammer würde vor dem festen Willen eines selbstbewußt regierenden Monarchen verschwinden wie Morgennebel vor dem Licht der italienischen Sonne. Von dem Gelüste befreit, Ministerien zu Fall zu bringen, der lästigen Vermittelung von Privatinteressen ihrer Wähler enthoben, würden die Abgeordneten Zeit und Muße finden, sich mit den wahren Bedürfnissen des öffentlichen Wohls, mit der so dringend nöthigen Sozialreform, mit einer durchgreifenden Verbesserung der Grundbesitzvertheilung und der ländlichen Arbeiterverhältnisse umfassender, stetiger und ausdauernder zu beschäftigen, als dies seit 1870 geschehen ist. Und die savoyische Dynastie, die Italiens Führer auf dem Wege zur Unabhängigkeit und Einheit gewesen ist, würde sich das Verdienst erwerben, die Nation aus den Irrwegen eines unfruchtbaren Parteigezänkes auf die freie Bahn einer geordneten, allen Klassen des Volkes gerecht werdenden staatlichen Entwickelung zurückgeführt zu haben.

5. Die Wehrkraft.

Die Wehrkraft Italiens hat den nicht hoch genug anzu
schlagenden Vorzug gehabt, daß ihr Aufbau sich auf den Grund=
lagen der Land= und Seemacht des Königreichs Sardinien voll=
ziehen konnte. Fest von der Nothwendigkeit durchdrungen, daß
Italiens Unabhängigkeit mit dem Schwert erkämpft und vertheidigt
werden müßte, hatte König Victor Emanuel von dem Tage an,
an welchem er nach der zerschmetternden Niederlage von Novara
die Zügel der Regierung ergriff, sich mit vollem Eifer an die
Wiederherstellung und an die Vermehrung der Streitkraft seines
Landes gemacht, und es ist seinem Soldatenherzen das Glück be=
schieden gewesen, die Feldzeichen seiner Regimenter auf den Schlacht=
feldern des Jahres 1859 mit frischem Lorbeer zu bekränzen. Das
sardinische Heer und die durch Cavour's weitsehenden Blick ge=
schaffene Flotte bildeten den Kern, an welchen sich nach der Er=
richtung des Königreichs Italien die Wehrhaftmachung der wieder=
erstandenen Nation anschließen konnte. Und es that Noth, daß
ein fester Kern von zäher Widerstandskraft vorhanden war, denn
die Schwierigkeit, in dem zum großen Theil völlig unkriegerischen,
durch Sekten, Verschwörungen und Revolutionen zuchtlos gewordenen
Volk eine einheitliche nationale Wehrkraft zu schaffen, war eine
ganz außerordentlich große.

Sie wurde noch vermehrt durch die beispiellosen Triumphe,
die Garibaldi mit seinen Freischaren über die Söldnerheere des
letzten Bourbonen von Neapel davon trug. Der Zug der Tausend
schlug die Armee, die unter der italienischen Kleinstaaterei nächst
der piemontesischen noch einigermaßen militärisches Gefüge bewahrt

hatte, in Stücke, und hinterließ an ihrer Stelle ein durch unerhört leichte und große Erfolge berauschtes, locker zusammengesetztes Revolutionsheer, an dessen Spitze sich neben bewährten Waffengefährten des Volkshelden Emporkömmlinge von zweifelhafter Tüchtigkeit befanden, und in dessen improvisirtem Offizierkorps sich zu der begeisterten Jugend Italiens eine Fülle von Abenteurern und Schiffbrüchigen aus allen Revolutionen der letzten Jahrzehnte gesellt hatte. Der Organisator des neuen italienischen Heeres stand unter Anderem vor der Aufgabe, die Trümmer des Bourbonenheeres nach Ausscheidung der fremden Soldtruppen wieder wehrhaft zu machen und sie sowohl als ihre Gegner, die soldatisch brauchbaren Bestandtheile des Freiwilligenheeres, mit den norditalienischen Regimentern zu einem einheitlichen Wehrkörper zu verschmelzen. In diesen Verschmelzungsprozeß waren überdies die Wehrfähigen aus Landestheilen einzubegreifen, die, wie die lombardischen Provinzen und die österreichischen Vasallenstaaten, fast ein halbes Jahrhundert hindurch unter ausländischer Botmäßigkeit gestanden hatten. Endlich war die Jugend aus den vom Kirchenstaat abgefallenen Landschaften der Marken, der Romagna und Umbriens, wo der Beruf des Soldaten, dank der päpstlichen Herrschaft und ihrer Schlüsselgarde, in allgemeiner Mißachtung gestanden hatte, an den Kriegsdienst und seine strenge Zucht zu gewöhnen.

Welche Abstände bei dieser Organisation zu überbrücken, welche Gegensätze auszugleichen waren, mag nur an einigen Beispielen dargethan werden. In Piemont war der kriegerische Sinn des Volks seit drei Jahrhunderten von klugen, straffen Soldatenfürsten gepflegt worden. Nach ihrem Vorbilde hatte sich der Adel des Landes seit einer Reihe von Generationen an den Heeresdienst gewöhnt; es gab keine vornehme Familie, die nicht tapfere Offiziere unter ihren Angehörigen aufzuzählen hatte. Massimo d'Azeglio's Vater hat in seinem Testament seine Frau gebeten, falls er mit den Waffen in der Hand falle, nicht Trauer anzulegen, sondern ihr Galakleid, weil sie es für sein größtes Glück halten müsse, daß er sein Leben für seinen König und sein Land habe hingeben dürfen. Wenn seine kleinen Söhne sich über irgend welchen Schmerz beklagten, dann sagte ihnen der Vater im Scherz, aber doch ernst gemeint: Wenn ein Piemontese Armé und Beine gebrochen und

zwei Stiche durch den Leib bekommen hat, dann, aber nicht früher,
darf er sagen: mir ist nicht ganz wohl. Und das Gegenstück hierzu in Toscana, wo seit dem sechszehnten Jahrhundert der tiefste
Friede geherrscht hatte, und wo die gesamte Bevölkerung aller
kriegerischen Neigungen völlig entwöhnt war. Noch heute ragt im
Garten Boboli zu Florenz die Riesenstatue der Abundantia auf,
die Großherzog Ferdinand II. während der sein Land nicht be-
rührenden Schrecken des dreißigjährigen Kriegs als Sinnbild des
toscanischen Wohllebens errichten ließ. Als nach dem Aussterben
der Mediräer der lothringische Franz Toscana erhielt und seiner
Gemahlin Maria Theresia im siebenjährigen Krieg ein kleines toscanisches Hülfskorps sandte, schrieb Algarotti seinem hohen Freunde,
dem Preußenkönig, viel würden ihm diese Feinde wohl nicht zu
schaffen machen. Auch ging es den Toscanern bei Liegnitz besonders
schlecht, und als Kaiser Franz zur Ergänzung der Verluste neue
Aushebungen befahl, rief diese Anordnung so große Unzufriedenheit
hervor, daß nicht wenige Gestellungspflichtige sich der verhaßten
Einkleidung durch Entweichen in den Kirchenstaat entzogen. —
Auch im Ehrbegriff walteten zwischen denen, die nun als Waffen-
brüder in denselben Truppentheilen zusammen leben sollten, die aller-
stärksten Differenzen ob. War doch in der neapolitanischen Armee
noch bis zum Zusammenbruch des Bourbonenthrons der Korporal-
stock kräftig geschwungen worden, und selbst die barbarische Strafe
des Spießruthenlaufens in Uebung geblieben! Endlich, wie verschieden an Herkunft, Gesittung und militärischer Erziehung waren
bis in die Generalität hinauf die Offiziere des neuen Heeres. Zu
den Sprößlingen altpiemontesischer Familien, die auf der Turiner
Militärakademie stramme militärische Zucht und eine hervorragende
Bildung, namentlich in den mathematischen Wissenschaften erhalten
hatten, traten Männer in kamerabschaftliche Beziehung, die als
politische Verbrecher in österreichischen, päpstlichen und bourbonischen
Kerkern geschmachtet, als Flüchtlinge in französischen, spanischen
und portugiesischen Fremdenlegionen gedient und ihre militärischen
Grade als Freischarenführer erlangt hatten. Der General Fanti,
dem als Kriegsminister in Cavour's letztem Ministerium die Haupt-
arbeit der Neuschaffung der italienischen Armee zufiel, hatte als
Gefangener in Kufstein gesessen und viele Jahre in Spanien gegen

die Karlisten gefochten. Bei Custozza kommandirten als Divisionäre neben einander der Kronprinz von Italien und Nino Bixio, der ehemalige genuesische Schiffer, der sich als Freischärler die Epauletten erworben hatte, als Garibaldi's Begleiter auf dem Zug der Tausend Brigadier geworden und nach der Auflösung des Freiwilligenheeres als General in die italienische Armee übergetreten war General Pianell aber, der durch seine entschlossene Haltung den Rückmarsch des geschlagenen linken Flügels der Italiener ordnete, hatte in der bourbonischen Armee ein höheres Kommando geführt.

Es zeugt von nicht geringem Muth, daß die Schöpfer der italienischen Wehrkraft trotz dieser Schwierigkeiten den Plan gefaßt haben, das Heer als Volksheer auf der Grundlage der allgemeinen Wehrpflicht zu organisiren, und von nicht geringer Beharrlichkeit, daß dieser kühne Plan in vollem Umfange und mit überraschend günstigem Erfolge durchgeführt worden ist. —

Nach dem jetzt geltenden Wehrgesetz (vom 7. Juni 1875) beginnt die Dienstpflicht für die Landarmee mit dem Jahr, in welchem der junge Mann das zwanzigste Lebensjahr vollendet, und sie dauert bis zum Beginn des Jahres, in welchem er neununddreißig Jahre alt wird. Diese neunzehnjährige Dienstzeit vertheilt sich auf die drei Formationen, in welche das Heer sich gliedert, das stehende Heer, die Mobilmiliz und die Territorialmiliz, im Allgemeinen so, daß acht Jahr auf den Dienst im stehenden Heer (einschließlich der Zeit als beurlaubter Reservist), vier Jahr auf die unserer Landwehr ersten Aufgebots vergleichbare Mobilmiliz und sieben Jahr auf die Territorialmiliz, etwa unsere Landwehr II. Aufgebots entfallen. Diese Regel wird aber durch vielfache Ausnahmen gekreuzt, die theils in den Besonderheiten einiger Waffengattungen, theils darin ihren Grund haben, daß ein sehr erheblicher Theil der Gestellungspflichtigen sogleich bei der Aushebung wegen gesetzlicher Befreiungsgründe der Territorialmiliz überwiesen wird. Da ferner bei der Aushebung die zur Deckung des jährlichen Rekrutenkontingents erforderliche Mannschaft bis vor wenig Jahren durch das Loos ermittelt wurde, und die Ueberzähligen alsbald der Ersatzreserve zuzuertheilt wurden, so ergaben sich für die Ableistung der allgemeinen Wehrpflicht drei Kategorien, die sich mit den drei Formationen des Heeres zwar berühren, aber sich nicht mit ihnen decken.

Fischer. 2. Aufl.   9

Die erste Kategorie umfaßt die zum stehenden Heere unter Einreihung in die ständige Truppe Ausgehobenen. Ihre Dienstzeit unter den Waffen dauert bei der Infanterie, der Artillerie und den Genietruppen 2—3, bei der Kavallerie und der reitenden Artillerie durchweg 3, bei den Carabinieri 5 Jahre. Nach Ableistung derselben treten sie mit unbestimmtem Urlaub zur Reserve, der sie bis zur Vollendung des acht-, bei Kavalleristen und Carabinieri neunjährigen Dienstes im stehenden Heer angehören. Dann treten Infanteristen, Artilleristen und Geniesoldaten zur Mobilmiliz und nach vier Jahren für den Rest ihrer Gesamtdienstzeit zur Territorialmiliz. Die Kavalleristen und Carabinieri, für welche in der Mobilmiliz keine Formationen bestehen, treten nach neunjährigem Dienst im stehenden Heer sofort zur Territorialmiliz, der sie zehn Jahre angehören.

Die zweite Kategorie, die Ueberzähligen, wurden bis 1892 auf acht Jahre der Ersatzreserve des stehenden Heeres überwiesen, traten dann auf vier Jahre zur Mobilmiliz und vollendeten den Rest ihrer Dienstzeit mit sieben Jahren in der Territorialmiliz.

Die dritte Kategorie endlich, die gesetzlich Befreiten, kommen von vornherein zur Territorialmiliz und gehören ihr neunzehn Jahre lang an.

Es ergab sich hieraus folgendes Bild:

		I. stehendes Heer		II. Mobil-miliz	III. Terri-torialmiliz
		unt. d. Waffe	Ersatzreserve		
1. Ka-tegorie:	Infanterie, Ar-tillerie, Genie,	2—3	6	4	7
	Kavallerie,	3	6	—	10
	Carabinieri	5	4	—	10
2. Kategorie:		—	8	4	7
3. Kategorie:		—	—	—	19

Seit 1892 kommt die zweite Kategorie in Wegfall, weil seit diesem Jahr sämtliche Gestellpflichtige, soweit sie tauglich befunden und nicht befreit sind, in die ständige Truppe eingereiht werden.

Ausgeschlossen von der Wehrpflicht sind nach italienischem Wehrgesetz die wegen körperlicher Gebrechen Untauglichen. Hierzu gehören Größe unter 1,55 m, Brustumfang weniger als 80 cm, dauernde Schwächlichkeit, schwere physische Gebrechen, unheilbare Krankheiten. Die wegen dieser Gründe gänzlich Ausgeschlossenen (riformati) pflegen zwanzig Prozent der Gestellungspflichtigen zu erreichen. Solche, bei denen auf spätere Diensttauglichkeit noch zu hoffen ist, werden zurückgestellt (rivedibili); sie bilden jährlich auch etwa zwanzig Prozent der Gemusterten. Endlich sind, da die Wehrpflicht als Ehrenpflicht gilt, Ehrlose von ihr ausgeschlossen, wozu die wegen ehrloser Handlungen Verurtheilten und (ein Rest früherer Vorurtheile) der Henker und seine Söhne und Gehülfen gehören.

Sehr weit gehen die Dienstbefreiungen, welche das Gesetz tauglich Befundenen wegen ihrer Familienbeziehungen zuerkennt. Nicht nur einzige Söhne eines lebenden Vaters oder einer Wittwe, sondern auch der erstgeborene Sohn eines Vaters, der über 70 Jahre alt ist, der erstgeborene Sohn einer Wittwe, der älteste Bruder elternloser Geschwister, der Bruder eines im aktiven Dienst Verstorbenen oder wegen Verwundung oder Krankheit aus dem Dienst Verabschiedeten: sie alle sind vom Dienst im stehenden Heer befreit und gehören nur der Territorialmiliz an. Ja es befreit sogar jeder im aktiven Heer, sei es in Erfüllung seiner Dienstpflicht, sei es als Berufssoldat Dienender einen seiner Brüder von dem Dienst unter den Waffen. Man berechnet die Zahl der auf diese Weise Dienstbefreiten auf die Hälfte aller Diensttauglichen. Im Gegensatz zu der deutschen Wehrordnung, welche für die Dienstbefreiung wegen Familienverhältnisse den Nachweis der Bedürftigkeit als Vorbedingung aufstellt, kennen die italienischen Dienstbefreiungen keinen Unterschied zwischen Arm und Reich; sie bilden ein Zugeständniß, das von allen Klassen der Bevölkerung hochgeschätzt und eifrig in Anspruch genommen wird.

Der einjährig=freiwillige Dienst wird in Italien Jedem zugestanden, der den erfolgreichen Besuch beider Kurse des Elementar= Unterrichts, also fünfjährige Schulzeit nachweist, und der eine Summe, welche bei der Kavallerie 2000 Lire, bei den anderen Waffen 1500 Lire nicht übersteigen darf, zur Staatskasse einzahlt. Innerhalb dieser Schranken wird die Summe alljährlich vom Kriegs= minister festgesetzt; sie pflegt 1600 Lire für die Kavallerie und 1200 Lire für die anderen Truppen zu betragen. Während des

9*

Dienstjahres wohnen die Einjährig=Freiwilligen in der Kaserne und werden außer der Theilnahme am Kompagnie=, Schwadrons= 2c. Dienst in besonderen Kursen praktisch und theoretisch zu Reserve= Offizieren ausgebildet. Wenn sie den Anforderungen genügen, werden sie nach Beendigung des einjährigen Dienstes zum Offiziers= examen zugelassen und nach bestandener Prüfung alsbald zu Unter= leutnants der Reserve (sottotenenti di complemento) ernannt. Sie treten zum Beurlaubtenstande über, sind aber verpflichtet, inner= halb der nächsten zwei Jahre eine dreimonatliche Offiziersdienst= leistung bei der Truppe zu thun. Das weitere Aufrücken der Reserve=Offiziere erfolgt nach dem Dienstalter; sie pflegen beim Uebertritt zur Mobilmiliz zu Oberleutnants (tenenti) befördert zu werden und können als Offiziere der Mobil= und der Territorial= miliz zum Hauptmann, Major und Oberstleutnant aufsteigen.

Die Zahl der einzustellenden Rekruten wird alljährlich durch Gesetz festgestellt. Der Effektivbestand des stehenden Heeres hängt also von den jährlichen Bewilligungen des Parlaments ab. Daß dadurch, gegenüber den Einrichtungen anderer Staaten, deren Heeresbestand durch Festlegungen auf längere Zeit gesichert ist, ein Element der Unsicherheit und des Schwankens in das italienische Heerwesen hineingetragen ist, liegt auf der Hand und wird in Italien selbst nicht verkannt. Allein den Anregungen zur Ein= führung längerer Bewilligungszeiten, wie etwa des deutschen Septennats, hat man bisher keine Folge gegeben. Auch werden die Uebelstände der Einrichtung dadurch abgeschwächt, daß das Aushebungskontingent regelmäßig in der von der Regierung bean= tragten Höhe bewilligt zu werden pflegt. Während es in den siebziger Jahren 65 000 Mann betragen hatte, ist es seit dem An= fang der achtziger bei der damals begonnenen beträchtlichen Ver= mehrung des stehenden Heeres auf 83 000 Mann gestiegen. Durch das Gesetz von 1891 ist das Kontingent auf 95 000 Mann erhöht worden. Um die mit dieser erheblichen Mehreinstellung verbundenen Kosten einzuschränken, wurde zugleich bestimmt, daß der Kriegs= minister alljährlich durch das Aushebungsgesetz ermächtigt werden soll, einen Theil der Infanterie, der Artillerie und des Genies schon nach zweijähriger Dienstzeit zur Ersatzreserve zu entlassen. Hiernach beträgt für etwa die Hälfte der jährlich Ausgehobenen die Dienst=

zeit unter den Waffen nur zwei Jahre, die durch verspätete Einstellung der Rekruten und frühzeitige Entlassung zur Reserve thatsächlich sogar bis auf anderthalb Jahr verkürzt werden. Hierdurch wird der Unterschied, der zwischen der Dienstzeit dieser Waffen und der Kavallerie schon ohnedies besteht, noch verschärft, und es wird außerdem in den Waffen mit kürzerer Dienstzeit ein starkes Begehren angefacht, insgesamt nach zwei Jahren entlassen zu werden.

Als Aushebungsorgane fungiren die Distriktskommandos, deren 88 bestehen, und bei denen sich das gesamte Aushebungs- und Ersatzwesen des Heeres konzentrirt. Von ihnen werden die Rekruten bei ihrer Einziehung ärztlich untersucht und alsdann ihren Truppentheilen zugeschickt.

Die mehrfach erwähnte Abneigung gegen das Regionalsystem und die ihr zu Grunde liegende Furcht vor dem Wiedererwachen des früheren Partikularismus haben zur Folge gehabt, daß man bei der Neuschaffung des italienischen Heeres auf territoriale Ergänzung der Armee fast durchgängig verzichtete und sich statt dessen einem verwickelten System nationaler Ergänzung zuwandte. Zu diesem Zwecke war das Land in fünf Militärzonen eingetheilt, aus denen jeder Truppentheil ein Fünftel seines Ersatzes zu beziehen hatte. Später begnügte man sich damit, in jedem Truppentheil je ein Drittel Leute aus Ober-, Mittel- und Süd-Italien einzustellen. Seit 1896 wird es für ausreichend gehalten, den Ersatz der Infanterie aus zwei verschiedenen Gegenden des Landes zu nehmen. Noch gegenwärtig aber sind den Spezialwaffen (Bersaglieri, Kavallerie, Artillerie und Genie) für jedes Regiment eine große Anzahl von Distrikten der verschiedensten Landestheile zur Rekrutirung zugewiesen. Die Elitetruppe der Carabinieri ergänzt sich aus dem ganzen Lande. Nur die Alpenjäger ergänzen sich territorial aus den Gebirgsgegenden, in denen sie ausschließlich verwendet werden.

Eine weitere Folge der Furcht von dem Uebertragen regionaler Gegensätze in die Armee ist der regelmäßige Garnisonwechsel, der alljährlich mit etwa einem Viertel der Infanterie und der Kavallerie vorgenommen wird. Man hält es in italienischen Offizierkreisen für unvereinbar mit der Dienstzucht, daß der Soldat seiner Dienstpflicht in der Heimat genügen könne, und nimmt die mit dem häufigen Wechsel der Garnison verbundenen erheblichen Nachtheile als das kleinere Uebel mit in den Kauf.

In Folge dieser Einrichtungen ist der örtliche Zusammenhang zwischen den Truppentheilen und dem Orte oder der Gegend, wo sie stehen, ein außerordentlich geringer. Heimweh ist eine in Italien noch stärker und leidenschaftlicher als anderwärts auftretende Krankheit junger Soldaten. Es fehlt nicht an Schriften, die sich in grell gefärbten Schilderungen dieses Uebels ergehen. Aber auch davon abgesehen liegt auf der Hand, mit welchen Uebelständen und Weitläufigkeiten das italienische Ergänzungssystem verbunden ist. Schon die Versendung der Rekruten von den Distriktskommandos ihres Heimatsbezirks an die oft sehr fernen und sehr verschiedenen Truppentheile, in die sie eingestellt werden sollen, ist eine verwickelte, mühevolle und kostspielige Sache. Bei der Entlassung zur Ersatzreserve, ferner bei Einziehung der Reservisten zu den Uebungen beim Truppentheil oder zur Verstärkung des stehenden Heeres bei Unruhen ꝛc. wiederholen sich diese mühseligen Prozeduren.[1]) Schon im Frieden ergeben sich bei Einstellung der Rekruten und bei der Entlassung der Ausgedienten alljährlich zweimal Transportanhäufungen auf den Eisenbahnen, welche die Frage nahe legen, wie sich die Sache wohl bei einer allgemeinen Mobilmachung abwickeln möchte, wenn man an dem System der nationalen Ergänzung festhält.

Diese Wahrnehmungen haben in Italien eine Bewegung hervorgerufen, welche dafür eintritt, dies System fallen zu lassen und zu dem viel natürlicheren und einfacheren territorialen Ersatzsystem überzugehen. Schon General Marselli hatte in seinem ausgezeichneten Buch La vita del reggimento (1889) das Territorialsystem als eine unentbehrliche Ergänzung der allgemeinen Wehrpflicht bezeichnet, als das Ideal, das zwar noch nicht sofort, aber in naher Zukunft erreicht werden müsse.[2]) Inzwischen ist zur Verwirklichung dieses Ideals ein nicht unbedeutender Schritt geschehen, indem für die Mobilmachung der Infanterie das nationale System verlassen worden ist. Die Infanterie bezieht ihre Ersatzreserve seit 1896

---

[1]) Ein sehr anschauliches Bild hiervon giebt der auch sonst lesenswerthe Roman des Kapitäns A. Olivieri-Sangiacomo I richiamati, Mailand 1897.

[2]) Niccola Marselli, La vita del reggimento. Firenze 1889, p. 41.

nicht mehr durch die Diftriktskommandos ihrer Rekrutirungsbezirke, sondern zieht sie unmittelbar aus der Nachbarschaft ein. In Fort= führung dieses Gedankens ift unter dem zweiten Kriegsminifterium des Generals Pellour das Mobilmachungswesen den Diftrikts= kommandos überhaupt abgenommen und mit den damit verbundenen Depots und Magazinen den einzelnen Truppentheilen direkt zuge= wiesen worden. Man nimmt an, daß hierdurch die Durchführung der Mobilmachung im Ernftfall um vier bis fünf Tage beschleunigt werden wird. Freilich ift mit dieser Trennung des Rekrutirungs= und des Ersatzwesens der Nachtheil verknüpft, daß die Reserviften nunmehr vielfach zu Regimentern eingezogen werden, bei denen sie nicht gedient haben. Vorausfichtlich wird man deshalb nicht auf halbem Wege stehen bleiben, sondern über kurz oder lang auch für die Rekrutirung Territorialbezirke einführen.

Die Stärke des italienischen Heeres wird im Annuario Statistico von 1898 wie folgt angegeben:

1. Stehendes Heer: 784424, davon unter den Waffen 14414 Offiziere und 216723 Mann; Reserve 6294 Offiziere und 546771 Mann.
2. Mobilmiliz: 482871, darunter 4523 Offiziere.
3. Territorialmiliz: 2089420 Mann, darunter 5491 Offiziere.

Dies ergiebt insgesamt eine Kontrolstärke von 3364605 Mann einschließlich der Offiziere. Allein die wirkliche Stärke bleibt hinter dieser Riesenziffer ganz erheblich zurück.

Zunächft ift schon für das stehende Heer in Betracht zu ziehen, daß derjenige Theil der Reserve, der aus Wehrpflichtigen der zweiten Kategorie besteht, gar nicht unter der Waffe gedient hat. Nach dem Wehrgesetz soll zwar die Ersatzreserve von Zeit zu Zeit zu den Waffen eingezogen werden, allein diese Einziehungen erfolgen ziemlich sparsam und bieten auf keinen Fall für diejenigen, die nicht unter den Waffen gestanden haben, eine ausreichende Aus= bildung. In noch stärkerem Maße wiederholt sich das bei der Mobilmiliz, die etwa zur Hälfte, und bei der Territorialmiliz, die mindestens zu zwei Dritteln aus Mannschaften ohne militärische Ausbildung bestehen, und die gesetzlich nur alle vier Jahre auf je einen Monat zu Waffenübungen eingezogen werden sollen. In

Wirklichkeit sind die Einziehungen dieser Formationen noch seltener. Die Hälfte der Kontrolstärke ist also militärisch unausgebildet. Allein nach den Gliederungen, welche für die drei Formationen des italienischen Heeres im Kriegsfall vorgesehen sind, würde ihre Gesamtstärke auch die Hälfte jener großen Zahl nicht erreichen. Für 1891, wo die Kontrolstärke des italienischen Heeres sich auf 2 848 308 Köpfe belief, berechnete ein italienischer Fachmann[1]) die Kriegsstärke auf 1 146 782 Mann, wovon 434 395 auf die Territorialmiliz, 712 387 auf die aus dem stehenden Heer und der Mobilmiliz bestehende Feldarmee gerechnet wurden. Dies würde für die Kriegsstärke etwa 40 Prozent der Kontrolstärke, also der gesamten waffenfähigen Mannschaft ergeben. Zu einem in der Zahl fast übereinstimmenden, im Prozentsatz ungünstigeren Ergebniß kommt der deutsche Sachverständige, der in den v. Löbell'schen Jahresberichten (Bd. 24, 112) die Kriegsstärke auf insgesamt 1 114 877 Mann, worunter 387 843 Territorialmiliz und 751 034 Feldarmee, berechnet, was gegenüber der obigen Kontrolstärke des Jahres 1896 (mit 3 364 605 Köpfen) 33 Prozent darstellt. Bei dieser Kriegsstärke gliedert sich die Mobilmiliz in 51 Regimenter Infanterie, 20 Bataillone Bersaglieri, 38 Kompagnien Alpenjäger, 31 Schwadronen Kavallerie, 63 Batterien Feldartillerie, 15 Batterien Gebirgsartillerie, 78 Kompagnien Festungs= und Küstenartillerie, 24 Artillerie=Trainkompagnien, 54 Genie= und 4 Genie=Train= kompagnien. Die Territorialmiliz ist organisirt in 324 Bataillone Infanterie, 22 Bataillone Alpini, 100 Kompagnien Festungs= artillerie und 30 Kompagnien Genie.

Die Herstellung einer Feldarmee, die etwa 700 000 kriegs= mäßig ausgebildete Soldaten zählt, und der in der Territorialmiliz eine Reserve von mindestens 3—400 000 gleichfalls kriegsmäßig ausgebildeten Streitern zum Rückhalt dient, ist unter allen Um= ständen eine achtbare Leistung. Italien ist nach seiner Lage und seiner Machtstellung nicht dazu verpflichtet, mit den großen Heeres= mächten des Kontinents an Kriegsstärke zu wetteifern, und auch nicht dazu berufen, bei einem Weltkriege auf Eroberungen auszu= gehen. Aber eine Armee, wie sie Italien jetzt besitzt, reicht aus,

---

[1]) Oberst Perrucchetti, bei Bodio, Indici p. 109.

um die Nation wehrhaft zu machen und um ihr das schwer er= rungene köstliche Gut der Unabhängigkeit zu erhalten.

Der Oberbefehl über die Streitkraft zu Land und zu Wasser steht nach der Verfassung dem Könige zu. Er ist der höchste Kriegsherr der Armee und der Marine; ihm schwören die Truppen Gehorsam und Treue; die Farbe des Hauses Savoyen ist in den blauen Feldbinden, welche die Offiziere im Dienst anlegen, aufbe= wahrt, während in den Fahnen, Standarten und Flaggen die italienische Trikolore seit 1848 angenommen worden ist.

Mit der verfassungsmäßigen Stellung des Monarchen würde es sich vereinbaren lassen, wenn dem Könige zur Ausübung seines Amtes als oberster Kriegsherr besondere militärische Organe zu Gebote ständen. Dies ist nur insoweit der Fall, als dem könig= lichen Hofstaat eine Anzahl von General= und Flügeladjutanten beigegeben sind, von denen der erste dienstthuende Generaladjutant als Chef des militärischen Hofstaates angesehen wird. Diesen Offizieren stehen indessen vermöge ihres Amts keinerlei Kommando= oder Verwaltungsbefugnisse in der Armee zu. Diese sind vielmehr durchaus für die Landarmee im Kriegsministerium, für die Kriegs= flotte im Marineministerium konzentrirt. Alle auf die Armee und die Marine bezüglichen Erlasse des Königs, seine Armeebefehle, die vom König zu vollziehenden Ernennungen u. s. w. werden nach italie= nischem Brauch als Regierungsakte angesehen, zu denen die Gegen= zeichnung des Kriegs= oder des Marineministers erforderlich ist.

Hiernach nimmt der Kriegsminister nicht bloß als Verwaltungs= chef, sondern als das oberste Organ des Königs für die Hand= habung des Armee=Oberbefehls eine ganz eminent hervorragende Stellung ein. Die Leitung der Armee wird dadurch, nicht zu ihrem Vortheil, ein integrirender Bestandtheil der Regierung, und sie unterliegt wie diese den Wechselfällen des parlamentarischen Lebens. Der Kriegsminister ist Mitglied des Kabinets und mit ihm von den Abstimmungen der Deputirtenkammer abhängig. Mit dem Minister wechselt zugleich jedes Mal auch der Unterstaats= sekretär. Im Jahre 1896 wurde, als mit dem Kabinet Crispi auch der Kriegsminister Mocenni zurücktrat, der General Ricotti sein Nachfolger, der alsbald in den wichtigsten Organisationsfragen der Armee einen von seinem Vorgänger völlig abweichenden Stand=

Wirklichkeit sind die Einziehungen dieser Formationen noch seltener. Die Hälfte der Kontrolstärke ist also militärisch unausgebildet. Allein nach den Gliederungen, welche für die drei Formationen des italienischen Heeres im Kriegsfall vorgesehen sind, würde ihre Ge= samtstärke auch die Hälfte jener großen Zahl nicht erreichen. Für 1891, wo die Kontrolstärke des italienischen Heeres sich auf 2 848 308 Köpfe belief, berechnete ein italienischer Fachmann[1]) die Kriegsstärke auf 1 146 782 Mann, wovon 434 395 auf die Territorialmiliz, 712 387 auf die aus dem stehenden Heer und der Mobilmiliz bestehende Feldarmee gerechnet wurden. Dies würde für die Kriegsstärke etwa 40 Prozent der Kontrolstärke, also der gesamten waffenfähigen Mannschaft ergeben. Zu einem in der Zahl fast übereinstimmenden, im Prozentsatz ungünstigeren Ergebniß kommt der deutsche Sachverständige, der in den v. Löbell'schen Jahresberichten (Bd. 24, 112) die Kriegsstärke auf insgesamt 1 114 877 Mann, worunter 387 843 Territorialmiliz und 751 034 Feldarmee, berechnet, was gegenüber der obigen Kontrolstärke des Jahres 1896 (mit 3 364 605 Köpfen) 33 Prozent darstellt. Bei dieser Kriegsstärke gliedert sich die Mobilmiliz in 51 Regimenter Infanterie, 20 Bataillone Bersaglieri, 38 Kompagnien Alpenjäger, 31 Schwadronen Kavallerie, 63 Batterien Feldartillerie, 15 Batterien Gebirgsartillerie, 78 Kompagnien Festungs= und Küstenartillerie, 24 Artillerie=Trainkompagnien, 54 Genie= und 4 Genie=Train= kompagnien. Die Territorialmiliz ist organisirt in 324 Bataillone Infanterie, 22 Bataillone Alpini, 100 Kompagnien Festungs= artillerie und 30 Kompagnien Genie.

Die Herstellung einer Feldarmee, die etwa 700 000 kriegs= mäßig ausgebildete Soldaten zählt, und der in der Territorialmiliz eine Reserve von mindestens 3—400 000 gleichfalls kriegsmäßig ausgebildeten Streitern zum Rückhalt dient, ist unter allen Um= ständen eine achtbare Leistung. Italien ist nach seiner Lage und seiner Machtstellung nicht dazu verpflichtet, mit den großen Heeres= mächten des Kontinents an Kriegsstärke zu wetteifern, und auch nicht dazu berufen, bei einem Weltkriege auf Eroberungen auszu= gehen. Aber eine Armee, wie sie Italien jetzt besitzt, reicht aus,

[1]) Oberst Perrucchetti, bei Bodio, Indici p. 109.

um die Nation wehrhaft zu machen und um ihr das schwer er=
rungene köstliche Gut der Unabhängigkeit zu erhalten.

Der Oberbefehl über die Streitkraft zu Land und zu Wasser
steht nach der Verfassung dem Könige zu. Er ist der höchste
Kriegsherr der Armee und der Marine; ihm schwören die Truppen
Gehorsam und Treue; die Farbe des Hauses Savoyen ist in den
blauen Feldbinden, welche die Offiziere im Dienst anlegen, aufbe=
wahrt, während in den Fahnen, Standarten und Flaggen die
italienische Trikolore seit 1848 angenommen worden ist.

Mit der verfassungsmäßigen Stellung des Monarchen würde
es sich vereinbaren lassen, wenn dem Könige zur Ausübung seines
Amtes als oberster Kriegsherr besondere militärische Organe zu
Gebote ständen. Dies ist nur insoweit der Fall, als dem könig=
lichen Hofstaat eine Anzahl von General= und Flügeladjutanten
beigegeben sind, von denen der erste dienstthuende Generaladjutant
als Chef des militärischen Hofstaates angesehen wird. Diesen
Offizieren stehen indessen vermöge ihres Amts keinerlei Kommando=
oder Verwaltungsbefugnisse in der Armee zu. Diese sind vielmehr
durchaus für die Landarmee im Kriegsministerium, für die Kriegs=
flotte im Marineministerium konzentrirt. Alle auf die Armee und
die Marine bezüglichen Erlasse des Königs, seine Armeebefehle, die
vom König zu vollziehenden Ernennungen u. s. w. werden nach italie=
nischem Brauch als Regierungsakte angesehen, zu denen die Gegen=
zeichnung des Kriegs= oder des Marineministers erforderlich ist.

Hiernach nimmt der Kriegsminister nicht bloß als Verwaltungs=
chef, sondern als das oberste Organ des Königs für die Hand=
habung des Armee=Oberbefehls eine ganz eminent hervorragende
Stellung ein. Die Leitung der Armee wird dadurch, nicht zu
ihrem Vortheil, ein integrirender Bestandtheil der Regierung, und
sie unterliegt wie diese den Wechselfällen des parlamentarischen
Lebens. Der Kriegsminister ist Mitglied des Kabinets und mit
ihm von den Abstimmungen der Deputirtenkammer abhängig. Mit
dem Minister wechselt zugleich jedes Mal auch der Unterstaats=
sekretär. Im Jahre 1896 wurde, als mit dem Kabinet Crispi
auch der Kriegsminister Mocenni zurücktrat, der General Ricotti
sein Nachfolger, der alsbald in den wichtigsten Organisationsfragen
der Armee einen von seinem Vorgänger völlig abweichenden Stand=

punkt zur Geltung brachte. Als Ricotti nach wenigen Monaten durch den Widerspruch, den sein Vorgehen im Lande hervorrief, sich zur Demission veranlaßt sah, wurde General Pelloux Kriegs= minister, der wiederum mit ganz anderen Gesichtspunkten an die Armeeleitung herantrat, als seine beiden Vorgänger. Welche Nach= theile ein so rascher Wechsel in den maßgebenden Ansichten — drei Mal in einem Jahr! — nach sich ziehen muß, bedarf keiner weiteren Darlegung.

Bei der starken Centralisation, die auch in der italienischen Militärverwaltung herrscht, drängt sich in den Bureaus des Kriegs= ministeriums eine kolossale Arbeitslast und ein riesenhaftes Schreib= werk zusammen. In dem Generalsekretariat (b. i. der Central= abtheilung) und in den fünf großen Generaldirektionen, in die das Ministerium sich gliedert, sitzen Offiziere, Militär= und Verwaltungs= beamte sowie ein zahlreiches Rechnungspersonal in angestrengter Bureauarbeit zusammen. Daß diese Thätigkeit nicht besonders ge= eignet ist, dem Armeekommando die Frische der Auffassung und die Fühlung mit den Truppen zu erhalten, liegt auf der Hand und wird in Italien vielfach empfunden.

Ein nicht ganz klares Verhältniß besteht zwischen dem Kriegs= ministerium und dem Generalstab der Armee. Er bildet in Italien ein Elitekorps von Offizieren, die sich durch den Besuch der Kriegs= schule in Turin kriegswissenschaftlich ausgebildet und ihre Befähigung für den Generalstabsdienst praktisch bewährt haben. Dem Chef des Generalstabes liegt zwar die Oberleitung aller Studien über die Kriegsvorbereitung ob; es ist ihm zu diesem Zweck ein zahl= reiches Personal ausgesuchter Offiziere unterstellt. Aber er ist in seinen Maßnahmen durch die vielfach erforderliche Mitwirkung des Kriegsministers beschränkt, der vor ihm den unmittelbaren Vortrag beim König und die Vertretung der Armee gegenüber dem Parlament voraus hat. Um Reibungen zu vermeiden, ist der Ausweg getroffen worden, ein eigenes Bureau des Generalstabes in der Central= abtheilung des Kriegsministers einzurichten, das die Vermittelung zwischen dem Kriegsminister und dem Chef des Generalstabes zu bewirken hat. Allein dadurch wird das Uebergewicht des Kriegs= ministers noch verstärkt, der sich daran gewöhnt hat, in dem Generalstabschef einen seiner Gehülfen in der Armeeleitung, nicht

aber ein Organ mit eigener Verantwortung zu erblicken. Das Un=
klare dieses Verhältnisses ist namentlich dadurch gefährlich, daß der
Generalstabschef dazu berufen ist, im Kriege dem König bei der
Oberleitung der Feldarmee unmittelbar zur Seite zu stehen und
in den Fällen, wo der König das Kommando nicht selbst über=
nehmen will, die Feldarmee zu führen. Im Kriege tritt also der
bis dahin fast allmächtige Kriegsminister gegen den Generalstabs=
chef in den Hintergrund. Zu welchen Unsicherheiten in der
Armeeleitung dies führen kann, ist aus dem Feldzuge von 1866
noch in nachhaltiger Erinnerung.

Um diese Unklarheit zu beseitigen, ist mehrfach vorgeschlagen
worden, den Armeeoberbefehl bereits im Frieden dem Kriegsminister
abzunehmen und dem Chef des Generalstabes zu übertragen.
Aber gegen diese Lösung bestehen konstitutionelle Bedenken. Man
fürchtet die Armeeleitung dadurch allzu sehr aus dem Rahmen des
Verfassungsstaates herauszuheben und besorgt davon eine Selbstän=
digkeit des Militarismus, die den demokratischen Anschauungen der
tonangebenden Politiker und der Presse stark zuwiderläuft. Um die
Geschäftslast des Kriegsministers zu vermindern, ist sein nächster
Untergebener aus einem Generalsekretär in einen Unterstaatssekretär
verwandelt worden. Damit ist wenig geholfen und wird nament=
lich zur Klärung des Verhältnisses zwischen dem Kriegsminister
und dem Chef des Generalstabes gar nichts erreicht.

Wie weit die italienischen Anschauungen über militärische
Dinge von den unsrigen abweichen, erhellt am deutlichsten daraus,
daß man dort ganz ruhig vorgeschlagen hat, der König möge, um
jeden Dualismus der Heeresleitung im Kriege zu vermeiden, sich
ein für alle Mal dazu entschließen, den Oberbefehl über die Feld=
armee dem in letzter Linie doch dafür verantwortlichen General=
stabschef übertragen. Statt also zu Pferde zu steigen, wie seine
tapferen Vorfahren, wird dem Könige zugemuthet, hübsch zu Hause
zu bleiben und die Kriegsführung dem Chef des Generalstabes zu
überlassen!

Gerade umgekehrt und aus einer viel zutreffenderen Beur=
theilung der Sachlage heraus erklärt General Marselli[1]) ein stärkeres

---

[1]) N. Marselli, La vita del reggimento, p. 186 ff.

Eingreifen des Monarchen in die Heeresleitung für dringend wünschenswerth. Er betont die Nothwendigkeit, daß die Person des Königs im Leben des Heeres aus dem Hintergrunde wieder hervortrete, in welchen sie durch das Vordrängen der parlamentarischen Einrichtungen nach und nach gerathen ist. Freilich verkennt der General die Schwierigkeiten nicht, welche das Mißtrauen der Demokratie und die bureaukratische Eifersucht einer stärkeren Bethätigung des königlichen Willens in der Heeresleitung entgegensetzen. Die Einrichtung eines Militärkabinets als Organ des obersten Kriegsherrn und die Zurückführung des Kriegsministers auf die Leitung der militärischen Verwaltungsgeschäfte werden unter der Herrschaft des Parlamentarismus stets dem stärksten Widerstande begegnen.

Uebrigens ist man in Italien sich darüber nicht unklar, daß durch die strenge Zurückhaltung, welche König Humbert sich bei Ausübung seiner Herrscherrechte auferlegen zu müssen geglaubt hat, das Band zwischen der Armee und dem König in unerwünschter Weise gelockert worden ist. Der König, dessen persönliches Interesse an militärischen Dingen nicht besonders lebhaft war, hat sich bei der Heeresleitung eine Einmischung der parlamentarischen Faktoren in einem Umfange gefallen lassen, der durch die Verfassung in keiner Weise gerechtfertigt war. Hat man es als eine Wendung zum Bessern begrüßt, daß bei den letzten Ministerwechseln der Kriegsminister des einen Kabinets in das andere hinübergetreten, und daß gelegentlich ein General zum Unterstaatssekretär ernannt worden ist, ohne Deputirter zu sein: so richten sich auf den jungen König weitergehende Hoffnungen. Von seinen soldatischen Neigungen und seinem gründlichen militärischen Verständniß wird erwartet, daß er die Oberleitung, die ihm gebührt, auch ausüben und dafür sorgen wird, daß Kriegsministerium und Generalstab neben einander, aber in gleicher Richtung arbeiten.

Das stehende Heer zerfällt in 12 Armeekorps, deren Generalkommandos ihre Sitze in Turin I, Alessandria II, Mailand III, Genua IV, Verona V, Bologna VI, Ancona VII, Florenz VIII, Rom XI, Neapel X, Bari XI und Palermo XII haben. Zu jedem Armeekorps gehören bei Kriegsformation:

zwei Divisionen mit 4 Brigaden Infanterie, die Brigade zu zwei Regimentern, und einer Abtheilung Artillerie;

1 Regiment Bersaglieri;

1 Regiment Kavallerie;

1 Regiment Feldartillerie,

sowie die zu den Divisionen und dem Korps gehörigen Genie-, Sanitäts- und Verpflegungskompagnien.

Aus den nicht den Armeekorps zugetheilten 12 Kavallerie-regimentern sollen im Kriege drei Kavalleriedivisioneu formirt werden; ebenso stehen die· Alpenjäger, die Gebirgs-, Küsten- und Festungs-artillerie im Kriege nicht im Korpsverbande. Im Frieden sind sämtliche Truppen auf die 12 Armeekorps in ungleicher, durch die Erfordernisse der Mobilmachung und den Charakter des Landes bedingter Weise vertheilt. Dem IX. Armeekorps (Rom) ist das Militärkommando der Insel Sardinien als dritte Division unterstellt.

Abgesehen von der Eintheilung in Armeekorps bestehen für einzelne Waffen besondere Territorialkommandos. Die 24 Kavallerie-regimenter sind in 9 Kavalleriebrigaden eingetheilt, die ihre Sitze in Turin, Alessandria, Mailand, Verona, Padua, Bologna, Florenz, Caserta und Neapel haben. Für die Artillerie bestehen 3 Inspek-tionen mit 8 Kommandos, unter welche die Feldartillerieregimenter, die Festungs- und die Küstenartillerie-Bataillone, sowie die Direktionen der Artillerie-Werkstätten und Artillerie-Depots und der sonstigen militärischen Institute vertheilt sind. Das Genie hat 2 Inspektionen mit 6 Kommandos, denen die Genie-Direktionen und -Unterdirektionen unterstellt sind. Der rangälteste der Artillerie- und Genie-Inspekteure führt die Geschäfte und den Titel eines General-Inspekteurs. Auch für die Kavallerie und die Alpenjäger bestehen besondere Inspektionen. Endlich steht das Carabinier-Korps unter einem eigenen General-kommando. Es zerfällt in 11 Legionen, die sich in Divisionen, Kompagnien, Leutnantschaften, Sektionen und Stationen gliedern. Außerdem besteht eine Eleven-Legion in Rom, bei welcher die Ca-rabiniere ihre militärische Ausbildung erhalten.

Wenden wir uns nunmehr zu den einzelnen Waffen, so ist, nach der Rangordnung der italienischen Armee, mit dem Korps der königlichen Carabiniere zu beginnen, dem nach alter Sitte ·der Vortritt bei allen Besichtigungen zusteht, und das in Hinsicht auf Rekrutirung, Kleidung, Ausrüstung und Besoldung durchaus als eine Elite-Truppe behandelt wird. Die Carabiniere nehmen eine

Doppelstellung ein, da ihnen neben ihren militärischen Pflichten der Sicherheitsdienst der Lokalpolizei zuertheilt ist, und stehen deshalb theils unter militärischem Kommando, theils unter dem Ministerium des Innern, gleich unserer Landgendarmerie. Allein ihre militärische Gliederung ist schärfer betont als bei uns; sie stehen in engeren Truppenverbänden und sind überall, wo es irgend angeht, kasernirt. Aus ihrer Mitte sind auch die Hundertgarden erwählt, welche die Leibwache des Königs bilden, und deren ungewöhnlich große und schlanke Gestalten, durch den blinkenden Römerhelm noch vergrößert und durch die äußerst schmucke Uniform aufs Stattlichste gehoben, in Rom viel bewundert werden. Sie sind beiläufig das Einzige, was man in der italienischen Armee an Gardetruppen kennt. Auch die Uniform der Carabiniere ist sehr kleidsam. Man sieht sie nie anders als im schwarzen Frack und schwarzen, weiten Beinkleidern mit breiten rothen Aufschlägen, den Dreispitz in die Breite gesetzt, den Sonntags ein blaurother Federstutz ziert. Dann tragen sie auch weiße Epaulettes und Fangschnüre. Immer zu Zweien, sieht man die großen, schönen Männer überall auftauchen und mit ruhigem Ernst auf= und abgehen. Wer nach Italien kommt, mit der Eisenbahn oder zu Schiff, oder als Fußwanderer über eins der Alpenjoche, kann sicher sein, daß das Erste, was er erblickt, dies schwarze Dioskurenpaar ist, das sich auf dem Bahnhof, dem Hafen= kai oder beim Eintritt ins erste Alpendorf ihm präsentirt. Und so lange man im Lande verweilt, begegnet man überall und immer gern diesen stattlichen, wachsamen Repräsentanten der Staatsgewalt, die dem Fremden mit stets gleichmäßiger Höflichkeit und Bereit= willigkeit Auskunft geben, und die er im Verkehr mit den Ein= heimischen eine Achtung gebietende aber Vertrauen erweckende Hal= tung bewahren sieht. Sicher kann es kein leichter Dienst sein, den sie in den Schluchten der Apenninen, in dem wilden Waldgebirge Calabriens und auf den öden Hochebenen Siciliens als Wächter der Sicherheit auszuüben haben. In den Jahren, da der Brigan= taggio im Neapolitanischen sein Unwesen trieb, haben die Carabi= niere einen schweren Stand gehabt, und Manchen von ihnen hat aus sicherem Versteck die Kugel oder im raschen Ueberfall das Messer der Banditen darniedergestreckt. In der Korpsliteratur werden noch heute Erinnerungen an heroische Thaten gefeiert, die damals be=

gangen sind. Wenn am Tage des heiligen Martins, des Schutz-
patrons der Armee, die Kasernen der Carabiniere erleuchtet sind,
und ihre Offiziere sich mit den Veteranen des Korps beim Klange
der Musik zum Liebesmahl vereinigen, da weiß sicherlich der Eine
oder der Andere aus jener Zeit Episoden zu berichten, die an
Schlauheit und Grausamkeit auf der einen, an Kaltblütigkeit und
Entschlossenheit auf der anderen Seite mit den Erzählungen des
letzten Mohikaners wetteifern. Eine große Zahl derartiger Züge
enthält die in der casa editrice italiana in Rom erschienene volks-
thümliche Biographie des vor Kurzem verstorbenen capitano Bergia,
eines Carabinier-Offiziers, der sich durch seine Heldenthaten im
Kampf gegen die Briganten in den Abruzzen und in Apulien eine
legendäre Berühmtheit erworben hat. Das Schriftchen, von dessen
erster Auflage 26 000 Exemplare abgesetzt worden sind, ist eine
wohlgelungene Probe der besseren italienischen Soldatenliteratur.
Uebrigens sind auch heute die Fälle nicht selten, wo die Carabiniere
im Kampf mit Uebelthätern aller Art ihr Leben aufs Spiel setzen;
man sieht als Anerkennung dieser Thaten zahlreiche Tapferkeits-
medaillen auf der Brust von Carabinieren prangen. — Das Korps
zählt im Frieden etwa 24 000 Mann, darunter über 600 Offiziere
und 3500 Berittene, die sämtlich Chargirte, Wachtmeister, Briga-
biers oder Vicebrigabiers sind.

An Infanterie unterscheidet man in Italien drei Waffen: die
Linieninfanterie, kurzweg Fanteria genannt, die Bersaglieri und
die Alpenjäger.

Die Linieninfanterie ist in 96 Regimenter, jedes zu 3 Bataillonen
und 12 Kompagnien, eingetheilt. Darunter befinden sich 2 Regimenter Grenadiere, welche die Brigade granatieri di Sardegna
bilden und durch die Garbelitzen am Kragen, sowie dadurch,
daß die größten Rekruten aus dem ganzen Lande bei ihnen
eingestellt werden, eine unserer Garde etwa entsprechende Stellung
einnehmen. Uebrigens besteht ihr einziges Vorrecht darin, daß
seit einigen Jahren stets je ein Bataillon der beiden Grenadier-
regimenter in Rom garnisonirt. Die übrigen 94 Regimenter unter-
scheiden sich nur durch ihre Nummer, sowohl am Kepi als am
Kragen der kurzen Schoßjacke oder Tunika, die mit Ausnahme der
Carabiniere das übereinstimmende Uniformstück der ganzen Armee

bildet. Die der Infanterie ist blau; die Offiziere tragen am Aermel und an der Kopfbedeckung silberne Verzierungen, die zugleich als Gradabzeichen dienen. Zur Paradeuniform werden Epauletten mit Raupen getragen. Die Mannschaft trägt graue Tuchhosen, Schuhe und weiße Gamaschen. Auf Schildwache, beim Exerziren und auf Märschen sieht man sie gewöhnlich im graublauen Soldatenmantel, dessen Schöße, um den Schritt nicht zu behindern, nach hinten frackartig eingehakt sind. Die Kleidung ist bei allen Truppen zweckmäßig und von gutem Aussehen; sie wird durchweg sauber und adrett gehalten. Man wird selbst in kleinsten Garnisonen nicht leicht Leute in abgetragenen oder geflickten Uniformen sehen. Die Bewaffnung aller Infanterietruppen besteht aus einem kleinkalibrigen Magazingewehr mit Haubayonett. Dies Gewehr ist in den letzten Jahren an Stelle der Vetterliflinte getreten und jetzt im ganzen stehenden Heer in Gebrauch. Bei feldmäßiger Ausrüstung trägt der Mann an Kleidung, Munition (zum Theil in zwei Patrontaschen, zum Theil im Kalbfelltornister), Proviant, Zelttheilen und Schanzgeräth ein Gewicht von 25 Kilogramm.

Beim ersten Blick auf eine ausrückende Truppe fällt dem Fremden der schwache Bestand der Friedensformation auf. Er beträgt budgetmäßig für das Bataillon 16 Offiziere und 400 Unteroffiziere und Gemeine, also für die Kompagnie 4 Offiziere und 100 Mann. Allein dieser Stand wird meist nur in den Zeiten der Höchststärke, vom März bis September erreicht; in der übrigen Zeit ist die Durchschnittsstärke noch erheblich geringer. Davon gehen noch die Abkommandirten, die Ordonnanzen, die Handwerker u. s. w. ab. Man kann sich denken, was in Reih' und Glied übrig bleibt. Bei der Parade, welche zur Feier des neuvermählten Kronprinzenpaares bei seinem Einzug in Rom stattfand, sind aus anderen Garnisonen Truppen nach Rom geschafft worden, um den allzu schwachen Kompagnien einen einigermaßen erträglichen Vorbeimarsch zu ermöglichen. Dieser schwache Bestand wirkt überdies auf die Ausbildung der Mannschaft nachtheilig ein. Bei Kompagnien von 50 bis 60 Mann in Reih' und Glied lassen sich manche Uebungen, die auf den Kriegsstand von 250 Mann berechnet sind, nur andeutungsweise ausführen. Endlich hat die übermäßige Schwäche des Friedensstandes auch politische Uebelstände im Gefolge. Die fünf Infanterieregimenter, welche die Garnison von Rom bilden, werden im Winter, zur Zeit der forza minima, durch den Wachdienst, namentlich in den weit draußen gelegenen Forts, so vollauf in Anspruch genommen, daß die Regierung bei jeder Unruhe zur Verstärkung der römischen Garnison gezwungen ist. Dann sieht man die mit der Eisenbahn eilig herbeigeschafften Truppen einrücken und auf den Plätzen kampiren, was natürlich nicht zur Beruhigung der aufgeregten Gemüther beiträgt. Nehmen die Unruhen einen ernsteren Charakter an oder dehnen sie sich über mehrere Orte aus, so muß alsbald zur Einziehung einzelner Jahrgänge von Reservisten geschritten werden, was selbstverständlich den heftigsten Lärm der radikalen Presse und einige oratorische Stürme in Monto Citorio hervorruft.

Die zweite Infanterie=Waffe, die Bersaglieri, zählt 12 Regimenter von gleicher Stärke, Eintheilung und Ausrüstung wie die Linieninfanterie. Dagegen weicht ihr Kostüm sehr merklich ab und stellt einen ungemein hervorstechenden und charakteristischen Zug im Gesamtbilde des italienischen Heeres dar. Zur blauen Tunika werden gleichfarbige weite Beinkleider mit purpurrothen Abzeichen getragen; den Kopf bedeckt, schief aufgesetzt, ein glanzlederner Rundhut mit einem seitwärts tief und dicht herabflatternden Busch schwarzglänzender Hahnenfedern. Diesen Hut ersetzt in der Interimsuniform eine rothe Zipfelmütze in Form eines türkischen Fez mit langer Schnurpuschel, die möglichst weit zurück auf dem Hinterkopf getragen wird. Kommt ein Trupp Bersaglieri in dem Geschwindschritt, der bei dieser Truppe förmlich sportmäßig ausgebildet wird, beim Klange ihrer hellen Trompeten herangestürmt, den Kopf mit den weit zurückwallenden Hahnenbüschen vorgestreckt, das Gewehr wagerecht in der herabhängenden Hand, so sieht es aus, als ob das Vaterland in Gefahr wäre; Alles macht Platz und schaut den kleinen elastischen Gestalten mit Befriedigung nach. Bei Paraden pflegen die Bersaglieri die einzigen zu sein, deren Vorbeimarsch oder vielmehr Vorbeirennen — sie rennen wirklich in großen Sprüngen vorbei — Beifallsbezeugungen des sonst ziemlich theilnahmlosen Publikums hervorruft. Die Marschleistungen der Bersaglieri sind aber nicht bloß auf dem Paradefeld hervorragend. Die Truppe wird vielmehr auch für den Felddienst an einen Geschwindschritt — 140 Schritt

Fischer. 2. Aufl.   10

in der Minute! — und an Zurücklegung von Distanzen gewöhnt, die fast unglaublich erscheinen. „Wie ich das Regiment beim Aus= rücken so losstürmen sah", erzählt ein preußischer Offizier[1]), „die Leute gebeugten Hauptes, mit vorgebeugtem Oberleib, glaubte ich, der leibhaftige Satan stecke ihnen im Leibe. Was aber das Be= wundernswerthe war: nach fünf Stunden sah ich das Regiment in demselben Teufelsschritt wieder in die Kaserne einrücken, ohne jegliches Zeichen von Ermüdung. Jede Woche wird eine sich wöchent= lich um eine Stunde steigernde Marschleistung gemacht. So legen sie schließlich 40 km in etwa 8 Stunden zurück und betrachten dies als eine ganz gewöhnliche Marschleistung. So hervorragende Leistungen sind nur der angeborenen Genügsamkeit und Ausdauer des Italieners zu danken, die höchst werthvolle soldatische Tugenden bilden." Die Stellung als Elitetruppen, welche die Bersaglieri ein= nehmen, verdanken sie nicht nur dem sorgfältig ausgewählten Er= satz, sondern in noch höherem Maße dem Korpsgeist, der Offiziere und Mannschaften beseelt und in ihnen stets das Bewußtsein wach erhält, daß ein Jeder von ihnen überall und immer sein Bestes geben müsse, um sich des Ehrentitels eines Bersagliere würdig zu zeigen.

Die Alpenjäger sind zwar auch in Regimenter (7) und Ba= taillone (22) eingetheilt; die eigentliche taktische Einheit dieser Grenz= hüter der Alpen bilden aber die 75 Kompagnien. Sie sind die einzige Waffe, die sich durchaus territorial ergänzt und die in ihren Heimatsbezirken garnisonirt. Hierin wie in dem ganzen militärischen Zuschnitt scheinen die österreichischen Kaiserjäger zum Vorbild ge= dient zu haben, die von 1848 bis 1866 oft genug Gelegenheit hatten, den italienischen Gegnern die Vorzüge einer volksthümlichen und ortskundigen Gebirgstruppe einzuprägen. So sind denn die Alpini, 1872 zuerst mit einigen Kompagnien ins Leben gerufen, zu einer Spezialwaffe erwachsen, denen die Obhut der zahlreichen Alpenübergänge nach Frankreich, der Schweiz und Oesterreich an= vertraut ist. Man findet sie in kleinen Garnisonen, sowohl in den zahlreichen Sperrforts, welche die größeren Alpenstraßen decken, als allenthalben in den malerischen Gebirgsorten, die sich bis an den Anfang der Uebergänge hinaufziehen. Wer aus den tiroler Dolo=

---

[1]) Pr. Lt. Hauschild, Beobachtungen über Heeresverhältnisse, Land und Leute in Süd-Europa. Bd. II, Italien. Berlin 1893, S. 169 ff.

miten, etwa vom Ruvolau oder vom Misurina-See kommend, die italienische Grenze überschreitet, oder wer vom Tonalepaß aus in die Valle Camonica hinabgeht, kann mit einiger Sicherheit darauf rechnen, im nächsten Nachtquartier von den Hörnern der beim Tagesgrauen zur Uebung ausrückenden Alpini geweckt zu werden. Wenn er den Heimkehrenden begegnet, wird er die schlanken, schmucken Jägersleute mit ihren klugen, kühnen Gesichtern nicht ungern an sich vorbeiziehen sehen. Sie tragen eine blaue Tunika mit grünen Aufschlägen, graue Beinkleider, Schnürschuhe und Ledergamaschen; als Kopfbedeckung dient ein schwarzer Rundhut mit hochaufgerichteter Adlerfeder an der Seite. Noch haben sie, als jüngste Friedenstruppe, außer einigen Unglückstagen in Afrika, keine Gelegenheit gehabt, ihre kriegerische Tüchtigkeit zu beweisen. Ihrem Auftreten nach aber möchte man glauben, daß sie im Ernstfall ihrem Wahlspruch: Qui non si passa! (Kein Durchgang!) Nachdruck zu geben verstehen werden. —

Die 24 Regimenter der italienischen Kavallerie führen sämtlich Säbel und Karabiner mit Bayonetten; die zehn ersten, die Lanciers, sind außerdem mit Lanzen bewaffnet. Die Regimenter zählen 6 Schwadronen, die den ziemlich starken Friedensstand von 165 Mann und 151 Pferden aufweisen. Um diese starke Truppe besser zu leiten, ist das Regiment in zwei Halbregimenter von je 3 Schwadronen geteilt, deren jedes von einem Stabsoffizier kommandirt wird. In jedem Regiment ist ein Zug als Pioniere ausgebildet und mit Werkzeugen und Sprengstoffen zum Zerstören der Eisenbahnlinien, Brücken u. s. w. versehen. Auch die sorgfältige Ausbildung der Mannschaft im Schießen und das Bayonett ihrer Karabiner weisen darauf hin, daß man von dieser Waffe im Ernstfall eine überwiegend defensive Haltung erwartet. Ihre kleine Zahl läßt die Bildung großer Reitergeschwader nicht zu; auch verbieten sich mächtige Reiterattacken in Italien meist durch die Beschaffenheit des Terrains und die Kultur des Bodens. Alle diese Verhältnisse weisen der italienischen Kavallerie eine bescheidenere Stellung in der Armee an, als sonst von den Reitertruppen eingenommen zu werden pflegt. Soll doch selbst König Victor Emanuel im Hinblick auf die geringe Aktion, die der Kavallerie in seinen Feldzügen beschieden gewesen ist, scherzend gesagt haben:

10*

Wenn du willst lange leben auf Erden,
Mußt du Kavallerist zur Kriegszeit werden [1]).

Italien ist wohl das pferdeärmste unter den großen Ländern Europas. Seine Landleute bedienen sich statt des anspruchsvollen Pferdes vielfach der genügsamen Rinder zur Bodenbestellung; daneben werden Maulthiere und, in einem bei uns völlig unbekannten Maße, Esel zu landwirthschaftlichen Arbeiten benutzt. Die Pferdezucht, die im Mittelalter und noch bis ins vorige Jahrhundert hinein aus römischen und neapolitanischen Gestüten sehr geschätzte Reitpferde geliefert hat, ist nach den napoleonischen Kriegen arg vernachlässigt worden. Im Jahre 1870 sollen von etwa 700 000 Pferden des Landes nur 58 000 kriegstüchtig gewesen sein. Viele Jahre hindurch hat man die Remonten für Kavallerie und Artillerie auswärts ankaufen müssen; man konnte unter der Bespannung der Geschütze Maulthiere sehen, die überdies im Train und dem Fuhrwerk der Truppen weitaus überwiegen. Seitdem sind energische Anstrengungen zur Hebung der Pferdezucht gemacht worden. Man hat große militärische Remontedepots errichtet, in deren größtem, bei Grosseto, auf einer 2200 Hektare umfassenden Fläche meliorirten Maremmenbodens 2000 Pferde in fast wildem Zustande aufgezogen und abgehärtet werden. Das Depot von Persano im Neapolitanischen umfaßt 1500 Pferde. Hierdurch und durch Ankäufe bei inländischen Züchtern ist es seit einigen Jahren gelungen, den Pferdebedarf der Kavallerie nahezu vollständig im Inlande zu decken. Freilich, Reiterregimenter, wie man sie nicht bloß etwa in Berlin und Potsdam, sondern in jeder deutschen Kavalleriegarnison zu sehen bekommt, darf man in Italien nicht erwarten. Die Mannschaftspferde der Lanciers wie der leichten Reiterei sind sehr verschieden an Herkunft und Tauglichkeit und geben der Truppe keine sehr stattliche Erscheinung. Indessen wenn das italienische Pferd bei der Attacke in Folge seiner geringeren Schnelligkeit und seines leichten Gewichts hinter denen anderer Länder zurücksteht, so ist es zäh, ausdauernd, genügsam und äußerst gewandt in der Ueberwindung von Hindernissen; im Klettern, sowie im Ueberschreiten abschüssiger Felsplatten

---

[1]) Fatti soldato di cavalleria in tempo di guerra,
    Se vuoi vivere lungamente in questa terra.
    G. Massari, La vita di Vittorio Emmanuele. Milano 1878 I. 22.

und loser Geröllfelder sucht es seines Gleichen. Man ist bemüht, die Reiterleistungen der Kavallerie durch Weckung des Sportsgeistes unter den Offizieren zu erhöhen, indem sie zur Betheiligung an Rennen, Uebungsritten, Dauerritten und dergl. herangezogen werden. Zur Offizier-Reitschule, die sich noch aus piemontesischer Zeit in Pinerolo am Abhang der Westalpen befindet, werden die jungen Kavallerie-Offiziere unmittelbar nach bestandenem Offizierexamen einberufen; sie werden dort 6—7 Monate theoretisch und praktisch im Bahn- und Kampagnereiten unterwiesen und im nächstfolgenden Winter zu einem 10 wöchigen Reitkursus in Rom kommandirt, wo der Unterricht im Feldreiten fortgesetzt und den jungen Offizieren Gelegenheit geboten wird, an den während des Winters wöchentlich zweimal stattfindenden Fuchsjagden in der römischen Campagna theilzunehmen. Uebrigens wird den Offizieren die Anschaffung guter Pferde durch den Staat sehr wirksam erleichtert, indem jährlich eine Kommission in England Pferde ankauft und zum Selbstkostenpreis abgiebt. Gute Offizierreitpferde sollen demzufolge, wie glaubwürdig versichert wird, in Italien billiger sein als in Deutschland.

Die Artillerie hat in Italien in den achtziger Jahren eine außerordentlich namhafte Verstärkung erfahren und bildet jetzt in allen ihren Truppentheilen, der Feld-, der Festungs- und der Küsten-Artillerie, eine tüchtige und leistungsfähige Waffe. Die Feldartillerie umfaßt 24 Regimenter, zu denen noch 1 Regiment reitende und 1 Regiment Gebirgs-Artillerie hinzutreten. Das Feldartillerie-Regiment zerfällt in 2 Abtheilungen von je 4 Batterien, die im Frieden 4, im Kriege 6 Geschütze zählen. Jedes Armeekorps wird daher im Kriege 96 Geschütze ins Feld führen. Die Regimenter 1—12, welche die Korpsartillerie zu bilden bestimmt sind, sind ausschließlich mit 9 cm-Kanonen, die anderen (13—24), welche als Divisions-Artillerie zu dienen haben, führen zur Hälfte 9 cm-, zur Hälfte 7 cm-Geschütze. Das reitende Artillerieregiment hat 3 Abtheilungen mit je 2 Batterien, die ausschließlich 7 cm-Geschütze führen. Mit denselben Geschützen ist die Gebirgsartillerie bewaffnet, die in 3 Abtheilungen 15 Batterien zählt.

Da sich im Krieg die Geschützzahl der Feldartillerie um die Hälfte (statt 4 auf die Batterie 6) vermehrt, und überdies der Fuhrpark des Regiments sich beträchtlich vergrößert, so ist der

Abstand zwischen dem Friedens= und dem Kriegsstande bei dieser Waffe besonders stark. Das Regiment Divisions=Artillerie, dessen Sollstärke sich im Frieden auf 951 Mann mit 428 Pferden beläuft, soll in Kriegsstärke 2302 Mann und 1964 Pferde zählen; noch stärker ist die Vermehrung bei der Korpsartillerie. Die Beschaffung so zahlreicher Pferde wird keine leichte Aufgabe bei einer allge= meinen Mobilmachung bilden.

Die Festungs= und Küstenartillerie ist in 22 Bataillone von zusammen 78 Kompagnien eingetheilt. Zur Herstellung eines kriegs= tüchtigen Parks von Belagerungs= und Festungsgeschützen sind in den achtziger Jahren wiederholt bedeutende Summen bewilligt worden.

Gegenwärtig steht man vor der schweren Frage einer Er= neuerung der Geschütze für die Feldartillerie. Man hat das schwere Feldgeschütz einigermaßen modernisirt und hofft es dadurch noch für einige Zeit gebrauchsfähig zu erhalten. Das leichte Feldgeschütz bedarf schon seit Jahren dringend der Erneuerung. Man hat sich nach langandauernden Proben auf dem Artillerie=Schießplatz in Nettuno auf das Modell eines 7,5 cm=Geschützes geeinigt, das ganz im Inland und aus inländischem Material hergestellt und später auch an die Stelle der 9 cm=Kanonen treten soll. Aber solange diese Neubewaffnung aus den Mitteln des laufenden Budgets be= stritten werden soll, ist ihre Durchführung zum großen Nachtheil für die Schlagfertigkeit der Armee in unabsehbare Zeiträume hinausgerückt.

Die Artillerie trägt dunkelblaue Tuniken und gleichfarbige Beinkleider mit gelben Aufschlägen, eine kleidsame Uniform, die den stattlichen, ausgesuchten Mannschaften der Feldartillerie vortrefflich steht. Die Feldartilleristen sind mit Säbeln und Revolvern, die Fußartilleristen mit Repetirgewehren und Seitengewehren bewaffnet. Die Bespannung der Geschütze und des Fuhrwerks zeigt sich bei Uebungsmärschen und Paraden über alle Erwartung gut. Doch ist nach dem Urtheil von Fachleuten das Futter nicht ausreichend und das Pferdegeschirr zu schwer. — Während ein großer Theil des Artilleriematerials, namentlich der Geschosse, früher vom Aus= lande bezogen werden mußte, hat sich die Leistungsfähigkeit der italienischen Industrie nach dieser Richtung hin in dem letzten Jahrzehnt beträchtlich gehoben. Gegenwärtig wird ein großer Theil

des Artillerie= und überhaupt des Waffenmaterials für die gesamte
Armee in den unter der Leitung der Artilleriedirektionen stehenden
Gewehr= und Geschoßfabriken und Geschützgießereien hergestellt;
unter den Privatanstalten nimmt namentlich die Waffenfabrik in
Terni nach Umfang und Bedeutung für die Herstellung von Stahl
zu Kanonenrohren und von Panzerplatten eine hervorragende
Stelle ein.

Aus welchem Grunde die ganze Artillerie samt Feuerwerkern
und Geschützgießern neben Sanct Martin, dem allgemeinen Soldaten=
patron, in der heiligen Barbara noch eine spezielle Schutzheilige
der Waffe verehrt, ist trotz der netten kleinen Schrift, die ein
italienischer Artillerieleutnant[1]) der Erforschung dieser interessanten
Frage gewidmet hat, noch nicht völlig klargestellt. Wohl aber
begeht, wie bei uns, auch in Italien Alles, was zur Artillerie
gehört, den 4. Dezember, als den Namenstag der Artillerie=Patronin,
durch kameradschaftliche Festmahle.

Das Ingenieurkorps (genio militare, im Gegensatz zum genio
civile, den Beamten der Bauverwaltung) ist ebenfalls in den
achtziger Jahren sehr stark vermehrt worden. Während es noch
1882 aus 2 Regimentern bestanden hatte, umfaßt es jetzt 5 mit
17 Bataillonen und 66 Kompagnien und begreift alle die Truppen=
gattungen in sich, in die der moderne Ingenieurdienst der Armee
sich zu gliedern pflegt, Sappeure für Befestigungs= und Belagerungs=
zwecke, Pontonniere mit den erforderlichen Brückentrains, mehrere
Eisenbahn= und ebenso mehrere Telegraphenbataillone, endlich die
Spezialistenabtheilungen der Luftschiffer und des Brieftaubendienstes.
Dem letzteren wird wegen der Verbindung mit den Inseln eine
besondere Pflege gewidmet; Brieftaubenstationen sind über die ver=
schiedenen Landestheile verbreitet und werden für Armee= und Marine=
zwecke eifrig benutzt. Die Zentral=Brieftaubenstation war bis vor
Kurzem auf der Höhe des Monte Mario bei Rom im Thurm der weithin
sichtbaren Villa Mellini untergebracht. Wenn man, mit dem Permeß
der römischen Direktion des Genio militare ausgerüstet, zur Platt=
form des Thurmes hinaufstieg, um sich der herrlichen Aussicht

---

[1]) Tullio Marchesi, Santa Barbara protettrice dei cannonieri.
Torino 1895.

von biesem höchsten Punkte der Umgebungen von Rom zu erfreuen, so kam man an den Behältnissen vorbei, in benen die geflügelten Briefboten saßen, um hier nicht, wie es im zweiten Theil des Faust von der Taubenpost heißt, den Frieden zu bedienen, und man las am Verschlage jeder Taube den Namen der Station, auf welche sie abgerichtet ist.

In besondere, auch schon im Frieden bestehende Formationen ist das Sanitätskorps getheilt, von dessen 12 Kompagnien jedem Armeekorps eine beigegeben ist. Diese Truppe steht unter dem Befehl der Militärärzte, die in Italien noch mehr als bei uns durchaus militärisch organisirt sind. Die Sanitätsoffiziere werden mit den übrigen Offizieren vollständig auf gleichem Fuße behandelt; sie tragen eine ganz ähnliche Uniform und führen die Titel ihrer militärischen Rangstellung, vom medico tenente zum medico capitano, maggiore u. s. w. bis zum medizinischen Generalmajor hinauf. Die Ausbildung der Sanitätsoffiziere, die theils den Truppentheilen und den Truppenkommandos beigegeben sind, theils dem Dienst der Sanitätskompagnien und der Militärlazarethe vorstehen, erfolgt auf der militärmedizinischen Schule (scuola d'applicazione di sanità militare) in Florenz, die im Anschluß an die ausgezeichnete medizinische Fakultät der florentinischen Hochschule eingerichtet ist. Das italienische Sanitätskorps weist einen Friedensbestand von 3 Generalmajorärzten, 15 Obersten, 28 Oberstleutnants, 71 Majors, 280 Hauptleuten und 286 Leutnants auf; die Sanitätskompagnien zählen an Oberlazarethgehülfen, Gehülfen und Gemeinen zusammen 3025 Mann.

Während bei uns der Train eine besondere Waffe mit eigenen Truppentheilen bildet und unter eigener Oberleitung steht, ist er in Italien zum größten Theil der Artillerie, zum kleineren den Genie-Regimentern beigegeben. Ferner wird ein Theil des Dienstes, der bei uns dem Train zufällt, durch die Sanitätskompagnien besorgt. Für das militärische Verpflegungswesen besteht eine besondere Truppe, das Kommissariat genannt, mit einem eigenen Offizierkorps (tenenti, capitani u. s. w. bis zum colonello del Commissariato) und mit 12 Verpflegungskompagnien, von denen jedem Armeekorps eine zugewiesen ist.

Endlich ist auch das Rechnungswesen des Heeres durchaus militärisch organisirt; die Rechnungsoffiziere (tenenti, capitani u. s. w. bis zu tenenti-colonelli di Contabilità), die größtentheils aus Unteroffizieren hervorgehen, sind theils, wie unsere Zahlmeister, in die einzelnen Truppentheile eingestellt, theils versehen sie den Rechnungsdienst bei den Truppenkommandos, den militärischen Etablissements und in der Militärverwaltung.

Im Jahre 1871 konnten von den damals eingestellten Rekruten 56 Prozent weder lesen noch schreiben. Es hat Jahre gedauert, ehe das Verhältniß der Analphabeten unter den Neueingestellten bis auf die Hälfte herabgesunken war. Noch heutigen Tages erreicht es mit 38 Prozent fast vier Zehntel der Rekruten. Diese Langsamkeit in den Fortschritten des allgemeinen Bildungsstandes der Nation hat der italienischen Heeresverwaltung viele Jahre hindurch Mühewaltungen auferlegt, die eigentlich nicht ihres Amtes sind, sondern von der Volksschule erledigt werden sollten. Um die soldatische Ausbildung der Rekruten sicher zu stellen, war es nothwendig, sie vor allen Dingen lesen und schreiben zu lehren. Das Soldatenleben der italienischen Rekruten begann daher für die Mehrzahl damit, daß sie sich auf die Schulbank setzen und das in ihrer Kinderzeit Versäumte nachholen mußten. Die Regimentsschulen waren fast wie Elementarschulen eingerichtet. Um den schnurrbärtigen ABC-Schützen das Lernen schmackhaft zu machen, bestand bis 1880 die Einrichtung, daß die Entlassung zur Reserve vor Ablauf der drei- oder vierjährigen Dienstzeit von einem guten Examen in der Regimentsschule abhängig gemacht wurde. Die Statistik ergiebt, daß bis zu jenem Jahre die Zahl der gänzlich illiterat Gebliebenen unter den zur Reserve Entlassenen eine sehr günstige war; sie pflegte nur 6—7 Prozent zu betragen. Seit 1880 haben Ersparnißrücksichten es nöthig gemacht, bei der Entlassung zur Reserve von dem Ergebniß der Regimentsschulbildung abzusehen. Seitdem ist das Verhältniß der als Analphabeten Entlassenen wieder im Steigen begriffen; es beträgt für das Jahr 1897 leider wieder 26,6 Prozent.

Neben den Regimentsschulen bestehen bei den Truppentheilen noch eine Menge anderer Schulen. Es giebt Unteroffizierschulen, in denen die Unteroffiziers-Kandidaten eine über die untersten Klassen der Volksschule hinausgehende Schulbildung erhalten; für die Sergeanten und für die Fouriere (Feldwebel) bestehen wieder besondere Unterrichtskurse. Schließlich war des Schulwesens soviel geworden, daß für die soldatische Ausbildung der Mannschaft nicht die ausreichende Zeit übrig blieb. Mit Recht fragte General Marselli[1]), ob denn das Heer keine andere Aufgabe habe, als den Schulmeister zu spielen; wenn man, meinte er, auf diesem Wege fortfahre, werde Italien schließlich eine Heilsarmee statt eines Kriegsheeres besitzen.

Seit 1892 sind die Regimentsschulen aufgehoben worden. Die Ausbildung des Soldaten beschränkt sich seitdem, soweit er nicht befördert zu werden wünscht, auf die soldatische. Neun Wochen hindurch werden die Rekruten durch Gymnastik, Schritt- und Laufübungen körperlich durchgebildet und in der Handhabung ihrer Waffe unterwiesen. Wer im Frühjahr in Rom verweilt, sieht die jungen Infanteristen unter den Baumgruppen, die sich vom Coliseo am Abhange des Coelius entlang ziehen, mit lautem Zählen beim Einüben der Griffe beschäftigt. Ende April pflegen die Rekruten in die Kompagnie eingestellt zu werden, um bis Mitte Juli im Kompagnie- und Bataillons-Exerziren ausgebildet zu werden. Dann wird bis Mitte August ab und zu im Regiment und in der Brigade geübt; während dieser Zeit werden die Truppen auch mit Marschübungen, Manövriren gegen markirten Feind und Gefechtsschießen in besonderen Lagern beschäftigt, von denen das der römischen Garnison, das campo di Annibale auf der Höhe der Albanerberge am Abhange des Monte Cavo, vielen Reisenden bekannt ist. Für zwei oder drei Armeekorps pflegen sich daran große Manöver zu schließen, in denen die Korps, durch Einziehung von Reserven verstärkt, größere Uebungen mit gemischten Waffen gegen einander ausführen. Bei dem großen Manöver, das vom 10. bis 21. September 1897 auf dem an Schlachtfeldern reichen Gebiet zwischen Etsch und Piave stattfand, waren von den beiden gegen einander operirenden Armeekorps das Eine durch eine eigens formirte Kavalleriedivision, das Andere durch eine unter die Fahnen gerufene Division Mobilmiliz verstärkt worden.

---

[1]) La vita del reggimento p. 122.

Für die soldatische Ausbildung sowohl der Mannschaft als der Offiziere wirkt der Umstand erschwerend, daß die Truppen zu einem nicht geringen Theil in kleinen Garnisonen zerstreut sind. Man findet, wenn man durch Italien reist, kaum eine noch so kleine Stadt, die nicht eine Garnison hätte. Nicht bloß in den Alpengegenden, wo die Vertheilung der Alpenjäger über alle irgendwie gangbaren Wege und Pässe dem Zwecke dieser Spezialtruppe entspricht, sondern auch mitten im Lande finden sich in ganz unbedeutenden Landstädtchen Garnisonen von einer Kompagnie Infanterie oder Bersaglieri, oder vereinzelte Schwadronen Kavallerie vor, die von dem Hauptquartier ihres Regiments mitunter weit abliegen, namentlich in den Regionen, wo die Truppen nicht so dicht stehen als in Oberitalien. Die Kompagnie Infanterie, die bis zum März 1898 in Terracina lag, und die damals die Heimat des Fra Diavolo verließ, um sich nach Frosinone zu begeben, ist sicherlich in beiden Garnisonen ziemlich isolirt gewesen. Besonders schlimm ist diese Zersplitterung bei der Kavallerie, von deren 24 Regimentern, nach den Angaben eines dieser Waffe gewidmeten sorgfältigen Buches[1]), nur drei zusammenliegen, während die anderen in zwei, drei, ja in einem Falle sogar in vier Garnisonen auseinander gerissen sind.

In Oberitalien steht schon im Frieden der größere Theil des Heeres. Abgesehen von den Alpenjägern stehen das reitende und das Gebirgsartillerie=Regiment ganz dort; von der Kavallerie und der Feldartillerie sind drei Viertel, von der Linieninfanterie und den Bersaglieri die volle Hälfte in den norditalienischen Korpsbezirken untergebracht. Auf diese Weise ist die Formation der Feldarmee für den Kriegsfall bereits durch die Friedensgarnisonen vorbereitet. Denn abgesehen von dem Küstenschutz und der Besatzung der Inseln und der großen Waffenplätze wird die Feldarmee naturgemäß sich in Oberitalien aufzustellen haben. —

Die Gewinnung und Erhaltung eines tüchtigen Unteroffizierstandes wird auch in Italien als eins der wirksamsten Mittel zur Ausbildung der Mannschaft anerkannt und durch Gewährung von Besoldungszuschüssen, Prämien u. s. w. möglichst gefördert. Außer den Schwierigkeiten, die diesem Ziel durch die sozialen Verhältnisse,

---

[1]) La cavalérie italienne. Paris 1898, p. 26.

wie auch anderwärts, bereitet werden, wird seine Erreichung in Italien noch besonders dadurch erschwert, daß den Unteroffizieren der Zutritt zur Offizierlaufbahn in weitem Umfange offen steht. Ein volles Viertel aller bei den Infanterie-Waffen und bei der Kavallerie eintretenden Offiziervakanzen ist zur Neubesetzung durch Unteroffiziere bestimmt, welche sich die erforderliche Bildung zum Besuch der Offizierschule in Modena verschafft, die Kurse dieser Anstalt durchgemacht und demnächst die Offizierprüfung bestanden haben. Um dies durchführen zu können, werden in Italien gleich beim Eintritt in die Unteroffizierlaufbahn Anforderungen in Bezug auf allgemeine Bildung gestellt, durch welche die Schichten, denen Deutschland seine besten Unteroffiziere entnimmt, von vornherein ausgeschlossen werden. Unteroffiziere werden in Italien daher im Großen und Ganzen nur junge Männer, die Offizier werden wollen, aber zu arm sind, um es auf dem für Offiziersaspiranten vorge-schriebenen Wege zu werden, oder Spostati, verfehlte Existenzen, die schon irgendwie Schiffbruch gelitten haben oder in einem andern Beruf nicht vorwärts gekommen sind. Während diesen das erste Erforderniß des Unteroffiziers, die Zuverlässigkeit, abgeht, betrachten jene das Regiment nicht als ihre Heimat, sondern als eine möglichst schnell zu absolvirende Zwischenstation, und es fehlt ihnen die Stabilität, die eine der kräftigsten Bürgschaften für tüchtige Leistungen der Unteroffiziere ist. Als ein starkes Hinderniß für die Bildung eines tüchtigen Unteroffizierstandes muß es endlich bezeichnet werden, daß der Armee in den jährlich etwa 5000 Mann, die zu den Ca-rabineren übertreten, das beste Unteroffizier-Material entzogen wird.

Die Vorbildung der Offiziere, welche nicht aus den Unter-offizieren hervorgehen, erfolgt im Wesentlichen auf den klassischen und technischen Mittelschulen. An besonderen militärischen Vor-bildungsanstalten sind, nachdem der Versuch, einige der Staats-Alumnate (convitti nazionali) unter militärische Leitung zu stellen, trotz der von verschiedenen Seiten daran geknüpften Erwartungen wieder aufgegeben worden ist, nur noch die unseren Kadettenhäusern einigermaßen ähnlichen Collegi militari vorhanden, und auch deren Zahl, ursprünglich fünf, ist auf zwei, in Rom und Neapel, ein-geschränkt worden. Sie befolgen im Allgemeinen den für technische Schulen bestehenden Lehrplan.

Als Vorbereitung für den Offizierberuf sind zwei militärisch organisirte und geleitete Schulen vorhanden, für die Infanterie und Kavallerie die Scuola militare in Modena, und für die Artillerie und Ingenieure die Militärakademie in Turin. In beide Anstalten treten die Offiziersaspiranten, unter Nachweis der erforderlichen Kenntnisse, ohne vorherigen Dienst bei der Truppe ein. Sie werden durch Unterricht in den Kriegswissenschaften und durch praktische Dienstunterweisung soweit gefördert, daß sie beim Verlassen der Schule das Offiziersexamen ablegen; nach bestandener Prüfung werden sie zu Unterleutnants ernannt. Die Infanterie=Offiziere werden dann sofort in die Regimenter eingestellt; die der Kavallerie haben zuvor die bereits erwähnten Reitschulkurse in Pinerolo und Rom durchzumachen. Die jungen Artillerie= und Genie=Offiziere endlich treten aus der Turiner Militärakademie in die gleichfalls in Turin befindliche Artillerie= und Ingenieurschule (Scuola di artiglieria e genio) über und werden dort zwei Jahre lang fach= mäßig für ihren Beruf vorgebildet, ehe sie zur Truppe kommen. Den praktischen Dienst bei der Truppe lernt demnach der junge Offizier in Italien bei allen Waffengattungen erst dann kennen, wenn er nach vollendeter Durchbildung zu ihr übertritt. Man hält es in Italien mit dem Ansehen der Offiziere nicht für verträglich, sie bei der Truppe ausbilden zu lassen. Die Nachtheile, die sich hieraus ergeben, liegen auf der Hand; sie sind indessen nicht so groß, wie es dem an deutsche Verhältnisse Gewöhnten scheinen möchte. Denn auf den militärischen Instituten wird eine nicht geringe Zeit auf praktischen Truppendienst verwendet; die Zöglinge sind zu diesem Zweck in Kompagnien und Batterien formirt und müssen den Dienst völlig wie bei der Truppe thun. Andererseits kommt der italienische Offizier mit dem Fühlen und Denken des gemeinen Mannes, das der deutsche Offizier als Junker und Fähnrich kennen lernt, bei der Truppe in engere Berührung als sein deutscher Kamerad, weil die soziale Scheidewand zwischen den Offizieren und der Mannschaft in Italien bei weitem nicht so scharf gezogen ist wie in Deutschland.

Dem äußeren Auftreten der italienischen Offiziere merkt das Auge des Laien weder diese Eigenthümlichkeiten ihrer militärischen Ausbildung, noch die sozialen Erschwerungen an, welche durch die

Rekrutirung aus zwei gesellschaftlich erheblich verschiedenen Klassen sich nothwendig ergeben müssen. Wer es nicht weiß, daß ein Drittel der Offiziere aus ehemaligen Unteroffizieren besteht, wird es an ihrem Auftreten und an ihrer Haltung nicht merken. Der Unterschied der Stände tritt in Italien bei der Ungezwungenheit und Grazie, mit der alle Klassen der Bevölkerung sich bewegen, äußerlich weniger stark in die Erscheinung als bei uns. Auch befähigen den Italiener seine Menschenkenntniß und sein angeborener Takt, sich in jeder Lage virtuos zurechtzufinden; seine schnelle Auffassung bringt ihn über die Lücken der Schulbildung und den Mangel äußeren Schliffs rasch hinweg. Die Hauptsache aber liegt doch wohl in dem Ernst und der Hingebung, mit welcher die Offiziere, gleichviel welcher Herkunft, sich den Pflichten ihres Berufs widmen. Die langmüthige Geduld, mit welcher sie die militärische und die allgemein menschliche Erziehung der oft keineswegs leicht zu behandelnden jungen Mannschaft leiten, ist jedes Lobes würdig. Klagen über zu rauhe Behandlung der Untergebenen seitens der vorgesetzten Offiziere werden in Italien kaum vernommen. Auch im Verkehr unter einander und mit Civilisten zeigen die italienischen Offiziere ein freundliches, nicht exclusives Wesen. Offizierkasinos in unserm Sinne giebt es in Italien nicht. Es verdient erwähnt zu werden, daß Duelle sowohl unter Offizieren als zwischen Offizieren und Civilpersonen in Italien viel seltener sind, als man bei dem feurigen Temperament und der vielfachen Gelegenheit zu Reibungen annehmen sollte. Von den 103 Duellen, welche die Statistik für 1896 aufwies, hatten 15 zwischen Offizieren, 13 zwischen Offizieren und Civilisten, 75 zwischen Civilisten stattgefunden.

Vor zwanzig Jahren hat ein Fachmann, der der italienischen Armee im Felde gegenüber gestanden und dann als Militärbevollmächtigter in Rom Jahre lang Gelegenheit gehabt hat, sie im Frieden kennen zu lernen, der österreichische Oberst von Haymerle[1]) dem italienischen Offizierkorps ein Zeugniß ausgestellt, das noch heut in vollem Umfang zutrifft. „Der italienische Offizier", sagt Ritter von Haymerle, „ist intelligent, feinfühlend, ritterlichen Sinnes, von sehr höflichen Formen im Umgange, zurückhaltend im Verkehr mit Fremden, bescheiden und anspruchslos in seinem Auftreten

[1]) Italicae res. 2. Aufl., Wien 1879, S. 97.

unter dem Publikum. Der lebhafte Sinn der Nation hat diese Eigenschaften mit vollem Verständniß erfaßt; sie ehrt den Beruf der Offiziere, sie anerkennt und schätzt ihre Berufstüchtigkeit, und deshalb genießen die Offiziere im ganzen Lande, bei Hoch und Niedrig, bei Arm und Reich das höchste Ansehen, rückhaltloses Vertrauen, kurz jene Achtung, die jedes patriotische Volk stets den Männern zollen wird, welche mit Kopf und Herz, mit dem Einsatz aller moralischen, intellektuellen und physischen Kräfte dem Vater= lande dienen." Als Bestätigung dieses ehrenvollen Zeugnisses mögen die Worte dienen, mit denen der Verfasser der französischen Schrift über die italienische Kavallerie sein Urtheil über das Offizier= korps abschließt: Le corps d'officiers est réellement recruté dans l'élite de la nation[1]). Einer der gediegensten italienischen Publizisten, der Pädagog Pasquale Turiello spricht unumwunden aus, daß von allen Ständen in Italien sich das Offizierkorps seinem Berufe am meisten gewachsen zeigt, und daß kein anderer Stand in gleichem Maße der Verwirklichung des Ideales nahe kommt, das man sich in der öffentlichen Vorstellung von ihm macht. Es ist charakteristisch, daß grade der Italiener hinzufügt, vielleicht könne manchmal etwas mehr Schneidigkeit gewünscht werden[2]). —

Ein nicht geringeres Lob wie der Offizier verdient der italienische Soldat. Er ist gewandt, findig, ein vorzüglicher Mar= schierer und er bewährt im ausdauernden Ertragen von Strapazen und Entbehrungen in vollem Maße die Eigenschaften, die dem italienischen Arbeiter am Gotthard und am Simplon, beim Nord= Ostseekanal und anderen großen Bauausführungen überall den Ruf besonderer Leistungsfähigkeit verschafft haben. Dazu werden unter der Einwirkung einer dem nationalen Temperament ange= paßten militärischen Erziehung moralische Qualitäten entwickelt, deren Mangel bei jenen Arbeitermassen nicht selten als starker Schatten empfunden wird: eine nie versiegende gute Laune, eine rührende Anhänglichkeit an die Vorgesetzten, die sich während der Unglückskampagne in Afrika wiederholt in hervorragenden Beispielen von Aufopferung bethätigt hat. Deutsche Offiziere, die in Italien

---

[1]) La cavalerie italienne. p. 82.

[2]) Governo e governati II. p. 106 ... forse sarebbe desiderabile in loro alquanto di fierezza maggiore ...

gelebt haben, versichern, daß der italienische Soldat sich nach ihrer Ueberzeugung auch an die deutsche Dienstzucht, die in Italien so verrufene rigidezza tedesca, gewöhnen würde, wenn man sie von ihm verlangte, und daß er die ihm von seinen Landsleuten nachgerühmte disciplina di cuore wirklich besitzt.

———

„Um zu existiren, muß das italienische Königreich eine maritime Macht sein, damit es die Herrschaft über die Inseln bewahren und seine Küste vertheidigen kann." Dieser Ausspruch des ersten Napoleon hat auch den Organisatoren der italienischen Wehrkraft in seiner durchschlagenden Richtigkeit eingeleuchtet. In fast gleichem Schritt mit der Rüstung zu Lande ist daher in Italien die Rüstung zur See in Angriff genommen und planmäßig betrieben worden. Die alten Traditionen italienischer Seemacht sind im Gedächtniß des Volkes stärker haften geblieben als die viel weiter zurückliegenden und weniger glänzenden Waffenthaten zu Lande; sie und die seemännischen Gewohnheiten eines nicht geringen Theils der Bevölkerung, sowie die Ausdehnung der Küsten mit ihren zahlreichen Häfen haben für die Marine in Italien eine stärkere Vorliebe und originellere Leistungen hervorgerufen, als bei der Landarmee.

Auch für die Marine besteht die allgemeine Dienstpflicht. Ihr unterliegen Alle, welche nach zurückgelegtem zehnten Lebensjahr mindestens 4 Monate Schiffahrt oder Fischerei auf dem Meer und den Binnenseen getrieben haben, oder mindestens 6 Monate im Schiff- und Schiffsmaschinenbau oder als Heizer auf Dampfschiffen thätig gewesen sind. Die Dienstzeit beträgt 18 Jahre. Die dienstpflichtige Mannschaft zerfällt in drei Kategorien. Zur ersten gehören die in die Marine wirklich Ausgehobenen. Sie dienen 4 Jahr aktiv, gehören 8 Jahr als Urlauber zur Reserve und treten dann auf 6 Jahr zur Seewehr (Riserva navale) über. Die ausgeloosten Ueberzähligen bilden die zweite Kategorie und gehören 12 Jahr zur Reserve, 6 Jahr zur Seewehr. Die aus Familiengründen dienstfrei Erklärten kommen als dritte Kategorie sofort auf 18 Jahre zur Seewehr.

Das Offizierkorps der Marine theilt sich in die See-Offiziere und in die Marine-Ingenieure (Genio navale) ein, die wiederum die Schiffbau- und die Maschineningenieure umfassen. Die See-

Offiziere werden auf der unserer Marine=Akademie in Kiel ähnlichen accademia navale in Livorno von Militär= und Civillehrern in Kriegs= und Marine=Wissenschaften, sowie in den zum Seewesen gehörigen Fertigkeiten ausgebildet. Die Schiffbau=Ingenieure erhalten die allgemeine Ausbildung der Ingenieure und werden auf Schiffbauschulen für ihr spezielles Fach vorbereitet; das Offizierkorps der Maschinisten ergänzt sich hauptsächlich aus Unteroffizieren der Marine, welche die zur Beförderung nöthigen allgemeinen und Fachkenntnisse auf der Maschinistenschule in Venedig zu erwerben Gelegenheit haben.

Nach dem letzten statistischen Jahrbuch betrug die Stärke des gesamten Personals der italienischen Kriegsmarine Ende 1898 102872 Köpfe, darunter 2359 Offiziere. Von dieser Gesamtzahl gehörten 1760 Offiziere und 55706 Mann zur ständigen Flotten= mannschaft (Corpo reale equipaggi), darunter 33670 Reservisten, und 44807 Mann zur Seewehr. Das jährliche Aushebungs= kontingent für den aktiven Seedienst ist seit 1872 von 1100 Mann auf gegenwärtig 4500 Mann gestiegen.

Als die eigentlichen Gründungsjahre des Schiffsbestandes der italienischen Marine ist die Zeit anzusehen, in welcher der im Früh= jahr 1898 verstorbene Schiffbauingenieur Brin an der Spitze des Marineministeriums gestanden hat. Benedetto Brin, im Jahre 1832 in Turin geboren, hatte sich aus den bescheidensten Verhältnissen durch seine hervorragenden Leistungen als Schiffskonstrukteur und als Ingenieur zu bedeutenden Stellungen in der Privatindustrie emporgearbeitet, ehe er als Generalinspekteur des Marine=Ingenieur= wesens in den Dienst der italienischen Kriegsmarine übertrat. Im Jahre 1876 zum Marineminister ernannt, hat er dies Ressort vier= mal, darunter einmal sieben Jahre hinter einander verwaltet und sich um den Ausbau der Flotte in höhem Grade verdient gemacht. Seiner Einsicht ist es namentlich zuzuschreiben, daß die Privat= industrie in Italien sich zu einer außerordentlich kräftigen Thätigkeit im Schiffbau und der Schiffausrüstung entwickelt hat. Neben den großen Staatswerften in Spezia, Castellamare bei Neapel und Venedig haben sich die Maschinen= und Schiffbau=Anstalten der Ge= brüder Orlando in Livorno, von Giov. Ansaldo und Co. in Sestri ponente und Sampierdarena bei Genua, sowie von Nic. Odero in Sestri ponente zu umfassenden Werften für Kriegs= und Handels=

Fischer. 2. Aufl.   11

schiffe ausgebildet. Auf Anregung des Ministers Brin sind auch
von ausländischen Industriellen Niederlassungen für die Zwecke der
Kriegsmarine in Italien errichtet worden, so die von der Berliner
Aktiengesellschaft Schwartzkopff in Venedig errichtete Torpedofabrik
und die Geschoßfabrik der englischen Firma Armstrong in Puzzuoli.
Endlich wurden die Stahlwerke der Hochöfengesellschaft in Terni
zur Fabrikation von Panzerplatten und Marinegeschossen hergerichtet.
Während in den Anfängen der italienischen Marine fast Alles, was
zum Schiffbau und zur Schiffausrüstung gehört, vom Auslande
bezogen werden mußte, werden jetzt auf italienischen Werften nicht
nur die Kriegsschiffe Italiens erbaut und ausgerüstet, sondern auch
Kriegs= und Handelsschiffe für Spanien, Portugal, Griechenland und
südamerikanische Republiken. Zu den ersten in Italien entstandenen
Schlachtschiffen gehören die 1876—1878 erbauten Panzer Duilio
und Dandolo, die ihrer Zeit als Wunder der Schiffbaukunst und
wegen ihrer unerhörten Geschütze Aufsehen erregten. Jetzt sind sie
veraltet und unterliegen zur Zeit einem Umgestaltungsversuche.

Nach dem Plan, der im Jahre 1883 von der italienischen
Landesvertheidigungs=Kommission aufgestellt wurde, sollte die Flotte
bis zum Jahre 1898 umfassen:

76 Schlachtschiffe, darunter 16 Panzerschiffe erster Klasse,
20 Panzerkreuzer, 40 Schiffe III. Klasse;

190 Torpedos von verschiedener Größe und Seetüchtigkeit.

Um diesen Plan auszuführen, ist namentlich in den Jahren
1883—1891 eine ganz außerordentliche Thätigkeit auf den ita=
lienischen Staats= und Privatwerften entfaltet worden. Nachdem
zunächst eine Anzahl von Schlachtschiffen zu mehr defensiven Zwecken
erbaut worden war, wurden 1888—1891 drei mächtige Panzer,
der Re Umberto in Castellamare, die Sardegna in Spezia und die
Sicilia in Venedig hergestellt, die durch ihre riesigen Maschinen
(19—20 000 Pferdekraft), ihre Schnelligkeit und ihre starke artille=
ristische Ausrüstung sich als Angriffswaffen von ungewöhnlicher
Schlagfertigkeit charakterisiren. Die Sardegna war das Admiral=
schiff des Geschwaders, welches Italien zur Eröffnung des Nord=
Ostseekanals nach Kiel entsandt hatte; das stolze Schiff hat durch
die Eleganz seiner Erscheinung und die Tüchtigkeit seiner Bemannung
damals einen tiefen Eindruck auf die bei jenem feierlichen Anlaß

versammelten Vertreter der seemännischen Kriegstüchtigkeit aller Nationen gemacht. Von 1892—1896 sind neue Panzerschiffe nicht vollendet worden, weil das Sparsamkeitssystem die Mittel für den Schiffbau verkürzte. Neuerdings wird mit der Erbauung von Kriegs= schiffen wieder rüstiger vorgegangen. Aber hinter dem Flotten= gründungsplan bleibt der jetzige Bestand trotzdem nicht unwesentlich zurück. Ende 1899 zählte die Flotte 18 Panzerschiffe, darunter 10 erster und 6 zweiter und dritter Klasse; ferner 44 ungepanzerte Dampfer, von denen 14 nach Größe, Schnelligkeit und Ausrüstung den Anforderungen genügen, die an Schlachtschiffe dritter Klasse gestellt werden, 15 als Torpedokreuzer und 2 als Avisos dienen; endlich 176 Torpedoboote, von denen 6 erster Klasse und 95 für den Dienst auf offener See, die übrigen für Zwecke der Küsten= vertheidigung. Außerdem eine Anzahl von Schul= und Transport= schiffen, sowie die königliche Yacht Savoia, eine gedeckte Korvette mit gepanzerter Kommandobrücke.

Die zehn Panzerschiffe erster Klasse können sich, namentlich was die Schnelligkeit der Mehrzahl von ihnen betrifft, unter den besten und größten modernen Kriegsschiffen sehen lassen. Aber an Panzerschiffen zweiter und dritter Klasse, namentlich an schnellen Kreuzern, ist Italien weit hinter anderen Ländern im Rückstande: das hierher gehörige Schiffsmaterial ist großentheils völlig veraltet und ruhestandsbedürftig. Es hat Verwunderung erregt, daß der Minister Brin kurz vor seinem Tode darin gewilligt hat, zwei eben fertig gewordene Panzerkreuzer an Spanien zu verkaufen. An= scheinend rechnet man in Italien darauf, die fehlenden Kreuzer im Ernstfall einigermaßen durch die Dampfer der Handelsmarine zu ersetzen. Nach den Verträgen, welche das Marineministerium mit den größten Dampfergesellschaften Italiens, der Navigazione gene- rale und der Veloce geschlossen hat, sind diese Unternehmungen verpflichtet, im Kriegsfalle siebzehn ihrer größten Dampfer der Marine als Hülfskreuzer zu überlassen.

Sowohl für Kriegszwecke als für die Verwaltung ist Italien in drei Marinedepartements oder nach unserm Sprachgebrauch in drei Stationen eingetheilt, jede mit einem Hauptkriegshafen als Sitz des Kommandos, der Werften, Arsenale und sonstigen Marine= Etablissements. Die Station Spezia umfaßt die Festlandsküste von

11*

der französischen Grenze bis Terracina, sowie Sardinien und Elba.
In Spezia besitzt sie nicht nur den stärksten Kriegshafen Italiens,
sondern einen der ersten und wichtigsten des Mittelmeeres. Schon
Napoleon hatte die Wiederherstellung des altrömischen Kriegshafens
am Meerbusen der Luna ins Auge gefaßt. Cavour hat als Marine=
minister Sardiniens mit der Ausführung dieses Gedankens den
Anfang gemacht. Jetzt ist der Golf von Spezia in weitem Umkreis
nach der Land= und Seeseite mit mächtigen Festungswerken um=
geben, sein Becken ist in einen mit allen Einrichtungen eines
modernen Marine=Waffenplatzes versehenen Hafen für die größten
und stärksten Schiffe der italienischen Flotte verwandelt worden.
Zum Bereich der Station Spezia gehören an wichtigeren Kriegs=
häfen außerdem Genua, Livorno und der befestigte Hafen von
Maddalena an der Nordküste von Sardinien, der die Durchfahrt
zwischen Sardinien und Corsica beherrscht. Für die zweite Station,
welche die Festlandsküste von Terracina bis zum Kap St. Maria
di Leuca an der Südostspitze von Italien, sowie Sicilien umfaßt,
dient bis zur Vollendung des Hauptkriegshafens in Tarent noch
immer Neapel als Stationssitz, obwohl dieser Hafen gegen feind=
liche Angriffe kaum anders als durch Offensive zu vertheidigen ist.
Neben Neapel und Tarent kommen als Kriegshäfen dieser Station
Gaeta und Messina in Betracht, das namentlich durch die starken
Befestigungen an beiden Seiten der Meerenge zwischen Sicilien und
dem Festlande von Bedeutung ist. Sicilien entbehrt im Uebrigen
eines ausreichenden Küstenschutzes, der gegenüber dem neuen fran=
zösischen Kriegshafen zu Biserta in Tunis besonders nothwendig
erscheint. Der dritten Station, Venedig, liegt der Schutz der ganzen
Ostküste ob.

Um die Vertheidigung dieser langen Küstenstrecken zu er=
leichtern, sind 14 Haupt= und 19 Nebenstationen eingerichtet, in
denen Torpedoboote und die erforderlichen Einrichtungen zur Er=
gänzung ihrer Vorräthe und Munition stationirt sind. Sodann
ist ein großer Theil der Fußartillerie, von insgesamt 78 Kom=
pagnien 40, als Küstenartillerie in den Dienst der Küstenver=
theidigung gezogen. Zu gleichem Zweck ist ein eigenes, aus Terri=
torialmilizen gebildetes Korps des Küstenschutzes (Corpo della difesa
costiva) eingerichtet, das unter dem Kommando der Marine steht.

Endlich ist die Finanzwache, eine zahlreiche und mit den Oertlich=
keiten durch ihren Civildienst aufs genaueste vertraute Truppe,
militärisch organisirt, um sich im Kriegsfalle an der Grenzver=
theidigung zu betheiligen. Ein ausgedehntes Netz von Semaphoren,
Telegraphen= und Telephonlinien bringt alle Stützpunkte dieser
Küstenvertheidigung unter sich und mit den Stationssitzen in engen
Zusammenhang.

Die Mittel, welche der italienische Staat für seine Wehrkraft
aufwendet, sind nicht gering. Das Heeresbudget ist seit 1871 von
141 Millionen auf 256 Millionen, das der Marine von 22 Millionen
auf 97 Millionen an ordentlichen jährlichen Ausgaben angewachsen.
Neben diesem Ordinarium gehen sehr beträchtliche außerordentliche
Bewilligungen, welche in den achtziger Jahren, zur Zeit der stärksten
Armee= und Flottenvermehrung, für das Heer Jahressummen von
40, 50, 60 Millionen, für die Flotte von 20 Millionen ausmachten,
im Jahre 1888/89 sogar mit dem Betrage von 153 Millionen
für das Heer und 63 Mill. für die Flotte eine ganz erstaunliche
Höhe erreichten. Seitdem ist das Extraordinarium für das Heer
auf etwa 20 Millionen jährlich eingeschränkt, für die Marine fast
ganz fortgefallen. Seit einigen Jahren wird für das Landheer ein
Ordinarium von 239 Millionen (ohne Afrika) als Normalbudget
angesehen. Immerhin kann man den Italienern das Zeugniß nicht
versagen, daß sie Jahrzehnte hindurch, zeitweise unter äußerster
Anspannung ihrer finanziellen Leistungsfähigkeit, zielbewußt an der
Wehrhaftmachung ihres Landes gearbeitet und für diesen Zweck
keine Geldopfer gescheut haben.

Ob die Leistungen des Heerwesens und der Marine den für
sie gebrachten Opfern entsprechen, ist eine Frage, die in Italien
vielfach erörtert und sehr abweichend beantwortet wird. Man hat
es jenseits der Alpen noch nicht verschmerzt, daß der letzte große
Krieg, an dem die italienische Wehrkraft theilnahm, sowohl für
das Heer als für die Flotte mit schweren, durch Mängel der
Führung verschuldeten Niederlagen abgeschnitten hat. Dieser Schmerz
wird durch die herben Unglückstage vermehrt, die den italienischen
Truppen bisher in Afrika beschieden gewesen sind. Hatte der heroische
Untergang des Detachements Cristoforis bei Dogali (25. und

26. Januar 1887) neben der Trauer Gefühle pathetischer Be=
wunderung wachgerufen, die sich in Errichtung von Denkmälern
und Ehrentafeln, sowie in Abbildungen aller Art kundgaben, so
hinterließen Amba Aladschi, wo im Dezember 1895 die Kolonne
des Majors Tosetti von den Scharen des Ras Maconnen nieder=
gemeßelt wurde, und vor Allem Adua, wo am 1. März 1896
General Baratieri's Armee dem Negus erlag, im ganzen Volk einen
lange nachhaltenden und tiefen Eindruck der bittersten Enttäuschung.
Im Sturm des allgemeinen Unwillens brach das Ministerium Crispi
zusammen. Sein Nachfolger Rudini hat jeden Rachegedanken fahren
lassen und mit dem Beherrscher Abessiniens einen Frieden geschlossen,
welcher die kolonialen Hoffnungen Italiens am Rothen Meer auf
sehr bescheidene Grenzen zurückführt, ohne daß ihm in seinem fried=
fertigen Vorhaben von der Nation ein Hinderniß bereitet worden wäre.

Auch jeßt noch, wo die Gemüther sich soweit beruhigt haben,
daß nicht einmal der vorzeitige Rechtfertigungsversuch des unseligen
Führers[1] besondere Beachtung fand, kann man leicht wahrnehmen,
daß die afrikanischen Leidenstationen ein weitgehendes Mißtrauen
zurückgelassen haben. Wenn ein General, der Afrika seit Jahren
kannte, bei seinem Vormarsch gegen die weit überlegene Hauptmacht
des Negus so sehr alle Vorsichtsmaßregeln bei Seite lassen, sich
so sehr über die einfachsten Regeln der Truppenführung hinweg=
seßen konnte, und sich dadurch von einem halbwilden Feinde so
vollständig schlagen ließ, wie Baratieri dies bei Adua gethan hat,
was soll man — so wird von Italienern gefragt — von unseren
Generalen in einem Kriege mit ebenbürtigen festländischen Gegnern
erhoffen?

Indessen hat es den Italienern doch auch in Afrika nicht an
tapferen und kriegskundigen Führern gefehlt. Die Generale
Dabormida und Arimondi, die bei Adua an der Spiße ihrer
Brigaden den Heldentod gestorben sind, der Major Galliano, dessen
ausdauernde Vertheidigung der schwachen Verschanzungen von
Makallé gegen eine gewaltige Uebermacht vom deutschen Kaiser als
eine glänzende militärische Leistung gerühmt worden ist, haben sich
als tapfere Kriegsmänner bewährt. Troß des furchtbaren Zusammen=

---

[1] Dr. Baratieri, Memorie d'Africa 1892—1896. Torino 1898.

bruchs bei Adua ist die Disziplin nicht erschüttert worden. Die Armee hat in den Unruhen während des Frühjahrs 1898 eine feste, entschiedene und doch nicht über das Maß des Nothwendigen hinausgehende Haltung gezeigt, die zu der Hoffnung berechtigt, daß die italienische Wehrkraft auch in Zukunft ihre volle Schuldigkeit thun wird.

In welchem Maße dies bei Unglücksfällen im Lande geschehen ist, lebt im Volke in dankbarer Erinnerung. Die Leistungen der Armee während der furchtbaren Wassersnoth, der ein großer Theil von Oberitalien durch das riesige Anschwellen der Gebirgsströme im Herbst 1882 ausgesetzt war, werden durch eine Ehrentafel auf der Etschbrücke zu Verona in lebendigem Andenken erhalten. Es ist beiläufig dieselbe Brücke, wo der brave Mann, der in Bürgers Lied „wie Orgelton und Glockenklang" gefeiert wird, sein Rettungs= werk an dem Zöllner und seinem Kind vollbrachte. Nicht minder haben sich die Mannszucht und die Menschenfreundlichkeit des italienischen Soldaten in ihrem schönsten Lichte gezeigt, als der Armee während der schrecklichen Cholera=Epidemie in Neapel und Sicilien die Rolle zufiel, die Aerzte gegen die blinde Wuth der Menge zu schützen, und als sie nach der Katastrophe von Ischia die Verschütteten zu retten, die Todten zu begraben hatte.

Bei allen diesen traurigen Anlässen hat die italienische Armee — und neben dem Landheer die Bemannung der Flotte — sich ihrer Aufgabe im vollsten Maße gewachsen erwiesen und das alte Erbtheil ihrer Nation, Nüchternheit, Genügsamkeit und Ausdauer im Ertragen von Strapazen, vollauf bethätigt. Sowohl diese friedlichen Heldenthaten, als die kriegerischen Erinnerungen, welche sich an die Feldzeichen alter ruhmreicher Regimenter knüpfen, werden unter den Angehörigen der einzelnen Truppentheile durch mündliche Ueberlieferung, Regimentsgeschichten und sonstige militärische Literatur nach Kräften fortgepflanzt, um den Korpsgeist zu wecken und gute Traditionen lebendig zu erhalten. Und es fehlt in der italienischen Armee nicht an Regimentern, deren Traditionen nach Jahrhunderten zählen. Noch älter als die bereits erwähnten beiden Grenadier= regimenter der ehemaligen Brigade Savoyen sind die Infanterie= regimenter 3 und 4 der Brigade Piemont, die im Jahre 1888 ihr zweihundertfünfzigjähriges Bestehen begangen hat. Auch die

Brigade Aosta (Regiment 5 und 6) hat schon 1690 bei Staffarda mitgefochten, und die Geschichte der drei ältesten Kavallerieregimenter Nizza, Piemont reale und Savoyen reicht ebenfalls bis ins 17. Jahrhundert zurück. Es wäre trotzdem vielleicht zu weit gegangen, wenn man daraufhin behaupten wollte, daß für diese glorreichen alten Korps eine so liebevolle Anhänglichkeit bestehe, und daß überhaupt die allgemeine Dienstpflicht sich in die Denkweise des italienischen Volks schon jetzt so eingelebt hat, wie dies in Deutschland der Fall ist. Aber alle Einsichtigen und alle Patrioten erblicken in der auf der Grundlage der allgemeinen Wehrpflicht geschaffenen Wehrkraft Italiens die größte Erziehungsanstalt der Nation, eins der festesten Bänder ihrer politischen Einheit und die stärkste Bürgschaft für die Fortdauer der nationalen Unabhängigkeit.

6. Die Finanzen.

Von den hochfliegenden Erwartungen, mit denen italienische Patrioten die politische Wiedererstehung ihres Vaterlandes begrüßt haben, ist keine so herben Enttäuschungen ausgesetzt geblieben, wie die Hoffnung auf das finanzielle Gedeihen des neuen Staates. Die Finanzgeschichte Italiens bildet die Kehrseite der schnellen und leichten Erfolge, durch welche die Einheit und die Unabhängigkeit der Nation in ungeahnt kurzer Zeit erreicht wurden. Nach mehr als einem Menschenalter schweren Ringens und mühseligen Emporarbeitens, nach langsamen Fortschritten und jähen Niedergängen sind die Finanzen noch heut das Gebiet des öffentlichen Lebens, auf welchem das allgemeinste und bringendste Reformbedürfniß sich geltend macht. Eine kolossale Schuldenlast, schwerer Steuerdruck, Mangel an Kapital und an Kredit, Zwangskurs und hohes Goldagio: das sind die am stärksten in die Augen springenden Ergebnisse dieser finanziellen Entwickelung. Unter ihrem Eindruck pflegt das vergessen zu werden, was mit so ungeheuren Opfern erstrebt und in verhältnißmäßig kurzem Zeitraum erreicht worden ist: die Einigung des früher durch Binnenzölle zerstückelten Wirthschaftsgebiets, die Herstellung der Münz=, Maß= und Gewichtseinheit, die Schaffung eines alle Theile des schwer wegsamen Landes umspannenden und eng mit einander verbindenden Eisenbahnnetzes, die kraftvolle Betheiligung Italiens an dem Wettkampf der seefahrenden Nationen um die großen Dampferlinien nach Asien und Amerika; endlich vor allem das Unerläßlichste für die Dauer des neuerstandenen Staatswesens: die Wehrhaftmachung der Nation durch Herstellung einer achtunggebietenden Streitkraft zu Wasser und zu Lande.

Cavour, der Schöpfer des italienischen Einheitsstaates, hat als
Finanzminister Sardiniens sich zwar mit allen Kräften seines reichen,
wirthschaftlich gebildeten Geistes um die Entwickelung der Hülfs=
quellen des Landes, um die Verbesserung der Landwirthschaft, um
die Hebung der Industrie und des Handels bemüht. Aber er hat
alle diese Gesichtspunkte mit vollem Bewußtsein zurücktreten lassen,
wenn es sich um die Förderung des großen politischen Zweckes
handelte, dem er sein Leben geweiht hatte. Die finanzielle Erbschaft,
die er seinen Epigonen hinterließ, war, auch was das subalpinische
Königreich betraf, keine erfreuliche. Sardinien trat in die Finanz=
gemeinschaft des neuen Staates mit einer Schuldenlast ein, welche
die Gesamtschuld der in den Jahren 1859 und 1860 hinzugetretenen
Gebietstheile nicht unerheblich überstieg, während seine Einwohner=
zahl nur ein Viertel der neu angeschlossenen Bevölkerung ausmachte.
Noch schlimmer war die Ungleichheit der Steuerbelastung. In dem
Freudenrausch der politischen Erhebung hatten die provisorischen
Regierungen, welche sich in Toscana, in der Emilia, in Sicilien
und im Königreich Neapel der Leitung der Staatsgeschäfte bemächtigt
hatten, nichts eiligeres zu thun gehabt, als diejenigen Abgaben ab=
zuschaffen, durch welche man sich unter dem alten Regiment am
meisten beschwert gefühlt hatte. Gleichzeitig aber hatten sie, ohne
Rücksicht auf die dadurch eingetretene Verminderung der Einnahmen,
mit Ausgaben und noch mehr mit Versprechungen auf das Frei=
gebigste gewirthschaftet, um das auf allen Gebieten des staatlichen
Lebens Versäumte in möglichst kurzer Frist nachzuholen. Das erste
Budget, welches für alle Theile des neuen Königreichs für 1862
gemeinschaftlich aufgestellt wurde, schloß mit einem Defizit von
400 Millionen Lire ab.

Der Kampf um die Erreichung des finanziellen Gleichgewichts
ist den Italienern durch politische, wirthschaftliche und soziale Zwischen=
fälle der verschiedensten Art erschwert worden. Politisch stand als
Leitstern der Gesamtinteressen der Nation die Vollendung der Un=
abhängigkeit und der Einheit vor Aller Augen. Dies Ziel ist durch
den Krieg von 1866 und durch die Siege der deutschen Heere in
Frankreich 1870 mit verhältnißmäßig leichter Mühe und ohne allzu
schwere finanzielle Opfer erreicht worden. Aber die Nation begriff,
daß sie nicht fürderhin ihr Dasein auf fremden Beistand stützen

durfte. Die politische Unabhängigkeit beruht schließlich immer nur
auf der eigenen Kraft. Deshalb ist in den auf die Vollendung der
Einheit folgenden Jahrzehnten von den Italienern mit Anstrengung
aller Kräfte an der Wehrhaftmachung ihres Landes gearbeitet worden,
und noch jetzt werden für die Vervollständigung und für die Schlagfertigkeit des Heeres und der Flotte sehr beträchtliche Lasten getragen.
Schwere, bisher erfolglose finanzielle Opfer hat dem Lande ferner
die Kolonialpolitik auferlegt, die, als Ersatz für das den Italienern
entgangene Tunesien, vom Rothen Meer aus die Hochlande Abessiniens dem italienischen Einfluß unterwürfig zu machen versucht hat.

Störender noch als die politischen Zwischenfälle sind die wirthschaftlichen für die Entwickelung der Finanzen gewesen. Dreimal
haben schwere Kredit- und Handelskrisen Italien heimgesucht und
den Staatshaushalt arg erschüttert. Unmittelbar vor Ausbruch des
Krieges von 1866 wurde der Kredit Italiens durch das rasche Anschwellen der Staatsschuld und den Zusammenbruch verschiedener
Unternehmungen ernstlich gefährdet. Der Kursstand der fünfpro-
zentigen Rente sank bis auf Fünfzig herab; eine Reihe von Handels-
instituten stellte die Zahlungen ein; Oesterreich rüstete; man mußte
sich zum Krieg entschließen, um Venedig zu befreien. Kaum war
es den Anstrengungen der italienischen Staatsmänner gelungen,
sich aus diesem gefährlichen Strudel heraus zu arbeiten, da zog der
Krach des Jahres 1873, der an der Wiener Börse begann und alle
europäischen Länder befiel, auch Italien in Mitleidenschaft und knickte
den Aufschwung, den der Kredit des Landes zu nehmen eben begonnen hatte. Am schwersten und längsten aber hat der Bau- und
Bankkrach, in welchem die Ueberspekulation der italienischen Kreditinstitute und die Ueberhastung der Bauunternehmungen in Rom,
Neapel, Turin u. s. w. in den Jahren 1888—1890 ein Ende mit
Schrecken nahmen, auf der ganzen wirthschaftlichen Entwickelung
des Landes und damit auch auf der Verbesserung seiner Finanzlage
gelastet. Noch jetzt haben die damals nicht unter den Trümmern
der Katastrophe begrabenen Kreditanstalten Italiens an der Liqui-
dation der eingegangenen Verbindlichkeiten und an der Befreiung
ihres auf lange Zeit festgelegten Kapitals zu arbeiten.

Sozial endlich wird die Besserung der italienischen Finanzlage erschwert und verzögert durch die ungleiche und ungerechte

Vertheilung der Steuerlast, die nicht nur die einzelnen Landestheile, sondern auch die verschiedenen Klassen der Bevölkerung in einem ihrer Leistungsfähigkeit nicht entsprechenden Maße trifft. Der über= mäßige Druck, unter welchem die ärmeren Volksklassen leiden, hat einen Grad erreicht, der eine tiefgehende Unzufriedenheit erzeugt und bereits wiederholt zu heftigen Ausbrüchen geführt hat. Aus= nahmezustände haben vor mehreren Jahren in Sicilien eintreten müssen, um den von sozialistischen Führern geplanten und geschürten Aufstand der Landbevölkerung zu unterdrücken. Die durch die Mißernte des Jahres 1897 herbeigeführte Theuerung des Getreides hat im Frühjahr 1898 Krawalle hervorgerufen, die sich in Mailand zu einem nur durch ernsten Straßenkampf niederzuwerfenden Arbeiter= aufstand verschärften und die Verhängung des Belagerungszustandes über eine ganze Anzahl von Provinzen in Mittel= und Unteritalien nothwendig machten.

Zu diesen sachlichen Erschwerungen treten persönliche hinzu. Italien hat seit 1861 gegenwärtig den einunddreißigsten Finanz= minister. Seit 1877 besteht neben dem Finanzministerium noch ein besonderes Schatzministerium; seitdem beruft jeder Kabinets= wechsel zwei neue Minister zur Leitung des Finanzwesens. Wenn nun auch in dieser langen Liste mancher Name öfters wiederkehrt, so bleibt doch die Zahl der Männer, die sich in der Leitung der italienischen Finanzen abgelöst haben, eine ganz ungewöhnlich große. Dadurch wird ein Element der Unstätigkeit und des Schwankens in Geschäfte hineingetragen, deren Natur von Allen eine stetige und zielbewußte Behandlung erfordert. Wenn die Finanz= geschichte Italiens bei wichtigen Institutionen nicht selten unver= mittelt Sprünge von einem System zum entgegengesetzten aufweist, im Eisenbahnwesen z. B. Staatsbahnen, Privatbahnen, Staatsbe= trieb auf Privatbahnen und Privatbetrieb auf Staatsbahnen ein= ander gefolgt sind: so ist dieser häufige Systemwechsel nicht bloß der Noth zuzuschreiben, die in äußerster Bedrängniß nach einem Auskunftsmittel griff, sondern zu einem nicht geringen Theil dem unaufhörlichen Wechsel der leitenden Persönlichkeiten. Welche Ver= zögerungen in der Ausführung wohldurchdachter Maßregeln, welche Verschiebungen und Quersprünge in der Praxis sich daraus ergeben, leuchtet ohne Weiteres ein. Vor allem aber ist die Unbeständigkeit in der Leitung des Finanzwesens daran Schuld, daß die dringendsten Reformen unterbleiben, sobald ihre Ausführung eine langandauernde, planmäßige Vorbereitung erfordert. Hat der Urheber des Reform= planes sein Schifflein glücklich durch die Brandung der Kammer= abstimmungen hindurch gesteuert, so verschlingt ein Ministerwechsel, den irgend welche mit den Finanzen in keinem Zusammenhang stehende Verhältnisse herbeiführen, am Ende noch Schiffer und Kahn, und der Nachfolger, sein systematischer Gegner, hat andere Dinge zu thun, als sich durch Wiederaufnahme des von ihm bekämpften Entwurfs in Ungelegenheiten zu stürzen; das Reformprojekt wird auf unbestimmte Zeit zurückgelegt. Vieles aber kommt überhaupt nicht so weit, sondern bleibt im Vorstadium der parlamentarischen Untersuchung und der Kommissionsberathung stecken. Sechs Jahre lang ist von ausgezeichneten Kennern der italienischen Landwirth= schaft untersucht worden, wie den Nothständen des Landbaues und der Landbevölkerung abzuhelfen wäre. Das einzige Ergebniß der Inchiesta agraria (1878 bis 1884) sind die vielen Bände geblieben, die über ihre Verhandlungen und Ermittelungen gedruckt worden sind. Mit der Nothlage Siciliens haben sich mehrmals königliche Untersuchungskommissionen beschäftigt. Die schreienden Uebelstände, welche die dortige Latifundienwirthschaft erzeugt, liegen vor Aller Augen. Aber Niemand wagt es, in dies Wespennest hineinzugreifen. Kein Finanzminister hat den Muth, die Wiederbevölkerung der römischen Campagna durch Parzellirung des riesigen Großgrund= besitzes und durch Gründung ausgedehnter und lebensfähiger Bauern= kolonien zu beschleunigen, Keiner die Ausdauer, den Druck der in= direkten Steuern zu erleichtern, der allseitig als eine Quelle schwerer sozialer Uebelstände empfunden wird.

Um die Entwickelung der italienischen Finanzen in großen Grundzügen erkennbar zu machen, wird nachstehende kleine Ueber= sicht genügen, welche für 1861—1895/96 von fünf zu fünf Jahren die wirklichen Einnahmen und Ausgaben, die Höhe des Defizits oder Ueberschusses und den jeweiligen Stand der vorhandenen Staatsschuld angiebt und in der letzten Zeile den Voranschlag des Etats für 1900/1901 enthält. Das italienische Etatsjahr, das bis

1883 mit dem Kalenderjahr zusammenfiel, umfaßt seit dem 1. Juli 1884 den Zeitraum vom 1. Juli bis 30. Juni.

Jahr	Einnahme	Ausgabe	Ueber- schuß + Defizit —	Staats- schuld
		in Millionen Lire.		
1861	468	973	— 505	2437
1866	617	1338[1])	— 721	5484
1871	966	1013	— 47	8372
1876	1123,3	1102,8	+ 20,5	9226,8
1881	1280,9	1229,5	+ 51,4	9825,6
1885/86	1409	1432,6	— 23,5	11373,9
1890/91	1540	1615	— 75	12246,5
1895/96	1633,6	1699	— 65,4	12732,3
1900/01 (Voranschlag)	1670,8	1635,5	+ 35,5	

Das schlimmste Stadium dieser Entwickelung ist das Jahrzehnt von 1861—1871 gewesen. Gleich das erste Finanzjahr des neuen Königreichs hatte ein Defizit von der erschreckenden Höhe einer halben Millarde, mehr als die Gesamtsumme der Staatseinnahmen ergeben. An die Stelle des mit dem Kabinet Ricasoli zurücktretenden Finanzministers Bastogi wurde Quintino Sella berufen, ein dreiunddreißigjähriger Professor der Mineralogie, der kurz vorher in die Kammer getreten war und durch die Klarheit seiner finanziellen Ausführungen Aufsehen erregt hatte. Es war ein glücklicher Griff, denn der neue Minister erwies sich der Situation gewachsen. Er nahm die Ordnung des finanziellen Chaos furchtlos und energisch in Angriff. Gleich während seiner ersten Ministerschaft leitete er die große Operation ein, durch welche der italienische Staat vor dem Bankerott bewahrt worden ist, die Einziehung und den Verkauf der geistlichen Güter. Als Sella im Jahre 1864 das Finanzministerium zum zweiten Mal übernahm, stand er abermals einem Jahresdefizit von 380 Millionen gegenüber. Der Kredit fing an zu versagen. Nur die stärksten Mittel schienen vor dem Zusammenbruch retten zu können. Darauf gefaßt, der unpopulärste Mann in Italien zu werden, hat Sella damals unverweilt zu diesen

---

[1]) Krieg von 1866.

Mitteln gegriffen. Um den unter seinem Vorgänger Minghetti nicht in Fluß gekommenen Verkauf der Staatsgüter zu beschleunigen, schloß Sella 1864 mit einem Finanzkonsortium einen Vertrag, kraft dessen eine von diesem Konsortium gegründete Gesellschaft den Verkauf der Staatsdomänen unter Gewährung eines namhaften Vorschusses übernahm. Sella setzte ferner im Jahre 1865 das Gesetz über die Unterdrückung der geistlichen Korporationen und Stiftungen und die Einziehung ihrer Güter, sowie das Gesetz über die Einziehung der Kirchengüter durch. Im Verlauf dieser umfassenden, noch jetzt nicht völlig abgeschlossenen Operation sind Domänengüter im Preise von nahezu vierhundert Millionen und Güter von Klöstern, Stiftungen und Kirchen zum Gesamterlös von über sechshundert Millionen veräußert worden.

Um den Staat von der wachsenden Last des Eisenbahnbaues zu befreien, die Errichtung des damals noch in den Anfängen begriffenen Bahnnetzes zu beschleunigen, vor allem aber um Geld zu schaffen, ließ sich Sella ferner gesetzlich zum Verkauf der dem Staat gehörigen piemontesischen Eisenbahnen an die große Gesellschaft ermächtigen, in deren Eigenthum sich die Bahnen in der Lombardei und Venetien befanden, und die nun unter dem Namen der Alta Italia den gesamten Bahnbetrieb im Pothal in ihrer Hand vereinigte.

Aber alle diese Verkäufe verschafften nicht sofort das Geld, dessen man zur Abwendung der vorliegenden Verlegenheiten alsbald bedurfte. Um den fälligen Coupon der Staatsschuld bezahlen zu können, schlug Sella dem Parlament vor, ihm die Grundsteuern für das nächste Jahr im Voraus zu bewilligen. Mit bewundernswerther Opferwilligkeit unterwarfen sich das Parlament und die Nation dieser harten Zumuthung; in drei Wochen waren die nöthigen hundert Millionen beisammen. Indeß nicht dem Volke allein wurden Opfer angesonnen. Sella bewog den König, für eine Reihe von Jahren auf drei Millionen, den fünften Theil der Civilliste, zu Gunsten des Staates zu verzichten; dem Beispiel des Monarchen folgten die Minister und die hohen Staatsbeamten. Sparsamkeit bis auf die Knochen war im innern Staatshaushalt die Richtschnur, an welcher der Minister mit unverrückbarer Strenge festhielt. Als wenige Jahre darauf der deutsche Geologe Professor vom Rath Calabrien bereiste und sich dazu von Sella, seinem früheren Kollegen in der Wissenschaft,

Empfehlungsschreiben verschafft hatte, sagte ihm bei Präsentation derselben ein hoher Würdenträger: il vostro amico, il nostro nemico. Die Presse aber, über den strengen Haushalter erbittert, legte ihm den Spitznamen des Groß-Steuererhebers (Grande tassatore) bei[1]). Unter dem Drucke dieser Unpopularität mußte Sella abtreten, noch ehe er sein großes Projekt der Mahlsteuer eingebracht hatte.

Nach diesem Projekt sollte das unerläßlichste Lebensbedürfniß des Volks, das Brot, einer hohen Verzehrsteuer unterworfen werden, die in Gestalt einer von den Mühlen zu entrichtenden, leicht kontrolirbaren Steuer ihres Betriebes zur Erhebung gelangte. Nach harten Kämpfen, über denen mehrere Finanzminister zurücktraten, ist es erst Sella's viertem Nachfolger, dem Grafen Cambray-Digny im Jahre 1868 gelungen, das Mahlsteuergesetz durchzubringen. Als es am 1. Januar 1869 in Kraft trat, stellte fast die Hälfte aller Mühlen in Italien den Betrieb ein; in manchen Bezirken war die Regierung genöthigt, Mühlen zu eröffnen, um dem Bedürfniß der Bevölkerung zu genügen. Häufig mußten Carabiniere die Beamten schützen, denen die Revision der Mühlen im Steuerinteresse oblag; Unruhen und Aufstände mußten mit starker Hand unterdrückt werden. Wieder war es Sella, dem während seines dritten und letzten Ministerthums (1869—1873) die gehässige Aufgabe zufiel, das Gesetz zur Durchführung zu bringen und seinen Ertrag durch strenge Handhabung der Strafbestimmungen sicher zu stellen. Als der tapfere Mann einige Jahre darauf starb, konnte wahrheitsgemäß von ihm gesagt werden, daß, wenn die italienischen Finanzen sich zum Gleichgewicht durchgekämpft hätten, dies zum größten Theil der unermüdlichen Arbeitskraft, der hohen Einsicht und dem eisernen Willen Quintino Sella's zu verdanken sei. Die Italiener aber, die beim Beginn seines Werkes auf ihn schalten, haben ihm nach seinem Tode als Zeichen ihrer Dankbarkeit vor der Front des Finanzministeriums in Rom ein stattliches Standbild errichtet, an dessen Postament Italien trauernd seinen Namen bekränzt.

---

[1]) Dieser Zug ist in der schönen Gedächtnißrede aufbewahrt, die A. W. Hofmann seinem Freunde Sella in der Chemischen Gesellschaft in Berlin gehalten hat. Ins Italienische übersetzt von Luigi Gabba: In memoria di Quintino Sella, Roma 1887.

Volle zehn Jahre hatte Italien finanziell den Kampf ums Dasein zu bestehen gehabt. Es ging am Ende seines ersten Jahrzehnts aus diesem Kampf hervor mit einer Vermehrung seiner Staatsschuld um die erschreckend große Summe von sechs Milliarden; die Staatsbahnen waren verkauft, die Veräußerung der Domänen und der Kirchengüter im vollen Gange; harte Steuern waren auf die unentbehrlichsten Lebensmittel, auf jeden Akt gewerblicher und geschäftlicher Thätigkeit gelegt worden; Gold und Silber waren vor dem Zwangskurse des Papiers ins Ausland gewandert; im Kleinverkehr befaßte man sich mit Fetzen über fünfzig und fünfundzwanzig Centesimi, deren Annahme über die Grenze des Stadtgebiets hinaus, in dem sie unbefugt cirkulirten, verweigert wurde. Mit einem Wort: die Nation hatte sich innerhalb eines Jahrzehnts Lasten aufgebürdet, wie sie kaum jemals von einem Volk übernommen worden sind. Aber sie hatte ihr Ziel erreicht. Mit dem Einzug in Rom war die politische Wiedergeburt Italiens vollendet. Gleichzeitig aber waren die Grundlagen für eine bessere finanzielle Zukunft gelegt. Während sich in diesem Jahrzehnt die Einnahmen des Staats mehr als verdoppelt hatten, waren die Ausgaben des Jahres 1871 nur um wenige Millionen höher als die von 1861.

Auf diesem Wege ist im zweiten Jahrzehnt mit Erfolg weitergeschritten worden. Minghetti, der während der schlimmsten Zeit wiederholt das Märtyrerthum des Finanzministers zu tragen gehabt hatte, war der Triumph beschieden, bei Vorlegung des Staatshaushalts für 1876 verkünden zu können, daß der schwere Kampf erfolgreich durchgekämpft und das Gleichgewicht erreicht war. Auch die folgenden fünf Jahre bis 1881 ergaben kein Defizit, sondern sogar mäßige Ueberschüsse. Der Kredit hob sich. Man konnte nicht nur den Ausbau des Eisenbahnnetzes kräftig fördern, sondern auch die der Alta Italia verkauften piemontesischen Bahnen und das große lombardisch-venezianische Eisenbahnnetz dieser Gesellschaft durch einen im Jahre 1875 abgeschlossenen Vertrag für den Staat erwerben. Damit ward die Anomalie beseitigt, daß die wichtigsten und einträglichsten Eisenbahnstrecken Italiens sich im Eigenthum einer ausländischen Gesellschaft befanden. Von dem Kaufpreise von 752,3 Millionen wurden 139 Millionen alsbald theils durch Uebernahme einer Schuld der Gesellschaft, theils durch Aushändigung von Rententiteln berichtigt. Der Rest von 613 Millionen sollte in Jahresraten bis 1968 abgezahlt werden. Noch vor Abschluß dieses Vertrages war auch der Uebergang des Bahnnetzes der römischen Eisenbahngesellschaft in das Eigenthum des Staates ein= geleitet worden, welcher die wichtigen Linien von Rom nach Florenz, Neapel und Ancona gehörten.

Im dritten Jahrzehnt (1881—1891) dauerte der befriedigende Zustand der Finanzen zunächst noch an. Die Einnahmen fuhren fort in so erfreulicher Weise zu steigen, daß man mit der Abschaffung der verhaßtesten unter allen Steuern nun Ernst machen konnte: die Mahlsteuer, deren Ertrag sich Ende der siebziger Jahre auf über 80 Millionen jährlich gehoben hatte, und die auch nach ihrer Ermäßigung eine sichere Einnahme von 50 Millionen gewährte, wurde vom 1. Januar 1884 ab ganz aufgehoben. Gleichzeitig wurde durch Herabsetzung des Salzpreises eine zweite, besonders drückende Beschwerde erleichtert, freilich unter Verminderung der Staatseinnahmen aus dem Salzmonopol um 27 Millionen. Trotzdem wagte der Finanzminister Magliani, der dies Amt volle zehn Jahre (1878—1888) hintereinander kraftvoll und geschickt verwaltet hat, einem dritten schweren Schaden des wirthschaftlichen Lebens zu Leibe zu gehen, indem er sich 1881 zur Aufhebung des Zwangs= kurses ermächtigen ließ und auf Grund einer Anleihe von 644 Millionen im Jahre 1883 mit der Einziehung der kleinen Papierscheine, sowie mit der Umwechselung der im Umlauf verbleibenden Banknoten gegen Gold begann. Wer Italien nach längerer Zwischenzeit, 1885 wieder besucht hat, dem wird in angenehmer Erinnerung geblieben sein, wie damals statt der häßlichen und verdächtigen Papiersetzen Silberscheidemünzen reichlich im Verkehr kursirten und auch die Pezzi, die silbernen Fünflirestücke, ja sogar Goldmünzen keine Seltenheit waren. Neben alledem stiegen aber die Ausgaben in immer rascherem Tempo. Gerade in diesem Jahrzehnt ist das Meiste für die Erhöhung der italienischen Wehrkraft geschehen; wir haben im vorigen Abschnitt gesehen, wie nachdrücklich damals an der Vermehrung der Armee, an dem Ausbau der Land= und See= befestigungen, an Erbauung neuer Schlachtschiffe gearbeitet worden ist. Gleichzeitig wurden die Hauptlinien des italienischen Bahn= netzes vollendet, die Errichtung von Seiten= und Querlinien in ausgedehntem Umfang in Angriff genommen. Nach Ablauf des dritten Jahrzehnts hatten die Jahresausgaben sich um nicht weniger als 384 Millionen vermehrt; daneben war die Staatsschuld um fast $2^{1}/_{2}$ Milliarden angewachsen.

Da indessen das Anwachsen der Einnahmen sich mit dem der ordentlichen Ausgaben mindestens auf gleichem Fuße hielt, so durfte gehofft werden, daß das Gleichgewicht nach Verminderung der außerordentlichen Ausgaben für die Wehrkraft und den Bahn= bau bald wieder erreicht werden würde. Auch hoffte man eine starke Verminderung der Ausgaben dadurch zu erzielen, daß der Betrieb der Staatsbahnen, der sich als kostspielig und schwerfällig herausgestellt hatte, seit 1885 an drei große Privatgesellschaften verpachtet worden war. Allein durch alle diese Rechnungen machte der Bau= und Bankkrach, der Ende der achtziger Jahre ausbrach, einen grausamen Strich. Das schwindelhafte Treiben, in welches die großen Bauunternehmer sich und die Kreditinstitute des Landes verstrickt hatten, brach zusammen. Die Banken und Bodenkredit= gesellschaften, die jenen Unternehmern fast ungemessenen Kredit be= willigt hatten, standen am Rande des Abgrundes; viele von ihnen gingen zu Grunde und rissen eine große Anzahl industrieller und Handelsfirmen mit sich nieder. Der öffentliche Kredit war auf das Schwerste erschüttert; Handel und Verkehr stockten. Das größte Bankinstitut Italiens konnte nur durch die äußerste Anstrengung der Regierung vor dem Zusammenbruch bewahrt werden.

Aufs Neue waren energische Maßregeln nothwendig, um die italienischen Finanzen über Wasser zu erhalten. Glücklicher Weise war Sidney Sonnino, der Ende 1893 ins Amt getretene Finanz= minister des Kabinets Crispi, nicht der Mann, vor solcher Verant= wortlichkeit zurückzuscheuen. Er griff zunächst die Wiederbefestigung des Kredits mit sicherer Hand an. Das Bankgesetz von 1893 ver= bot den Emissions=Banken die Eingehung von Hypothekengeschäften, beschränkte ihren Kontokorrentkredit und setzte das Maximum ihrer Notenausgabe herab. Die Nationalbank wurde mit zwei kleinen Instituten zu einer neuen großen banca d'Italia umgestaltet, welcher die allmähliche Befreiung des immobilisirten Kapitals und die Liqui= dation der falliten banca romana übertragen wurde. Um das bis auf 16 Prozent angeschwollene Goldagio zu vermindern und die

12*

fehlenden Cirkulationsmittel zu beschaffen, wurde den Noten der be=
stehengebliebenen drei Emissionsbanken, der banca d'Italia, dem
banco di Napoli und dem banco di Sicilia, Zwangskurs gewährt
und gleichzeitig zur Ausgabe von Staats=Papiergeld geschritten.
Da sich der Mißbrauch eingeschlichen hatte, daß italienische Renten=
inhaber ihre Coupons zur Einlösung in Gold ins Ausland ver=
schickten, wurde das Affidavit eingeführt, das die Feststellung der
wirklich im Eigenthum von Ausländern befindlichen Rententitel er=
möglicht. Diese ebenso einfache als wirksame Maßregel hatte zur
Folge, daß, während 1893 von dem Januarcoupon 17 Millionen
im Inland, 81 Millionen im Ausland eingelöst worden waren,
1894 im Inland 63,5 Millionen, im Ausland nur 34 Millionen
zur Zahlung präsentirt wurden.

Ebenso energisch griff der Minister die Sanirung des Budgets
an. Er schlug alsbaldige Ersparnisse von 27 Millionen, Mehr=
steuern von 57 Millionen vor, darunter sehr drückende Lasten: die
Erhöhung der Grundsteuer um die seit 1886 weggefallenen zwei
Zuschlagszehntel, die Erhöhung der Einkommensteuer (von 13,2 auf
20 Prozent), der Salzsteuer, der Getreidezölle. Ueber seinen Vor=
schlag, auch die Zinsen der in den Händen von Ausländern befind=
lichen Rententitel dem erhöhten Steuerabzug von 20 Prozent zu
unterwerfen, entstand eine Kabinetskrise; aber Sonnino, der als
Finanzminister zurückgetreten war, kehrte als Schatzminister wieder,
setzte alle seine Vorschläge durch und fuhr bei Aufstellung des nächsten
Budgets in seinem unliebsamen aber schlechthin nothwendigen Reform=
werk so rüstig fort, daß er, als das Ministerium Crispi im Früh=
jahr 1896 fiel, das Amt mit dem Bewußtsein niederlegen konnte,
die Staatseinnahmen um 85 Millionen vermehrt, die Ausgaben um
70 Millionen vermindert, das Gleichgewicht wiederhergestellt und
die Ordnung des schwer erschütterten Kredits auf festen Grundlagen
angebahnt zu haben.

Freilich unter äußerster Anspannung der Steuerkraft des Landes
und unter Auferlegung von Lasten, die wohl vorübergehend zur
Abwehr einer äußersten Gefahr, aber auf die Dauer nicht ohne
Schädigung der wirthschaftlichen und der sozialen Entwickelung ge=
tragen werden können. Das Unglück in Afrika hat unvermuthete
Ausgaben von mehreren hundert Millionen über Italien herein=

brechen laſſen und dadurch die ſchnelle Beſeitigung jener Laſten ver=
zögert. Gegenwärtig wartet das Land auf einen Staatsmann, der
mit finanzieller Geſchicklichkeit einen klaren Blick für die ſozialen und
wirthſchaftlichen Reformbedürfniſſe und hinreichende Thatkraft beſitzt,
um das als nothwendig Erkannte durchzuführen.

Der italieniſche Staatshaushalt, deſſen Voranſchlag (stato di
previsione) dem Parlament alljährlich zur Berathung vorgelegt
wird, umfaßt wie bei uns ordentliche und außerordentliche Ein=
nahmen und Ausgaben. Dagegen weicht er von unſerer Einrichtung
dadurch ab, daß er neben den wirklichen Einnahmen und Ausgaben
noch drei weitere Kategorien enthält, in denen die Einnahmen und
Ausgaben für den Eiſenbahnbau, die Bewegung der Kapitalien und
die durchlaufenden Poſten (partite di giro) aufgeführt ſind. Dieſe
Eintheilung giebt zu manchen Unklarheiten Anlaß. Denn die An=
ſätze in der Kategorie „Bewegung der Kapitalien", wohin der Er=
lös für Anleihen, für Ausgabe von Schatzſcheinen u. dergl. gehört,
laſſen ſich leicht dazu benutzen, um den Anſchein des Gleichgewichts
zu erwecken und ein in Wirklichkeit vorhandenes Defizit entweder
ſtark verkleinert oder gar nicht ſichtbar zu machen. Nach Ablauf
des Finanzjahres wird dem Parlament die Jahresrechnung über
die wirklich aufgekommenen Einnahmen und Ausgaben (Conto
consuntivo) vorgelegt, der jedes Mal eine ausführliche Ueberſicht
über das aktive und paſſive Staatsvermögen beigefügt iſt.

Nach der über das Finanzjahr 1. Juli 1898 bis 30. Juni
1899 vorgelegten Rechnung belief ſich das Staatsvermögen auf
7975 Millionen Aktiva und 16 436 Millionen Paſſiva; es ſchloß
alſo mit einem Uebergewicht der Paſſiva von 8461 Millionen ab.
Die Aktiva umfaſſen, außer Einnahmereſten, Steuerkrediten und
Kaſſenbeſtänden von insgeſamt 730 Millionen, verfügbaren Beſitz
im Werthe von 1860 Millionen, unter denen die Staatseiſenbahnen
den beträchtlichſten Poſten (1200 Millionen) bilden, und unverfüg=
baren Beſitz im Werthe von 2065 Millionen, der das geſamte
Material des Heeres und der Flotte mit Waffen, Ausrüſtung,
Schiffen und Vorräthen aller Art, Gebäude und Inventar der
Staatsverwaltung, ja ſogar den gelehrten und künſtleriſchen Beſitz

der öffentlichen Bibliotheken und Kunstsammlungen (darunter Bilder,
Statuen, Kupferstiche, Medaillen u. f. w. im Schätzungswerthe von
153 Millionen) umfaßt. Diesen Aktiven stehen die Passiva gegen=
über, unter denen neben der schwebenden Schuld (Ausgabereste, Schaß=
scheine, Staatspapiergeld u. f. w.) im Betrage von 1573 Millionen
die verzinsliche Staatsschuld von 12 256 Millionen und der Kapitals=
betrag der vom Staate zu zahlenden Dotationen und Pensionen
(debito vitalizio) mit 1636 Millionen zu Buche stehen.

Dieser starken Schuldenlast entspricht es, daß von den Staats=
ausgaben für 1898/99 von insgesamt 1626 Millionen nicht weniger
als 580 Millionen an Zinsen für die Staatsschuld aufgewendet
worden sind. Rechnet man die 20 Prozent ab, die hiervon dem
Staate an Einkommensteuer wieder zufallen, so bleibt immer noch
eine wirkliche Zinsenlast von nahezu 500 Millionen, das ist fast
ein Drittel des ganzen ordentlichen Staatseinkommens, übrig.

Tröstlich bleibt Angesichts dieser Schuldenlast zunächst die
Wahrnehmung, daß sie in den letzten Jahren, trotz des afrikanischen
Unglücks, im Wesentlichen stabil geblieben ist, ja sogar eine leichte
Verringerung erfahren hat. Auch unter mißlichen Umständen ist
also an der Absicht, das Schuldbuch geschlossen zu halten, in den
letzten Jahren festgehalten worden. Der Gesamtaufwand für Ver=
zinsung der Staatsschuld ist sogar seit 1894 von 604 Millionen
auf 580 Millionen gesunken. Die Befestigung des Staatskredits
drückt sich auch im Kurse der Rententitel aus, der im Jahre 1894,
unter der Nachwirkung des Bankkrachs und unter dem Eindrucke
der Erhöhung des Steuerabzuges, an der Pariser Börse auf 72
gesunken war, im Jahre 1899 aber dort den mittleren Stand von
93 behauptet hat. Endlich kommt das größere Vertrauen der
Italiener in die Finanzlage ihres Landes — und mit ihm der all=
mählich wachsende Wohlstand — in dem Zurückströmen der Renten=
titel in das Heimatland zum Ausdruck. Während nach früheren
Berechnungen mehr als die Hälfte der italienischen Schuldentitel
sich im Eigenthum von Ausländern befanden, werden die in Händen
ausländischer Gläubiger befindlichen Rententitel gegenwärtig auf
etwa 3 1/2 Milliarden, also nicht viel mehr als ein Viertel der ver=
zinslichen Staatsschuld Italiens geschätzt. Dies ist noch immer
eine sehr hohe Summe, und die Nothwendigkeit, sie in Gold zu

verzinsen, reicht aus, um beträchtliche Schwankungen im Kursstande der Papierwerthzeichen zu erzeugen und die in Vorbereitung begriffene Wiederaufnahme der Baarzahlung zu verzögern. Aber wenn man den jetzigen Zustand mit demjenigen vergleicht, der nach Vollendung der italienischen Einheit herrschte, z. B. wie 1871, wo die italienische Rente an der Pariser Börse auf den Tiefstand von 50,50 sank, und wo das Goldagio sich auf 20 und 22 Prozent hob, so läßt sich eine nachhaltige und fernere Dauer verheißende Besserung des italienischen Staatskredits nicht verkennen.

Die Staatsausgaben theilen sich auch in Italien in ordentliche und außerordentliche. Die letzteren erreichten gegen Ende der achtziger Jahre, als die Vermehrung der Wehrkraft mit der Beschleunigung des Eisenbahnbaues zusammentraf, sehr hohe Beträge; sie stiegen im Jahre 1888/89 mit 291 Millionen auf den Gipfelpunkt, von dem sie seitdem, namentlich unter den Nachwirkungen des Bankkrachs, auf 60—80 Millionen jährlich herabgesunken sind. Diese Summe, die etwa fünf Prozent der ordentlichen Ausgaben darstellt, setzt sich aus den verschiedenen einmaligen Ausgaben der einzelnen Staatsverwaltungszweige zusammen. Sie begreift Posten in sich, die, wie Ausgaben für Eisenbahn- und Schiffbauten, anderwärts aus Anleihen bestritten zu werden pflegen. Auch die Kosten der Meliorationen, Entsumpfungen, Be- und Entwässerungsanlagen, die jährlich zwischen 20 und 50 Millionen schwanken (1896/97 nur 23,7 Millionen), kehren unter den außerordentlichen Ausgaben regelmäßig wieder und werden dies hoffentlich noch lange in steigendem Maße thun, sobald die Regierung nach Ueberwindung der schwierigen Finanzlage sich dieser Kulturaufgabe mit verstärkter Kraft zuzuwenden vermag.

Unter den ordentlichen Ausgaben kommen neben den bereits erwähnten hohen Summen für die Verzinsung der Staatsschuld als dauernde Staatslasten die Pensionen und Dotationen in Betracht. Während unter den Dotationen die Civilliste des königlichen Hauses seit einer langen Reihe von Jahren unverändert den Betrag von 15—16 Millionen aufweist, ist der Ausgabetitel für Ruhegehälter in raschem Wachsthum begriffen und hat (1898/99) mit 82,5 Millionen eine Höhe erreicht, die einen Einblick in die kolossale Zahl von Menschen gewährt, welche in Italien im Staatsdienste stehen und auch nach ihrem Ausscheiden aus demselben vom Staate unterhalten werden. Von jener großen Pensionslast entfällt nahezu die Hälfte mit 40 Millionen auf Pensionäre des Heeres und der Kriegsmarine der Rest auf pensionirte Civilbeamte. Unter den sonstigen Ausgaben nehmen die für das Heer und die Kriegsmarine mit insgesamt 334 Millionen die erste Stelle ein; sie übersteigen indessen das Verhältniß nicht, in welchem die Militär-Ausgaben Frankreichs, Deutschlands, Oesterreich-Ungarns und Rußlands zu der Gesamt-Ausgabe dieser Staaten stehen. Die Kosten für das Gefängnißwesen bilden einen durch seine Höhe (30,3 Millionen) besonders unerfreulichen Posten der ordentlichen Ausgabe.

Welche Ausgaben das afrikanische Kolonialunternehmen den Italienern verursacht, geht aus dem Staatshaushalt nicht übersichtlich hervor, weil diese Ausgaben in früheren Jahren in den Etats der einzelnen Verwaltungen mitangesetzt wurden. Dann sind sie beim Auswärtigen Ministerium vereinigt gewesen, erschienen aber seit 1895/96 einige Jahre hindurch unter den ordentlichen Ausgaben für das Heer und die Marine, die dadurch namentlich in dem Unglücksjahr 1895/96 ein kolossales Wachsthum (die Heeresausgabe um 118 Millionen) erfuhren. Neuerdings werden die Kolonialausgaben (10 Millionen im Jahre 1898/99) wieder beim Auswärtigen Ministerium geführt. Im Statistischen Jahrbuch für 1900 S. 1128 ist die Gesamtsumme, die Italien von 1882—1899 für seine afrikanische Kolonie ausgegeben hat, auf 378,3 Millionen berechnet.

Die Staatseinkünfte Italiens theilen sich in Einkommen aus dem Staatsvermögen, Steuern, Ertrag der Staatsmonopole und Aufkommen der öffentlichen Dienstzweige.

Das Staatsvermögen brachte im Jahre 1898/99 insgesamt 99 Millionen, darunter als Hauptposten die Pacht, welche von den Eisenbahngesellschaften für den Betrieb der Staatsbahnen mit 84 Millionen entrichtet wurde. Allein diesem Einkommen aus den Eisenbahnen stehen weitaus höhere Ausgaben gegenüber, die der Staat für sie zu leisten hat. Ohne hier auf Einzelheiten einzugehen, sei nur erwähnt, daß der Passivertrag der Eisenbahnen für den italienischen Staat von deutschen Fachmännern auf mindestens 200 Millionen jährlich geschätzt wird[1]).

---

[1]) Archiv für Eisenbahnwesen 1896, S. 253 ff.

Die reichhaltigsten und ergiebigsten Einnahmeposten liefern die Steuern. Der italienische Haushalt theilt sie in direkte Steuern, Verkehrssteuern (tasse sugli affari) und Konsumsteuern, zu denen die Zölle gerechnet werden.

Von den direkten Steuern ist die Grund= und Gebäudesteuer, die 195,5 Millionen und zwar 106,9 von ländlichen Grundstücken, 88,6 von Gebäuden erbrachte, in ihrem Ertrage seit langer Zeit wesentlich unverändert geblieben, nur ist der Antheil der Landgrund=stücke allmählich kleiner, der der Gebäude größer geworden. Noch ist es nicht gelungen, die großen Ungleichheiten zu beseitigen, die bei der Veranlagung der Grundsteuer vorgefunden wurden, als Italien die politische Einheit erlangte. Noch heute erfolgt sowohl die Einschätzung der Grundstücke als ihre Veranlagung in den einzelnen Landestheilen nach sehr verschiedenen Grundsätzen. Es fehlt an einem einheitlichen Kataster, und die Arbeiten zu seiner Herstellung schreiten äußerst langsam fort. Während die Steuer in ganz Italien durchschnittlich etwa 3,33 Lire auf den Hektar aus=macht, giebt es Provinzen, in denen die Steuer weit unter dem Durchschnitt zurückbleibt, während er in anderen Provinzen weit überschritten wird. So werden in den Provinzen Neapel und Ca=serta 9,60 L., in der Provinz Mailand sogar 14,80 L. auf den Hektar erhoben, während die acht toscanischen Provinzen durchschnitt=lich nur 2,33 L. auf den Hektar zu zahlen haben. Vielfach wird behauptet, daß die Grundsteuer mit den von den Provinzen und Ge=meinden erhobenen Zuschlägen durchschnittlich nahezu ein Drittel des Gesamtertrages in Anspruch nehme. Ihre übermäßige Höhe bildet einen der Hauptbeschwerdepunkte der Landwirthschaft.

Die Einkommensteuer (imposta sui redditi di ricchezza mobile) ist im Jahre 1864, zunächst mit einem auf die einzelnen Landestheile vertheilten ständigen Satz von 50 Millionen, eingeführt worden. An die Stelle dieser Kontingentirung trat aber bald eine Abgabe nach bestimmten Prozenten des ermittelten Einkommens aus beweglichem Vermögen oder aus jedem nicht vom Grundbesitz her=stammenden Erwerb, anfänglich 8, dann 13,2, seit 1894 20 Prozent. Voll wird sie in dieser erstaunlichen Höhe jedoch nur von dem Ein=kommen aus festen Renten, wie Hypotheken= und anderen Schuld=zinsen erhoben. Anderes, im Wege der Einschätzung ermitteltes

Einkommen unterliegt den Steuern nur zu gewissen Antheilen, die bei Handel und Industrie die Hälfte, bei geistiger Arbeit (Anwälte, Aerzte und sonstige Professionen) [18]/40, bei Beamtengehältern [15]/40 betragen. Mehr noch als über die Höhe der Steuer wird über die Willkür und Unsicherheit bei der Einschätzung, das weitläufige Schreibwerk bei Reklamationen und Härte in der Beitreibung geklagt. Eine Reform, wie sie in Preußen bei der Einkommensteuer auf der Grundlage der Selbsteinschätzung erfolgreich vollzogen worden ist, wird in Italien wohl noch auf lange Zeit an dem Mißtrauen scheitern, mit welchem sich der Steuerfiskus und die Steuerpflichtigen gegenseitig zu betrachten gewohnt sind. Ebenso wird der Wunsch, die höheren Einkommen stärker heranzuziehen, wohl schwerlich bald in Erfüllung gehen. Der Ertrag der Einkommensteuer ist in stetem Wachsthum begriffen; er bezifferte sich 1896/97 auf 290 Millionen, die sich zu fast gleichen Hälften unter die durch Abschätzung des Einkommens (per ruoli) und die durch Abzüge von Gehältern, Zinscoupons 2c. (ritenute) erhobenen Beträge vertheilen.

Die zweite Steuergruppe, die tasse sugli affari, umfaßt sehr verschiedenartige Abgaben, darunter solche, die, wie die Erbschafts=steuer und die Steuer der todten Hand, anderwärts zu den direkten Steuern gerechnet zu werden pflegen. Ihren Rückgrat bilden die Registrirungs= und die Stempelsteuern (registro und bollo), welche auf französischer Grundlage in Italien durch fiskalische Findigkeit zu einer unglaublichen Mannichfaltigkeit ausgebildet worden sind, so daß sie jetzt, nach dem bezeichnenden Ausdruck eines italienischen Volkswirthes, sich wie Schlinggewächse an jeden kleinsten Akt des bürgerlichen Lebens anklammern. Jede geschäftliche Transaktion unterliegt dem Stempel, den man auf jeder quittirten Gasthofs=rechnung, auf jeder Konzertanzeige wahrnimmt. Schriftstücke, von denen irgendwie gerichtlicher Gebrauch in Aussicht steht, unterliegen überdies dem registro, der sich vielfach nach dem Quadratcentimeter des beschriebenen Papiers berechnet. Der Schlauheit, mit welcher die Finanzkünstler alle diese Abgaben ausgeklügelt haben, kommt die Verschlagenheit mindestens gleich, mit der sich viele Steuer=pflichtige ihrer Entrichtung zu entziehen wissen. Es ist eine der ersten Pflichten jedes Geschäftsmannes, sich in diesem Steuerlabyrinth einen vor Abfassung sichernden Leitfaden zu verschaffen und das

Sprichwort: fatta la legge, pensata la malizia zur Wahrheit zu machen. „Die Uebertreibungen des bollo und des registro haben ein so ausgedehntes System von Umgehungen und verwickelten Auskunftsmitteln hervorgerufen, daß man über das eigene Land nur schamroth werden kann"[1]. Eine der unangenehmsten dieser Verkehrssteuern, die Eisenbahntransportsteuer, die von jedem Fahrschein und von jedem Frachtschein erhoben wird, ist mehrfach erhöht worden, um das in den Pensionskassen für das Eisenbahnpersonal vorhandene Defizit decken zu helfen. Im Ganzen brachten die tasse sugli affari 1898/99 222,5 Millionen, darunter die Erbschaftssteuer 36,6, der registro 62,2, bollo 69, die Transportsteuer 20,3 Millionen.

Nicht minder reichhaltig und einträglich ist die dritte Steuergruppe, die der Konsumsteuern, welche die Zölle, die verschiedenen Fabrikations= und die inneren Verzehrssteuern umfaßt. Die Haupteinnahme (241 von insgesamt 343 Millionen) liefern die Zölle, die sich namentlich seit dem Uebergang Italiens vom Freihandel zu einem mäßigen Schutzzollsystem (1884 und 1887) bedeutend gehoben haben. Im Jahre 1871 erbrachten sie nur 81 Millionen. Neben den im Interesse inländischen Gewerbefleißes eingeführten Schutzzöllen auf Eisengeräthe, Maschinen und Erzeugnisse der TextilIndustrie werden eine stattliche Anzahl von reinen Finanzzöllen erhoben, kraft deren die Preise von unentbehrlichen Bedürfnissen, wie des Petroleums, des Zuckers, des Kaffees, eine in anderen Ländern unbekannte Höhe erreichen. Beispielsweise beträgt der seiner Einträglichkeit wegen eifersüchtig gehütete Zuckerzoll nicht weniger als 88 Lire für den Doppelzentner, genau das Dreifache des Werthes der Waare. Das Pfund Zucker, das in Deutschland im Kleinverkehr 30 Pfg. kostet, wird in Italien mit 80—90 Centesimi bezahlt. Der zum Schutze der einheimischen Landwirthschaft eingeführte Getreidezoll stellt bei seiner unter Sonnino noch heraufgesetzten Höhe eine sehr wirksame Staatseinnahmequelle dar. Unter den Fabrikationssteuern sind, nach der Beseitigung der Mahlsteuer, die Abgaben für die Erzeugung und den Verkauf spirituoser Getränke, Steuern auf Bier und kohlensaures Wasser, ferner die von Sonnino 1894 neu

---

[1] Senator Severino Casana in Nuova Antologia b. 1. Septbr. 1898.

eingeführten Steuern auf Petroleum, auf Streichhölzer (Ertrag über 7 Millionen), auf Gas und auf elektrische Kraft zu erwähnen.

Wesentlich als Konsumsteuern wirken unter den vom Staate betriebenen Monopolen, welche als privative die dritte Kategorie der Staatseinnahmen bilden, das Tabaks= und das Salzmonopol. Das Tabaksmonopol, das in der Noth der sechsziger Jahre an eine Privatgesellschaft verpachtet worden war, wird seit 1884 vom Staat in Regie betrieben. Ein zahlreiches Beamtenheer besorgt die Auswahl und den Ankauf des Tabaks, die Fabrikation der Cigarren und Cigarretten, des Rauch=, Kau= und Schnupftabaks, sowie die Lagerung und den Großverkauf dieser Produkte, deren Absatz im Kleinen meist durch Privathändler, vielfach in Verbindung mit Salz und Spirituosen (sale, spiriti e tabacchi ist eine der gewöhnlichsten Aufschriften italienischer Verkaufsläden) bewirkt wird. Ueber die Beschaffenheit der italienischen Regiecigarren wird es einem Deutschen schwer, sich in parlamentarisch zulässiger Redeweise auszusprechen. Schwarz, schwer, übelriechend und nur durch umständliche Verkohlungsprozesse in Brand zu setzen, liefern sie den sinnfälligsten Beweis dafür, was der Geduld des italienischen Steuerzahlers vom Fiskus zugemuthet werden kann. Jedoch soll nicht verschwiegen werden, daß es Fremde giebt, die sich an alle Unarten dieser verruchten Virginia, Cavour, Minghetti ꝛc. derartig gewöhnen, daß sie an besseren Cigarren kaum noch Geschmack finden. Als Vorsitzender der ständigen Kommission, welche der Tabaksverwaltung zum technischen Beirath bestellt ist, hat lange Zeit der Senator Tommasi=Crudeli, ein berühmter Hygieniker, fungirt. Er würde sich um Italien ein neues Verdienst erworben haben, wenn er die Verwaltung dazu bewogen hätte, den bisher in kaum nennenswerthem Umfang betriebenen inländischen Anbau der Tabakspflanze auszudehnen. Nach den Ergebnissen, die in Ländern ähnlicher Bodenbeschaffenheit und gleichen Klimas vorliegen, ist nicht zu bezweifeln, daß Italien einen großen Theil des Tabaks, der zur Zeit aus dem Auslande bezogen wird, billiger und besser selbst produziren kann. Hierdurch würden sich nicht nur die Kosten für den Ankauf des Tabaks, die sich auf mehr als 20 Millionen jährlich belaufen, voraussichtlich beträchtlich verringern, sondern auch für den Intensivbetrieb der Landwirthschaft neue lohnende Kulturen geschaffen werden.

Der Rohertrag des Tabaksmonopols beläuft sich auf 196 Millionen, von denen nach Abzug aller Kosten immer noch der hohe Nutzen von 156 Millionen übrig bleibt.

Als eine Konsumsteuer der schlimmsten Art stellt sich das Salzmonopol dar, das einen Rohertrag von nicht weniger als 73 Millionen und nach Abzug der nur auf 5,4 Millionen in den Etat eingesetzten Unkosten den riesigen Reinertrag von nahezu 70 Millionen einbringt. Italien ist wohl, mit Ausnahme salzloser Länder ohne Kultur, dasjenige Land, in welchem das Salz am theuersten verkauft wird. Im Jahre 1885 hatte der Finanzminister Magliani die Herabsetzung des Salzpreises von 55 auf 35 Centesimi für das Kilogramm dadurch zur Annahme gebracht, daß er dem Parlament die Berichte vorlas, wonach die Landleute in verschiedenen Provinzen denaturirtes Salz aßen, weil sie das Speisesalz nicht zu bezahlen vermochten. In der Noth des Jahres 1897 ist der Preis wieder auf 40 Centesimi erhöht worden; er beträgt mindestens das Siebenfache der Produktionskosten. Dieser hohe Preis reizt natürlich zum Grenzschmuggel und zu Versuchen, aus Seewasser heimlich Salz zu gewinnen. Daher sieht man selbst an Stellen der Meeresküste, wo an Schmuggel kaum zu denken ist, Posten der Finanzwache auf- und niedergehen, die unerlaubtes Schöpfen des Meerwassers zu verhindern haben.

Das dritte Staatsmonopol ist das Lotto, das in ganz Italien als Zahlenlotto organisirt ist und durch die allenthalben gebotene Möglichkeit, sich am Spiel zu betheiligen, durch die Gestattung beliebiger, auch ganz geringer Einsätze und die Häufigkeit der Ziehungen, die allwöchentlich am Sonnabend stattfinden, einen geradezu unglaublichen Reiz namentlich auf die unteren Volksklassen ausübt. Eine Terne ist das verlockende große Loos, das durch die allwöchentlich veröffentlichte Reihe der gezogenen Ziffern jedem Italiener und jeder Italienerin von kleinauf in Flammenschrift vor die Augen gerückt wird. Die Summe von Aberglauben, der sich mit der Errathung glückbringender Zahlen beschäftigt und der durch alle möglichen gedruckten Anweisungen unterstützt und ausgebeutet wird, läßt sich schwer schätzen. Jedwedes Ereigniß, jede Bewegung, jeder Traum wird von italienischen Lottospielern alsbald in Zahlen umgedeutet, deren Einsatz Gewinn verheißt; wer in dem Ruf steht, solche Zahlen angeben zu können, genießt ein fast abgöttisches Ansehen. Nicht selten erreichen die Einsätze auf die durch derartige Deutungen angezeigten Ziffern eine solche Höhe, daß die Verwaltung sich weigert, auf diese Ziffern bis zur nächsten Ziehung noch weiter setzen zu lassen. Der Ertrag des Lotto erreicht durchschnittlich die Höhe von 60—70 Millionen, wovon nach Abzug der Gewinne (über 30 Millionen) und der Verwaltungskosten etwa 30—33 Millionen als Reinnutzen verbleiben. An Abschaffung des Staatslotto ist nicht zu denken, weil man auf eine so bedeutende Einnahme nicht verzichten kann, und weil die Privatunternehmung sich augenblicklich der Ausbeutung der im Volke tief eingewurzelten Spiellust bemächtigen würde. Sie weiß schon jetzt trotz aller Verbote und trotz der großen Zugänglichkeit des Staatslotto alle möglichen Wege zu finden, um heimlich mit ihm in Konkurrenz zu treten. Auf den Straßen von Rom konnte man während des Winters 1897/98 eine Gauklerbande umherziehen und an Straßenecken Vorstellungen veranstalten sehen, deren Haupttrik darin bestand, daß der durch Trompetenschall angelockte Zuschauerkreis zur Betheiligung an einem Lotto bewogen wurde, bei dem jeder Mitspieler gegen Erlegung eines Soldo eine Nummer erhielt, und schließlich eine Nummer mit dem einzigen Gewinn von 4 Soldi gezogen wurde. Auf diese höchst einfache Weise ließen sich jedes Mal zwanzig, dreißig und mehr Personen, Arbeiter, Frauen und Kinder, ja selbst Zuschauer aus den Fenstern der Nachbarhäuser um ihre Soldi bringen und hatten offenbar noch Vergnügen daran.

Die letzte Gruppe der italienischen Staatseinnahmen bildet der Ertrag der öffentlichen Dienstzweige. Unter diesen servizi pubblici nehmen Post und Telegraphie mit dem Rohertrag von 72 Millionen, wovon freilich die hohen Verwaltungskosten mit 62 Millionen in Abzug zu bringen sind, die Hauptstelle ein. Daneben sind Gerichtskosten, Geldstrafen, der Ertrag der Gefängnißarbeit und die an Stelle des Schulgeldes für den Eintritt in die Staats-Mittelschulen zu entrichtenden Taxen zu erwähnen.

Mit Darstellung der Abgaben, welche der Staat in Anspruch nimmt, sind die Lasten nicht erschöpft, welche der italienische Bürger für das Gemeinwohl zu tragen hat; vielmehr fügen die Gemeinde-

verbände, in denen er steht, noch ein beträchtliches Mehrgewicht hin=
zu. Das Besteuerungsrecht der Provinz und der Gemeinde ist ge=
setzlich geregelt. Es erstreckt sich zunächst auf die bereits erwähnten
Zuschläge zur Grund= und Gebäudesteuer, welche sowohl von den
Provinzen, als von den Kommunen erhoben werden dürfen und
auch von Beiden in namhafter Höhe — 86,4 Millionen von
Provinzen, 132,9 Millionen von Kommunen — erhoben werden.
Während die Provinzen außerdem nur noch auf Einnahmen aus
ihrem Vermögen angewiesen sind, hat das Gesetz den Kommunen
die Auswahl unter einem ganzen Bouquet von Gemeindesteuern der
verschiedenartigsten Natur freigestellt. Von dieser Befugniß wird
seitens der Gemeinden ein ausgedehnter Gebrauch gemacht. Ihre
Haupteinnahmequelle indeß bilden, abgesehen von dem Grundsteuer=
zuschlag, die Konsumsteuern, die von ihnen im Gesamtbetrag von
157 Millionen erhoben werden. Dazu kommen noch etwa 30 Milli=
onen, die der Staat in Rom und Neapel für diese Gemeinden er=
hebt. Dem dazio comunale unterliegen nicht nur die meisten
Nahrungsmittel und Getränke, vor allem Brot, Mehl, Fleisch,
Fische, Wein 2c., sondern auch Brenn= und Baumaterial. Um diese
Accise zu erheben, unterhalten die größeren Städte Italiens eine
kleine Armee von Thorwächtern und Zöllnern, die, vielfach in grotesken
Uniformen und schwer bewaffnet, die Steuergrenze des Gemeinde=
bezirks unter strenger Aufsicht halten und jeden Eintretenden einer
mehr oder minder rigorosen Prüfung auf steuerbare Gegenstände
unterwerfen. Man kann sich, zumal in kleineren Orten mit schwer
zu bewachender Begrenzung, kaum vorstellen, daß der Ertrag dieser
Accise mit den Kosten ihrer Erhebung in richtigem Verhältniß stehe,
und man hört in Italien häufig genug das Gegentheil behaupten.
Vom allgemein=wirthschaftlichen Standpunkte betrachtet, läßt sich diese
Form der Steuererhebung schon deshalb schwer rechtfertigen, weil
sie Tausende von Männern im rüstigsten Lebensalter dem Erwerbs=
leben entzieht und der in Italien ohnedies stark vorherrschenden
Lust nach einem bequemen Aemtchen Vorschub leistet. Die übrigen
Gemeindesteuern, die insgesamt 60 Millionen ergeben, zeichnen sich
mehr durch ihre Mannichfaltigkeit als durch ihre Einträglichkeit aus.
Neben manchen auch in Deutschland bekannten städtischen Abgaben,
wie der Hundesteuer, der Miethssteuer, der Schlachtsteuer, der Steuer

auf öffentliches und Privatfuhrwerk, Platz= und Marktgeld ꝛc., treffen wir andere, die man bei uns nicht kennt, namentlich die Heerdsteuer (fuocativo) mit einem Aufbringen von 21 Millionen, die vielfach als besonders drückend empfunden wird, ferner eine Kopfsteuer für Zug= und Reitthiere sowie für ländliche Hausthiere, die sich als eine beträchtliche Erschwerung landwirthschaftlicher Meliorationsver= suche herausstellt; ferner eine Steuer auf das Halten von Dienern, eine Lizenzabgabe für Speise=, Schank= und Kaffeewirthschaften, endlich eine Abgabe für das Ausstellen von Photographien.

Unter den Ausgaben, welche die Gemeinden aus diesem Ein= kommen zu bestreiten haben, nehmen neben den allgemeinen Ver= waltungskosten (97 Millionen) die Ortspolizei einschließlich der Gesundheitspflege (97 Millionen), die städtischen Bauten (77 Milli= onen, das Schulwesen (76 Millionen) und die Armenpflege (23 Millionen) die Hauptposten in Anspruch. Das italienische Gemeinde= recht unterscheidet nothwendige und fakultative Ausgaben und unter= wirft die letzteren einer strengen Prüfung der Staatsaufsichtsbehörde. Aber trotzdem wird allgemein darüber geklagt, daß die Gemeinde= räthe stark dazu neigen, das Ansehen ihrer Stadt durch Ausgaben zu erhöhen, die, wie die Errichtung von Mittelschulen, der Bau oder die Subventionirung von Theatern, überwiegend den bemittelten Klassen Nutzen bringen, oder die dem dekorativen Bedürfniß der Gemeindeväter Genüge leisten, wie die nicht selten glänzende Tracht der Stadtpolizisten, die Haltung eines städtischen Musikkorps, die Errichtung von Statuen und Ehrentafeln. Ein Gemeinderath, dem derartige fakultative Ausgaben am Herzen liegen, findet, wie be= hauptet wird, immer einen Weg, sie zu leisten, und verläßt sich, wenn nachher für die nothwendigen kein Geld in der Stadtkasse ist, auf das beliebte Auskunftsmittel der Anleihe.

Diese Wirthschaftsmethode hat ein ziemlich rasches Anschwellen der Kommunalschulden zur Folge. Sie haben sich in den letzten zwanzig Jahren um etwa eine halbe Milliarde vermehrt und erreichten 1896 den ansehnlichen Betrag von 1202 Millionen. In Florenz, Rom und Neapel ist durch die Ueberschuldung dieser großen Ge= meinden, die hauptsächlich durch das allzubeschleunigte Tempo der städtischen Bauten herbeigeführt war, das Dazwischentreten des Staates nöthig geworden, um eine bessere Regelung der städtischen

Finanzen anzubahnen. In anderen Fällen haben einzelne Ge=
meinden sich zur Erfüllung der gegen ihre Gläubiger übernommenen
Verpflichtungen einfach außer Stande erklärt und die Schritte ruhig
abgewartet, die von den Inhabern ihrer Obligationen, Loose u. dergl.
gegen sie gethan werden konnten, Dinge, die dem Ansehen und
dem Kredit Italiens im Auslande natürlich wenig zuträglich sind.

Von Kennern der italienischen Finanzen wird es deshalb als
ein dringendes Bedürfniß bezeichnet, der strengeren Ordnung, welche
der Staatshaushalt seit 1894 durch das energische Vorgehen eines
tüchtigen Finanzministers erfahren hat, möglichst bald eine analoge
Regelung der Gemeindefinanzen folgen zu lassen. Sie halten hierzu
in erster Linie eine stärkere Zurückhaltung unnöthiger und unpro=
duktiver Ausgaben, namentlich die Verhinderung des Eingehens
von neuen Kommunalschulden für derartige Zwecke, für unerläßlich.
Zwar schreibt schon das jetzige Gemeindegesetz vor, daß die staat=
liche Erlaubniß zu Kommunalanleihen nur dann ertheilt werden
darf, wenn die Zinsen der Gemeindeschuld weniger als ein Fünftel
der Gesamteinnahme der kreditlustigen Gemeinde betragen. Aber
hiergegen ist oft gesündigt worden, die Staatsaufsicht hat nicht
ausgereicht, um Uebertretungen dieser Vorschrift zu verhindern.
Aus diesem Grunde und um die Umwandlung älterer Schulden
in minder drückende Verpflichtungen zu erleichtern, sowie um für
wirklich gerechtfertigte Bedürfnisse billigen Kredit zu ermöglichen,
wird die Errichtung einer Centralkasse für Gemeinde= und Provinzial=
kredit unter möglichst selbständiger und zuverlässiger Verwaltung
vorgeschlagen[1]).

Man hat es in Italien dem greisen Senator Saracco seiner
Zeit sehr verübelt, daß er bei einem Festmahl des Landwirthschafts=
vereins seiner Heimath Acqui im Sommer 1897 den Ausspruch
gethan hat: Wir sind arm; Herr Saracco hat es sogar für noth=
wendig gehalten, sich gegen die wider ihn erhobenen Vorwürfe
öffentlich zu rechtfertigen[2]). Für den unbefangenen Betrachter unter=
liegt es keinem Zweifel, daß in Italien der Staat, die Gemeinde=

---

[1]) Maggiorino Ferraris, Il credito comunale e provinciale. Nuova
Antologia, 16. April 1897.

[2]) Gius. Saracco, Siamo poveri o non? Ebenda, 1. Decbr. 1897.

Fischer. 2. Aufl.   13

verbände und die Privaten größere Lasten zu tragen haben, und
daß ihnen zur Bestreitung dieser Lasten geringere Mittel zu Gebote
stehen, als dies in anderen Ländern ähnlichen Kulturzustandes der
Fall ist. Die vorstehende Uebersicht der italienischen Finanzlage
läßt sich kurz dahin zusammenfassen, daß der Staat in Italien,
zufolge der riesigen Schuldenlast, die er auf sich genommen hat,
und zur Aufrechterhaltung seiner politischen Stellung von seinen
Angehörigen Opfer fordert, die das in anderen Ländern übliche
Maß weit übersteigen. Diese Opfer sind namentlich deshalb drückend,
weil sie in der großen Zahl von indirekten und Verzehrsabgaben
die geringeren Klassen der Bevölkerung besonders schwer treffen,
und weil sie durch die Fiskalität ihrer Beschaffenheit und ihrer
Erhebungsform den landwirthschaftlichen und den gewerblichen Auf=
schwung des Landes beeinträchtigen. Ohne auf statistische Ab=
schätzungen des Nationalvermögens besonderen Werth zu legen, soll
doch nicht unerwähnt bleiben, was einsichtige und patriotische Italiener
hierüber anführen.

Professor Matteo Pantaleoni hat, unter Zugrundelegung der
durch die Erbschaftssteuer festgestellten Vermögensumsätze und unter
Berücksichtigung der dabei vorgekommenen Umgehungen, das Gesamt=
vermögen der italienischen Nation für

1875/80 auf 45,5 Milliarden
1880/85 „ 51 „
1885/90 „ 54 „

berechnet, wovon auf Grundbesitz 33, auf mobiles Vermögen
16 Milliarden entfallen. Dem gegenüber ergeben sich auf Grund
ähnlicher Berechnungen, deren Ergebnisse in Bodio's lehrreicher
Schrift über einige Werthmesser der wirthschaftlichen Entwickelung
Italiens[1] zusammengestellt sind, für Frankreich und England
folgende Zahlen:

	Gesamtvermögen	Grundbesitz (Milliarden)	Mobiles Vermögen
Frankreich . . .	210	115	95
England	250	90	160

[1] L. Bodio: Indici, 3. ed. Roma 1896, p. 148 ff.

Den jährlichen Vermögenszuwachs der italienischen Nation
schätzt Bodio nach Abzug des Antheils, der davon Ausländern
zufällt, auf eine halbe Milliarde, während dieser Zuwachs in
Frankreich auf 3 und in England auf $3^1/_2$ Milliarden jährlich be=
rechnet worden ist. —

Natürlich fehlt es neben tiefer Unzufriedenheit über diesen
Stand der Dinge in Italien nicht an Vorschlägen zur Abhülfe.
Am lautesten machen sich, wie immer, die Stimmen geltend, die
eine radikale Aenderung der bestehenden Verhältnisse fordern. Selbst=
verständlich verheißt die Sozialdemokratie auch in Italien die Be=
seitigung aller wirthschaftlichen und finanziellen Nöthe, sobald mit
der Klassenherrschaft der Bourgeoisie erst gründlich aufgeräumt sein
werde. Nicht ganz so grundstürzend, aber ebenso undiskutirbar
sind die Vorschläge, welche es für unmöglich erklären, daß Italien
den Anforderungen der Großmachtstellung auf die Dauer gewachsen
sei, und die deshalb eine Verminderung der Wehrlast empfehlen. Aber
auch Politiker und Volkswirthe, die auf dem Boden der Wirklichkeit
stehen, halten einschneidende Reformen für nothwendig und unauf=
schieblich, um vor allen Dingen den Druck zu vermindern, der durch
die Höhe der auf den unentbehrlichsten Lebensbedürfnissen lastenden in=
direkten Abgaben den ärmeren Klassen auferlegt ist, und um durch
gerechtere Vertheilung der direkten Steuern die Hemmnisse zu be=
seitigen, die das jetzige Finanzsystem der kräftigeren Entfaltung
jeder nutzbringenden Thätigkeit in der Landwirthschaft, im Handel
und im Gewerbefleiß in den Weg legt. An dringenden Auffor=
derungen, diese Reformen nicht länger zu verschieben, hat es in
den letzten Jahren wahrlich nicht gefehlt. Im Frühjahr 1898
hallte durch ganz Italien, von den wohlhabenden und gewerbe=
fleißigen Provinzen der Lombardei bis in den Süden hinein, der
Ruf der aufgeregten Volksmassen, die Brot und Arbeit forderten,
und die ihre Wuth in erster Linie an den Zöllnern des Dazio
comunale, der städtischen Verzehrsabgaben, ausließen. Nach der
Ermordung König Humberts schien es einige Zeit lang, als ob alle
politischen Parteien des Landes Angesichts dieser furchtbaren That
sich zu einer entschlossenen Reform der drückendsten Lasten vereinigen
würden. Angesehene und maßvolle Staatsmänner aller Richtungen
veröffentlichten Programme, die, von der unbedingten Nothwendig=

13*

keit einer baldigen Heilung der vorhandenen schweren Schäden aus=
gehend, die Ziele und die Wege der zu ergreifenden Schritte dar=
legten.[1]) Die amtliche Zeitung veröffentlichte im November 1900
einen Bericht des Ministerpräsidenten Saracco[2]) an den jungen König,
worin ein umfassender Reformplan entwickelt und entschlossenes
Vorgehen verheißen wurde. Jedoch wenige Wochen später wurde
das Kabinet Saracco durch den Ausbruch einer der landesüblichen
parlamentarischen Krisen gestürzt. Ueber seinem Grabe erhob sich
mit unverminderter Heftigkeit der Streit der Gruppenführer um die
Nachfolge. Das durch einen Kompromiß mit den radikalen Par=
teien mühsam zu Stande gekommene neue Ministerium unter dem
Präsidium des bejahrten Juristen Zanardelli kämpft von Woche zu
Woche mühsam um sein Dasein; von durchgreifenden Reformen
ist Angesichts der wahrscheinlich bevorstehenden abermaligen Kabi=
netskrisen vorläufig in Italien nicht mehr die Rede. Freunde des
Landes können auf die Unfruchtbarkeit der bisherigen Reformbe=
strebungen nur mit wachsender Sorge hinblicken.

Freilich läßt sich eine nachhaltige Verbesserung der italienischen
Finanzen, wenn nicht auf Kosten der politischen Stellung der Nation,
nur durch Kräftigung ihrer Erwerbsfähigkeit erzielen. Darum muß das
Bestreben einsichtiger Politiker in Italien in erster Linie auf Durch=
führung wirksamer Reformen in der Landwirthschaft und auf Er=
leichterung des Aufschwungs der Industrie und des Handels ge=
richtet sein. Jede Last, die den werbenden wirthschaftlichen Kräften
abgenommen wird, ist in Vermehrung des Einkommens und des
Wohlstandes, und damit der Steuerfähigkeit der Nation, reichlichen
Lohnes gewiß. Aber noch wirksamer als Steuerreformen würde es
sich für die Hebung der wirthschaftlichen Kräfte Italiens und für
die Gesundung seiner Finanzen erweisen, wenn es gelänge, die be=
mittelten Klassen mit thätigerem Interesse für Landwirthschaft,
Handel und Industrie zu erfüllen. Namentlich die italienische

---

[1]) Sidney Sonnino, Quid agendum? Nuova Antol., 16. September 1900. Deput. Giulio Alessio, Partiti e programmi, ebenda
1. Oktober 1900. Maggiorio Ferraris, Il nuova regno, ebenda
1. Novbr. 1900.

[2]) Abgedruckt in der N. Ant. v. 16. November 1900, S. 372 ff.

Jugend sollte sich der unfruchtbaren Aesthetik entreißen und sich schaffender Erwerbsthätigkeit am Pflug und in der Maschinenwerkstatt, im Laboratorium des Chemikers und in der Schreibstube des Kaufmanns zuwenden. Dann wird auch der übermäßige Andrang zu den sog. liberalen Professionen schwinden, der zu einer Landplage Italiens zu werden droht und seinen wirthschaftlichen Aufschwung hemmt.

7. Die Landwirthschaft.

Italien ist stets ein überwiegend ackerbauendes Land gewesen.
Salve, magna parens frugum, Saturnia tellus ruft Virgil in
seinem dem Landbau gewidmeten Gedicht sein Heimatland an, und
dies Ueberwiegen der Landwirthschaft bildet bis auf den heutigen
Tag einen der hervortretendsten Züge im wirthschaftlichen Leben
von Italien. Während die Agrikultur mit Handel und Industrie
sich in Deutschland und in Frankreich auf gleicher Höhe zu halten
sucht, in England durch ihren Mitbewerb überflügelt worden ist,
bildet sie in Italien, das durch seine früheren politischen Zustände
vom Welthandel abgedrängt und in der Entwickelung der Groß=
industrie lange Zeit hindurch gehemmt worden ist, die Hauptquelle
der nationalen Produktion.

Begünstigt durch die Milde seines Klimas und durch seine
alte Kultur, hat Italien wegen seiner reich und mannichfaltig ent=
wickelten Landwirthschaft bis in die Mitte des gegenwärtigen Jahr=
hunderts für ein reiches Land gegolten. Aeltere Reisebeschreibungen
pflegen sich in begeisterten Schilderungen des „Gartens von Europa"
zu ergehen; die blühenden, reichbebauten Gefilde der Lombardei und
Toscanas sind von englischen, französischen und deutschen Volks=
wirthen vielfach als Muster einsichtsvollen und einträglichen Land=
baues hingestellt worden. Die Italiener selbst wurden nicht müde,
die Reichthümer ihres Weinbaues, die von Korn und Oel triefenden
Fluren Campaniens und Siciliens, die Orangenhaine Liguriens und
Calabriens in Versen und in Prosa zu feiern. Diese optimistische
Auffassung ist seit etwa dreißig Jahren einem immer weiter um sich
greifenden Pessimismus gewichen, der sich in Italien selbst zu einer

krankhaften Entmuthigung in bem Maße steigert, daß er das Ge=
beihen ber Landwirthschaft zu schädigen droht.

Die Wurzeln dieses Pessimismus sind verschiedener Natur.
Sie beruhen zunächst auf ber Wahrnehmung, daß Italien mit ben
Berbesserungen, welche bie Landwirthschaft in anderen europäischen
Kulturländern durch Errichtung umfang= und gewinnreicher land=
wirthschaftlicher Industrien, Anwendung von Maschinen aller Art,
künstliche Düngung u. bgl. m. erfährt, nicht Schritt gehalten hat.
Früher an ber ersten oder wenigstens an einer ber ersten Stellen,
sieht sich bie italienische Landwirthschaft von englischen, französischen,
niederländischen und deutschen Ackerwirthen und Viehzüchtern weit
überflügelt; sie vermag mit biesen Ländern weder an Energie noch
an Einträglichkeit der Bewirthschaftung zu wetteifern. Sobann
empfindet Italien ben Druck, mit welchem ber Mitbewerb bes ameri=
kanischen und asiatischen Weizens auf ber gesamten europäischeu
Landwirthschaft lastet, stärker als andere Länder, weil dieser Druck
in Italien nicht wie anderwärts burch bas gleichzeitige kräftigere Ge=
beihen von Handel und Industrie gemildert wird. Dem Delbaum
und ben Südfrüchten Italiens ist burch ben Wiederanbau der
afrikanischen Nordküste in Algier und Tunis, sowie burch bessere
Wirthschaft auf ber Balkanhalbinsel, in Kleinasien und Syrien eine
steigende Konkurrenz erwachsen, bie auf bie Preise ber italienischen
Produzenten brückt. Endlich sind einzelne, besonders einträgliche
Zweige der italienischen Landwirthschaft von verheerenden Krank=
heiten heimgesucht worden; ber Weinbau hat mit ber Peronospora
und ber Reblausplage zu kämpfen; ber Ertrag ber Drangen= und
Citronenpflanzungen wurde burch bie Harzkrankheit, bas viel beklagte
mal della gomma, vermindert; vor allem aber hat ber Seidenbau
unter ber lang anhaltenden Fleckenkrankheit (prebina) bes Seiden=
wurms schwer zu leiden gehabt.

Während so bie Preise und bie Produktion selbst verringert
wurden, verschlechterten sich bie Produktionsbedingungen. Die poli=
tische Wiedergeburt bes Landes entzog ber Landwirthschaft burch bie
Einführung ber allgemeinen Wehrpflicht billige Arbeitskräfte; zu=
gleich wuchsen burch Herstellung einer nationalen Heeresmacht und
einer Kriegsmarine bie Steuern, bie zu tragen ber Landwirthschaft
besonders schwer fiel, weil sie unter ben Nachwirkungen ber früheren

Herrschaften, mangelhafter Bodenvertheilung und vernachläſſigter Landeskultur=Geſetzgebung zu leiden hatte. Von der politiſchen Arbeit vorwiegend in Anſpruch genommen, fanden weder die raſch aufeinander folgenden Miniſterien noch das zum größten Theil aus Juriſten und Gelehrten beſtehende Parlament kaum jemals Zeit, ſich eingehend mit der Lage der Landwirthſchaft zu beſchäftigen oder gar die zu ihrer Hebung erforderlichen Wirthſchafts= und Boden= reformen ins Leben zu rufen. Als die immer lauter werdenden Klagen endlich in den Jahren 1878—1884 zu einer eingehenden Unterſuchung geführt hatten, konnte der Vorſitzende der Kommiſſion, Graf Stephan Jacini, in dem Schlußbericht, in welchem er die Er= gebniſſe der Inchiesta agraria zuſammenfaßte, mit Fug und Recht betonen, daß die Aufgabe weſentlich darin beſtanden habe, die land= wirthſchaftlichen Verhältniſſe Italiens den Italienern bekannt zu machen.

Die Akten der Agrar=Unterſuchung ſind unter dem Titel: Atti dell' Inchiesta agraria e sulle condizioni della classe agricola in fünfzehn Abtheilungen, die zuſammen vierundzwanzig Bände mit über zwölftauſend Seiten in Großquart umfaſſen, ver= öffentlicht worden. Eine Ueberſicht über den reichen Inhalt dieſer umfangreichen Publikation liegt in zwei Schriften vor. Das Buch des Profeſſors K. Th. Eheberg in Erlangen: Agrariſche Zuſtände in Italien (Leipzig 1886), das den 29. Band der Schriften des Vereins für Sozialpolitik bildet, folgt im Weſentlichen den Rubriken des von der Kommiſſion aufgeſtellten Fragebogens. Dagegen ſchließt ſich William Nelthorpe Beauclerk in ſeinem Rural Italy (London 1888) der regionalen Eintheilung an, welche die Kommiſſion für die Löſung ihrer Aufgabe erwählt hatte; er ſchildert demgemäß den Zuſtand der italieniſchen Landwirthſchaft der Reihe nach in zwölf großen Kreiſen, die von Süden beginnend bis zum Norden je eine Gruppe von Provinzen der amtlichen Landeseintheilung umſchließen. Einen beſonderen Werth beſitzt ſein Werk auch noch gegenwärtig dadurch, daß der Verfaſſer ſeinen mehrjährigen Aufenthalt als eng= liſcher Botſchaftsſekretär in Italien dazu benutzt hat, in den meiſten Kreiſen von den landwirthſchaftlichen Verhältniſſen perſönlich Kennt= niß zu nehmen. Es iſt bezeichnend und betrüblich, daß dieſen beiden Arbeiten von Ausländern Schriften italieniſcher Verfaſſer über ein Italien so nahe berührendes Thema nicht an die Seite gestellt werden können.

Unter den Schwierigkeiten, mit denen die italienische Agrar-Untersuchung zu kämpfen gehabt hat, ist im Schlußbericht als eine der größten der Mangel zuverlässiger statistischer Grundlagen hervorgehoben worden. Es fehlten ein gleichmäßiger, alle Landestheile nach denselben Gesichtspunkten behandelnder Kataster, eine irgendwie ausreichende Statistik des Grundeigenthums und der Bodenvertheilung, eine klare Uebersicht über das landwirthschaftliche Hypothekenwesen, endlich eine die Klassen des landwirthschaftlichen Berufs gliedernde Bevölkerungsstatistik. Diese Mängel sind auch gegenwärtig noch nicht gehoben; sie machen sich Jedem auf das Empfindlichste fühlbar, der sich über den Zustand der italienischen Landwirthschaft ein von den landläufigen Schlagworten unbeeinflußtes Urtheil zu bilden sucht, und sie tragen wesentlich dazu bei, daß in Italien selbst eine unbefangene Würdigung der landwirthschaftlichen Verhältnisse so selten anzutreffen ist, und daß die Vorschläge zur Abhülfe ihrer schreiendsten Mißstände mit so allgemeiner Theilnahmlosigkeit zu kämpfen haben. Dazu kommt, daß die ausgezeichnete Verwaltung der amtlichen italienischen Statistik sich aus Mangel an Mitteln genöthigt gesehen hat, das Annuario Statistico mehrere Jahre hindurch beträchtlich einzuschränken, so daß die dort gegebenen Mittheilungen über die wesentlichsten Ergebnisse der Landwirthschaft eine unerwünschte Unterbrechung erfahren haben.

Wie sehr durch diese Mängel der amtlichen Statistik die Uebersicht über die landwirthschaftlichen Zustände des Landes erschwert wird, leuchtet um so mehr ein, als diese Zustände eine ganz ungewöhnliche Mannichfaltigkeit der Wirthschaftsformen und der Betriebsarten aufweisen. Neben mittelalterlichen Latifundien mit der primitivsten und extensivsten Steppenwirthschaft stehen, nicht selten in denselben Provinzen, Wirthschaftsbetriebe mit der intensivsten Bodenkultur; die denkbar größte Spezialisirung wechselt mit der umfassendsten Verallgemeinerung der landwirthschaftlichen Produktion ab. Von den alpinen Sennereien auf den Höhen der nördlichen Grenzprovinzen bis zu den Fruchtgärten an der Westküste von Sicilien: welche Unterschiede im Klima, im Boden und der dadurch bedingten Vegetation! Welche Abweichungen im

Erträge der dürren Bergweiden der Abruzzen bis zu den neun=
schürigen Rieselwiesen der Lombardei! Welche Verschiedenheit im
Besitz und in der Lebenshaltung von dem behäbigen Bauern der
kornreichen Ebenen Piemonts und dem im alten Pachtbesitz leidlich
situirten Theilbauer Toscanas bis zu dem auf das denkbar geringste
Existenzminimum herabgesunkenen Tagelöhner, der auf dem Groß=
grundbesitz der römischen Campagna, des sicilianischen Weizenbodens
oder der lombardischen Reisfelder harte Arbeit um kargen Lohn ver=
richtet! Eine einigermaßen erschöpfende Darstellung dieser Zustände
würde ein Buch füllen. Hier können die verschiedenen, für die ita=
lienische Landwirthschaft besonders charakteristischen Gesichtspunkte
nur durch fragmentarische Wahrnehmungen angedeutet werden.

Der Fremde, der von Norden her nach Italien kommt, sieht
im Pothal und im Hügellande von Toscana weite Landstriche an
sich vorübergleiten, die bei der Masse eingestreuter Fruchtbäume
einen durchaus gartenartigen Eindruck erwecken. Reihenweis ziehen
sich durch Wiesen und Weizenfelder die Maulbeerbäume, mit Kirsch=,
Apfel=, Pfirsich= und Nußbäumen abwechselnd; von Baum zu Baum
schlingt die Rebe ihre festlichen Ranken, aus denen „in des Herbstes
reifen Tagen" dunkle Trauben von verlockender Größe herabhängen.
So bekommt er von der Ergiebigkeit des italienischen Bodens leicht
eine Vorstellung, der die Wirklichkeit nicht entspricht. Denn allent=
halben sind diese Fruchtgefilde von Bergzügen begrenzt, die mehr
als die Hälfte des Gesamtareals des Landes einnehmen. Malerisch
von höchstem Reiz durch die Reinheit ihrer Linien und die Vor=
nehmheit ihrer Gliederung, sind diese Bergzüge auf ihren Gipfeln
und tief hinab an ihren Abhängen kahl oder mit dünnem Gestrüpp
bedeckt, das die zerrissenen Felsen oder das dürre Steingeröll meist
nur mit einem schwachen Anflug von Grün umgiebt. Allzu oft
fehlt auch dieser Rest von Vegetation; die Regengüsse haben jede
Spur von Humus losgerissen und auf weite Strecken hin den
nackten Felsgrund bloßgelegt, der unter dem glühenden Sonnen=
strahl wie Todtengebein verblichen und ausgewittert ist.

In der fortschreitenden Entwaldung Italiens erblicken Kenner
der italienischen Landwirthschaft ihren schwersten Schaden. Denn
sie hat nicht nur weite Landstriche, die am Nordabhange der Alpen,
im Schutz des über ihnen anstehenden Bannwaldes, mit üppigen

Bergwiesen bedeckt sind, auf der Südseite und am Apennin in
todtes Oedland verwandelt und zu ewiger Unfruchtbarkeit verurtheilt, sondern sie erhöht auch die Gefahren, welche die klimatischen
Verhältnisse ohnedies mit sich bringen. Ohne durch Waldboden
aufgesogen zu werden, stürzen in der Regenzeit des Herbstes und
im Winter die Wassermassen torrentialer Regengüsse mit elemen-
tarer Gewalt zu Thal; der kurze Lauf der Bergströme verwandelt
sich in verheerende Fluten, die weit und breit das Ufergelände mit
Schlammschichten und Steingeröll bedecken, Bäume, Zäune, Häuser
mit sich fortreißen und in furchtbaren Ueberschwemmungen namen-
loses Unheil anrichten. Nicht bloß in den Tafeln, die an der
Etschbrücke von Verona und anderwärts des tapferen Beistandes
der italienischen Armee dankbar gedenken, sondern in den noch
jetzt erkennbaren Trümmern niedergerissener Ortschaften sieht der
Reisende die Spuren der kolossalen Wassersnoth vor sich, die im
Herbst 1882 einen großen Theil Venetiens und der Lombardei
heimgesucht hat. Ganze Provinzen wurden damals unter Wasser
gesetzt; zu Tausenden waren Häuser zerstört, zu Zehntausenden die
Menschen obdachlos geworden, der Schaden wurde auf fast hundert
Millionen Lire berechnet. Die oft meilenbreiten Wildbetten dieser
Bergströme, die im Sommer zwischen Kies und Geröll nur schmale
Wasseradern und flache Tümpel aufweisen, entziehen eine Menge von
Boden dauernd dem Anbau.

Unter dem Einfluß dieser Regengüsse haben sich weite Striche
um die Mündung der Flüsse und an der Meeresküste in ausgedehnte Sümpfe verwandelt. Die Maremmen in Toscana, die
Sümpfe des Tiberdeltas und an den Pomündungen, die pontinischen Sümpfe sind Jahrhunderte lang durch ihre Ausdünstungen
und die Fieber, die sie erzeugen, nicht nur selbst fast gänzlich unbewohnbar, sondern eine schwere Plage für weite Umgebungen gewesen. Die Malaria, deren Ausdehnung mit der Bodenversumpfung
in einem zwar mehrfach bestrittenen, aber erfahrungsmäßig klar
vorliegenden Zusammenhang steht, hat Landstriche veröbet, welche,
wie die Gefilde um Lentini in Sicilien und die Küsten von
Calabrien, das Großgriechenland des Alterthums, ehemals Sitze
der blühendsten Kultur gewesen sind. Sie bildet in Campanien
und in der Po=Ebene, in den apulischen Provinzen, auf Sicilien

und Sardinien zwar kein Hinderniß, wohl aber eine beträchtliche Erschwerung der Landwirthschaft und an vielen Orten einen Vorwand für das Unterbleiben energischer Wirthschafsreformen. — Der ungebrochenen Gewalt der Regengüsse ist es ferner zuzuschreiben, daß sich in vielen Gegenden Italiens der Mergelboden des Hügellandes unter den Einwirkungen des Winterregens in gleitende Breimassen verwandelt, die, einmal in Bewegung gerathen, schwer aufzuhalten sind. Im mittleren Toscana müssen wegen des Fortgleitens des Bodens alle zehn bis zwanzig Jahre die Grenzsteine der ländlichen Grundstücke neu gesetzt werden. Andererseits wird diese Bodenbeschaffenheit gerade in Toscana in ausgedehntem Maße zu Verbesserungen benutzt. Bei der Melioration des ungesunden Chianathals sind etwa zweihundert Quadratkilometer Sumpfland durch Schlammströme des Mergelbodens um zwei bis fünf Meter aufgehöht worden.

Als eine für die Landwirthschaft besonders nachtheilige Folge der Entwaldung muß ferner der Wassermangel hervorgehoben werden, der auf dem durchlässigen, an der Oberfläche schnell austrocknenden Kalkboden der Apenninen im Sommer die Vegetation ausdörrt und die Landarbeit einschlafen läßt. Der Besitz einer Quelle, die Mitbenutzung einer Wasserleitung ist auf den Hochebenen Siciliens ein so köstliches Gut, daß Wasseradern von der Dicke einer Federspule mit theurem Gelde bezahlt werden. Um ausreichende Bewässerung zu sichern, müssen an vielen Orten weitausschauende und kostbare Bauten unternommen und unterhalten werden. Der Schlußbericht der Inchiesta agraria macht es den Besitzern wasserarmer Ländereien zum Vorwurf, daß sie, um für ihre Maisfelder das nöthige Wasser aufzusparen, oder um ständige Reisfelder unter Wasser zu halten, ihren Wiesen das Rieselwasser versagten und ihrer Wirthschaft dadurch Futterkräuter und Dung entzögen.

In keinem anderen Lande Europas haben Vulkane in solchem Umfang und so andauernd auf den Aufbau des Bodens eingewirkt wie in Italien. Weite Strecken sind mit vulkanischen Ablagerungen überdeckt; dem Kalireichthum der Auswürfe des Vesuvs verdanken die Gefilde Campaniens, den Mineralen in der Asche der jetzt erloschenen Vulkan-Gruppe in Latium die Weinberge der Castelli romani ihre besondere Fruchtbarkeit. Aber die Thätigkeit der ita= lienischen Vulkane ist auch heute noch nicht erloschen. Neben den beiden Feuerbergen auf den liparischen Inseln fahren die alten Landverwüster, der Aetna und der Vesuv, auch gegenwärtig noch fort, die Weinbauern und die Holzfäller ihrer Nachbarschaft durch periodische Ausbrüche in Schrecken zu erhalten. Unheilvoller als die Lavaströme, die selbst in den schlimmsten Fällen nur geringe Flächen bedecken, und von denen die des Vesuvs sich durch ihre rasche Verwitterung bald wieder mit einer anbaufähigen Erdschicht überziehen, sind die mit der Thätigkeit der Vulkane in Wechsel= wirkung stehenden Erdbeben, die nicht selten wiederkehren und mit= unter arge Verwüstungen anrichten. Der Südosten von Sicilien, die calabrischen Provinzen und die Basilicata sind häufig die Schau= plätze derartiger Verwüstungen. Im schlimmen Andenken ist der 28. Juli 1883 geblieben, wo wiederholte Stöße die lieblichen Gärten und Weingelände von Ischia in ein mit Trümmern und Leichen bedecktes Chaos verwandelten. Auch das Erdbeben vom 23. Februar 1887 hat an der Riviera viel Schaden angerichtet. Von der Er= schütterung, die im Jahre 1894 einen großen Theil von Toscana erschreckte, konnte man die Spuren an Mauerrissen von Häusern in und um Florenz noch im Herbst 1895 wahrnehmen. Die Unsicherheit, die sich auf schwankendem Boden leicht der Bewohner bemächtigt, hält sie vielfach von größeren, langandauernden Ver= besserungen, namentlich von der Errichtung fester Ställe und Wohnhäuser auf dem Lande ab, weil keine Gefahr beim Erdbeben mehr gefürchtet wird, als die, unter den einstürzenden Mauern der eigenen Wohnung begraben zu werden.

Alle diese Umstände bringen zu Wege, daß ein verhältniß= mäßig sehr großer Theil der Gesamtoberfläche Italiens gänzlich unbebaut ist. Im Annuario Statistico von 1898 wird die Ge= samtfläche auf 286648 qkm angegeben, wovon 46474 qkm als unproduktiv aufgeführt sind. Daneben werden aber noch 37344 qkm als Land von geringer oder gar keiner Produktion erwähnt, unter denen sich etwa 1 Million Hektare befinden sollen, die durch Meliorationsarbeiten ertragsfähig gemacht werden könnten. Auch unter den 200000 qkm, die das Statistische Jahrbuch als produk= tives Land bezeichnet, befinden sich ohne Zweifel große Strecken, die thatsächlich nur in sehr geringem Maße kultivirt werden; namentlich wird dies unter den 40000 qkm, die als Wald, und unter den 55640 qkm, die als Wiesen bezeichnet sind, in ausgedehntem Maße der Fall sein. Nächst Rußland und Skandinavien gilt Italien für dasjenige europäische Land, welches die größte unbebaute Fläche hat.

Von den als Kulturboden bezeichneten 200000 qkm bleiben nach Abzug der Wiesen und Wälder, sowie von 4120 qkm, die mit Kastanien bewachsen sind, rund 100000 qkm übrig, für welche das Statistische Jahrbuch folgende Anbauziffern giebt: Weizen 45930, Mais 19570, Hafer 4740, Gerste 2970, Roggen 1370, Reis 1630, Bohnen 4170, Hanf 1050, Flachs 520, Kartoffeln 2090, Wein 5000, Oelbäume 5000, Orangen und Citronen 700, Gemüse 2000, Gärten 1500, Tabak 52 und Sumach 256 qkm. Unter den Kulturpflanzen steht nach dem Umfang der dazu verwendeten Bodenfläche der Weizen oben an. Sein Ertrag belief sich in den Jahren 1870—74 auf den mittleren Jahresdurchschnitt von 50 Millionen Hektoliter und erreicht diese Ziffer auch jetzt nur in guten Jahren. Die Mißernte des Jahres 1897, die in ihrem Gefolge die Brotkrawalle von Mittelitalien, die zeitweilige Suspendirung der Getreidezölle und den Arbeiteraufstand in Mailand mit sich brachte, lieferte nur ein Erträgniß von 30 Millionen hl. Wenn man mit der als Weizenland bezeichneten Bodenfläche in den Mittelertrag von 50 Millionen hl dividirt, so würde dies nur ein Erträgniß von 11 hl auf den Hektar ergeben, das hinter denen anderer Kulturländer nicht unerheblich zurückbleibt. Allein diese Rechnung, die oft zu sehr ungünstigen Urtheilen über die Leistungen der italienischen Landwirthschaft Anlaß gegeben hat, läßt ein wesentliches Moment unberücksichtigt. Der Weizenboden produzirt nämlich nicht allein Weizen, sondern er ist zu einem nicht unbeträchtlichen Theil gleichzeitig mit Bäumen, namentlich mit den Trägern der Seidenzucht, den Maulbeerbäumen, bestanden, und diese Bäume dienen in weiten Theilen des Landes wiederum als Stützen für die Weinreben. In wie ausgedehntem Grade sich namentlich der Weinbau gleichzeitig der Ackerfläche bedient, erhellt daraus, daß die Gesamtanbaufläche des Weins im Jahrbuch auf nicht weniger als 34460 qkm beziffert wird, während die ausschließlich mit Reben bepflanzte Fläche nach derselben Quelle nur 5000 qkm beträgt. In nicht ganz so starkem, aber immer noch sehr erheblichem Grade benutzt auch der Oelbaum das Ackerland mit, denn seine Gesamtfläche umfaßt 10290 qkm, während das ausschließlich mit Oliven bestandene Terrain nur 5000 qkm umfaßt. Chi lo beve, non lo mangia, sagt ein toscanisches Sprichwort, das in volksthümlicher Prägnanz erklärt, warum stark mit Reben besetzte Aecker nur einen geringen Kornertrag geben.

Freilich wird der Ackerbau in Italien vielfach noch jetzt nach Methoden und mit Werkzeugen betrieben, die anderwärts als gänzlich veraltet gelten, und die irre führende Ansichten über die Ertragsfähigkeit des Bodens hervorgerufen haben. Noch jetzt hält es der italienische Landwirth in vielen Gegenden für überflüssig, das zum Körnerbau bestimmte Land zu düngen; er nimmt an, daß die im Fruchtwechsel alle drei oder vier Jahre eintretende Brache ausreicht, um den Acker ausruhen zu lassen und ihm neue Kraft zuzuführen. Bei dem geringen Rindviehbestande und den vielfach ganz ungenügenden Ställen reicht der natürliche Dünger häufig nur eben aus für die Wein= und Baumpflanzungen, die Garten= und Gemüsekulturen. Die Verwendung von Kunstdünger ist zwar im Steigen begriffen, bleibt aber hinter der anderer Länder weit zurück. Mit Bedauern sieht man an vielen Orten den italienischen Landarbeiter sich eines hölzernen, altväterischen Pfluges bedienen, der den Boden, statt ihn aufzupflügen, kaum ritzt, und der deshalb die Kreuz und die Quer geführt wird, ohne doch zu einem genügenden Schollenbruch oder gar zu der totalen Umwendung des Bodens zu gelangen, die wir mit unseren tiefgehenden Pflugscharen erzielen. Die landwirthschaftliche Verwaltung Italiens hat sich die Verbreitung guter Pflüge und sonstiger landwirthschaftlicher Maschinen zu einer besonderen Aufgabe gestellt; sie sucht durch die landwirthschaftlichen Vereine, durch Ausstellungen, durch die Errichtung von Maschinenstationen auf dies Ziel hinzuwirken, aber der Erfolg ist bis jetzt kein durchschlagender, da ihre Bemühungen vielfach an dem Festhalten des einmal Hergebrachten und auch an dem Mangel an Mitteln scheitern.

Der Verbrauch des Landes an Weizen beträgt rund 54 Millionen hl; er würde, wie der Schlußbericht der Inchiesta agraria mehr-

mals nachdrücklich hervorhebt, mit Leichtigkeit durch eigenen An=
bau gedeckt werden können, wenn der Weizenbau intensiver be=
trieben würde. Bei einem Ertrage von 18 hl auf den Hektar,
der das in Ländern mit minder günstigem Klima übliche Mittel=
maß noch nicht erreicht, würde die dem Weizenbau gewidmete
Fläche auf 30000 qkm, also um ein volles Drittel ihres jetzigen
Areals verringert werden können. Das dadurch frei werdende Land
könnte zur Produktion von Erzeugnissen verwendet werden, in denen
Italien von dem Mitbewerb anderer Länder weniger zu leiden hat
als beim Körnerbau, oder zu Kulturen, die, wie die Zuckerrübe und
der Tabak, Italien von starken Ausgaben an das Ausland befreien
würden.

Angesichts der Ergebnisse, die bei rationeller Bodenbestellung
und bei ausreichender Düngung auch in italienischen Wirthschaften
mit Intensivbetrieb gemacht werden, darf es als ein Vorurtheil
bezeichnet werden, wenn, wie dies vielfach geschieht, von Erschöpfung
des italienischen Bodens gesprochen wird. Der Boden ist nicht er=
schöpft, sondern ungenügend kultivirt. Noch heute gilt, was schon
vor achtzehnhundert Jahren ein einsichtsvoller Kritiker der italienischen
Landwirthschaft ausgesprochen hat: Non fatigatione et senio, sed
nostra inertia minus benigne nobis arva respondent. Die An=
sicht, daß Südeuropa abgewirthschaftet und keiner Verjüngung fähig
sei, kann gegenwärtig, namentlich nach den Forschungen Theobald
Fischer's, die den obigen Ausspruch von Columella glänzend be=
stätigen, überhaupt als endgültig widerlegt betrachtet werden.

Dem Weizen wie dem gesamten Körnerbau kommt die Milde
des Klimas zu statten. Der reichliche Sonnenschein läßt die Feld=
früchte schneller reifen als in nördlicheren Ländern. Die Ernte des
Wintergetreides kann durchschnittlich bereits im Juni beendet werden,
so daß ausreichende Zeit für eine zweite Fruchtfolge übrig bleibt,
bei der mit Vortheil verschiedene Industriepflanzen und Gemüse
angebaut werden. Annus fructificat, non tellus.

Nächst dem Weizen nimmt der Mais die bedeutendste Stelle
im Körnerbau ein. Seine Anbaufläche, die fast vier Neuntel des
Weizenbodens beträgt, ist beinahe doppelt so groß wie die · der
übrigen Körnerfrüchte, Hafer, Gerste, Roggen und Reis zusammen=
genommen; sie läßt in den stark bewässerten oder sumpfigen Landes=

theilen, in der Lombardei, der toscanischen Maremme, vor allem aber im Litoral von Venetien und an den Pomündungen die An= baufläche des Weizens weit hinter sich zurück. Bei seinem starken Wasserbedarf wird der Mais vielfach zum Austrocknen angebaut, namentlich in den ersten Jahren, nachdem Sumpfboden durch Ent= wässerungsmaschinen, Abzugsgräben oder Schlammaufhöhungen me= liorirt worden ist. Der Maisertrag, der früher auf 18 hl auf den Hektar angegeben wurde, ist in den letzten Jahren auf 11, 12 und 14 hl gesunken, anscheinend eine Folge davon, daß der Mais in stärkerem Maße als früher grün zum Viehfutter verwendet wird. Bei reichlicherer Düngung und Anwendung besserer Geräthe ist dieser Ertrag einer sehr beträchtlichen Steigerung fähig. Der Schluß= bericht der Inchiesta agraria hält die Hoffnung nicht für über= trieben, daß es gelingen werde, ihn auf durchschnittlich 35 hl zu bringen.

Unter allen europäischen Ländern ist Italien das einzige, welches den Reisbau in namhaftem Umfange betreibt. Seit dem sechszehnten Jahrhundert dort eingebürgert, hat sich diese Kultur in der wasserreichen Po=Ebene in nicht unbedeutendem Grade aus= gedehnt und erhalten; sie umfaßt 1630 qkm, von denen mehr als ein Drittel, nämlich 625 qkm, allein auf die piemontesische Provinz Novara, 348 qkm auf die Provinz Pavia, 174 qkm auf die Provinz Mailand entfallen. Außerhalb Piemonts und der Lombardei kommen für den Reisbau nur noch einige Distrikte des Venezianischen, sowie die sumpfigen Ebenen um Bologna und Ravenna in Betracht. In Mittel= und Unteritalien wird Reis so gut wie garnicht gebaut. In manchen Theilen Italiens war sein Anbau sogar wegen der gesundheitsgefährlichen Ausdünstungen der stets unter Wasser stehenden Reisfelder landesgesetzlich verboten. Hingegen ist kein Geringerer als Camillo Cavour einer der eifrigsten Förderer der Reiskultur gewesen. Auf dem von ihm erworbenen und zu höchster Blüthe gebrachten Gute Leri, in der baumlosen Ebene von Vercelli, hat man den Begründer des italienischen Einheitsstaats in seinen kargen Mußestunden oft, den breiten Strohhut auf dem Kopf, in den feuchten Reisfeldern herumgehen sehen, wie ihn ein in der Nationalgallerie von Rom aufgestelltes Gemälde von Carlo Pittara der Nachwelt überliefert hat. — Im Ganzen hat sich, unter der

Fischer. 2. Aufl. 14

Einwirkung der starken Konkurrenz aus Ostasien, die Reisfläche in Italien in den letzten Jahrzehnten um etwa ein Viertel verringert; auch ist der Ertrag, der sich früher auf über 40 hl auf den Hektar belief, auf einen Durchschnitt von etwa 30 hl gesunken. Dies ist besonders da der Fall, wo man sich nicht entschließen kann, von dem früher allgemein üblichen, jetzt größtentheils verlassenen System des ständigen Reisbaues abzugehen, durch den der Boden, namentlich bei un= genügender Düngung, sich allmählich erschöpft. In der Provinz Novara, wo der Reisbau in dem Maße überwiegt, daß er das Dreifache der Weizen= und das Doppelte der Maisfläche einnimmt, wird der Reis ausschließlich im Fruchtwechsel und zwar meist mit Futterkräutern angebaut und erzielt in Folge dessen einen Ertrag von nahezu 40 hl.

Nächst dem Körnerbau nehmen Wiesen und Weiden den größten Theil des anbaufähigen Bodens in Italien in Anspruch. Wenn man den 55 640 qkm, die das neueste Annuario als Wiesen (prati) aufführt, die 37 343 qkm hinzurechnet, die als Weideland von geringem Ertrage bezeichnet werden, und wenn man annehmen darf, daß auch von den 20 000 qkm, die wegen ihrer Höhenlage als anbauunfähig unter den Rubriken des unproduktiven Bodens stehen, ein Theil wenigstens im Sommer als Bergweide dient, so kommt das Wiesen= und Weideland Italiens der Ackerfläche sogar annähernd gleich.

Nun ist freilich der Unterschied im Grade des Anbaues und im Erträgniß beim Wiesen= und Weideland noch stärker als beim Ackerboden. Denn während die nur im Sommer zugänglichen, steinigen und mageren Bergweiden auf der Höhe der Apenninen oder in Sardinien und Sicilien nur kärgliche Nahrung für wan= dernde Schafheerden hervorbringen, sind die künstlich bewässerten Wiesen der Po=Ebene noch heute der Gipfelpunkt des intensivsten und einträglichsten Futterbaues. Von diesen Wiesen, die auf sechs=, sieben=, ja neunmaligem Schnitt eine Heuernte von 150 Centnern und darüber hinaus auf den Hektar gewähren, gilt das lombardische Sprichwort: Chi ha prato, ha tutto; auf ihnen kommen die Vor= züge der alten Kultur, des reichen Bodens und des italienischen Sonnenscheins in vollstem Maße zur Geltung.

Das kunstvolle Bewässerungssystem, welchem die Wiesen der Po-Ebene ihren Flor hauptsächlich zu verdanken haben, ist schon den Römern nicht unbekannt gewesen. Virgil läßt in seinen Eclogen den Schiedsrichter der im Wettstreit singenden Hirten ausrufen: Claudite iam rivos, pueri, sat prata bibere! Dies Abschließen der Wasserzuleitungen nach genügender Bewässerung kann noch heutzutage auf jeder Rieselwiese wahrgenommen werden. In Mailand wird das Andenken des heiligen Bernhard hochgehalten, weil er durch die Mönche der nach dem Vorbilde seines Klosters Clairveaux gestifteten Abtei Chiaravalle den Kunstwiesenbau nach der Lombardei verpflanzt hat. Nach diesem Vorgange haben sich die Berieselungsanlagen über einen großen Theil der Po-Ebene ausgedehnt; ihre Erhaltung bildet einen Triumph der italienischen Wasserbaukunst und hat vielen anderen Ländern zum Muster gedient. Selbst von patriotischen Italienern wird die Sorgfalt und die Einsicht noch heute gerühmt, mit welcher sich die österreichische Verwaltung um die Verbesserung dieser kostbaren Anlagen verdient gemacht hat. Der intensiven Kultur und der Sonne Italiens ist es zuzuschreiben, daß die Rieselwiesen der Lombardei in ihren Erträgnissen Länder mit viel reicherem Boden übertreffen. Denn auch in denjenigen Provinzen, die man recht eigentlich als den Sitz dieses Wiesenbaues betrachten darf, in Lodi, im Mailändischen, bleibt der Boden an Reichthum der alluvialen Ablagerungen hinter dem Marschboden der Niederlande, der Elbprovinzen oder gar der russischen Schwarzerde zurück. Kaum eine Spanne unter dem Wiesenboden der Provinz Lodi stößt der Pflug auf Sand und Kies; die dünne Humusschicht, welche diese Lagen bedeckt, ist ein allmählich entstandenes Kulturprodukt.

Unter den Versuchen zum Wiederanbau der römischen Campagna ist vielleicht der aussichtsvollste derjenige, welcher aus der Einsicht und Thatkraft eines lombardischen Oekonomen hervorgegangen ist. Der auf der landwirthschaftlichen Akademie zu Hohenheim ausgebildete Professor Giov. Cerletti, der die klimatischen und geologischen Verhältnisse der Campagna gründlich kennen gelernt hatte, war zu der Ueberzeugung gelangt, daß sie auf geeignetem Terrain Aussicht für erfolgreiche Intensivbewirthschaftung darbietet. Durch seine Bemühungen ist mit einer solchen auf der dem Herzog

14*

Salviati gehörigen Tenuta Cervelletta der Beginn gemacht worden. Die lombardischen Landwirthe, die durch Prof. Cerletti zur Pachtung des 250 ha großen Gutes veranlaßt worden sind, haben Sumpfstellen, die den Boden verpestet hatten, in Rieselwiesen umgewandelt, welche gleich im ersten Jahre ihres Bestehens neunmal geschnitten werden konnten. Während in der Lombardei der Pflanzenwuchs während der Wintermonate auch auf den Rieselwiesen aufhört, geht er unter dem milden Himmel Latiums das ganze Jahr lang ohne Unterbrechung fort; auch im Winter können die Wiesen der Cervelletta beständig durch einen dünnen Schleier von lauem Wasser berieselt werden, so daß im Jahre 1898 bereits im Januar der erste, Ende Februar der zweite Schnitt erfolgte. Der Viehbestand der Cervelletta, der im Jahre 1896 bei Antritt der Pacht 25 Haupt betragen hatte, belief sich im März 1898 auf 150 Stück, darunter 80 Kühe, deren Milch in der nahen Hauptstadt zu besseren Preisen abgesetzt wird, als in der Lombardei möglich ist. Diese Ergebnisse haben in Italien allgemeines Aufsehen erregt und unter den thätigen Landwirthen der Lombardei Lust zur Nachfolge erweckt. In der Nachbarschaft der Cervelletta wurde im Frühjahr 1898 bereits auf mehreren anderen bis dahin extensiv bewirthschafteten Gütern mit der Anlegung von Rieselwiesen begonnen. Wenn der Boden der Campagna sich auch nicht mit der vom Vesuv selbst mit Kalisalzen versorgten Erde Campaniens an Fruchtbarkeit messen kann, so bietet er im Tiberthal und in den Niederungen der dem Tiber zuströmenden kleineren Wasserläufe, sowie in den durch die Melioration ausgetrockneten Sümpfen doch Areal genug, das sich für die ausgiebigste Kultur eignet. Hier ist einer der Punkte gegeben, wo mit praktischen Wirthschaftsreformen vorgegangen und die schwere Frage des Wiederanbaues der Campagna wenigstens theilweise mit Erfolg gelöst werden kann. —

Unter allen Zweigen des landwirthschaftlichen Betriebs ist keiner, der sich in Italien einer gleichen Beliebtheit und einer so allgemeinen Verbreitung erfreut, wie der Weinbau, der in allen neunundsechszig Provinzen, wenn auch natürlich nicht in allen gleich stark, gepflegt wird. Er reicht von dem Abhange der Alpen bis an die Südküste Siciliens und verleiht durch die Verschiedenheit seiner Anbauformen dem Landschaftsbilde Italiens einen seiner charakteristischsten Züge, seiner Landwirthschaft einen ihrer größten Reichthümer. Nächst Frankreich ist Italien das größte Weinland der Welt. Seine Produktion, die in mittleren Jahren 30 Millionen, in guten 36 und 38 Millionen hl beträgt, übersteigt diejenige Deutschlands um das Zehnfache. Ihr Werth wird im neuesten Annuario, als Durchschnitt der Jahre 1896—98, auf 742 Millionen Lire angegeben und kommt unter allen Produkten der italienischen Landwirthschaft dem Werth des für den gleichen Zeitraum auf 859 Mill. L. geschätzten Weizens am meisten nahe.

In den Jahren, wo Frankreich am schlimmsten unter der Reblaus litt und sich genöthigt sah, den Ausfall der eignen Reben durch Trauben aus dem ganzen Litoral des Mittelmeeres zu decken, hat sich der Weinbau Italiens nicht unbedeutend vermehrt, namentlich in den apulischen Provinzen, auf Sicilien und in Sardinien, deren schwere und gehaltreiche Weine sich am besten zum Verschnitt der leichteren französischen eignen. Damals sind in Apulien und auf Sicilien zahlreiche Weinpflanzungen neu angelegt, vielfach auch Kornfelder und Baumgärten in Rebland umgewandelt worden, um der Nachfrage der französischen Aufkäufer genügen zu können. Französische Kapitalisten und Cultivateurs kauften in jenen Provinzen ausgedehnte Besitzungen, um rationellen Weinbau zu betreiben, unter ihnen der Herzog von Aumale, der an der Nordküste von Sicilien große Weinpflanzungen angelegt hat, und der Herzog von Larochefoucauld, dessen großes Gut Cerignola in der Nähe der apulischen Provinzialhauptstadt Foggia, wohl das größte Weingut der Welt, 3000 Hektaren Rebberge mit einem Jahresertrag von durchschnittlich 120000 hl umfaßt. Von der Weinproduktion der drei apulischen Provinzen Foggia, Bari und Lecce, die auf über vier Millionen Hektoliter gestiegen war, ging die volle Hälfte nach Frankreich, wo sie hauptsächlich für den einheimischen Verbrauch Verwendung fand. Dieser Absatz hörte im Jahre 1887 mit dem Abbruch der Handelsbeziehungen zwischen Frankreich und Italien jählings auf; er würde sich freilich durch die inzwischen gelungene Ueberwindung der französischen Reblaus auch ohnedies wesentlich verringert haben.

Welche Bodenfläche der italienische Weinbau einnimmt, und wie sich die Weinbaufläche unter die einzelnen Regionen vertheilt, läßt sich auf Grund der amtlichen Statistik nicht angeben, da sie, wie bereits bemerkt, das ausschließlich zum Weinbau benutzte Areal mit demjenigen zusammenfaßt, auf welchem der Rebstock nur als Nebenprodukt gezogen wird. Ebenso gewährt die von ihr mitgetheilte Ertragsziffer, für 1896 nur 8,24 hl auf den Hektar, einen vollständig unzutreffenden Maßstab, da diese Ziffer aus der Division der gesamten Anbaufläche in die Produktion hervorgegangen ist. Bei der Reihenzucht der Rebe auf Kornfeldern kommen aber Ergebnisse bis zu einem Hektoliter auf den Hektar vor, während ausschließlich mit Reben bepflanztes Land bis zu 80, 100 und 110 hl auf den Hektar bringt. Einen ungefähren Anhalt für die Intensität des Weinbaues gewähren die Angaben, die bis zum Jahre 1895 im Annuario statistico unter Mittheilung der zum Weinbau benutzten Bodenfläche nach Provinzen gesondert mitgetheilt wurden. Wenn dort z. B. für die Provinzen der Emilia die Bodenfläche des Weinbaues auf 693 775 ha, der Ertrag auf 1 718 022 hl, für Sicilien hingegen auf 250 174 ha mit 5 124 830 hl angegeben ist, so läßt sich erkennen, daß der Weinbau in Sicilien in weit stärkerem Maße den Hauptzweig der Bodenkultur bildet als in der Emilia. Inzwischen ist der Weinbau in Sicilien aus den vorhin erwähnten Gründen nicht unbeträchtlich zurückgegangen; mit 4,5 Millionen hl im Jahre 1898 ist das trinakrische Eiland gegenüber Apulien und den Abruzzen (6,6 Mill.) in die zweite Stelle zurückgetreten. Nächst diesen beiden Hauptweinländern waren im Jahre 1898 die westlichen Provinzen Neapels mit 4 Mill. und Toscana mit 3,1 Mill. hl die stärksten Weinproducenten. Mit ihnen wetteifert die Provinz Rom, die trotz ihres geringen Umfanges mehr als eine Million Hektoliter Wein hervorbringt.

Unter dieser riesigen Produktion giebt es fast in jeder Region Italiens Weine, die durch ihre Güte und durch hervorragende Eigenschaften sich auszeichnen und die über die Grenzen des Landes hinaus sich Freunde erworben haben. Wer in Piemont gereist ist, wird sich mit Vergnügen an die gehaltvollen und kräftigen dunklen Rothweine erinnern, die ihm dort als Barbera, Barolo, Grignolino vorgesetzt worden sind, nicht minder an die röthlich schäumenden, angenehm anregenden Nebbiolo. Die weitaus größte Menge der piemontesischen Weine wächst auf dem ganz in Reben eingehüllten Hügellande der Astigiana, das sich aus der Po=Ebene bis zum

Nordabhange der Seealpen hinanzieht, und dessen fast unermeßlichem Weinreichthum die Provinz Alessandria es zu verdanken hat, daß sie mit einer Produktion von mehr als zwei und einer halben Million Hektoliter an der Spitze des Weinbaues von ganz Italien steht. Unter den Astiweinen hat namentlich der champagnerartig perlende Muskateller, ein natürlicher Schaumwein von lieblichem Aroma und feinem Obstgeschmack, einen europäischen Ruf erlangt Asti ist Sitz einer Weinbauschule, sowie einer Stazione enologica, welche berechtigt ist, die für die Verzollung maßgebende Analyse des Trockengehalts der Exportweine vorzunehmen und zu bescheinigen. Auf dem schmalen Küstenstreifen am Südabhang der Seealpen theilt sich der Weinstock mit den Südfruchtbäumen und den Oliven= pflanzungen in die sorgsam angebauten Terrassen der Riviera und bringt unter dem glühenden Strahl der Mittagssonne Trauben von seltener Größe und Süße hervor. Von den ligurischen Gewächsen erfreut sich namentlich der ins Röthliche schillernde Weißwein von Cinquetorri eines weitverbreiteten Ansehens. Unter den Weinen der Lombardei stehen an Stärke und Feuer die pulsstürmenden Veltliner obenan. Auch in den Thälern der Bergamasker und Brescianer Alpen wachsen kraftvolle Weine, namentlich in der reich= gesegneten Valle Camonica, die den Lauf des Oglio bis zu seinem Eintritt in den See von Iseo begleitet. Unter den venezianischen Weinen sei nur des Valpolicella und des feurigen Coneglianer dankbar gedacht.

Uralt und wohlverdient ist der Ruf der etrurischen Weine, die nicht bloß Landeskinder, wie den Aretiner Francesco Redi in seinem noch jetzt gern gelesenen Gedichte Baccho in Toscana, sondern auch Ausländer — es sei nur an des Deutschen Kopisch Gedicht auf den Est Est von Montefiascone erinnert — zu poetischen Huldi= gungen begeistert haben. Zu den Verehrern des toscanischen Bacchus ist auch Friedrich der Große zu zählen, auf dessen Tafel der Verdua von Arcetri, ein feiner, duftiger, etwas herber Weißwein, eine be= vorzugte Stelle einnahm. Früher stritten sich namentlich zwei etrurische Weine um die Hegemonie, der würzige und milde Monte= pulciano, den Redi kurzweg für den König aller Weine[1]) erklärt, und die dunkle Feuerflut des Aleatico, dem Ludwig Tieck mit nicht

---

[1]) „Montepulciano d'ogni vino è il re."

minderer Bestimmtheit und ausführlicher Begründung die gleiche
Stelle zuweist.[1]) Beides ohne Zweifel noch heut, wenn echt, ganz
hervorragende Getränke, aber beide in Italien wie im Auslande
in den Schatten gestellt durch den Chianti, an den gegenwärtig zu=
nächst Jeder in erster Linie denkt, wenn von italienischem Wein die
Rede ist. Durch seine Bekömmlichkeit und Dauer hat sich der
Chianti von allen Trinkweinen Italiens den stärksten Anhang im
Auslande verschafft; er findet in steigendem Maße in Deutschland,
in der Schweiz, in Skandinavien und in England Eingang, und
er sucht sich diese Vorliebe durch die Sorgfalt zu erhalten, die von
den Weingutsbesitzern des Chianti=Ländchens, das sich im Süden
von Florenz bis nach Siena hinzieht, auf die Pflanzung ihrer
Reben, wie auf die Bereitung und Kelterung ihrer Weine verwendet
wird. Zu den größten Weinzüchtern von Chianti gehörte der Baron
Bettino Ricasoli, Cavours Nachfolger als Ministerpräsident Italiens.
Um sein Stammschloß Brolio wächst einer der edelsten Chianti=
weine, und wer auf dem Wege zu dem wegen seiner Streitthürme
berühmten Bergstädtchen San Gimignano an den Weinpflanzungen
überall das Jagdverbot bandita Ricasoli liest, bekommt einen Be=
griff von der Ausdehnung des der Familie des fiero barone noch
heut gehörigen Reblandes.

Von den Weinen des ehemaligen Kirchenstaates ist eines der
edelsten und bekanntesten, des Est Est von Montefiascone schon
vorhin flüchtig gedacht worden, weil er im alten Etrurien wächst.
Wer es sich nicht verdrießen läßt, diesen herrlichen Wein in seiner
Heimath „auf des Flaschenberges Höh" aufzusuchen, wird für die
kleine Abweichung von der üblichen Heerstraße durch die sehr in=
teressante Landschaft und durch die wundervolle Aussicht vom Burg=
felsen weit über Land und Meer, endlich aber, dicht beim Grabe
des Dominus Fuggerus, durch einen ungewöhnlich guten Tropfen
belohnt werden. Unterwegs erzählt ihm dann wohl der Vetturin,

---

[1]) „Aber nicht konnt' ich dich aufsetzen, dich König aller Weine, dich
rosenröthlichen Aleatico, Blume und Ausbund alles Weingeistes, Milch und
Wein, Blume und Süße, Feuer und Milde zugleich! Diesen Wundergesellen
trinkt, kostet, nippt und züngelt man nicht, sondern dem Beseligten erschließt
sich ein neues Organ, das sich dem Unkundigen und Nüchternen nicht beschreiben
läßt." L. Tieck, Die Gemälde. Gesammelte Novellen Bd. I, S. 67.

daß in S. Flaviano ein Kardinal begraben liegt, der sich an dem Wein von Montefiascone zu Tode getrunken hat, und daß zu seinem Gedächtniß an seinem Todestage alljährlich ein Fäßlein des besten Est Est von den Weinbauern der Umgegend an die Kirche gestiftet wird. In den früheren Legationen, der Abdachung des Apennins zum Adria hin, wächst in den Provinzen Bologna, Ravenna und Forli ein milder leichter Weißwein, der als vino santo im Lande gern getrunken wird, und in welchem der des schweren Rothweins ungewohnte Deutsche mit Behagen ein an seinen Mosel oder Pfälzer erinnerndes Getränk begrüßt. Dem Montefiascone verwandt, süß und lieblich wie er, aber nicht so schwer, ist der Weißwein von Orvieto, der mit dem Wunderbau des Domes und Signorellis Wandgemälden wetteifert, den Ruhm der hoch über dem Pagliathale prangenden Bergstadt in alle Welt auszubreiten. Aber nirgends im Kirchenstaat hat Bacchus eine so ausschließliche Herrschaft erlangt wie in dem freundlichen Kranz von Weinorten, der die Abhänge und die Höhen der albanischen Berge schmückt. Man darf ihre Namen nur nennen: Frascati, Grottaferrata und Marino, Albano, Ariccia und Genzano, Velletri und Citta di Lavinia, um in jedem einigermaßen weinverständigen Besucher der ewigen Stadt eine Reihe der freundlichsten Erinnerungen zu erwecken. In der That reift auf dem Lavaboden um die alten Feuerberge Latiums und in der durch die Bergluft gemilderten Glut des lateinischen Sommers auf diesen Hügeln, die man von Rom aus im Abend= sonnenglanz verheißungsvoll purpurn schimmern sieht, eine Fülle der lieblichsten und gesundesten Weine, die nur größere Dauerhaftigkeit und Transportfähigkeit zu erwerben brauchen, um einen Siegeszug durch die alte und die neue Welt antreten zu können.

Auf den antiken Namen des Falerners hin wird von cam= panischen Weinfabrikanten manches gesündigt, was angesichts der Gewächse, die auf diesem weingesegneten Boden mühelos gedeihen, schwer zu verzeihen ist. Ebenso haben sich die Weine von Capri neuerdings vielfach durch ungehörige Zusätze in ihrem guten Ruf geschädigt. Auch als Lacrimä Christi wird an Unkundige Manches verzapft, was mehr an die Thränen Petri erinnert.[1] Aber diese

---

[1] Matth. 26 v. 75 „und ging hinaus und weinete bitterlich".

berechtigte Abwehr einer übelangebrachten Industrie soll uns nicht hindern, der edlen und feurigen Weine dankbar zu denken, welche an den Abhängen des Besuvs, des S. Angelo und des Epomeo um den Golf von Neapel wachsen. Unter ihnen sei besonders des weißen und des rothen Gragnano gern gedacht. In welchem Umfange die apulischen Provinzen sich zu einem Weinexportlande aufge= schwungen haben, ist schon vorher kurz berührt worden. Auch diese Weine, von denen die von Barletta und Gallipoli in weiteren Kreisen bekannt sind, sind noch in hohem Grade veredlungsfähig.

Je weiter wir nach Süden kommen, desto feuriger, liqueur= artiger wird der Wein. Von der Masse alkoholreicher Getränke, die im Westen Siciliens erzeugt werden und die man unter dem Sammelnamen des Marsala einzubegreifen sich gewöhnt hat, geht ein nicht geringes Quantum unter der Flagge beliebter Frühstücks= und Dessertweine, namentlich als Madeira, in den ausländischen Verbrauch. Die fast grenzenlose Quantität schweren Rothweins, die an den Abhängen der Nordküste und im Osten wächst, sucht sich neuerdings mit steigendem Erfolge ebenfalls im Auslande feste Absatzgebiete zu erwerben. Die köstlichen Muscatweine, die an den Abhängen der Feuerberge von Lipari, Volcano und Stromboli ge= deihen, wetteifern ebenso wie der Amareno von Syracus an Kraft und Süße mit den besten Gewächsen der Hegyalja. Endlich soll nicht unerwähnt bleiben, daß auch Sardinien eine stattliche Zahl von namhaften, gern getrunkenen Weinen hervorbringt, darunter den auch mit Malaga verwechselten Guarnaccia.

Trotz dieser Heerschar edler Gewächse ist Italiens Wein im Auslande nicht annähernd in dem Grade beliebt, wie er es nach der Beschaffenheit seiner Trauben und den Vorzügen seines Wachs= thums verdient. Der Grund dieser auffallenden Erscheinung liegt vorzugsweise in den Mängeln der Bereitung und der Aufbewahrung, zum Theil freilich auch schon in der Sorglosigkeit, mit welcher die Bestellung des Reblandes und die Pflanzung des Weinstockes an manchen Orten nach althergebrachtem Schlendrian betrieben wird. Mangelhafte Düngung und Auflockerung des Weinbodens führen selbst auf dem besten Terrain leicht zur Erschöpfung der Frucht= barkeit oder zum Nachlassen der Qualität. Große Weingutsbesitzer gehen deshalb neuerdings mehrfach dazu über, in unmittelbarer

Nähe ihrer Weinberge Milchwirthschaften einzurichten. In erheb=
lichem Umfange und mit bestem Erfolge ist dies z. B. auf dem
dem Fürsten Odescalchi gehörigen großen Weingut an den Ufern
des Sees von Bracciano geschehen. Sehr schlimm steht es mit der
Kelterung. Wer im Herbst nach Frascati oder in irgend einen der
lateinischen Weinorte kommt, der sieht die Kelterung noch heut so
betreiben, wie sie auf den Mosaiken des ehemaligen Bacchustempels
der heiligen Constanza bei Rom, oder auf dem bekannten Fresco
Benozzo Gozzolis im Camposanto zu Pisa dargestellt ist: Männer
mit nackten Beinen springen auf die mit Trauben gefüllte Kufe
und treten den Saft aus, der ringsum aufspritzt. Vergebens suchen
Weinbauschulen und Weinbauvereine gegen dies ebenso unappetitliche
wie unwirthschaftliche Verfahren anzukämpfen: der Bauer bleibt
beim Hergebrachten. Traubenpressen oder gar mechanische Keltern
finden nur allmählich nach dem Vorgange größerer Weinzüchter
Eingang. Noch empfindlicher machen sich die Mängel der Lagerung
des Weines geltend. Es fehlt an den meisten Orten in ausge=
dehntem Maße an ausreichenden Kellereien. Nicht selten wird der
Wein in Schuppen und Verschlägen aufbewahrt, denen alle für ein
Weinlager erforderlichen Eigenschaften abgehen.

Seit lange predigen Italiens Freunde den Italienern, daß
in der Verbesserung ihres Weines das wirthschaftliche Heilmittel für
manche schwere Schäden ihrer Landwirthschaft liegt. Auch läßt sich
nicht verkennen, daß die landwirthschaftliche Verwaltung diese Einsicht
zu verbreiten und zur Abstellung der größten Uebelstände anzuregen
bemüht ist. Sie geht mit Nachdruck gegen die Feinde vor, die
auch hier der Rebe nachstellen; sie hat im Kampfe gegen die Pero=
nospora und gegen die Reblaus nicht unbeträchtliche Erfolge auf=
zuweisen, wenngleich es unbegreiflicher Weise nicht an Anhängern
des laissez faire et laissez aller fehlt, die, nach dem treffenden
Wort eines jungen italienischen Oenologen, am liebsten die freie
Reblaus im freien Staate proklamiren möchten. Die Regierung
hat ferner Weinbauschulen eingerichtet, in welchen nicht nur praktische
Landwirthe mit den besten Methoden des Weinbaues, der Wein=
bereitung und der Weinlagerung vertraut gemacht, sondern auch
Wanderlehrer erzogen werden, um diese Verbesserungen in die
Weinbaudistrikte hineinzutragen und sie unter den Weinbauern ein=

zubürgern. Sie regt durch Ausstellungen und Prämiirungen zu Fortschritten in der Weinkultur an und sucht die Aufzucht guter und gesunder Reben durch Errichtung eines Central= und von Provinzialkomités für Rebenzucht zu fördern. Auch die Privat= thätigkeit wendet sich diesem Gebiete in steigendem Maße zu. An allen Orten bilden sich Weinbau=Vereine, welche sich die Beschaffung guter Reben, verbesserter Geräthe, nicht selten auch die Errichtung gemeinsamer Lagerräume zur Aufgabe machen. Dem unermüdlichen Eifer eines jüngeren Oenologen, des Professors Arnoldo Piva, ist es im Winter 1898 gelungen, eine Weinkellerei=Genossenschaft in Marino ins Leben zu rufen, von der man sich wesentliche Ver= besserungen in der Lagerung der schönen starken Weißweine von Marino verspricht. Ein Haupthinderniß für den Aufschwung des italienischen Weinexports besteht endlich in dem Mangel fester, im Auslande eingeführter Typen, die den Charakter der einmal bekannt gewordenen Sorten festhalten und allmählich vervollkommnen. Gerade hier erschließt sich der in Italien seit kurzem erfreulich er= wachten Konsortialthätigkeit, den vielfach ins Leben gerufenen Weinbau=Genossenschaften ein besonders fruchtbares Gebiet für ihre reformatorische Wirksamkeit. —

Der Oelbaum bildet gleichfalls von der Römerzeit her einen wichtigen Zweig der italienischen Landwirthschaft. Auch er ist, wenn auch nicht in gleichem Maße wie der Weinstock, über den größten Theil des Landes verbreitet und liefert, theils als Reihen= kultur auf Aeckern und Wiesen, theils in ganzen Wäldern zu= sammenstehend, mit seinen phantastisch zerrissenen und verknoteten Stämmen und den Kronen seiner mattgrünen schmalen Blätter einen charaktervollen Zug der italienischen Landschaft. Seine Früchte gewähren theils, frisch oder in Salzwasser eingelegt, ein hochge= schätztes und weitverbreitetes Nahrungsmittel, theils zu Oel gepreßt einen Ersatz für die im Süden minder als bei uns beliebte Butter und einen wichtigen Exportartikel. In manchen Provinzen, wie Porto Maurizio an der Westriviera, in Lucca und Pisa, in Apulien, Calabrien und einigen Theilen von Sicilien steigert sich die Oel= baumzucht zu einem Haupterwerbszweige der Landwirthe, der freilich starken Schwankungen des Ertrages unterliegt. Denn der Oelbaum ist nicht nur manchen Schädlingen aus dem Thierreich, namentlich

der mosca olearia, ausgesetzt, sondern auch gegen zu großen
Temperaturwechsel, namentlich gegen andauernde Trockenheit empfind=
lich und täuscht nicht selten allen Fleiß und alle Erwartungen
durch eine Mißernte. Diese Schwankungen, sowie die Konkurrenz,
die dem italienischen Olivenöl durch spanische, nordafrikanische und
südfranzösische Produkte bereitet wird, haben den Aufschwung der
Oelbaumzucht gehemmt, ja in verschiedenen Theilen des Landes
einen Rückgang in der bebauten Fläche und im Ertrage zur Folge
gehabt. Immerhin erreicht er in guten Jahren auch jetzt noch an=
nähernd 3 Millionen Hektoliter, was bei dem hohen Preise des
Olivenöls (105—110 Lire der Centner) einen Werth von über
300 Millionen Lire darstellt. — Auch der Olivenbau und die Oel=
bereitung sind starker Verbesserungen fähig und bedürftig. Es wird
darüber geklagt, daß weder bei Anpflanzung der jungen Setzlinge
richtig verfahren, noch dem Oelbaum die reichliche Düngung zuge=
führt wird, deren er bedarf. Vor allem läßt es die Oelbereitung
an Sorgfalt und Sauberkeit fehlen; die Pressung ist vielfach roh,
unzeitig und ungenügend, für die Lagerung des Oels fehlt es,
wie beim Wein, an geeigneten Kellern. Dazu kommt, daß der gute
Ruf der feinen italienischen Oele vorübergehend durch Fälschungen,
Verwendung von Baumwoll=, Sesam= und Erdnußöl geschädigt
worden ist, was der Ausdehnung dieses wichtigen Ausfuhrartikels
natürlich Schwierigkeiten bereitet. Sie beträgt indeß noch immer
etwa 800000 Centner im Werthe von ziemlich 100 Millionen Lire
und könnte durch Fruchtkonserven leicht gesteigert werden. Gegen=
wärtig bekommt man konservirte Oliven in den meisten Geschäften,
auch in Italien, nur aus spanischen, französischen und — eng=
lischen Fabriken.

Die Zucht der Agrumi (Orangen, Citronen, cedri), ohne die
wir uns „das Land, wo die Citronen blühen", kaum vorstellen
können, ist zwar verhältnißmäßig neuen Datums, hat aber in
Italien eine sehr beträchtliche Ausdehnung erlangt und bildet an
der Riviera, in Campanien, den Südspitzen der Halbinsel sowie auf
Sicilien einen wichtigen Zweig der Landwirthschaft. Durch die
verbesserten Transportmittel hat sich das Absatzgebiet der Südfrüchte
erweitert und damit die Nachfrage vermehrt. Trotz der starken
Konkurrenz, die den italienischen Apfelsinen durch spanische, klein=

asiatische und syrische Früchte, jetzt auch durch Amerika gemacht wird, ist die Agrumizucht Italiens in steigender Vermehrung begriffen; die Zahl der Bäume ist im letzten Vierteljahrhundert von 10 Millionen auf 16—17 Millionen, also um zwei Drittel gestiegen. Die Jahresernte der Agrumi ist für die Jahre 1896—1899 auf durchschnittlich drei und eine halbe Milliarden Früchte angegeben. Sie liefern einen Export, der mindestens 30 Millionen Lire für Früchte und 10 Millionen Lire für Essenzen und Oele einbringt. Auch das Erträgniß dieses Zweiges könnte durch die Fabrikation von Conserven, namentlich der in England so beliebten Gelées und Marmeladen, nicht unwesentlich erhöht werden.

Von minderer Bedeutung für den Ausfuhrhandel, aber von sehr hohem Werth für die Volksernährung sind andere, in Italien weitverbreitete Fruchtbäume, namentlich die Kastanie, die am Südabhang der Alpen, am Apennin und um den Aetna herum ganze Wälder bildet, ferner die Feige, der Mandelbaum, der Johannisbrotbaum. Auch die mittel- und nordeuropäischen Obstarten, Pfirsiche, Aepfel, Birnen, Pflaumen und Kirschen, sowie Nüsse gedeihen unter Italiens mildem Himmel in reicher Fülle und können bei sorgfältiger Gartenkultur sowohl in ihren rohen Früchten, als eingemacht, kandirt und getrocknet leicht zu einträglichen Ausfuhrartikeln gemacht werden. —

Den gewinnreichsten Nebenerwerb der italienischen Landwirthschaft bildet die Seidenraupenzucht. Sie liefert, in Verbindung mit der in Oberitalien hochentwickelten Seidenspinnerei, denjenigen Artikel, bei welchem die Ausfuhr den Import um jährlich mehr als zweihundert Millionen Lire übersteigt und der von allen Erzeugnissen Italiens in seiner Handelsbilanz obenan steht. Keinen Baum sieht man in Italien häufiger als die kurze knorrige Gestalt des Maulbeerbaumes (gelso), dessen korbartig gebogene Aeste sich reich verzweigen und im Frühling mit dichten, breiten, glänzenden Blättern bekleiden. Sie liefern die Nahrung der Seidenraupe (baco), die von ihrem Ausschlüpfen aus dem Ei des Seidenspinners 30 bis 35 Tage mit frischen Maulbeerblättern gefüttert wird und sich dann in ein dichtes Gespinnst einspinnt, um sich darin zu verpuppen. Diese Gespinnste, die Cocons (bozzoli), werden, nachdem das darin eingeschlossene Thierchen durch starke Erhitzung getödtet ist, zu Rohseide abgesponnen. Die Seidenraupenzucht ist durch die Jahrhunderte langen Erfahrungen der Italiener theoretisch zu einer vom Staate sorgsam gepflegten Wissenschaft, der Bacologie, praktisch aber zu einer einträglichen Kultur entwickelt worden, die einer ungemein großen Zahl von Landbewohnern Nebenerwerb gewährt. Da die Raupe sich bis zu ihrem Einspinnen viermal häutet, und ihr Lager nach jeder Häutung unter sorgfältiger Entfernung aller Futterreste gewechselt werden muß, so verlangt ihre Wartung ebensoviel Geduld und Aufmerksamkeit als Handgeschicklichkeit. Alle dabei erforderlichen Verrichtungen, vom Einsammeln der Blätter an, ihre Auslese, die Fütterung und Umbettung der Raupen, die Aufstellung der Reisiggestelle, an denen sie sich einspinnen, das Ablesen und die Auswahl der Cocons sind Arbeiten, bei denen die Anstelligkeit und die Fingerfertigkeit des Italieners im vollsten Maße zur Geltung kommen, und die wegen des sehr geringen Kraftaufwandes in größtem Umfange von Frauen und Kindern ausgeführt werden können. Nachdem es gelungen ist, die verheerende Fleckenkrankheit der Seidenraupe zu überwinden und einen von der Ansteckung dieser Seuche freien Samen im Inlande zu gewinnen, hat die Seidenraupenzucht Italiens ihre frühere Blüthe wiedererlangt. Die Jahresproduktion an Cocons erhält sich auf der erstaunlichen Höhe von 40—50 Millionen Kilogramm, von denen nahezu die Hälfte auf die Lombardei, je ein Fünftel auf Piemont und die venezianischen Provinzen kommen. Aber auch in Mittel- und Unteritalien werden Seidenraupen gezüchtet, und unter den Bäumen, mit denen unternehmende Landwirthe die Hügel der Campagna anzupflanzen beginnen, bemerkt man neben dem Weinstock und dem Oelbaum in der Regel auch junge Maulbeerschößlinge. —

Während Italien für seinen Zuckerbedarf bis vor wenigen Jahren fast ausschließlich auf die Einfuhr fremdländischer Erzeugnisse angewiesen war, und die italienische Landwirthschaft der tiefgreifenden Verbesserungen entbehrte, welche andere Länder dem Zuckerrübenbau verdanken, ist in den letzten Jahren ein starker Anlauf genommen worden, um die Rübenkultur und die Zuckerfabrikation auch in Italien einzubürgern. Die Zahl der Zuckerfabriken, die sich seit Eröffnung der ersten Fabrik in Rieti (1886) nur sehr langsam vermehrt hatte, ist in den beiden letzten Jahren sprungweise bis auf 28 gestiegen, von denen sich die Mehrzahl in der Emilia und der Romagna befindet; auch die Provinz Rom hat zwei bedeutende Fabriken aufzuweisen, die eine bei Monterotondo, garibalbinischen Andenkens, die andere auf dem ausgetrockneten Fuciner See, dessen Boden 15000 ha trefflichen Rübenackers hergegeben hat. Demzufolge hat sich die inländische Zuckerproduktion, die noch 1897/98 mit 38770 Doppelcentner kaum ein Zwanzigstel, 1898/99 mit 59724 Doppelcentner etwa ein Vierzehntel des Gesamtbedarfs darstellte, im Jahre 1899/1900 auf 231158, mehr als ein Viertel des Gesamtbedarfs gehoben, und sie deckt im Jahr 1900/1901 volle zwei Drittel desselben mit einer Produktion von rund 600000 Doppelcentner. Kenner der italienischen Industrie nehmen an, daß im nächsten Jahr die Zuckereinfuhr in Italien, die schon im jetzt abgelaufenen Jahr nur noch 300000 Doppelcentner betragen hat, ganz aufhören und Italien in der Lage sein wird, sich ausschließlich an den im Lande erzeugten Zucker zu halten. Dies Ergebniß ist um so bemerkenswerther, als vom 1. Januar 1900 ab die Vergünstigung, die dem inländischen Zucker Anfangs gewährt wurde, durch eine nicht unerhebliche Vermehrung der Fabriksteuer beträchtlich eingeschränkt worden ist, und zwar in der offen ausgesprochenen Absicht, die Einfuhr fremden Zuckers wegen des darauf lastenden hohen Eingangszolles zu fördern. Unter den Vertheidigern dieser Maßregel hat sich ein ehemaliger Minister der Landwirthschaft befunden, und man liest[1] nicht ohne Verwunderung, mit welchen Gründen die Rübenzuckerfabrikation, die man anderwärts als eins der wichtigsten landwirthschaftlichen Gewerbe staatlich pflegt und fördert, in Italien von einem berufenen Vertreter landwirthschaftlicher Interessen befehdet wird. Und das in einem Lande, dem nichts nöthiger ist, als eine Hebung der Arbeiterverhältnisse und des Ertrages seiner Landwirthschaft! In einem Lande, in welchem der jährliche Zuckerkonsum, der in England 41, in der Schweiz 23,6, in Frankreich 14, in Deutschland 13,7 kg auf den Kopf der Bevölkerung beträgt, auf den geradezu kläglichen Betrag von zwei

---

[1] Cf. Franc. Guicciardini, Zucchero indigeno. N. Ant. 1. II. 1900, S. 515—524.

und ein halbes Kilogramm gesunken und demnach einer sehr
bedeutenden Steigerung fähig ist. Man kann hiernach im Interesse
Italiens nur wünschen, daß die junge Rübenzuckerindustrie sich auch
weiterhin kräftig entwickeln und dem lähmenden Druck der Steuer=
schraube wie bisher erfolgreich widerstehen möge.

Die italienische Viehzucht bleibt, was Pferde und Rinder an=
belangt, sowohl in der Kopfzahl als in der Qualität weit hinter
anderen Ländern zurück; sie wird nach beiden Richtungen starke
Anstrengungen zu machen haben, um die für die Landwirthschaft
daraus entstandenen Schäden zu heilen. Die letzte wirklich vorge=
nommene Zählung ergab 657 544 Pferde und 4 783 232 Rinder,
was im Verhältniß zur Einwohnerzahl 23 Pferde und 178 Rinder
auf je 1000 Einwohner ergab. Dies Verhältniß, das sich in Italien
inzwischen kaum geändert haben wird, stellt sich in Deutschland auf
74 Pferde und 335 Rinder auf 1000 Einwohner. Stärker ent=
wickelt ist die Schafzucht, deren Bestand bei der Zählung des Jahres
1881 auf 8,5 Millionen Köpfe ermittelt wurde; das Annuario von
1898 schätzt ihn gegenwärtig bedeutend geringer, auf 6,9 Millionen.
Das stimmt mit den Wahrnehmungen überein, die man in der
römischen Campagna, wo der Auftrieb der aus den Abruzzen zur
Winterweide kommenden Schafherden früher ein viel stärkerer war,
deutlich vor Augen sieht. Nicht zum Segen gereicht der Landwirth=
schaft Italiens die starke Ziegenzucht (an 2 Millionen), da der
Zahn der nimmersatten Kletterer den Baumwuchs des Buschwaldes
unter scharfer Scheere hält und den spärlichen Aufforstungsversuchen
der Bergabhänge die größten Hemmnisse bereitet. Ein anspruchs=
loser, arbeitsamer und williger Freund des italienischen Landmannes
ist dagegen der Esel (etwa 1 Million), der nicht nur als Reitthier
und zum Tragen und Ziehen ganz bedeutender Lasten, sondern
auch bei der Ackerbestellung stark benutzt wird. Ein hochgeschätzter
Hausgenoß endlich des kleinen Landmannes ist das Schwein (kaum
2 Millionen, gegen 16,7 Millionen in Deutschland), das dem
Parzellenbesitzer und dem Tagelöhner die einzige und noch dazu
recht seltene Fleischnahrung gewährt und dessen Aufzucht in viel
stärkerem Umfange betrieben werden sollte. Als der erfreulichste
Theil der italienischen Viehzucht ist endlich die Geflügelzucht zu er=
wähnen, die namentlich in der Hühnerzucht eine sehr beträchtliche

Höhe erreicht hat und sich in steigendem Aufschwung befindet. Die Ausfuhr von todtem und lebendem Geflügel hat im Jahre 1899 die Höhe von 103000 Doppelcentnern erreicht; die der Eier, die Anfangs der siebziger Jahre einige 40000 Doppelcentner betrug, ist im Jahre 1899 auf 337000 Doppelcentner im Werthe von etwa 40 Millionen Lire gestiegen und stellt einen namhaften Export=artikel der italienischen Handelsbilanz dar.

Vielleicht den größten Vorzug der italienischen Landwirthschaft bildet ihr Menschenkapital. Das Vorurtheil, das im Auslande früher vielfach über die Trägheit und Lässigkeit der Italiener bestand, ist von denen nie getheilt worden, die den italienischen Landmann nicht in den Ruhepausen seiner schweren Arbeit, sondern während der Arbeit selbst, am Pfluge oder beim Hacken, beim Mähen unter dem glühenden Sonnenstrahl und sonst zu sehen Gelegenheit hatten. Es ist eins der Verdienste der Ackerbau=Enquête, daß sie nach den übereinstimmenden Berichten aus allen Theilen des Landes die aus=gezeichneten Eigenschaften des italienischen Landarbeiters in das rechte Licht gestellt hat. Trotz der Ausbreitung des obligatorischen Schulunterrichts oft noch sehr unwissend, bei krassem Aberglauben und mitunter schwach entwickelten Rechtsbegriffen — Felddiebstahl gilt vielfach nicht als Unrecht — erweist sich der italienische Land=arbeiter fast durchgehends als ein hervorragend tüchtiges und brauch=bares Material. Wenn auch der Deutsche, der Schweizer und der Engländer an Körperkräften ihm überlegen sind, so ist er an An=stelligkeit, Intelligenz und Ausdauer jedem Anderen gewachsen und läßt alle anderen Nationen an Bedürfnißlosigkeit, Nüchternheit, Frohsinn und Zufriedenheit weit hinter sich zurück. Es erregt das Staunen und das Mitleid des Ausländers, wenn er sich durch den Augenschein davon überzeugt, mit welcher Unterkunft und mit welcher Nahrung der kleine Besitzer oder Pächter auf dem Lande oder gar der ländliche Tagelöhner vorlieb nimmt und ohne Murren aus=kommt. Nicht bloß auf der römischen Campagna, sondern in weiten Landstrichen fehlt es für die zu vorübergehenden Landarbeiten her=angezogenen Kräfte an jeder festen Behausung. Auf ganzen Gütern sieht man das Personal, auf welchem die eigentliche Bewältigung der Arbeit ruht, jahraus jahrein in Hütten wohnen, die sich die Leute aus Stroh und Schilf um ein kegelförmiges Holzgestell er=

richten. Ihr Anblick erinnert mehr an die Abbildungen, die man von Hottentottenkraalen und Botokudenlagern in Erinnerung hat, als an Familienwohnungen civilisirter Menschen. In dem rauch= erfüllten Innern dieser Capannen nächtigt die ganze Familie ohne Unterschied des Alters und Geschlechts mit dem Schwein und den Hühnern zusammen. Wo das Material zur Errichtung der= artiger Strohzelte fehlt, dienen Ruinen, Felslöcher, ja Höhlen, die in den weichen Stein gegraben werden, nicht nur zum vorüber= gehenden Obdach, sondern zur dauernden Behausung. Wenige Kilometer von Rom kann man vor der Porta del popolo auf dem Wege zur Villa der Livia in den Wänden der Grotta rossa zahl= reiche derartige Troglodytenwohnungen wahrnehmen.

Nicht minder schlecht ist die Ernährung. Es ist kaum glaub= lich, mit wie einfacher und geringer Beköstigung diese hart arbei= tenden Menschen auskommen. Wie oft sieht man sie unterwegs an einem Brunnen oder um einen Quell gelagert; in sein kühlendes Naß tauchen sie ein paar grüne Salatblätter oder einige rohe Bohnen, die sie ohne jede Zuthat zu trocknem und hartem Brode verzehren. Leider ist selbst diese Kost nicht immer vorhanden. In Oberitalien bildet der aus Maismehl gekochte Polentabrei vielfach die Hauptnahrung der Landbevölkerung; polenta e poco polenta kehrt in den Berichten der Inchiesta agraria unter der Rubrik Ernährung des Landarbeiters dieser Bezirke mit melancholischer Eintönigkeit wieder. Das sind die Gegenden, in denen die schlimme Plage der Pellagra sich eingenistet hat, eine Hautkrankheit, deren Entstehung sich auf ungenügende und ungesunde Nahrung zurück= führt, und die in ihrem Verlauf körperliche und geistige Entartung nach sich zieht. Populorum miseria morborum genetrix.

Wie sind solche Zustände möglich? Wie kommt es, daß die italienische Landwirthschaft trotz der Vorzüge ihres Klimas, trotz des Reichthums und der Mannichfaltigkeit ihrer Erzeugnisse und trotz der Trefflichkeit ihres Menschenmaterials nicht die Mittel auf= bringt, um den Landarbeitern ein menschenwürdiges Dasein zu ge= währen?

15*

Die Italiener sind, wenn man diese Fragen an sie richtet, gewöhnlich mit der Antwort bei der Hand: das liegt theils an dem Mangel an Kapital und den schlechten Kreditverhältnissen, theils an dem Steuerdruck, der auf der Landwirthschaft lastet. Dagegen bestreiten sie in der Regel, daß mangelhafte Bodenver= theilung und ungerechte Regelung der ländlichen Arbeitsverhältnisse Schuld an den bestehenden Uebeln trügen.

Nun ist es richtig, daß es der italienischen Landwirthschaft in einem sehr betrüblichen Umfang an Kapital fehlt. Aus Mangel an Mitteln beschränken sich die Aufwendungen, welche der Staat für Aufforstungen macht, auf so geringfügige Beträge, daß dadurch eine irgendwie wirksame Abhülfe der zunehmenden Entwaldung nicht erreicht werden kann. In zweiunddreißig Jahren belief sich die ganze vom Staat wiederbewaldete Fläche auf 20366 ha, wofür 5,4 Millionen L., also jährlich etwa 160000 L. ausgegeben waren. Noch fühlbarer aber ist der Mangel an Privatkapital. Bei der geringen Ausdehnung der Industrie, bei dem beschränkten Handels= verkehr Italiens fehlt es an den werbenden Kräften, die der Land= wirthschaft überschüssige Gelder zuführen oder ihre Ersparnisse in Landbesitz anzulegen vermögen. Der Bankkrach von 1888/90 hat im Gegentheil einen nicht geringen Theil an Kapital verschlungen, das durch die Landwirthschaft erzeugt worden war und ihr zu Gute kommen sollte. Eine nicht geringe Zahl von Großgrund= besitzern sind in Rom, Turin, Neapel und anderwärts in den Zu= sammenbruch der damals fallit gewordenen Banken verstrickt und theils völlig ruinirt, theils mit schweren Schulden belastet worden, aus denen sie sich mühevoll herauszuarbeiten haben.

Das ländliche Kreditwesen ist nicht derartig geregelt, daß es der Landwirthschaft das fehlende Kapital zu ersetzen vermag. Die Hypothekenbanken und Bodenkreditanstalten haben, auch nach der Reform, die ihre Organisation im Jahre 1885 erfuhr, nicht vermocht, eine eingreifende, dem Bedürfniß des Landmannes ent= sprechende Wirksamkeit zu entfalten. In etwas stärkerem Maße scheint dies den Volksbanken zu gelingen, die sich die Hebung des Kredits der Landbevölkerung mitunter zur besonderen Aufgabe ge= stellt haben. Allein die Schuldenlast der Landwirthschaft ist groß und wegen des sehr hohen Zinsfußes drückend. Im Privatkredit bildeten nach den Ergebniffen der Enquête zehn bis fünfzehn Prozent die Regel. In den Betrachtungen, die ein nicht zum Peffimismus neigender Staatsmann vor Kurzem über die wirth= schaftliche Lage seines Landes veröffentlicht hat[1]), wird erklärt, daß der Privatkredit in vier Fünfteln von Italien auch jetzt noch hohen Wucherzinsen unterliegt, die für Hypotheken bis zu zehn und zwölf Prozent steigen, daß der Agrarkredit in Italien im Allgemeinen mehr dem Namen nach als in Wirklichkeit vorhanden ist, und daß der weitverbreitete Wucher dem wirthschaftlichen Gedeihen Hemmniffe bereitet.

Die Gesamtsumme der verzinslichen Hypotheken, welche auf dem italienischen Grundbesitz lasten, wird im statistischen Jahrbuch von 1900 auf 9 Milliarden angegeben. Wieviel von dieser Summe auf den ländlichen Grundbesitz entfällt, ist aus der amtlichen Statistik nicht ersichtlich. Nach den Aeußerungen in den Berichten über die Landwirthschafts=Enquête ist dieser Antheil anscheinend ein sehr beträchtlicher. Das bittere Wort eines italienischen Deputirten, daß Italien zwar aufgehört habe, ein geographischer Begriff zu sein, aber statt deffen ein hypothekarischer Begriff geworden sei, trifft den ländlichen Besitz nicht minder als den städtischen.

Richtig ist ferner, daß die Landwirthschaft in Italien in einem Maße mit Steuern belastet wird, welches das in anderen Ländern bestehende bei weitem übersteigt. Nach den Berichten der Ackerbau= Enquête nehmen die direkten Staats= und Kommunalsteuern rund dreißig Prozent des Gesamtertrages der italienischen Landwirthschaft in Beschlag. Dazu kommen die Salzsteuer, die für die Land= bevölkerung besonders drückend ist, die Viehkopfsteuer, die in zahl= reichen Gemeinden erhoben wird, die Abgaben, welche auf jedem Kreditgeschäft, auf jeder Veräußerung, auf jedem Umtausch ruhen. Der Schlußbericht der Inchiesta bezeichnet diesen Steuerdruck, der jede ländliche Unternehmungsluft lähmt, jede wirthschaftliche Ver= besserung tributpflichtig macht, als eine in Europa einzig dastehende Anomalie; er spricht geradezu aus, daß dieser Druck den Charakter einer durch den Staat, die Provinzen und die Gemeinden ausge=

---

[1]) **Maggiorino Ferraris**, Politica di lavoro. Nuova Antologia, 15. Mai 1898.

übten Beraubung an sich trägt. Da ist es nicht zu verwundern, daß die Neigung, verfügbares Kapital in landwirthschaftlichem Besitz anzulegen, eine sehr geringe ist. Jahraus jahrein werden Tausende von kleinen Eigenthümern besitzlos gemacht, weil sie Steuerrückstände von oft ganz minimalen Beträgen nicht zahlen können. Die starke Auswanderung der Italiener nach Südamerika rekrutirt sich hauptsächlich aus der Landbevölkerung vorwiegend ackerbauender Provinzen.

Aber tiefer gewurzelt als diese Schäden sind die mangelhafte Bodenvertheilung und die ungerechte Regelung der ländlichen Arbeitsverhältnisse. Sie hängen mit der gesamten wirthschaftlichen und sozialen Entwickelung Italiens so eng zusammen, daß sie nur durch tief einschneidende Reformen verbessert werden können.

Das Wort des Plinius: latifundia Italiam perdidere ist unzählige Male wiederholt worden, und noch heut ist die Ansicht weitverbreitet, daß der Großgrundbesitz mit dem ihm anhangenden Extensivbetrieb eine der schwersten Krankheiten der italienischen Landwirthschaft bilde. Aber welcher Theil des Kulturbodens befindet sich in seiner Hand? Beim Mangel jeder zuverlässigen Grundbesitzstatistik ist es kaum möglich, hierüber Klarheit zu erlangen. Auch gehen die Meinungen, die über diese Frage laut werden, weit auseinander. Senator Jacini, der Leiter der Inchiesta agraria, erklärt Italien für eins der Länder in Europa, in welchem der Grundbesitz am meisten zertheilt sei; er behauptet, die Zahl der Eigenthümer belaufe sich auf nahezu fünf Millionen, unter denen der kleine und mittlere Besitz die Regel, der Großbesitz eine im Verschwinden begriffene Ausnahme bilde. Dieser Behauptung scheint eine Verwechselung zu Grunde zu liegen. Die im 1. Bande der Atti mitgetheilte, in Eheberg's Buch S. 79 ff. abgedruckte Statistik giebt allerdings die Zahl der steuerpflichtigen Grundstücke für 1880 auf 5157273 und die mittlere Größe eines solchen Besitzes auf 5,74 ha an. Allein diese Zahlen beweisen nichts. Denn die Zahl der Grundstücke ist nicht identisch mit der Zahl der Eigenthümer, und die Ziffer ihrer mittleren Größe ist ganz illusorisch, denn sie ist einfach durch die Division der Grundstückszahl in die Gesamtoberfläche des Landes erlangt, ohne zu berücksichtigen, daß ein großer Theil der Gesamtfläche als völlig kulturunfähig, ein anderer als Staatsbesitz auszuscheiden ist, um ein einigermaßen richtiges Ergebniß zu erhalten. Jacini's fünf Millionen werden übrigens durch die Bevölkerungsstatistik widerlegt. Die letzte in Italien aufgenommene Berufsstatistik gab für 1871 die Gesamtzahl der in der Landwirthschaft Thätigen auf 8255212 Personen, darunter 1532795 Eigenthümer, an.

Nun ist zuzugeben, daß in einzelnen Theilen Nord- und Mittelitaliens der Grundbesitz eine ganz außerordentlich starke Theilung aufweist. Im Venezianischen und in der Lombardei ist der Grundbesitz bei starkem Anbau ungemein zerstückelt; in Ligurien giebt es fast nur kleinen und kleinsten Besitz bis zu 1 Ar Land, ja manche sog. Eigenthümer können nur 5 oder 6 Olivenbäume ihr Eigen nennen. Auch in Umbrien und den Marken giebt es viele kleine Eigenthümer. Allein in anderen Landestheilen überwiegt der Großbesitz. Für die kleine Provinz Rom ergab die in den Atti mitgetheilte Statistik 81 Eigenthümer mit Gütern von 1000—5000 ha, 26 mit Latifundien von mehr als 5000 ha. Ebenso bestehen in den südlichen Provinzen, namentlich in Calabrien und auf Sicilien zahlreiche und ausgedehnte Großbesitzungen. Es kommt ferner hinzu, daß sich die Zahl der Eigenthümer keineswegs mit derjenigen der Wirthschaftsbetriebe deckt. Vielmehr sind bei dem in vielen Theilen Italiens üblichen Großpachtsystem nicht selten zahlreiche Grundstücke, auch verschiedener Eigenthümer, durch einen Großpächter zu einem einheitlichen Wirthschaftsbetriebe vereinigt, während andererseits noch öfter das Grundstück eines Eigenthümers in mehrere selbständige Pachtbetriebe getrennt ist.

Was Italien in einem bedauerlichen Maße fehlt, das sind einmal Grundbesitzer, die ihr Gut selbst bewirthschaften, und dann ein auf eigenem Grund und Boden selbständig wirthschaftender Bauernstand.

Uralt ist in Italien das Vorwiegen der Städte, uralt ihr erfolgreiches Bestreben, die Landbevölkerung ihrer Umgebung wirthschaftlich und sozial von sich abhängig zu machen und politisch sich einzuverleiben. Früh schon sah sich in den meisten Regionen der Landadel gezwungen, sich in die Bürgerrolle der leitenden Stadtgemeinde eintragen zu lassen, bald auch seinen Wohnsitz in den Mauerring zu verlegen. So entstand ein System des Absentismus, das sich bis in die neueste Gegenwart in voller Stärke erhalten hat. Es ist nicht häufig, daß der italienische Gutsbesitzer sein Gut selbst bewirthschaftet, aber noch seltener, daß er dauernd auf dem Lande lebt. Sein Landaufenthalt beschränkt sich in der Regel auf einige Wochen der in die Frühlings= oder Herbstzeit fallenden Villeggiatura, die mit der Landwirthschaft nicht im geringsten Zusammenhange zu stehen braucht.

Zwischen den meist abwesenden Gutsherrn und das in der Wirthschaft thätige Personal schieben sich nun nach altitalienischer Sitte eine Reihe von Zwischeninstanzen, die den in anderen Ländern so wohlthätigen persönlichen Verkehr zwischen der Gutsherrschaft und der Landbevölkerung theils ganz aufheben, theils auf ein wirthschaftlich unfruchtbares Gebiet einengen, und die den Sitz der Wirthschaftsleitung vielfach außerhalb des Gutes verlegen. Von diesen Zwischeninstanzen ist die wichtigste und verbreitetste der Verwalter (fattore), dem meistens die Wahl des Wirthschaftssystems und seine ganze Ausführung, die Annahme des Arbeitspersonals und die Fürsorge für dasselbe, sowie die Kassen= und Rechnungsführung überlassen ist. Bei großem, über verschiedene Landestheile zerstreutem Besitz pflegen über den Verwaltern noch Generalverwalter, unter ihnen sotto fattori zu stehen. Die wenigen Ausnahmen abgerechnet, wo der Gutsbesitzer den Wirthschaftsbetrieb persönlich leitet und das Wohlbefinden seiner Leute überwacht, ist der Verwalter der wahre Herr über die Wirthschaft und über das darin thätige Personal. Fattore — fatto re, sagt ein bezeichnendes italienisches Sprichwort. Was durch solche Stellvertretung des wirklichen Herrn dem nachgeordneten Personal im besten Falle an humanem Wohlwollen, an Förderung seiner Interessen, an Schonung und Hülfe entgeht, leuchtet ohne weiteres ebenso ein, wie es klar ist, in welchem Umfang Eigennutz, Hartherzigkeit oder auch nur Beschränktheit des Verwalters die kleinen Leute schädigen und drücken können.

Bauern in unserm deutschen Sinn des Worts, d. h. selbständige Träger ländlicher Gemeinden, giebt es in Italien nur wenig, da die comuni der italienischen Gemeindeverfassung Gesamtgemeinden sind, die Stadt und Land zugleich umfassen. Man kann durch manche Gegenden Italiens weite Strecken reisen, ohne irgend ein Dorf zu sehen. In Sicilien, in Apulien, in der Basilicata wohnen selbst die Landleute, die als Kleinpächter, Theilbauern oder

Tagelöhner die eigentliche Landarbeit zu verrichten haben, nicht auf dem Lande, sondern in der von dem Grundstück nicht selten 7, 8 bis 10 Kilometer entlegenen Stadt. Die Zahl der Eigenthümer, die auf Gütern von der Größe unserer Bauernhöfe selbständig wirthschaften, ist nicht groß, namentlich nicht im Süden. Es ist ein Irrthum, das italienische contadino mit Bauer zu übersetzen; es bedeutet nur einen Landbewohner im Gegensatz zum Städter.

Die Bewirthschaftung des ländlichen Grundbesitzes erfolgt, soweit sie nicht durch den Eigenthümer selbst oder für dessen Rechnung (coltura a mano) bewirkt wird, durch sehr verschiedene Arten der Mitbetheiligung, unter denen der Theilbau und die Pacht sich zu den mannichfaltigsten Formen und Vermischungen ausgebildet haben.

Der eigentliche klassische Agrarvertrag der italienischen Landwirthschaft ist der Theilbau, dessen Wesen darin besteht, daß der Eigenthümer einem Unternehmer die Bewirthschaftung einer bestimmten Bodenfläche oder auch bestimmte Kulturen auf derselben gegen einen Antheil am Rohertrage überläßt. In dem Heimatlande dieser Wirthschaftsform, in Toscana, ist dieser Antheil in der Regel die Hälfte, und daher stammt ihre Bezeichnung als mezzadria. Nach toscanischem Brauch pflegt die mezzadria ein Areal von durchschnittlich 12 ha zu umfassen. Der Grundherr bleibt Eigenthümer des ganzen Inventars und aller Verbesserungen; die Hälfte ihres Werthes aber wird dem Theilbauer zu Gute gerechnet. Der Vertrag geht von Jahr zu Jahr; da indessen beide Theile bei zufriedenstellenden Leistungen ein starkes Interesse an längerer Dauer des Vertrages haben, so pflegt er stillschweigend verlängert zu werden und setzt sich nicht selten durch ganze Generationen sowohl von Grundherren als von Theilbauern fort. Das Gut Antella bei Florenz, das der Familie Peruzzi seit dem vierzehnten Jahrhundert gehört, und das vielen Deutschen durch die liebenswürdige Gastfreundschaft des florentiner Patrioten und Staatsmannes Ubaldino Peruzzi und seiner geistvollen Gemahlin Donna Emilia bekannt ist, wird von Theilbauern bewirthschaftet, die seit dem sechszehnten Jahrhundert forterben.

In anderen Regionen wendet man die Theilung des Rohertrages namentlich bei solchen Kulturen an, welche, wie der

Weinbau und die Pflege der Frucht= und der Oelbäume, eine be=
sondere Aufmerksamkeit und eigenes Interesse des Bestellers ver=
langen. So ist in Piemont, in der oberen Lombardei, im Vene=
zianischen und Neapolitanischen der Brauch weit verbreitet, die Er=
trägnisse des soprasuolo, das ist dessen, was sich über den Boden
erhebt, also der Wein= und Baumpflanzungen, quotenweise zwischen
dem Grundherrn und dem Unternehmer zu theilen, während Letzterer
für die Ueberlassung des Bodens selbst, also für Körner= und Wiesen=
bau, einen festen Pachtzins zu entrichten hat. Andere Formen des
Theilbaues sind die Meliorationsverträge (contratti a miglioria),
bei denen der Unternehmer zur Ausführung von Meliorations=
arbeiten dadurch angeregt wird, daß er nach Durchführung der
Verbesserung einen Theil des meliorirten Grundstückes zum Eigen=
thum erhält und den Rest als Theilbauer bewirthschaftet, oder daß
nach Beendigung der Bonifikation das Gut von Neuem abgeschätzt
und der ermittelte Mehrwerth zwischen dem Grundherrn und dem
Unternehmer getheilt wird.

Die Vorzüge und die Nachtheile des Theilbaues haben eine
ganze Literatur hervorgerufen. Seine Vortheile bestehen wirth=
schaftlich vorzugsweise darin, daß er dem Theilbauer auf einem
für alle Arten von Kultur geeigneten Boden gestattet, seine Arbeits=
kraft das ganze Jahr hindurch zweckmäßig und nutzbringend zu
verwenden, und daß er eine Interessengemeinschaft zwischen dem
Grundherrn und dem Unternehmer herstellt, die dem Grundstück
zu Gute kommt. Seine Lobredner sind geneigt, ihm das Haupt=
verdienst an dem hohen Grade der Intensität zuzuschreiben, den
der Landbau in vielen Gegenden Toscanas erreicht hat. Sozial
gewährt die mezzadria, namentlich wo sie unter so liberalen
Bedingungen stattfindet wie in Toscana, und wo ihre Nachtheile
durch lange Zusammengehörigkeit der Betheiligten gemildert werden,
nach manchen Richtungen einigen Ersatz für den fehlenden Frei=
bauernstand. Sie ermöglicht dem Theilbauer eine auskömmliche
Lebenshaltung; der ihm zufallende Ertragsantheil ist nicht unbe=
deutend; er belief sich in einem von Sidney Sonnino in seinem
Aufsatz über das Meiersystem in Toscana (Hillebrand's Italia I.
111 ff.) mitgetheilten Beispiel für ein Theilgut von 11,45 ha im
zehnjährigen Durchschnitt auf 2667,52 L. Andererseits hemmt der

Theilbau durch Zerlegung des Grundstückes in kleine Parzellen die Vornahme durchgreifender Verbesserungen, die Beschaffung vervollkommneter Geräthe, namentlich landwirthschaftlicher Maschinen, die Herstellung großer, für die Düngung nothwendiger Viehbestände. Auch bleibt der Theilbauer bei der Kürze der Vertragszeit in unsicherer Lage und in Abhängigkeit, so daß er dem freien, selbständig wirthschaftenden Bauern sozial und politisch keineswegs gleichgestellt werden kann.

Noch weit weniger ist dies bei dem Pächter der Fall. Auch der Pachtvertrag (affitto) findet in Italien eine sehr ausgedehnte und in seiner Ausgestaltung sehr mannichfaltige Anwendung. Als eine Italien, wenn nicht ausschließlich, so doch überwiegend eigenthümliche Art der Pacht ist die Unternehmung der Großpächter (mercanti di campagna) anzusehen, die große Grundflächen eines oder mehrerer Eigenthümer gegen festen Pachtzins pachten, die Bewirthschaftung aber entweder ganz oder theilweise, in Parzellen oder für bestimmte Kulturen, manchmal auch nur die Weidenutzung, an kleinere Afterpächter gegen entsprechend höheren Pachtzins überlassen. Da auch diese Afterpächter häufig nicht selbst wirthschaften, sondern die Landarbeit durch Tagelöhner verrichten lassen, so hat der Boden eine vierfache Rente aufzubringen, für den Eigenthümer, den Großpächter, den Afterpächter und den eigentlichen Landbebauer, und es ist leicht zu denken, daß der Letztere, als der wirthschaftlich schwächste Theil, dabei am schlechtesten wegkommt. Durch solche Großpächter, die als reiche Herren in den Städten zu wohnen pflegen, wird vielfach der ausgedehnteste Extensivbetrieb begünstigt, weil er die geringsten Betriebsmittel und den kleinsten Lohnaufwand erfordert und das Anlagekapital am reichlichsten verzinst.

Die Kleinpacht dauert gewöhnlich nur sehr kurze Zeit; in manchen Landestheilen sind Pachtverträge von nur einjähriger Dauer üblich. Daß bei so vorübergehenden und unsicheren Verhältnissen der Boden nach Kräften ausgebeutet wird, für seine Verbesserung oder auch nur Schonung weder Interesse noch Mittel vorhanden sind, liegt auf der Hand.

Von den rund $8\frac{1}{2}$ Millionen Personen, welche durch die Berufsstatistik von 1871 als im Landbau selbstthätig beschäftigt ermittelt wurden, fielen $3\frac{1}{4}$ Millionen unter die Rubrik der Tagelöhner und Knechte. Unter ihnen überwiegen, bei der geringen Zahl der selbst wirthschäftenden Eigenthümer, welche sich ständige Knechte halten, weitaus die gegen Tagelohn beschäftigten Arbeiter. Thatsächlich ist die Masse der im Wesentlichen auf Tagelohn angewiesenen Landarbeiter noch größer, als die obige Gesamtzahl angiebt. Denn auch von den kleinen Eigenthümern, Theilbauern und Pächtern gehört eine sehr starke Anzahl nach ihrer Hauptbeschäftigung zu den Tagelöhnern. Während nun in anderen Ländern die Landarbeiter auch nach Aufhebung aller rechtlichen Abhängigkeit durch die Ständigkeit ihrer Beschäftigung, durch dauernden Wohnsitz, durch Ueberlassung kleinerer Parzellen zu eigener Bewirthschaftung in mehr oder minder festem Zusammenhang mit größeren Guts- oder Bauerhöfen geblieben sind, bildet in Italien die Zahl der ständigen Lohnarbeiter (salariati stabili) nicht die Regel, sondern eher die Minderheit. Die Mehrzahl wird je nach Bedarf tageweise oder für die Verrichtung von bestimmten Arbeiten angenommen, oft von außerhalb her; sie stellt, recht eigentlich nur auf ihre Arme angewiesen und daher braccianti oder manovali genannt, ein ländliches Proletariat von ungewöhnlichem Umfange dar.

Ohne den starken Wettbewerb, welchen die Industrie durch Fabrik-, Hütten- und Bergwerksarbeit in anderen Ländern auf die Landarbeit ausübt, hält sich der Lohn des italienischen Landarbeiters durchschnittlich auf einem sehr niedrigen Satze; er erreicht an vielen Orten für Männer im Sommer wenig mehr als eine Lira, im Winter bleibt er selbst unter diesem Betrage zurück. Frauen müssen sich nicht selten mit 50 oder 60 Centesimi als Tagelohn begnügen. Bei der schweren und ungesunden Feldarbeit in den Reis- und Maisfeldern der Po-Ebene stellte sich nach den Ermittelungen der Agrar-Untersuchung der Durchschnittsverdienst einer Tagelöhnerfamilie auf 450 bis höchstens 600 Lire jährlich. Bodio schätzt den Lohn der Landarbeiter auf 2 Lire im Sommer, 1,50 Lire im Winter für den vollen Arbeitslohn eines erwachsenen Mannes, fügt indeß hinzu, daß bei den nicht geringen Unterbrechungen, denen die Landarbeit unterworfen ist, der Durchschnittslohn des ganzen Jahres wahrscheinlich weniger als eine Lira beträgt.[1]

---

[1] L. Bodio, Indici p. 75.

Reichen Löhne dieser Art schon an sich nicht aus, um den Lebensunterhalt einer Familie auch bei der größten Anspruchs= losigkeit zu sichern, so werden sie durch die eigenthümliche Ge= staltung des Arbeitsverhältnisses zu Ungunsten des Landarbeiters noch mit mancherlei empfindlichen Abzügen belastet. Denn zwischen dem Arbeiter und dem Arbeitgeber stehen auch hier wiederum nicht selten Vermittler, die vorweg und zwar meist vom Arbeiter zu entschädigen sind. Gutsherren und Pächter, welche für die Saat= oder Erntezeit, für Arbeiten im Weinberg oder in den Oelbaum= pflanzungen Kräfte brauchen, pflegen sich an Unternehmer zu wenden, welche die erforderlichen Tagelöhner anwerben und ihnen die Reise zur Arbeitsstelle durch Vorschüsse auf den Arbeitslohn ermöglichen. Nicht selten übernehmen derartige Unternehmer auch die Beköstigung der Arbeiter, die dann der unausbleiblichen Ausbeutung, welche mit diesem Trucksystem verbunden ist, wehrlos ausgesetzt sind.

Längst sind italienische Patrioten der Ueberzeugung, daß die Lage der Landarbeiter eine furchtbare soziale Gefahr bildet. Durch un= geschminkte Schilderung dieser Zustände haben Männer wie Pasquale Villari in seinen lettere meridionali, Leop. Franchetti und Sidney Sonnino in ihrem Buche über Sicilien schon vor mehr als zwanzig Jahren, etwas später P. Turiello in seinem governo e governati auf die schweren wirthschaftlichen, sittlichen und politischen Schäden hingewiesen, welche eine derartige Herabwürdigung der Lebens= haltung von Millionen fleißiger Arbeiter naturgemäß erzeugen muß. „Die soziale Frage“, — schrieb Villari schon im Jahre 1878, „ist in Italien eine wesentlich agrarische Frage. Blind ist, wer das nicht sieht. Sprecht uns nicht von Fortschritt, Freiheit, vermehrter Produktion. Wir würden euch einladen, die civilisirtesten Provinzen Italiens zu besuchen. Ihr würdet in der lombardischen Ebene den Boden fruchtbar, ein bewunderungswürdiges Bewässerungssystem, hervorragenden Anbau und reichste Produktion finden, und dabei den Landmann unter der Arbeitslast erliegend, von Entbehrungen verzehrt, die Beute des Fiebers und der Pellagra, die ihn bis ins Irrenhaus jagen.“ Und einige Jahre später bezeichnete derselbe hervorragende Schriftsteller die Lage der Landarbeiter in Nord= und Süditalien als einen Brennstoff, dessen sich die extremen Par= teien bemächtigen könnten, sobald sie nur wollten.

Es ist in frischer Erinnerung, in welch bedrohlichem Maße dies inzwischen geschehen ist, und mit wie blutigem Ernst im Jahre 1893 in Sicilien, im Frühjahr 1898 in Mittel= und Nord= italien Aufstände, die zum großen Theil aus der Noth der Land= bevölkerung entsprangen, niedergeworfen werden mußten.

Die italienische Regierung steht dieser Lage der Landwirth= schaft und der Landbevölkerung weder verständnißlos noch unthätig gegenüber. Sie ist nach Kräften bemüht, die landwirthschaftliche Produktion durch ausgedehnte Meliorationen, durch Vermehrung der Verkehrsmittel und Wege, durch Beschaffung vollkommener Ge= räthe und Maschinen, durch Verbreitung besserer ökonomischer Kenntnisse und Methoden zu fördern. Aber den wirksamsten Weg hat sie bisher noch nicht beschritten; es ist nichts geschehen, um durch eine bessere Bodenvertheilung die Arbeitsverhältnisse des ländlichen Proletariats gerechter und lohnender zu gestalten.

Weder bei den umfangreichen Veräußerungen der Kirchen= und Staatsgüter, vermöge deren seit einem Menschenalter hun= derttausende von Hektaren aus öffentlichem in Privatbesitz über= gegangen sind, noch bei den Austrocknungen und Entwässerungen, durch welche an der Tibermündung, in den pontinischen Sümpfen, in der Polesine=Niederung der Provinz Rovigo, in der Po=Ebene und an vielen anderen Orten weite Strecken Landes anbaufähig gemacht worden sind, ist die Anlegung von Ackerbau=Kolonien, die Errichtung freier Bauernstellen zum wirthschaftspolitischen Ziel er= hoben worden. Man hat sich bei jenen Veräußerungen darauf be= schränkt, die zur Versteigerung gestellten Güter in mehr oder minder kleine Loose einzutheilen. Aber man hat schweigend mit angesehen, daß diese Loose alsbald von Großkapitalisten angekauft worden oder nach kurzem Zwischenbesitz aus der Hand kleiner Erwerber in die der wirthschaftlich Potenteren übergegangen sind. Bei den technisch ausgezeichneten Wasserbauarbeiten an der Tibermündung sind viele Millionen vom Staat aufgewendet worden, um die Sümpfe von Maccarese, der Isola sacra und von Ostia in Ackerboden zu verwandeln. Aber man hat es unterlassen, den römischen Grand= seigneurs, denen dieser Boden gehört, irgend welche Verpflichtungen hinsichtlich seiner Bebauung aufzuerlegen, und man sieht ohnmächtig mit an, wie dieses neugewonnene Land der ödesten Extensivwirthschaft nach dem alten Schlendrian überlassen wird.

Hier liegt der Punkt, wo eine wirksame Agrarreform einzusetzen hat. In der Schaffung eines freien Bauernstandes liegt für Italien das Heil seiner Zukunft und die sicherste Abwehr der Gefahren, von denen die Lage seiner Landwirthschaft ökonomisch, sittlich und politisch gegenwärtig bedroht wird. Möchte es dem schönen Lande nicht an Staatsmännern fehlen, die diesen Weg zum Heil entschlossen betreten und unbeirrt durch doktrinäre Einreden bis zum Ziel verfolgen!

8. Industrie und Handel.

Italien ist im Mittelalter Europas Lehrmeisterin im Gewerbe=
fleiß wie im Welthandel gewesen, aber es hat die Suprematie auf
beiden Gebieten schon früh eingebüßt. In der Zeit, wo andere
Nationen ihre Volkskraft zusammenfaßten, um den Seeweg nach
Indien aufzufinden und die neue Welt zu entdecken, verloren die
Italiener ihre Unabhängigkeit und zersplitterten sich in heilloser
Kleinstaaterei. Während Portugal und Spanien, England und die
Niederlande die Grundlagen zu mächtigem Kolonialbesitz in drei
Welttheilen legten, sahen Genua und Venedig, ohne Rückhalt an
einem nationalen Staatswesen, sich von den neuaufstrebenden See=
mächten Westeuropas überflügelt und in langwierige Kämpfe mit
den Osmanen verwickelt, in denen ihnen die Niederlassungen an
den Küsten des Mittelländischen und des Schwarzen Meeres und
damit das Fundament ihrer Handelsstellung und ihres Reichthums
verloren gingen. Die entnervende Belletristik, die während des
achtzehnten Jahrhunderts den Unternehmungsgeist der Italiener
lähmte, hielt sie ab, sich an dem Aufschwunge zu betheiligen, den
das gewerbliche Leben anderer Völker nahm. Durch die Entdeckung
der Dampfkraft, welche die Großindustrie umgestaltet und zu einer
ungeahnten Entwickelung geführt hat, ist Italien wirthschaftlich noch
mehr als früher zurückgedrängt worden, weil ihm die Steinkohlen=
lager versagt sind, welche der moderne Gewerbebetrieb erfordert.
Als die Italiener Unabhängigkeit und politische Einheit erreichten,
hatten andere Nationen in Industrie und Handel bereits einen
derartigen Vorsprung erlangt, daß ein Mitbewerb Italiens Vielen
gänzlich aussichtslos erschien; auch nahm die Politik alle Kräfte

der Nation noch lange Zeit hindurch fast ausschließlich in Anspruch. Noch jetzt fehlt es in Italien nicht an Stimmen, welche vor dem Versuch warnen, großindustrielle Betriebe ins Leben zu rufen, und alles Heil von der Verbesserung der Landwirthschaft erwarten. Aesthetisch angelegten Naturen, namentlich Ausländern, die den Garten von Europa als ihre Villeggiatur anzusehen gewöhnt sind, ist der Gedanke widerwärtig, die italienische Landschaft durch rauchende Schornsteine entstellt und das — mehr in der Ueberlieferung als in Wirklichkeit vorhandene — dolce far niente der Italiener der häßlichen Prosa des Fabrikarbeiterthums weichen zu sehen.

Einsichtige und ruhige Beurtheiler der wirthschaftlichen Lage Italiens sind dagegen der Ansicht, daß das Vorwiegen der Landwirthschaft die Schaffung einer nationalen Großindustrie nicht ausschließt; sie meinen mit Recht, daß die Landwirthschaft von der Hebung des Gewerbebetriebes nicht nur keine Schädigung, sondern durch die von der Industrie ausgehende Vermehrung der Kapitalskraft nachhaltige Förderung zu erwarten hat, und sie finden, daß die Voraussetzungen für industrielle Entwickelung auch in Italien nicht fehlen. Daß ohne eigene Industrie auch eine erfolgreiche Betheiligung Italiens am Welthandel nicht zu denken ist, leuchtet ohne Weiteres ein. Inzwischen sind seit einer Reihe von Jahren nach beiden Richtungen Versuche gemacht worden. Nicht nur die althergebrachten Zweige der in Italien stets heimisch gebliebenen Textilindustrie der Seide und Wolle, denen sich die Baumwollen-Spinnerei und Weberei kräftig angeschlossen hat, haben sich zu modernem Großbetrieb umgestaltet, sondern es sind, zum Theil durch die Bedürfnisse des Heeres und der Flotte, neue Betriebe entstanden, die sich im Wettbewerb mit den Werken hochentwickelter Industriestaaten zu behaupten, ja sich Absatz im Auslande zu schaffen suchen. Nicht minder ist Italien durch Erweiterung vorhandener und Gründung neuer Dampfschiffunternehmungen wiederum in die Reihe der Welthandelsvölker eingetreten.

Die Frage, ob der italienischen Industrie und dem italienischen Handel Aussicht auf Gedeihen zur Seite steht, ist für die Zukunft des Landes von der höchsten Bedeutung und verdient eine sorgfältige Erörterung. Freilich ist es bei dem Mangel einer ausreichenden Literatur nicht leicht, ein zutreffendes Bild von dem

Fischer. 2. Aufl. 16

jetzigen Stande dieser Entwickelung zu erhalten. Die Monographien, welche das Statistische Amt auf Grund von Ermittelungen veröffentlicht hat, die nach übereinstimmendem Schema in ganz Italien vorgenommen worden sind, bieten viel willkommenes Material. Von diesen Monographien, die den Stand der Industrie in den einzelnen Provinzen darstellen und dann nach Regionen und nach Industriezweigen zusammenfassen sollen, sind die der Provinzen von 1885—1897 (mit alleiniger Ausnahme von Rom) vollständig, von den Industriezweigen die Seidenindustrie 1891 und die Wollen= industrie 1895 in den Annali di Statistica erschienen; von den Regionen ist 1892 die Industriestatistik von Piemont in einem be= sonderen Bande publizirt worden, der soeben (1900) diejenige der Lombardei gefolgt ist. Indessen begreifen die Ermittelungen, die diesen Veröffentlichungen zu Grunde liegen, vielfach die neueste Entwickelung der Großindustrie nicht mit ein. Sie vermögen des= halb ebensowenig, wie die einige Zeit hindurch sehr summarisch ge= wordenen Mittheilungen des Statistischen Jahrbuches, den Mangel einer periodisch wiederkehrenden regelmäßigen Gewerbestatistik zu ersetzen. Dieser Mangel macht sich auch in dem Abschnitt fühlbar, der in Bodio's sorgfältiger Schrift über die wirthschaftliche Ent= wickelung in Italien der Industrie gewidmet ist.[1] Die nach= folgende Uebersicht muß sich schon des Raumes wegen auf Hervor= hebung des besonders Charakteristischen beschränken, ohne auf Voll= ständigkeit Anspuch zu erheben.

Bezeichnend für die Stufe der industriellen Entwickelung Italiens ist zunächst die weite Verbreitung, welche die Hausindustrie noch jetzt einnimmt. Seide, Wolle, Baumwolle, Leinen und Hanf werden fast in ganz Italien im Hause gesponnen; noch heut begegnet man, besonders im Süden, den Spinnerinnen vielfach im Freien, wo sie die Spindel nach antikem Brauch beim Gehen neben sich herhüpfen lassen. Hauswebstühle für Seide, Wolle und Baumwolle, in geringerem Maße auch für Leinen, sind noch jetzt in vielen Provinzen, sowohl in den Städten, als auf dem Lande in Gebrauch. In vielen Gegenden kleiden sich die Land=

---

[1] Luigi Bodio, Di alcuni indici misuratori del movimento econo= mico in Italia. 3. ed. Roma 1896, p. 60—71.

bewohner noch heut wie zur Römerzeit in Wollenstoffe, die von der Hausfrau aus eigenem Gespinnst gewebt worden sind. Es ist charakteristisch, daß die Zahl der Hauswebstühle in den sonst am wenigsten industriellen Provinzen weitaus am stärksten ist. Von 18484 Hauswebstühlen für Wolle entfielen nach der Schrift über die Wollenindustrie von 1895 nicht weniger als 4388 auf die sardinische Provinz Cagliari; ihr kommen die Abruzzen und Calabrien am nächsten. In anderen Provinzen, wie in Florenz, Umbrien und Novara, wird die Hausweberei von Wollenstoffen im Anschluß an Fabriken und für Rechnung von größeren Unternehmern betrieben. In noch stärkerem Maß arbeitet die Hausweberei von Seide und Baumwolle über den Hausbedarf hinaus für gewerbliche Zwecke. Namentlich wird die Handweberei von Baumwolle noch jetzt in sehr beträchtlichem Umfang auch in dem industriell reich entwickelten Oberitalien betrieben. Man konnte die Zahl der hierfür allein thätigen Hauswebstühle noch vor wenigen Jahren auf mehr als hunderttausend berechnen. Doch bereitet sich in der letzten Zeit ein Umschwung vor, da die Hausweberei mit den Leistungen der mechanischen Webereien nicht mitkommen kann und auch die Landbewohner ihren Bedarf lieber beim Händler zu kaufen beginnen. In der kleinen Provinz Piacenza waren 1878 noch 5082 Hauswebstühle, darunter 3596 für Baumwolle, verzeichnet worden; die Statistik von 1894 giebt nur noch 1661 an und darunter bloß 209 für Baumwolle.

Als Hausindustrie, jedoch ganz überwiegend oder ausschließlich für den Absatz, wird ferner die Spitzenklöppelei betrieben, in einzelnen Bezirken in bemerkenswerther Dichtigkeit. In dem als Kurort häufig genannten Rivierastädtchen Rapallo und Umgegend, in Portofino und S. Margherita sind etwa 7000, in der Nähe von Como und auf der Laguneninsel Burano je 2000 Arbeiterinnen mit Anfertigung dieser zierlichen und geschmackvollen Handarbeit beschäftigt, die in den echten Spitzen des altitalienischen Kunstgewerbes herrliche Vorbilder besitzt. In und um Neapel bilden die Handschuhnäherei und die Verfertigung eingelegter Holzarbeiten Gegenstände einer namentlich auf der sorrentiner Halbinsel eifrig betriebenen Hausindustrie. Für Italien besonders charakteristisch aber ist die Strohflechterei in Toscana, die, seit Anfang des vorigen Jahrhunderts dort

16*

eingebürgert und durch die Biegsamkeit und Feinheit des dort wachsenden Weizenstrohes begünstigt, lange Zeit hindurch die allgemeine und früher gut lohnende Nebenbeschäftigung der weiblichen Landbevölkerung gebildet hat. Seitdem die feinen und dauerhaften, aber theuren florentiner Strohhüte, die aus diesen Geflechten fabrizirt werden, durch den Mitbewerb amerikanischer und ostasiatischer Hüte aus Pflanzenfasern zurückgedrängt worden sind, haben sich der Bedarf an Strohflechten und der Preis, der dafür gezahlt werden kann, gleich sehr verringert. Der Centner Strohflechten, der 1879 mit 2200 Lire bezahlt wurde, brachte 1897 nur noch 350 Lire ein; auch der Preis der fertigen Strohhüte ist auf die Hälfte herabgesunken. In Folge dessen hat sich der Verdienst der toscanischen Strohflechterinnen auf ganz minimale Beträge reduzirt; der Ausstand im Frühjahr 1896 brach aus, weil die Zwischenabnehmer sich zur Zahlung von auch nur 20 Centesimi für den Tag außer Stande erklärten. Trotz dieses kaum nennenswerthen Lohnes sieht man noch jetzt im Arnothale aufwärts und abwärts von Florenz in den kleinen Städten und auf den Dörfern die Weiber allgemein Stroh flechten; selbst im Gehen bewegen sich die fleißigen Finger. Bringt's auch nicht viel, so ist's doch etwas, und wobei Mutter und Töchter, Schwestern und Großmutter bei einander sitzen und plaudernd — ein Lebensbedürfniß für viele Italienerinnen — zusammen arbeiten. —

Unter den Großbetrieben Italiens reicht der Bergbau sowohl im Betrieb der Erzgruben als der Marmorbrüche bis ins Alterthum zurück. Schon die Römer haben jene Seitenkette der Apenninen, die noch heut das toscanische Erzgebirge genannt wird, als catena metallifera von dem an Mineralen armen Hauptgebirge unterschieden; den Reichthum der Eisengruben von Elba hielten sie für unerschöpflich, weil das Eisen nachwachse; ebenso war ihnen der Werth der sardinischen Bergwerke nicht unbekannt geblieben. Noch heut wird im toscanischen Erzgebirge Kupfer in beträchtlichen, Silber, Quecksilber und Antimon in abbauwürdigen Mengen gefunden. Die Eisengruben von Elba produziren auch gegenwärtig ein hochgeschätztes Eisen. Den bedeutendsten Reichthum an Erzen besitzt Sardinien, wo sich im Südwesten Zink- und Bleigruben von großer Ergiebigkeit an einanderreihen, in denen 1898 von etwa zwölftausend Arbeitern rund

150000 Tonnen Zink= und Bleierze im Werth von 16$^{1}/_{2}$ Millionen L. gefördert wurden. Das Hauptmineral Italiens aber ist der Schwefel, der in Sicilien in mehreren hundert Gruben aus mächtigen Lagern gebrochen wird. Allenthalben im Süden von Sicilien begegnete man früher den zweirädrigen Karren, auf denen der Rohschwefel, in starken Blöcken aufgeschichtet, abgefahren wurde; jetzt wird der Transport zu den Verschiffungshäfen wohl größtentheils durch die Eisenbahnen bewirkt, von welchen die von Catania westwärts durchs Innere der Insel führende Linie den Schwefelbezirk durchschneidet und in Caltanisetta den Mittelpunkt des ganzen Betriebes berührt. Der Betrieb erfolgt in sehr primitiver Weise, mitunter auch durch förmlichen Raubbau, indem die schwefelhaltigen Gänge einfach durch Feuer ausgeschmolzen werden; meist aber werden die Minerale von Häuern gebrochen und durch Schlepper, großentheils Knaben, ans Tageslicht befördert. Die Lage der Schwefelarbeiter bildet seit langer Zeit eins der dunkelsten Blätter in der italienischen Sozial= politik. Im Ganzen werden in den Gruben, Mühlen und Raffinerien etwa 30000 Personen beschäftigt. Die Ausbeute der Gruben be= trägt über 2$^{1}/_{2}$ Millionen Tonnen im Werth von 24 Millionen Lire. Der daraus hergestellte Schwefel bildet einen starken Ausfuhrartikel; es werden jährlich 3—400000 Tonnen zum Preise von 70 bis 100 L. die Tonne exportirt. Siciliens vulkanischer Boden birgt in den Gruben der Provinz Syracus auch Asphalt, der von aus= ländischen Gesellschaften ausgebeutet und im Werthe von jährlich etwa einer Million nach Berlin, Hamburg, London und New=York ausgeführt wird.

Im Ganzén beschäftigt der Bergbau in Italien 50—60000 Ar= beiter, welche im Jahre 1898 eine Gesamtproduktion im Werthe von 71,8 Millionen lieferten. Das sind kleine Ziffern im Ver= gleich mit anderen Ländern, von denen Großbritanien (1894) fast $^{3}/_{4}$ Millionen Arbeiter mit einem Gesamtertrag von 1702 Millionen, Preußen 320000 Arbeiter mit 750 Millionen, Frankreich (1894) 149000 Arbeiter mit 252 Millionen und selbst das kleine Belgien (1895) 121000 Arbeiter mit 195 Millionen Ertrag aus den Berg= werken aufweisen. Diese Ziffern sind auch dadurch lehrreich, weil sie darthun, daß die Arbeitsleistung des italienischen Bergmanns mit etwa 1000 L. Produktionsertrag weit hinter anderen Ländern zurückbleibt.

Unter den Steinbrüchen, die sich dem Bergbau am nächsten anschließen, ragen die Marmorwerke von Carrara durch die Schönheit und den hohen Werth ihres Materials hervor. Die Apuaner Alpen, die sich parallel der Hauptkette der Apenninen an der Ostküste der Riviera dicht am Meer bis zur Mündung des Serchio hinziehen, enthalten bei Carrara und bei Massa einen fast ausschließlich aus Marmor bestehenden Gebirgsstock, der geradezu unerschöpfliche Lager weißen, röthlichen und bläulichen Marmors enthält. Bei den genannten Städten sind über 400 Brüche im Betriebe, aus denen gegen 2 Millionen Tonnen Marmor gewonnen werden. Unmittelbar an die Brüche schließen sich zahlreiche Werkstätten, in denen die Blöcke entweder für künstlerische Zwecke hergerichtet, vielfach auch gleich soweit bearbeitet werden, daß den Bildwerken demnächst nur noch die letzte Vollendung gegeben zu werden braucht, oder in Platten zersägt und für Tische und sonstiges Hausgeräth verwendet werden. Wer dieses Marmorland vor zwanzig Jahren besuchte, der traf auf dem Bergriegel, der das an der Bahn liegende Massa von Carrara trennt, zahlreiche Ochsengespanne, welche den Marmor auf schweren Rollwagen zur Bahn und an die Küste schleppten. Noch ältere Besucher Italiens sind in der Campagna vielspännigen Büffelfuhrwerken begegnet, die den römischen Bildhauer=Ateliers die Marmorblöcke aus Carrara zuführten; ein malerischer Anblick, der manchen Künstler gereizt hat, ihn im Bilde festzuhalten. Jetzt ist Carrara durch eine eigene Bahn mit der Hauptlinie verbunden, und man sieht auf den Ladestellen der Bahnhöfe von Massa und Avenza Blöcke und Tafeln von Marmor in großen Massen lagern, die des Weitertransports mit der Bahn oder zu den nahegelegenen Hafen= stellen harren. Die Marmorindustrie dieses Bezirks beschäftigt in Gruben und Werkstätten gegen 10 000 Arbeiter; der Marmor aber bildet sowohl in Blöcken als bearbeitet einen wegen seiner Schönheit und Feinheit Italien eigenthümlichen, überall hochgeschätzten Aus= fuhrgegenstand.

Zu den Industriezweigen, die von jeher in Italien heimisch gewesen sind, gehört in erster Linie die Textilindustrie. Nicht bloß im Hausbetrieb sind, wie wir soeben sahen, Seide und Wolle, Leinen und Hanf von altersher in allen Landestheilen gesponnen und gewebt worden, sondern die Weberei der verschiedensten Ge=

spinnste hat zu jeder Zeit ein angesehenes Gewerbe in Italien gebildet. Bereits in einem früheren Abschnitt ist nachgewiesen, in welchem Umfang die Seidenraupenzucht einen lohnenden Erwerbszweig der italienischen Landwirthschaft bildet. Ihr Produkt, die Cocons, liefern das Material und die Grundlage der ebenso ausgedehnten als hochbedeutenden Seidenindustrie Italiens. Sie beschäftigt sich zunächst damit, den Seidenfaden der Cocons abzuspinnen und zu Rohseide zu verzwirnen. Mit einer Jahresproduktion, die 1899 4,47 Millionen Kilogramm Rohseide betrug, stellt Italien volle vier Fünftel des europäischen Seidenerzeugnisses und ein Sechstel der gesamten Seidenproduktion der Welt, die 1899 auf 30 Millionen Kilogramm angegeben wurde. Ein sehr großer Theil der italienischen Rohseide wird ausgeführt, um von den Seidenfabriken des Auslandes, namentlich in Lyon und am Niederrhein, verarbeitet zu werden. Indessen beginnt Italien sich in steigendem Maße auch an der Verarbeitung der Rohseide in Webereien, Bandfabriken und Posamenten zu betheiligen. Im Ganzen waren in der italienischen Seidenindustrie nach den in der Monographie von 1891 gegebenen Ziffern 2084 Betriebe mit 172000 Arbeitern, abgesehen von der Hausindustrie, thätig.

Weitaus der Hauptsitz dieser Industrie ist die Lombardei. Ihr gehören mehr als die Hälfte der Seidenspinner, vier Fünftel der Seidenzwirner und neun Zehntel der Seidenweber von ganz Italien an. Die Provinz Como, in welcher alle dieser Industrie dienenden Anlagen sich am dichtesten zusammendrängen, beschäftigt allein fast 40000 Arbeiter in ihrem Dienst. Ihr reihen sich die Provinzen Mailand und Bergamo mit zahlreichen Spinnereien und Zwirnereien an. Neben der Lombardei kommen Piemont und Venetien mit namhaften, obschon viel weniger zahlreichen Seidenfabriken in Betracht. In Mittel- und Süd-italien finden sie sich bis jetzt nur vereinzelt vor.

Unter den Handelsartikeln Italiens nimmt die Seide die erste Stelle ein. Alles zusammengerechnet, pflegt die Seidenausfuhr einen Ueberschuß über die Einfuhr von annähernd zweihundert Millionen Lire zu ergeben. Früher wurde dieser mächtige Aktivposten der italienischen Handelsbilanz ausschließlich durch die Ausfuhr von Rohseide und Seidenabfällen hergestellt. Auch liefert die

Rohseide mit einer Jahresausfuhr im Werthe von 180 Millionen noch gegenwärtig bei weitem den stärksten Antheil. Es ist jedoch nicht ohne Bedeutung, daß Italien, das früher beträchtlich mehr Seidenfabrikate ein= als ausgeführt hat, jetzt auch in diesem Punkte, in einem allerdings bescheidenen Umfange, Exportland geworden ist. Die Einfuhr an Seidenstoffen in Italien, die im Jahre 1887 über 55 Millionen Werth gehabt hatte, sank in Folge des Zoll= krieges mit Frankreich im Jahre 1888 jählings auf 29 Millionen herab und hat sich bis 1897 auf 21 Millionen verringert. Dagegen hat sich die Ausfuhr in der gleichen Zeit von 16 auf 34 Millionen erhöht.

Sowohl an Alter als an räumlicher Ausdehnung wird die Seidenindustrie von der Wollindustrie übertroffen. Denn sie ist nicht nur in der Lombardei stark vertreten, sondern sie erstreckt sich über einen großen Theil von Italien. Neben ihren Hauptsitzen in Piemont und im Venezianischen ist Toscana mit namhaften Be= trieben, namentlich in der Umgegend von Florenz, zu erwähnen; auch in Umbrien und in den neapolitanischen Provinzen Caserta und Salerno ist diese Industrie mit einigen größeren Anlagen ver= treten. Sie umfaßt sämtliche Zweige, Wollwäscherei und Spinnerei, ferner Weberei und Färberei. Es ist für die Stufe, auf welcher der Gewerbebetrieb sich in Italien befindet, bezeichnend, daß in der Mehrzahl von Fabriken das Gesetz der Arbeitstheilung noch nicht eingehalten wird, sondern Spinnerei und Weberei, nicht selten auch noch Färberei, in demselben Betriebe vereinigt sind. Zur Verarbeitung gelangt in den Spinnereien neben der heimischen Wolle, die beim Rückgang der Schafzucht den Bedarf nicht mehr deckt, in steigendem Maße Wolle aus Amerika, Afrika und Australien; namentlich wird die argentinische Wolle bevorzugt. In den Webereien werden fast ausschließlich inländische Ge= spinnste verwendet. Im Ganzen waren (1895) 489 Betriebe der Wollindustrie vorhanden, in denen 30000 Arbeiter beschäftigt wurden. Der Werth ihrer Produkte wird auf 100 Millionen an= gegeben.

Einer der ältesten und zugleich noch jetzt hervorragendsten Sitze der Wollenindustrie ist die allen Alpinisten als Hauptstation des Club alpino italiano wohlbekannte Stadt Biella[1]), in der piemontesischen Provinz Novara am Abhang der von der Monte Roja-Gruppe südwärts ziehenden Alpenkette gelegen. Schon im Mittelalter haben die Tuche von Biella einen guten Ruf gehabt; aus dem Jahre 1348 sind Statuten der dortigen Tuchmacher- und Wollenweber-Innung (statuti per i drappieri e lanaiuoli) vorhanden. Bis in den Beginn des gegenwärtigen Jahrhunderts war dieser Betrieb wesentlich auf Hausindustrie begründet; die Tuche wurden in Biella selbst und in den umliegenden Thälern von Handwerkern in ihren Häusern mit Hülfe von Gesellen und Lehrlingen auf Handwebstühlen hergestellt und demnächst an Kaufleute abgeliefert, welche den Absatz besorgten. Unter diesen Tuchhändlern nahm seit längerer Zeit die Familie Sella eine geachtete Stelle ein, die im oberen Mossothale angesessen war. In diesem Thale errichtete Pietro Sella, der auf Reisen in England, Belgien und Frankreich die Fortschritte der Textilindustrie kennen gelernt hatte, 1817 die erste Fabrik, in der Wolle mit Maschinen gesponnen und gewebt wurde. Ein Verwandter von ihm, Maurizio Sella, der Vater des berühmten Finanzministers, erbaute in den dreißiger Jahren in Biella die große Tuchfabrik, die noch jetzt seiner Firma gehört. Dem Beispiel der Familie Sella folgten die Nachbarn; bald bedeckte sich die Umgegend von Biella mit den verschiedensten Anlagen der Wollindustrie, denen die raschen Alpenwasser des Cervo und der Sesia die Hauptbetriebskraft lieferten. An Stelle der Handwebstühle traten in den großen Fabriken bald mechanische; jetzt sind dort namentlich die Webemaschinen von Schönherr in Chemnitz in Gebrauch; doch hat sich neben der mechanischen auch die Handweberei in nicht unbeträchtlichem Umfang erhalten. Man hat Biella das italienische Bradford genannt; diese Bezeichnung trifft für die

---

[1]) Die Sektion Biella hat aus Anlaß der Jahresversammlung des Vereins, die 1898 in Biella stattfand, eine Beschreibung ihrer Heimat veröffentlicht, worin das Alpinistische und Landschaftliche überwiegt, aber doch auch über die Entstehung, die Ausbreitung und den gegenwärtigen Zustand der verschiedenen Industriezweige in und um Biella dankenswerthe Mittheilungen enthalten sind. Die mit zahlreichen guten Abbildungen geschmückte Festschrift führt den Titel Il Biellese. Pagine raccolte e pubblicate dalla Sezione di Biella del Club alpino italiano. Milano 1898, Vittorio Turata.

freundliche Stadt nicht zu, denn ihre landschaftlichen Reize werden durch ihren Gewerbefleiß nicht beeinträchtigt.[1] Ueber ihr lagert nicht, wie über der Kammgarn=Metropole in Yorkshire, der dichte Rauch zahlloser Fabrikschornsteine, und die Arbeiter, die sich dort zu Zehntausenden zusammendrängen, vertheilen sich in Biella, etwa 8000 insgesamt, in den Thälern ringsum. Aber an Selbstgefühl und Regsamkeit nehmen es die Fabrikanten von Biella mit ihren englischen Kollegen auf. Michele Lessona[2] berichtet, daß der Minister Sella, als er einst seine Vaterstadt besuchte, einen alten Onkel gefragt habe, ob dieser es ihm immer noch verarge, nicht in Biella geblieben zu sein. Gewiß nicht, hat ihm der Onkel erwidert, aber schade, du wärest ein so guter Tuchmacher geworden!

Ein zweiter Hauptsitz der Wollenindustrie ist Schio, in der Provinz Vicenza an den Abhängen der lessinischen Berge belegen. Hier und in den Nachbarorten Torre, Pieve, Rocchetta und Piovene befinden sich die von Alessandro Rossi ins Leben gerufenen Spinne= reien, Webereien und Färbereien, in denen ein großer Theil der Militärtuche für die italienische Armee hergestellt wird. Diese be= deutenden Betriebe gehören jetzt der Aktiengesellschaft Lanificio Rossi, einem der größten Industrieunternehmen Italiens, dem der Senator Rossi lange Zeit vorgestanden hat und noch jetzt als Ehrenpräsident des Aufsichtsraths angehört. Wie in Biella, so liefert auch in Schio das Wasser der Alpenflüsse die hauptsächlichste Betriebskraft; zum Theil wird die Wasserkraft, in Elektrizität umgewandelt, zur Beleuchtung und zum Antrieb der Spinnmaschinen und der Web= stühle verwendet.

Wie die Seiden= und die Wollenindustrie, so ist auch die Leinen= und Hanf=Spinnerei und Weberei in Italien alten Datums; sie stützt sich gleich jenen auf weitverbreitete Hausindustrie und auf Material, das ursprünglich ausschließlich vom Inlande selbst ge=

---

[1] Treffend ist dies ausgesprochen in dem Verse, dem G. Carducci in seinem schönen Gesange auf Piemont der Stadt Biella gewidmet hat:

> Biella tra'l monte e il verdeggiar de' piani
> lieta guardante l'ubere convalle
> ch'armi ed aratri e a l'opera fumanti
>   camini ostenta. (Rime e Ritmi, p. 17).

[2] Michele Lessona, Volere è potere. Firenze 1869, p. 471.

liefert wurde. Das Letztere ist zum Theil noch jetzt der Fall; namentlich wird Hanf in Italien in solcher Menge und Güte gebaut, daß er nicht nur für den nationalen Bedarf ausreicht, sondern in ziemlicher Menge ausgeführt wird. Seit dem Uebergang zum Großbetrieb hat sich die ausländische Jute den einheimischen Rohstoffen zugesellt und wird in großen Quantitäten, vielfach mit Hanf und Leinen in den gleichen Anlagen verarbeitet. Eins der bedeutendsten Unternehmen auf diesem Gebiet ist die Aktiengesellschaft Linificio e Canapificio Nazionale, mit dem Sitze in Mailand, welche in drei großen Anlagen in Fara und Cassano an der Abda und in Crema, sämtlich in der Lombardei, die Leinen=, Hanf= und Jutespinnerei im Großen betreibt. Sie beschäftigt gegen 3500 Arbeiter, und der letzte Jahresbericht der Gesellschaft betont einem Streik gegenüber, der im Geschäftsjahr 1897 in dem Hauptetablissement in Fara stattgefunden hatte, daß die Gesellschaft für ihr Kapital (acht Millionen) in den 24 Jahren ihres Bestehens durchschnittlich nicht mehr als 4 Prozent, also kaum die landesübliche Verzinsung erzielt, dagegen für ihr Arbeiterpersonal 21 Millionen Lohn gezahlt, vielen Tausenden dadurch eine dauernde Verwendung ihrer Arbeitskraft gesichert und sich um sie gleichzeitig durch zahlreiche Wohlfahrtseinrichtungen verdient gemacht habe.

Das jüngste aber bedeutendste der italienischen Textilgewerbe ist die Baumwollenindustrie. Sie hat sich über einen erheblichen Theil des Landes mit großer Schnelligkeit verbreitet und ist noch gegenwärtig in raschem Vordringen begriffen. Der Schutz, der, im Gegensatz zu der früheren, vorwiegend freihändlerischen Handelspolitik, der einheimischen Industrie durch die Zolltarife von 1883 und von 1887 gewährt wird, ist diesem neuesten Zweige der italienischen Großindustrie besonders zu Statten gekommen, weil er seine Einrichtungen der veränderten Sachlage ohne Weiteres anzupassen vermochte; vielfach sind die Baumwollen=Spinnereien, Webereien und Färbereien erst unter der neuen Zollgesetzgebung entstanden. Deshalb sind die Anlagen meistens moderner und größer als die der älteren Industriezweige. In der Provinz Novara, deren 8000 Wollenarbeiter sich auf 158 Betriebe vertheilen, hat die Arbeiterzahl der 47 Baumwollen=Spinnereien und Webereien die gleiche Höhe erreicht. Ein großer Theil dieser Fabriken ist westlich

des Lago Maggiore entstanden; Pallanza, Baveno, Arona, Lesa
sind Sitze dieser neuen Industrie geworden, die sich bis zum Sesia=
thal hinzieht, und die auch in und um Biella durch die von den
Brüdern Antonio und Giuseppe Poma begründeten großen Fabriken
stattlich vertreten ist. Ebenso hat die Provinz Turin namhafte
Baumwollenbetriebe mit mehr als 13000 Arbeitern aufzuweisen,
unter denen die Manifattura di Cuorgnè (mit 1450 Arbeitern)
hervorragt. In den Querthälern der Riviera betreibt die Aktien=
gesellschaft Cotonificio Ligure eine Anzahl von größeren Fabriken.
Eine der ersten Baumwollenspinnereien Italiens ist die von der
Aktiengesellschaft Cotonificio Veneto im Beginne der achtziger Jahre
in Venedig errichtete. Diese Gesellschaft hat neuerdings in Por=
denone auf dem venezianischen Festland eine große Anlage errichtet,
in welcher Spinnerei, Weberei und Färberei von Baumwolle ver=
einigt sind. Im Ganzen sind 80—90000 Arbeiter in diesem wich=
tigen Industriezweige thätig, dessen Gesamtproduktion den beträcht=
lichen Werth von 300 Millionen jährlich darstellt.

Am stärksten tritt das Bestreben, in Italien eine einheimische
Industrie zu erziehen, in der Metallbearbeitung zu Tage. Auf
diesem Gebiete war Italien bis in die neueste Zeit in hohem
Grade vom Auslande abhängig. Auch steht sein Hüttenwesen noch
jetzt hinter demjenigen der Kohlen und Eisen erzeugenden Länder
sehr weit zurück. Distrikte, in denen sich die Hochöfen so nah an=
reihen, wo die großen Stahl= und Eisenwerke so dicht bei einander
liegen, wie in Yorkshire, am Niederrhein und in Oberschlesien,
besitzt Italien nicht. Die Silber= und Bleihütten, welche von einer
englischen Gesellschaft in Pertusola am Golf von Spezia errichtet
worden sind, das Kupferwerk Torretta bei Livorno, die Eisenblech=
werke bei Piombino und in der Valle Camonica sind vereinzelte
Anlagen. Eisen und Stahl werden an manchen Orten Piemonts
und neuerdings in den Hochöfen von Terni verhüttet, aber nicht
ausreichend, um den Bedarf zu decken. Dagegen hat die Bearbeitung
des Eisens seit kurzem sehr erhebliche Fortschritte gemacht. Während
früher fast der ganze Eisenbedarf der Eisenbahnen vom Unterbau
bis zum rollenden Material, ferner die Eisenkonstruktionen für Häuser=
bau, die Panzer, die Maschinenausrüstung, die Geschütze und die
Geschosse der Kriegsflotte aus dem Auslande bezogen werden mußten,

ist hierin eine durchgreifende Aenderung eingetreten. Es ist bereits erwähnt worden, daß die italienische Marine sich theils durch Errichtung eigener Werften, theils durch die Heranziehung der großen Schiffbauanstalten an der Riviera und in Livorno in Beziehung auf die Erbauung ihrer Kriegsschiffe vom Auslande unabhängig gemacht hat. Durch die Unterstützung des thatkräftigen Marineministers Brin ist das größte Eisen- und Stahlwerk Italiens, die Hochöfen-Gesellschaft von Terni, in den Stand gesetzt, in ihren Anlagen Panzer und Geschosse zu erzeugen, die früher aus St. Etienne, von Armstrong oder von Krupp bezogen wurden. In Terni, in Savona, in den Walzwerken von Toscana und der Lombardei werden Eisenbahnschienen und Eisenträger für Baukonstruktion hergestellt. Das rollende Material der Eisenbahnen wird gegenwärtig zu einem großen Theil von lombardischen und piemontesischen Anstalten erbaut. Dampfschornsteine, Gas- und Wasserleitungsröhren werden in Terni und in den Werken von Bobarno im Brescianischen, einem alten Sitz der früheren Eiseninbustrie des Landes, fabrizirt.

Vielleicht die bedeutendsten Fortschritte hat die Maschinenfabrikation aufzuweisen. Eine Menge von Maschinen, die sonst importirt werden mußten, werden jetzt in Italien gemacht. Tosi in Legnano, der Dampfmaschinen für die verschiedensten Betriebe verfertigt, hat sich neuerdings mit besonderm Erfolg auf die Herstellung von Maschinen zum Antrieb der Dynamos elektrischer Beleuchtung gelegt. Seine Maschinen haben einen so guten Ruf, daß sie vielfach auch im Auslande verwendet werden; von Südamerika und Aegypten, aber auch von der Schweiz, England und Deutschland werden Tosi-Maschinen für diese Zwecke bezogen. Zur Zeit helfen diese Maschinen, um Buenosayres, Santiago, Cairo, Melbourne und einzelne Anlagen in Wien und Berlin elektrisch zu beleuchten. Andere Fabriken in Mailand und Bologna stellen die für die Umwandlung der Wasserkraft in Elektrizität erforderlichen Turbinen her. Die Maschinenbauanstalt der Elvetica in Mailand hat neuerdings sogar angefangen, Lokomotiven für rumänische und dänische Eisenbahnen zu exportiren. Als eine beachtenswerthe Leistung der italienischen Metallinbustrie ist endlich zu erwähnen, daß Drähte für Telegraphen- und andere elektrische Leitungen, die früher durchaus vom Auslande her bezogen wurden, neuerdings in inländischen

Fabriken hergestellt und sogar nach Spanien und Aegypten aus=
geführt werden. Freilich bleibt auch auf diesem Gebiet noch viel
zu thun übrig. Die Spinn= und Webemaschinen der Textilindustrie,
die Maschinen der nicht unbeträchtlichen italienischen Papierfabriken,
der weitaus größte Theil der auch in Italien in rascher Ausdehnung
begriffenen elektrischen Anlagen werden auch jetzt noch vom Aus=
lande bezogen.

Unter den im Aufschwung begriffenen Industrien ist ferner
die Papierfabrikation zu nennen, die etwa 15000 Arbeiter beschäftigt,
und der durch die in starker Vermehrung begriffenen Cellulose=
fabriken vielfach das Rohmaterial geliefert wird. Einer der größten
Betriebe dieser Industrie ist die Carteria Italia in Serravalle an
der Sesia, in der auch sonst so gewerbfleißigen Provinz Novara.
Diese von der Familie Avondo begründete Fabrik, die jetzt einer
Aktiengesellschaft gehört, wird hauptsächlich durch starke Wasserkraft
betrieben; sie beschäftigt 1300 Arbeiter und stellt alle Sorten von
Druck=, Schreib= und Luxuspapier her, namentlich auch das Papier
für die Cigaretten der Tabaksregie und die Papierunterlagen für
die Seidenraupenzucht. Andere bedeutende Papierfabriken befinden
sich in Toscana, namentlich in der Umgegend von Pistoja.

Toscana ist auch der Hauptsitz eines der schwunghaftesten
Kunstgewerbe Italiens, der keramischen Industrie. Die Porzellan=
fabrik des Marchese Ginori in Sesto Fiorentino in der Nähe von
Florenz ist bereits 1735 begründet worden; sie zählt nächst Meißen
und Sèvres zu den ältesten in Europa und hält den alten Ruf,
den ihr Porzellan unter dem ursprünglichen Fabriknamen la Doccia
genießt, auch gegenwärtig durch ausgezeichnete künstlerische und
gewerbliche Erzeugnisse aufrecht. In dem sehr bedeutenden Betriebe,
der über sieben Hektar umfaßt, sind 13—1400 Arbeiter beschäftigt.
Von geringerem Umfang aber von nicht minder kunstgewerblicher
Bedeutung ist die Majolikafabrik von Joseph Cantagalli Söhne vor
der Porta romana in Florenz, in welcher ungemein geschmackvolle
Gefäße mit Nachbildung der edelsten Majolika=Malereien der ita=
lienischen Renaissance hergestellt werden. Wie hier die Schüsseln
und Teller aus Urbino, Gubbio, Faenza als Vorbilder für die
Wiederaufnahme einer alten nationalen Kunstindustrie dienen, so
hat Antonio Salviati in der von ihm begründeten Glasfabrik auf

der Laguneninsel Murano die altvenezianische Kunst der Glas=
fabrikation zu neuem Leben erweckt und zu neuem Weltruf erhoben.
Sein Institut stellt jene zierlichen und gebrechlichen Luxusgefäße,
welche unter dem Namen venezianischer Gläser die Freude aller
Kunstliebhaber bilden, in vollendeten Nachahmungen her und liefert
damit einen auch im Auslande viel begehrten und hochgeschätzten
Exportartikel der italienischen Industrie.

Diesen Großbetrieben der Kunstindustrie lassen sich zahlreiche
andere anreihen, die als Kunsthandwerke einen alten Ruhm Italiens
bilden: die vornehmen Arbeiten römischer und florentinischer Gold=
schmiede, bei denen die von dem Römer Fortunato Pio Castellani
begonnene, von seinen Söhnen und Enkeln fortgesetzte Verwendung
klassischer Muster für die Herstellung von Goldschmuck und Juwelen
anregend fortwirkt; die Mosaik= und Pietradura=Arbeiten römischer
und florentinischer Ateliers, die Gold= und Silberfiligrane aus Genua
und Venedig, die geschnittenen Steine, Kameen und Gemmen aus
Rom. In all diesen Erzeugnissen, sowie in den Leistungen der
an vielen Orten kräftig aufblühenden Holzbildhauerei und Kunst=
tischlerei kommen die natürliche Kunstbegabung, der sichere Takt und
die leichte Hand des Italieners glänzend zur Geltung. In un=
scheinbaren Werkstätten trifft man nicht selten Handwerker, die mit
dem einfachsten Geräth wahrhaft künstlerisch geformte Möbel,
Intarsien, Flachornamente in Holz herstellen; mit wahrem Ver=
gnügen nimmt der Besucher den Geschmack der vielfach der Antike
nachgebildeten Muster, sowie die Freiheit und Feinheit der Aus=
führung wahr.

Selbst die eifrigsten Freunde der italienischen Industrie müssen
anerkennen, daß die Bedingungen, unter denen sie arbeitet, in vieler
Hinsicht ungünstiger sind, als in anderen Ländern. Indessen werden
schon die vorstehenden Bemerkungen für den Nachweis ausreichen,
daß diese Bedingungen den Versuch eines Mitbewerbs nicht aus=
schließen oder auf die Dauer hoffnungslos machen. Diese Auffassung
wird durch eine nähere Betrachtung der bei der italienischen Industrie
in Betracht kommenden Faktoren in nicht unwesentlichen Punkten
bestätigt.

Für mehrere ihrer wichtigsten Zweige besitzt sie das Roh=
material im Lande, wie Seide, Leinen, Hanf, oder kann es unter

nicht ungünstigeren Bedingungen beziehen, als die ausländische
Konkurrenz. Baumwolle muß nach Venedig oder der Riviera ebenso
importirt werden, wie nach Manchester oder Mülhausen. Der Import
des fehlenden Rohmaterials wird anderen Ländern gegenüber durch
Italiens Lage, Küstenausdehnung und Reichthum an Häfen in
mancher Hinsicht begünstigt. Im Innern ist der Transport von
der Küste zu den Betriebsstellen nirgends lang und vollzieht sich
auf ausreichenden Schienenwegen und Landstraßen. Diese Verbindungen kommen dem Absatz gleichfalls vortheilhaft zu Statten.

Hinsichtlich der Betriebskraft ist Italien gegen andere Länder
im Nachtheil durch den gänzlichen Mangel an Steinkohlen, der
durch die nicht unbeträchtlichen Mengen von Braunkohlen und
Torf, die im Lande gewonnen werden, keineswegs ersetzt wird.
Die italienische Industrie ist darauf angewiesen, ihren Stein-
kohlenbedarf aus dem Auslande zu beziehen, was trotz der
Billigkeit des Seetransports eine Vertheuerung von etwa hundert
Prozent des Preises am Ursprungsorte nach sich zieht. Trotzdem
hat sich die Steinkohleneinfuhr seit 1871 von rund 800000 Tonnen
bis 1897 auf 4,25 Millionen Tonnen gehoben, also verfünffacht.
Sie ist, um die Industrie zu beleben, vom Staate eine Reihe von
Jahren durch Bewilligung von Prämien gefördert worden, die den
Rhedern von Kohlenschiffen gezahlt wurden; seit 1896 sind die
Prämien in Wegfall gekommen, weil ihr Zweck als erfüllt angesehen werden kann. Der italienischen Industrie kommt dagegen
die Wasserkraft der zahlreichen Ströme zu Statten, die noch nicht
entfernt in ihrem vollen Umfang verwerthet wird. Man schätzt
die Triebkraft der Wasserläufe Italiens auf 3000000 Pferdekräfte,
von denen bereits vor 20 Jahren etwa 250000 Pferdekräfte benutzt
wurden, um Mühlwerke aller Art, Spinnereien, Eisenwerke, Papierfabriken, Gerbereien u. s. w. zu betreiben. Demzufolge drängen
sich in den Alpenthälern des Cervo, der Sesia, der Sessera, des
Serio, sowie an den größeren nördlichen Nebenflüssen des Po, besonders am Ticino und an der Abda gewerbliche Anlagen mit
Wasserbetrieb der verschiedensten Industriezweige dicht aneinander.
Nicht minder ist dies in den kurzen Thälern der Fall, die von der
Kette der Seealpen zur ligurischen Küste hinabsteigen. Gegenwärtig
ist die Verwendung der Wasserkraft durch ihre Umwandlung in

elektrische Betriebskraft in einer sehr erheblichen und ungemein rasch fortschreitenden Steigerung begriffen. Schon seit einer Reihe von Jahren befanden sich in Italien einige elektrische Anlagen im Betriebe, bei denen Wasserfälle, die seit Jahrhunderten zu den landschaftlichen Schönheiten des Landes zählen, die Betriebskraft hergeben, ohne an ihrem pittoresken Reiz Einbuße zu erleiden. Die weltbekannten Kaskaden des Anio bei Tivoli liefern den Strom für die elektrische Beleuchtung von Rom. Der von Byron besungene Wasserfall des Velino bei Terni gewährt für die zahlreichen Industrieanlagen, die im letzten Jahrzehnt in der Geburtsstadt des Tacitus entstanden sind, einen wesentlichen Theil der Betriebskraft. Diesen und anderen, bis vor wenigen Jahren vereinzelt dastehenden Umwandlungen der Wasserkraft in elektrische Ströme haben sich in den letzten Jahren zahlreiche, zum Theil ungemein großartige Installationen angereiht. Eine hervorragende Stelle unter ihnen nimmt das Elektrizitätswerk in Paderno eiu, welches durch Verwendung der Stromschnellen der Abda nicht nur Mailand mit dem für seine hunderttausend Glüh= lampen und 1400 Bogenlampen erforderlichen Strom versorgt, sondern auch für eine Reihe von industriellen Anlagen die erforderliche Be= triebskraft hergiebt. In Schio, Brescia, Bergamo, Bussoleno, Sondrio, Vigevano wird Wasserkraft für Industriezwecke in elektrischen Strom verwandelt. Die im Jahre 1897 als Aktiengesellschaft mit einem Kapital von 8 Millionen Lire begründete Società Lombarda per la distri- buzione di energia elettrica in Mailand hat bei Vizzola am Ticino ein Werk errichtet, das einen Theil der Wasserkraft dieses Stromes, ohne seine Benutzung für die Bewässerung der Lombardei zu beein= trächtigen, in elektrische Triebkraft von 24000 Pferdekräften umzu= wandeln bestimmt ist. Große Auslandsfirmen der elektrischen In= dustrie treten in Mitbewerb um derartige Konzessionen; Siemens und Halske, die Schuckert= und die Edisongesellschaft werden als Erwerber von Wasserkräften genannt, die nach vielen Tausenden von Pferde= kräften zählen. In dem Vortrage, welchen der ehemalige Minister, Professor Colombo im Sommer 1900 in der Akademie de'Lincei über die Fortschritte der Elektrotechnik in Italien gehalten hat[1]),

---

[1]) Giuf. Colombo, I progressi dell' elettrotecnica in Italia. N Antol. 16. Juli 1900, S. 288—304.

werden als in Errichtung begriffen zahlreiche andere Kraftumwand=
lungsanlagen aufgeführt, von denen die am oberen Anio 11000,
an der Ableitung des Naviglio grande (Ticino) 11500, in Morbegno
im Veltlin 7500, an der Stura 4000 Pferdekräfte umfassen werden.
Die soeben erschienene amtliche Statistik der elektrischen Betriebe in
Italien[1]) stellt fest, daß sich in den drei Jahren 1896—1898 die
Zahl der zur Erzeugung von elektrischem Strom verwendeten Be=
triebskraft in Italien von 50000 auf 120000 Pferdekräfte gehoben
hat, und daß diese Steigerung in den Jahren 1899 und 1900 in
noch schnellerem Tempo fortgeschritten ist. Schon Ende 1898 über=
wog die durch Wasserkraft erzeugte Elektrizität die durch Dampf=
kraft hergestellte. Die durch die Kraftumwandlung des Wassers
hervorgerufene Verminderung des Steinkohlenverbrauchs stellt einen
Werth von jährlich vielen Millionen Lire dar. Es ist hiernach be=
greiflich, wenn patriotische Italiener die Erschließung dieser neuen,
unerschöpflichen Kraftquelle als Verheißung einer glänzenden in=
dustriellen Zukunft für ihr Vaterland begrüßen. Auch ein hervor=
ragender deutscher Technologe[2]) erblickt in ihr eine wirthschaftliche
Neubelebung Italiens, indem er annimmt, daß Italien vermöge der
Benutzung dieses neu entdeckten Kraftschatzes im Stande sein werde,
die ihm bisher zu Gebote stehenden mechanischen Kräfte zu ver=
fünffachen.

Der Arbeitslohn ist in Italien auch für Fabrikarbeit weitaus
geringer als in anderen Industrieländern. Auch lassen sich die
italienischen Arbeiter in Ausbeutung ihrer Kräfte durch Länge der
Arbeitszeit, mangelnde Sonntagsruhe, Frauen= und Kinderarbeit
u. dgl. m. Manches bieten, was anderwärts durch Sitte und Gesetz
verwehrt ist. In der Kleinheit der Löhne und der Länge der Ar=
beitszeit suchen viele Unternehmer in Italien, nach der treffenden
Bemerkung eines italienischen Sozialschriftstellers, geradezu einen

---

[1]) Notizie statistiche sugli impianti elettrici esistenti in Italia alla
fine del 1898. Herausgegeben vom Ministerium für Landwirthschaft. Roma,
Tipografia nazionale 1901.

[2]) Fr. Reuleaux in dem schönen Vortrag über die wirthschaftliche Zu=
kunft der Kraftverwerthung (Sammlung populärer Schriften, herausgegeben von
der Gesellschaft Urania) und abgedruckt in der soeben unter dem Titel „Aus Kunst
und Welt" erschienenen Sammlung vermischter kleiner Schriften des Verfassers.

Ausgleich für die Ungunst anderer Verhältnisse, die ihnen die Konkurrenz mit dem Auslande erschweren. Die Anstelligkeit, die Fingerfertigkeit und Behendigkeit des Italieners machen ihn für Verwendung in Fabrikbetrieben körperlich wohlgeeignet; seine Bedürfnißlosigkeit und Nüchternheit verleihen ihm sogar Vorzüge vor ausländischen Arbeitern. Andererseits widerstrebt die Monotonie der Fabrikarbeit seiner regen Phantasie ebenso sehr, wie sich sein Temperament gegen die Disziplin der Fabrikordnung sträubt. Seinem Bedürfniß, die Persönlichkeit zur Geltung zu bringen, wird durch die Einreihung in das Räderwerk eines unerbittlich gleichförmigen Getriebes Zwang angethan. „Ueberall wo er als isolirter Arbeiter sich bethätigen kann, kommt er zur vollen Geltung; ihm fehlt die Qualifikation zum Arbeiter im gesellschaftlichen, auf Theilarbeit beruhenden Betriebe."[1] Daher bleibt die Leistung des italienischen Fabrikarbeiters hinter der englischer und deutscher Arbeiter zur Zeit noch weit zurück. Nach den Beispielen, die Bodio[2] mittheilt, sind für dasselbe Quantum, das in einer Spinnerei mit den gleichen Maschinen produzirt wird, in England acht, in Italien zwölf Arbeiter erforderlich, obwohl diese 12, die Engländer $9^1/_2$ Stunden arbeiten; je 1000 Spindeln werden in England von 4,76, in Italien von 7,46 Personen bedient. Bei Sombart stellen sich die Vergleichsziffern für die Arbeitsleistung des Italieners noch bedeutend ungünstiger; nach seinen Angaben stände der italienische Spinner und Weber ungefähr auf gleicher Stufe mit der Leistung indischer Arbeiter in Bombay. Sicher ist, daß die Schulung für Fabrikbetrieb in Hinsicht der Leistungsfähigkeit und der Disziplin des Arbeiters in Italien wenig vorgeschritten ist, und daß die italienische Industrie mit ihrem Arbeiterpersonal die Kinderkrankheiten, die andere Länder überwunden haben, erst zum Theil durchgemacht hat.

Und die Unternehmer? Sind sie in Italien in genügender Zahl vorhanden, und besitzen sie an Kapital und Vorbildung die unerläßliche Ausrüstung? Wer Verallgemeinerungen liebt, dem

---

[1] W. Sombart, Studien zur Entwicklungsgeschichte des italienischen Proletariats, Archiv für soziale Gesetzgebung und Statistik 1893, Bd. VI, S. 195.

[2] L. Bodio, Indici p. 74 ff.

mag es leicht werden, hierauf mit einem runden Ja oder Nein
apodiktisch zu antworten. Für beides läßt sich Manches anführen.
Daß es in Italien an hervorragend befähigten Großindustriellen
nicht fehlt, ist durch glänzende Beispiele aus der Vergangenheit
wie aus der Gegenwart nachzuweisen. Vincenzo Florio, der sich
von einem kleinen Drogenhändler zum Organisator des Fischerei-
betriebes und des Bergbaues in Sicilien aufschwang, der Eisengießereien, Maschinenfabriken und Schiffbauanstalten in Palermo
begründet und seinen Namen durch Errichtung des größten italienischen Dampfschiffunternehmens weltbekannt gemacht hat, läßt
sich neben Borsig und Krupp, neben Armstrong und Bessemer
ehrenvoll nennen. Der Senator Rossi hat sich um die Wollenindustrie Italiens ebenso hohe Verdienste erworben, wie der ebenfalls dem Senat angehörige Ingenieur Breda, der Vorsteher der
Hochöfen-Gesellschaft in Terni und Savona, um die Eisenindustrie.
Ihnen lassen sich unter den Leitern der großen industriellen Unternehmungen des Landes gewiß manche tüchtige Männer von Unternehmungsgeist und hoher technischer Befähigung anreihen. Andererseits läßt sich nicht verkennen, daß an der Spitze italienischer In-
dustriebetriebe sich Ausländer in starker Zahl befinden. Allerdings
ist die Zeit im Weichen begriffen, wo, um mit Hehn[1]) zu reden,
die Schweizer Italien als ihre Domäne betrachteten, die sie als
Kaufleute und Fabrikherrn nach Kräften ausbeuteten, und wo sie
deshalb die Armenier Italiens genannt wurden. Allein unter den
Besitzern norditalienischer Fabriken begegnen uns noch heute zahlreiche Schweizernamen. Die Schrift über die Seidenindustrie nennt
unter den Industriellen in der Lombardei und Como die Firmen
Zuppinger, Siler und Co., Frey, Feer und Co., Gonzenbach, Sigg
und Keller, Appenzeller, Landolt und Co., Bodmer und Muralt und
viele andere von zweifellos helvetischem Klange. Ihnen ließen sich
leicht aus anderen Provinzen deutsche, französische, österreichische
und englische Namen zugesellen. Unter dem technischen Personal
überwiegen, nach dem Zeugniß eines Italieners, die Ausländer;
M. Besso[2]) behauptet, daß die Mehrzahl der technischen Direktoren,

[1]) Victor Hehn, Italien. 5. Aufl. S. 79.
[2]) M. Besso, Economia nazionale e tecnicismo. Nuova Antologia
1. XII. 1896.

Werkmeister, Maschinisten und Korrespondenten in italienischen Fabriken Deutsche oder Schweizer seien, und er schreibt die Schuld an diesem für Italien unerfreulichen Zustand dem starken Uebergewicht zu, das in Italien immer noch dem literarisch-klassischen Element im Unterricht eingeräumt wird. Ferner ist nicht zu bezweifeln, daß die Kapitalskraft der italienischen Industrieunternehmer weit hinter der des Auslandes zurückbleibt. Das Kapital ist in Italien überhaupt spärlicher und furchtsamer als anderwärts; durch den Bau- und Bankkrach ist es schwer geschädigt und noch mehr eingeschüchtert worden, und es fängt erst allmählich wieder an, sich industriellen Unternehmungen zuzuwenden. Auch hier sieht man das Ausland oft vertreten, wo inländischer Unternehmungsgeist den natürlichsten Platz für seine Bethätigung finden sollte. In größeren Kollektivbetrieben, wie Gas, Wasserleitung, Telephone, elektrische Beleuchtung, Tramways und Kleinbahnen, kehren vielfach die Firmem ausländischer Gesellschaften wieder. Endlich ist zuzugeben, daß der Industrieunternehmer in Italien mehr als anderwärts unter dem Druck und den Schwankungen zu leiden hat, die ihm das fiskalische Besteuerungssystem und die ungewisse Valuta auferlegen. Ein ehemaliger Minister[1] hat in einer sonst hoffnungsvollen Aeußerung über die italienische Industrie geradezu ausgesprochen, daß die Steuerlast an Registergebühren, Einkommen-, Fabrikations- und Verkehrsabgaben den Fortschritt unterdrückt.

Vortheile und Nachtheile werden sich, Eins ins Andere gerechnet, ziemlich gleich bleiben. Von dem industriellen Primat Italiens, den Colombo am Schluß seines Vortrages[2] sich vorbereiten sieht, ist die nüchterne Wirklichkeit noch recht weit entfernt. Das kann jedoch ohne Uebertreibung behauptet werden, daß die italienische Industrie im letzten Jahrzehnt einen starken Aufschwung genommen hat, und daß sie in verschiedenen Zweigen sich gegen den Mitbewerb des Auslandes nicht nur auf dem heimischen Markt behauptet, sondern auch in der Fremde Eingang zu verschaffen vermag.

---

[1] Colombo, Le industrie meccaniche in Italia all' esposizione di Torino. N. Ant. 1. X. 1898.

[2] Colombo, N. Ant. 16. 7. 1900, S. 298. . . . Senza iattanza e senza lirismi possiamo dire che il trasporto elettrico dell'energia prepara all' Italia un'êra di prosperità e di primato industriale . . .

Sie hierin zu unterstützen, wird von der italienischen Regierung gegenwärtig als eine der vornehmsten Aufgaben der Handelspolitik erkannt. Es hat lange gedauert und schmerzlicher Erfahrungen bedurft, ehe diese Erkenntniß sich Bahn gebrochen hat. Jahrzehnte lang haben Cavours Nachfolger an dem gemäßigten Freihandelssystem festgehalten, welches sein politisches Genie als ein Hülfsmittel benutzt hatte, um den sardinischen Staat aus seiner Isolirung zu befreien und in Verbindung mit Frankreich zu bringen. Was bei ihm auf klarer Erkenntniß der Situation beruht hatte, das setzten sie mit doktrinärem Schematismus fort, auch nachdem sich durch den Anschluß Mittel- und Süditaliens die wirthschaftlichen und politischen Grundlagen von Cavours Handelspolitik wesentlich verändert hatten. Die Folge war eine Ueberflutung Italiens mit fremden Industrieprodukten, der gegenüber der nationale Gewerbefleiß die größte Mühe hatte, am Leben zu bleiben. Die Möglichkeit einer großindustriellen Entwickelung ward dadurch so gut wie gänzlich ausgeschlossen. Dieser Zustand hat sich erst geändert, als die steigende Finanznoth zu Zollerhöhungen zwang. Auch mit diesen wurde längere Zeit hindurch lediglich nach fiskalischen Gesichtspunkten vorgegangen. Ein durchgreifender Wechsel ist erst im Jahre 1887 durch den Uebergang der italienischen Handelspolitik zum System der Schutzzölle eingetreten. Dies System, das nach den Sätzen des Zolltarifs von 1887 ebenso sehr der Landwirthschaft als der Industrie zu Gute kommen sollte, führte zu dem Interessenkonflikt mit Frankreich, dessen Schutzzöllner zwar für sich die ihnen bisher von dem italienischen Zolltarif zugestandenen Vortheile weiter beanspruchten, sich aber energisch weigerten, den italienischen Produkten den Eingang nach Frankreich zu erleichtern. Es kam zwischen den beiden Nachbarnationen zum offenen Zollkrieg, der einen jähen Abbruch der ausgedehnten und innigen Handelsbeziehungen zur Folge hatte. Durch diesen Konflikt, der erst vor Kurzem durch die Unterzeichnung eines neuen Handelsvertrages zwischen Italien und Frankreich beigelegt worden ist, sind beide Länder schwer geschädigt worden; am schwersten Italien als der wirthschaftlich schwächere Theil. Auch hat es für das Haupterzeugniß seiner Landwirthschaft, den Wein, trotz des vermehrten Absatzes nach Deutschland, der Schweiz und andern Ländern noch immer nicht vollen Ersatz für den kolossalen Ausfall erlangt, den der Weinexport nach Frankreich seit 1888 erlitten hat. Allein ein Hauptziel des Systemwechsels von 1887, die Erziehung einer nationalen Industrie, ist, wie wir sahen, in nicht unwesentlichen Stücken erreicht worden. Es ist anzunehmen, daß dies Ziel auch fernerhin gewahrt werden wird.

Die sehr erhebliche Veränderung, welche Italiens Handelsbeziehungen erfahren haben, läßt sich am einfachsten durch einige Ziffern klar machen. Die Gesamt-Ein- und Ausfuhr Italiens, mit Ausnahme des Transits und der Edelmetalle, betrug in Millionen Lire:

	Einfuhr	Ausfuhr	Ueberschuß d. Einfuhr
1885 . . .	1460	951	509
1886 . . .	1458	1028	430
1887 . . .	1605	1002	603

Unmittelbar nach der Aenderung des Zolltarifs traten ihre Wirkungen in die Erscheinung:

1888 . . .	1175	892	283
1894 . . .	1095	1027	68
1895 . . .	1187	1038	149
1896 . . .	1180	1052	128
1897 . . .	1196	1092	104
1898 . . .	1413	1204	207
1899 . . .	1507	1431	76

Die Handelsbilanz hat hiernach seit 1887 eine durchgreifende Besserung erfahren; sie zeigt, namentlich in den letzten Jahren, eine sehr bemerkenswerthe Steigerung der Ausfuhr auf.

Noch erheblicher sind die Verschiebungen in der Betheiligung der verschiedenen Länder an diesem Verkehr. Frankreich hatte im Jahre 1887 mit 404 Millionen Einfuhr und mit 496 Millionen Ausfuhr weitaus den ersten Rang in Italiens Handel eingenommen. Im nächsten Jahre schon sank die Einfuhr auf 217, die Ausfuhr auf 222 Millionen, sie betragen jetzt (1898) nur noch 116 und 146 Millionen. In der Einfuhr wurde Frankreich im genannten Jahr von Großbritanien (254 Millionen), Rußland (188 Millionen), Deutschland (157 Millionen), den Vereinigten Staaten (166 Millionen) und Oesterreich-Ungarn (130 Millionen) übertroffen. In der Ausfuhr stand 1898 Deutschland (192 Millionen) an der Spitze; auch die Ausfuhr nach der Schweiz (185 Millionen) war stärker als die nach Frankreich.

Wie sehr sich auch handelspolitisch die Beziehungen zwischen Italien und Deutschland verstärkt und befestigt haben, geht daraus hervor, daß die Einfuhr aus Deutschland, die 1871 nur 13 Millionen betrug und damals nicht nur hinter Frankreich und England, sondern auch hinter Oesterreich=Ungarn, der Schweiz, den Vereinigten Staaten, ja hinter den Niederlanden, Rußland und der Türkei weit zurück= blieb, jetzt mit dem zwölffachen Betrage, von 157 Millionen, an dritter Stelle steht. Noch mehr tritt dieselbe Erscheinung in der italienischen Ausfuhr nach Deutschland zu Tage, die 1871 sich auf 8 Millionen beschränkte und jetzt mit 192 Millionen den vierund= zwanzigfachen Betrag und die erste Stelle erreicht.

Unter den Einfuhrartikeln werden Steinkohlen, Petroleum, Baumwollen und Kolonialwaaren wohl stets hervorragen. Neben ihnen kommen vornehmlich Weizen, Zucker, getrocknete Fische, Maschinen, Eisenwaaren und Gewebe aller Arten in Betracht. Doch hat sich, ebenso wie wir dies von Seidengeweben sahen, auch die Einfuhr wollener, leinener, besonders aber baumwollener Stoffe beträchtlich verringert. Unter den Ausfuhrartikeln werden natürlich die der Landwirthschaft, Wein, Oel, Baumfrüchte Rohseide, Hanf, Eier und Geflügel immer den Vorrang behaupten. Außer Marmor und Schwefel, deren bereits vorher gedacht ist, führt Italien ferner Salz, Korallen, Konfekt und von Industrie=Erzeugnissen Strohhüte, Holzarbeiten, Handschuhe und auch Lederwaaren, neuerdings auch Seiden=, Leinen= und Baumwollenstoffe aus.

Wie Industrie und Handel unter demselben Ministerium stehen (dem landwirthschaftlichen), so sind auch ihre Vertretungen ver= einigt in den Handels= und Gewerbekammern, deren in jeder Provinz mindestens eine, im Ganzen nicht weniger als 73 bestehen. Um die Handelsinteressen im Auslande wahrzunehmen, haben die Italiener seit 1883 eine Anzahl von Handelskammern an hervorragenden Plätzen des Auslandes eingerichtet. Solche Handelskammern be= stehen in Paris und London, in Konstantinopel, Alexandria und Tunis, ferner in New=York, San Francisco, Buenos Ayres, Montevideo und Rosario di Santa Fe. Zu gleichem Zwecke sind mit Staatsbeihülfe Handelsagenturen in Amsterdam, Beirut, Belgrad,

Bengasi, Brüssel, las Palmas, Liverpool und Nantes eingerichtet. Endlich bestehen, um den Absatz italienischer Weine zu befördern, weintechnische Stationen (stazioni enotecniche) in Berlin, Budapest, Zürich, Buenos Ayres und New-York. Auch durch Unterhaltung eines zahlreichen, über alle Theile der Welt verbreiteten Konsularpersonals sucht der Staat die italienischen Handelsbeziehungen zum Auslande zu fördern.

Bei der Ausdehnung seiner Küsten scheint Italien vorzugsweise auf Seehandel angewiesen zu sein. Auch ist die Rolle, welche italienische Städte Jahrhunderte hindurch als führende Seehandelsmächte im Verkehr des Mittelalters ausgefüllt haben, im Lande keineswegs vergessen. Die Eröffnung des Suezkanals hatte in Italien die größten Erwartungen erweckt; die rege Phantasie der Südländer sah die Häfen Unteritaliens und Siciliens bereits aufs Neue sich mit dem mastenreichen Wald aller nach dem fernen Osten fahrenden Schiffe beleben; sie hielt eine rege Betheiligung Italiens am Welthandel für nahe bevorstehend. Diese Hoffnungen sind nur zu einem bescheidenen Theil erfüllt worden. Zwar ist, wie wir im nächsten Abschnitt darlegen werden, die italienische Rhederei unter den großen Dampfschiff-Unternehmungen, welche die Hochstraßen der Ozeane befahren, ehrenvoll vertreten. In der Zahl und der Bewegung seiner Handelsflotte steht jedoch Italien sehr beträchtlich hinter anderen Nationen zurück. Die italienische Handelsmarine zählte Ende 1898 im Ganzen 6148 Fahrzeuge mit einer Ladefähigkeit von 815162 Tonnen, darunter 5764 Segelschiffe von 537642 t, 384 Dampfer von 277520 t. Diese Ziffern stellen einen Fortschritt seit 1871 nur in Betreff der Dampfer dar, die sich seitdem an Zahl verdreifacht, an Tonnengehalt etwa versiebenfacht haben. Im Ganzen aber bedeuten sie eine Verminderung an Italiens Handelsmarine, die vor einem Vierteljahrhundert mehr als elftausend Schiffe mit über einer Million Tonnengehalt umfaßte. Diese Verminderung beruht nicht auf einer Abnahme des Schiffsverkehrs, sondern auf der allmählichen Zurückdrängung der nationalen Flagge durch ausländische Handelsschiffe, die erst seit der Veränderung der Handelspolitik einer stärkeren Betheiligung italienischer Schiffe sowohl am internationalen als am Küstenverkehr zu weichen beginnt. Für die nachbarlichen Beziehungen Italiens ist es bezeichnend, daß unter den Segelschiffen

nächst Italien Griechenland, Oesterreich, England und Nordamerika
am stärksten vertreten sind; im Dampferverkehr steht England vor
allen anderen Nationen voran, Italien nicht ausgeschlossen. Die
italienische Regierung ist bemüht, den nationalen Schiffbau, der in
Folge des Rückgangs der Segelschiffahrt eine sehr namhafte Ver=
minderung erfahren hat, durch Prämien für die Erbauung neuer
und für die Ausbesserung alter Schiffe auf den nationalen Werften
wieder zu beleben.

Wie bei der Industrie, hat Italien auch in Vervollkommnung
seines Handels mit den Erschwerungen zu kämpfen, die ihm das
Vorwiegen der ästhetischen Interessen unter den gebildeten Bevölke=
rungsklassen bereitet. Wo ist die Wanderlust, wo der kaufmännische
Unternehmungsgeist geblieben, die im Mittelalter die Söhne der
besten Familien von Benedig, Genua und Florenz ins fernste Aus=
land geführt haben, und von denen Marco Polos Aufzeichnungen
ein klassisches Zeugniß ablegen? Noch heut läßt die Terminologie
des Handels=, des Wechsels= und des Bankwesens durch die Menge
der aus dem Italienischen herstammenden Kunstausdrücke die ehe=
malige Suprematie des italienischen Handels deutlich erkennen.
Aber an kraftvoller Initiative, an frischem Wagemuth und zähem
Festhalten steht der heutige italienische Kaufmann hinter dem deutschen,
englischen und schweizerischen zweifellos erheblich zurück. Man er=
regt in Italien Staunen, ja Zweifel, wenn man erzählt, wieviel
junge Bremer und Hamburger übers Meer gehen, um in Ostasien,
in Nord=, Mittel= und Südamerika sich im Welthandel zu versuchen,
ehe sie heimkehren und die väterlichen Geschäfte übernehmen. In
den ersten Handelsplätzen und Häfen Italiens sind deutsche und
andere ausländische Firmen mit der Ausfuhr italienischer Erzeug=
nisse beschäftigt. Nicht selten werden diese Produkte mit deutschen
Schiffen nach Ostasien und nach Südamerika versandt.

Auch hierin bricht sich indessen, wenngleich nur sehr allmäh=
lich, eine bessere, praktischere Richtung Bahn. Man fängt an ein=
zusehen, daß auf dem nüchternen Boden des Handelsverkehrs mit
Weltschmerz und Aesthetik nichts zu machen ist, und daß mit der
eigenen Person eingestanden werden muß, wenn etwas erreicht
werden soll. Auch in Italien entschließt man sich, die alten und
die neuen Wege des Welthandels wieder selbst zu betreten. Vor

Kurzem hat sich ein Konsortium von 130 angesehenen industriellen und Handelsfirmen des Landes gebildet, das sich die Wiederbelebung und die Vermehrung der italienischen Handelsbeziehungen mit dem Orient zur besonderen Aufgabe stellt. Auf diese Beziehungen ist Italien durch seine Lage, seine Vergangenheit und die Nachbarschaft des Suezkanals gleich sehr hingewiesen. Das Konsortium hat in indischen, chinesischen, japanischen und australischen Häfen Agenturen errichtet, deren Vertreter sich mit den Bedürfnissen und Gewohnheiten des Orts vertraut machen und italienischen Erzeugnissen Eingang zu verschaffen suchen. Diese und ähnliche Bestrebungen zu ermuthigen, sollten nicht bloß die Volkswirthe und die Politiker Italiens, sondern auch seine Schriftsteller und vor allem die Volkserzieher auf das Allerenergischste sich angelegen sein lassen. Gerade sie sollten auf das Nachdrücklichste den Irrthum bekämpfen, als ob rüstiges Schaffen in Industrie und Handel eines gebildeten Mannes unwürdig oder auch nur mit seiner Bildung und künstlerischem Geschmack unvereinbar wäre. Sind die Medizäer nicht Banquiers gewesen? Und hat nicht Shakespeare das Idealbild eines jener „königlichen Kaufleute" gezeichnet, denen die Lagunenrepublik ihre Handelsgröße und die Blüte feinster Kultur zu verdanken gehabt hat?

9. Das Verkehrswesen.

Italien ist durch seine Lage darauf angewiesen, ein Ver=
kehrsland zu sein. Seine hafenreichen Küsten, die sowohl nach
dem Osten schauen, als sich gegen Süden und Westen in schön
geformten Buchten öffnen, laden zur Schiffahrt förmlich ein. Für
das Mittelmeer bildet die Apenninenhalbinsel mit dem Kranz der
ihr vorgelagerten Inseln den natürlichen Verkehrsmittelpunkt, von
dem aus alle angrenzenden Länder Europas, Afrikas und Asiens
gleich leicht erreicht werden, und wo sich alle Verbindungen zwischen
ihnen kreuzen. Die Bedeutung dieser Lage wird über das Mittel=
meerbecken hinaus noch dadurch gesteigert, daß beide Pforten seines
interozeanischen Verkehrs, die uralte Straße zwischen den Säulen
des Herkules und die neugeschaffene des Suezkanals, von Italien
ungefähr gleich weit entfernt sind, so daß die Italiener sich beider
gleich gut bedienen können, um auch außerhalb ihres heimischen
Meeres am Weltverkehr sich zu betheiligen.

Roms Herrschervolk hatte die Vortheile dieser Lage früh=
zeitig begriffen und mit höchster Energie politisch wie wirthschaft=
lich verwerthet. Nie ist ein erbitterterer Kampf gefochten worden,
als der hundertjährige zwischen Rom und Karthago um die Supre=
matie im Mittelmeer, der mit der Vernichtung der punischen Neben=
buhlerin endigte. Noch während dieses Kampfes hat Rom die
Erbauung jenes Straßennetzes in Angriff genommen, welches die
Hauptstadt mit den campanischen, großgriechischen, adriatischen,
tyrrhenischen und ligurischen Häfen in Verbindung brachte. Für
die Wichtigkeit dieser Verkehrswege legt die Thatsache Zeugniß
ab, daß die Anwohner des vor mehr als zwei Jahrtausenden

erbauten Heerweges von Rimini nach Bologna ihre Region noch heut nach dem Erbauer jener Straße die Emilia nennen. An dem Felsen vor dem Thor von Terracina, der in einer Höhe von 120 römischen Fuß glatt und senkrecht durchgeschnitten worden ist, um der via Appia einen bequemeren Weg an der Küste zu ermöglichen, hat man noch heut eine Musterleistung römischer Straßenbaukunst und einen Beweis der Energie vor Augen, die jedes ihr entgegen= stehende Hinderniß zu bewältigen vermochte.

Aber in den Stürmen der Völkerwanderung und während des Mittelalters verfielen die Römerstraßen, die Italiens natürliche Un= wegsamkeit in ein Netz zahlreicher und wohl zusammhängender Verkehrswege umgewandelt hatten. Damit ging eines der wichtigsten Bänder verloren, welches die in staatloser Ohnmacht zersplitternden Theile Italiens zusammengehalten hatte. Die Entfremdung der verschiedenen Stämme zu schüren, ihre Annäherung zu erschweren, war eines der Mittel, durch welche die Landesherren der nach und nach sich bildenden Partikularstaaten ihre Herrschaft zu befestigen suchten. Mit Ausnahme derjenigen Wege, die von den einzelnen Regierungen für ihre Zwecke für unerläßlich gehalten wurden, lag der Straßenbau in Italien arg darnieder. In ganzen Landestheilen, namentlich im Süden, waren gar keine Kunststraßen vorhanden; auch die Landwege blieben hinter den billigsten Anforderungen weit zurück. In Calabrien, in den Abruzzen gab es bis zum Zusammen= bruch der Bourbonenherrschaft Städte, die ohne jede Straßenver= bindung selbst mit der Nachbarschaft geblieben waren. Auf ganz Sicilien soll es noch im Jahre 1863 nur 9 Kilometer Chausseen gegeben haben. Sciacca, an der Südküste von Sicilien auf steiler Anhöhe hart am Meer gelegen, besaß, als es mit dem Königreich Italien vereinigt wurde, trotz seiner zwanzigtausend Einwohner weder einen Hafen noch eine Fahrstraßenverbindung. Noch im Jahre 1876 beschreibt ein Reisender[1], der Selinunts Tempeltrümmer besucht und in Castelvetrano übernachtet hatte, die Schwierigkeiten, die ihm der Ritt von dort nach Sciacca verursacht hat. „Es giebt keinen fahrbaren Weg zwischen beiden Orten; nur mit Maulthieren kann man die fünf deutsche Meilen lange Strecke zurücklegen. Man

---

[1] Paul Herz, Italien und Sicilien. Berlin 1878, Bd. II. S. 187 f.

trifft unterwegs nicht eine einzige Ortschaft; der Weg ist völlig
einsam und deshalb verrufen. Das schlimmste Hinderniß sind aber
die vielen Flüsse, welche, aus dem Innern des Landes kommend
sich an dieser Uferstrecke ins Meer ergießen. Es existiren keine
Brücken über diese Flüsse; man muß sie auf hochbeinigen Maul=
thieren oder Pferden durchreiten. Beim Durchreiten des Belici
spülte das Wasser den Thieren bis dicht unter den Bauch; wäre
es nur etwas höher gewesen, so hätten sie sich nicht gegen den
reißenden Strom halten können. . ."

Von Eisenbahnen war in Italien, als der Nationalstaat er=
richtet wurde, in einzelnen Landestheilen noch gar Nichts, in anderen
nur ein ganz geringer Ansatz vorhanden. Auf Sicilien gab es gar
keine Bahnen; auf dem ganzen Festland des Königreichs Neapel
war die Strecke von Neapel nach Pompeji die einzige, nur wenige
Kilometer ausgedehnte Linie. Rom besaß außer der in trübseligster
Verfassung befindlichen Bahn nach Civitavecchia keinerlei Eisenbahn=
verbindungen. Auch sonst gab es im Kirchenstaat keine Bahnen.
In Toscana waren ein paar kleine Linien ohne Anschluß an andere
Landestheile vorhanden. Die einzigen Anfänge zusammenhängender
Schienenverbindungen waren in Piemont und von den Oesterreichern
in der Lombardei gemacht worden.

Wer Anfangs der sechsziger Jahre Italien bereisen wollte,
der war, falls ihm seine Zeit und seine Börse das theure und zeit=
spielige Vergnügen ausgedehnter Vetturinfahrten nicht gestatteten,
darauf angewiesen, sich der Dampfschiffe zu bedienen, welche von
Marseille aus über Genua, Livorno, Civitavecchia, Neapel und
Messina nach Malta fuhren und an jedem der genannten Orte an=
legten.[1] Diese Dampfschiffe gehörten der französischen Gesellschaft
der Messageries maritimes; sie wurden auch auf den Strecken,
wo italienische Dampfer fuhren, allgemein bevorzugt, da sie diesen
an Reinlichkeit, Bequemlichkeit und Beköstigung weit überlegen
waren. Wo der französische Mitbewerb nicht bestand, sah sich der

---

[1] Um von Rom nach Florenz zu kommen, ist der Schreiber dieser
Zeilen im Jahre 1861 mit einem römischen Vetturin vierzehn Tage unterwegs
gewesen, hat sich dabei allerdings in Perugia, Urbino, Rimini und Ravenna
aufgehalten und mehr vom Innern des Landes gesehen, als man jetzt vom
Bahnwagen aus wahrzunehmen pflegt.

Reisende auf Seeverbindungen beschränkt, die so ziemlich Alles zu wünschen übrig ließen. Die Hafeneinrichtungen selbst der größten Seeplätze, in Genua, Neapel, Messina, Livorno, waren veraltet und unzureichend; die kleinen Häfen — unter ihnen manche, die im Alterthum glänzende Emporien gewesen waren, wie Tarent, Brindisi, Agrigent und Syracus — entweder im Verfall begriffen oder seit langer Zeit völlig veröbet.

Nach allen diesen Richtungen fand die italienische Regierung eine Fülle von umfassenden, schwierigen und kostspieligen Aufgaben vor, deren Lösung dadurch nicht erleichtert wurde, daß sie zugleich mit einer Menge anderer nicht minder bringender und wichtiger in Angriff genommen werden mußten. Wer die gegenwärtigen Verkehrseinrichtungen Italiens gerecht würdigen will, wird gut thun, sich dieser Verhältnisse zu erinnern. Wir beginnen mit den Landstraßen, an die sich die Eisenbahnen anreihen, wenden uns dann zu den Wasserverbindungen und schließen mit einigen Anmerkungen über Post und Telegraphie.

Wie in Frankreich, so unterscheidet man auch in Italien National-, Provinzial- und Kommunalstraßen als die drei Stufen der öffentlichen Wege, für welche zu sorgen der Staat, die Provinzen und die Gemeinden gesetzlich verpflichtet sind. Neben diesen Straßen stehen die nicht obligatorischen Kommunal- und die Vizinalwege der allgemeinen Benutzung gleichfalls offen. Die Verpflichtung der Gemeinden zur Errichtung öffentlicher Straßen ist durch ein im Jahre 1868 ergangenes Gesetz geregelt worden. Danach liegt ihnen ob die Herstellung von Fahrwegen zur Verbindung des Hauptorts der Gemeinde mit der Kreisstadt oder dem nächstgelegenen größeren Bevölkerungscentrum und mit Eisenbahn und Hafen, ferner zur Verbindung der bedeutendsten Wohnorte des Gemeindebezirks untereinander. Zur Ausführung dieser Straßenbauten wird den Gemeinden ein bestimmter Zuschuß vom Staat und von der Provinz geleistet. Der bei Erlaß des Gesetzes aufgestellte Plan sah im Ganzen etwa 75000 Kilometer solcher obligatorischer Gemeindestraßen vor, wovon etwa 32000 km bereits vorhanden waren. Der Gesamtaufwand für die Vollendung der noch fehlenden Straßen wurde auf 662 Millionen geschätzt. Ende 1897 betrug die Gesamtlänge der vollendeten oder im Bau begriffenen Gemeindestraßen 58000 km; es waren also in dreißig Jahren 26000 km in Angriff genommen und größtentheils fertiggestellt worden. Die Ausgaben hierfür wurden bereits bis Ende Juni 1889 (spätere Angaben liegen nicht vor) auf 316 Millionen berechnet, wovon der Staat 64,5, die Provinzen 34 Millionen beigesteuert hatten. Durch die schlimme Finanzlage, welche dem Bau- und Bankkrach folgte, hat der Staat sich genöthigt gesehen, das Gesetz von 1868 im Jahre 1894 zu suspendiren, so daß seitdem eine Verlangsamung eingetreten ist. Außer den Gemeindestraßen waren Ende 1897 6915 km Staats- und 39927 km Provinzialstraßen vorhanden, so daß das ganze Netz der gesetzlich vorgeschriebenen Wege 104000 km betrug. Dazu kommen noch die nicht obligatorischen Gemeinde-Fahrstraßen, über deren Ausdehnung seit längerer Zeit keine Angaben veröffentlicht worden sind, die man aber nach früheren Mittheilungen auf mindestens 30000 km schätzen darf. Alles in Allem ein Netz fahrbarer Straßen von 130—140000 km. Das ist wenig gegen Frankreich, wo dies Netz sich 1896 auf 543000 km belief. Aber es ist für Italien ein ungemein fühlbarer Fortschritt, um so fühlbarer, als sich das Straßennetz auf alle Provinzen vertheilt und auch diejenigen reichlich bedenkt, die früher ganz unwegsam waren.

Auch in der Dichtigkeit der Straßen bestehen Verschiedenheiten zwischen den einzelnen Regionen. Weitaus am reichlichsten sind die ehemals österreichischen Gebiete mit Straßen bedacht. Denn während die anderen italienischen Kleinstaaten sich von einander möglichst getrennt hielten, besaß Oesterreich ein einleuchtendes Interesse, seinen italienischen Besitz durch gute und zahlreiche Straßen mit dem übrigen Kaiserstaat und untereinander zu verbinden. Aus den Tagen österreichischer Herrschaft stammen die meisten, besten und kostbarsten der Alpenstraßen, auf denen noch heutzutage aus den Tiroler, Kärntner und Krainer Alpen nach Italien gewandert, gefahren und geradelt wird; darunter die herrliche Straße über das Stilfser Joch, die zu den höchsten und schönsten Kunststraßen der gesamten Alpenwelt gehört; die Tonalstraße, die vom Sulzberg in die Valle Camonica führt; die Straße von Cortina über Pieve di Cadore ins Piave-Thal nach Belluno und Venedig, die eine Inschrift an ihrer kühnsten Stelle (kurz vor Perarolo) mit Recht als

ein Meisterwerk der Straßenbaukunst preist. Allein so groß wie
sonst in vielen anderen Punkten sind die Unterschiede zwischen den
einzelnen Provinzen, auch zwischen Nord und Süd, in der Straßen=
ausdehnung nicht. Nach einer Ende 1897 aufgenommenen Statistik
kommen im Durchschnitt 34,9 km Fahrstraßen auf je 100 Quadrat=
kilometer Bodenoberfläche in Italien. Dieser Durchschnitt wurde
am weitesten in Piemont (61,4) der Lombardei (56,4), Venetien (49,5)
und Emilia (44,2) überschritten. Aber er wurde doch auch in
früher ganz weglosen Gegenden wie Sicilien (24,9) und Calabrien
(22,8) nahezu erreicht, und nur Sardinien (15,6) blieb weit dahinter
zurück, was in den besonderen Verhältnissen und der geringen Be=
völkerung dieser Insel seine ausreichende Erklärung findet.

Jedenfalls reicht dies Straßennetz aus, um, ganz abgesehen
von allen übrigen Verbindungen, den früher oft und nicht mit
Unrecht erhobenen Vorwurf gegen die Unwegsamkeit Italiens gegen=
standslos zu machen. Auch wer sich von den großen Heerstraßen
entfernt, kann jetzt beinah in allen Landestheilen darauf rechnen,
fahrbare Straßen zu treffen, darunter viele schwierige Bauten, bei
deren Ausführung weder Mühe noch Kosten gescheut worden sind.
Wer sich Zeit läßt, die berühmte Cornice im offenen leichten Wagen
zu befahren, der wird von der Rivierafahrt unendlich viel schönere
Eindrücke empfangen als der Eisenbahnreisende. Auch die Alpen=
straßen, die aus Frankreich und der Schweiz ins Piemontesische
führen, verdienen jedes Lob und gewähren einen ganz anderen
Genuß, als sich durch die großen Löcher des St. Gotthard und
des Mont Cenis nach Italien hineintunneln zu lassen. Das gleiche
ist der Fall bei den aussichtreichen Landstraßen, die aus der pie=
montesischen Ebene über den Kamm der Seealpen an die Riviera
führen. Und wer früher den Apennin auf Landstraßen überschritten
hat, dem ist der Blick von dem Höhepunkt der Chaussee auf das
wogende Berggewirr des Westens und die schnell abflachende Land=
schaft zum adriatischen Meere hin in bleibender Erinnerung.
Vielleicht die reizendste aller italienischen Straßen, die bereits aus
der Bourbonenzeit herstammende Chaussee am Meerbusen von Salerno
zwischen Vietri und Amalfi, hat in ihrer erst kürzlich vollendeten
Fortsetzung über Positano und den Bergrücken nach Sorrent einen
ihrer würdigen Abschluß erlangt. —

Für die italienischen Eisenbahnen ist es verhängnißvoll ge=
wesen, daß sie wiederholt den äußersten Nothbehelf gebildet haben,
um als Gegenstand der verschiedenartigsten Finanzoperationen den
Zusammenbruch des Staatshaushalts abzuwenden. Viermal ist das
System, auf welchem ihr Eigenthum und ihr Betrieb beruhen,
gründlich gewechselt worden. Die piemontesischen Staatsbahnen
sind 1864 an eine Privatgesellschaft veräußert worden; 1865 kaufte
der Staat den Besitz der größten Eisenbahngesellschaften an, beließ
ihnen aber den Betrieb; von 1878 bis 1885 haben die Bahnen
im Staatsbetrieb gestanden; seit 1885 ist das noch gegenwärtig
bestehende Vertragsverhältniß in Kraft, wonach der Staat den Be=
trieb seiner Bahnen an drei große Eisenbahngesellschaften verpachtet
hat. Alle diese Veränderungen sind unter dem Druck bringendster
finanzieller Verlegenheiten und zu dem Zwecke vorgenommen
worden, das zu ihrer Abwendung augenblicklich nothwendige Geld
zu beschaffen. Es ist kein Wunder, daß der Staat dabei sehr
schlecht weggekommen ist, und daß das Ergebniß aller dieser Trans=
aktionen, der gegenwärtige Zustand des Eisenbahnwesens, Niemand
befriedigt.

Im Jahre 1860 waren in Italien 2189 Kilometer Eisen=
bahnen vorhanden. Nach der neuesten Statistik, die bis Ende
1898 reicht, umfaßt das italienische Vollbahnnetz (ohne die Klein=
bahnen) eine Betriebslänge von 15802 km. Ein Blick auf die
Karte zeigt, daß sich dies Bahnnetz der Gestalt des Landes geschickt
anschmiegt. Das oberitalienische Festland ist durch eine Reihe von
Alpenbahnen mit Frankreich, der Schweiz und Oesterreich in Ver=
bindung gesetzt und an das große Schienennetz Europas wirksam
und ausreichend angeschlossen. Sowohl durch den Mont Cenis und
den Gotthard als über den Brenner führen internationale Eisen=
bahnen nach Italien, deren Anlage und Betrieb allen Anforderungen
der Technik entsprechen und die nicht nur schnelle und bequeme Ver=
bindungen für die Italienreisenden schaffen, sondern dem Lande
auch den Transit der wichtigsten Weltrouten, namentlich des indisch=
englischen Verkehrs zuführen. Die Niederung des Pothals wird
von einer diese Alpenbahnen theils fortsetzenden, theils durchquerenden
Hauptlinie durchzogen, die von Westen nach Osten hin alle Haupt=
städte Oberitaliens, Turin, Mailand, Verona und Venedig berührt

und durch zahlreiche Abzweigungen mit allen namhaften Orten in Piemont, der Lombardei und Venetien verbindet. Die gesamte Meeresküste ist sowohl im Westen als im Osten von Hauptlinien eingefaßt, die zugleich wichtige Verbindungen mit dem Auslande, westlich über Nizza nach Marseille, östlich nach Triest herstellen. Die Bahn an der Westküste berührt die drei Haupthäfen Genua, Spezia und Livorno, die Hauptstädte Rom und Neapel und folgt von Salerno dem Saume der Küste bis Reggio, an der Meerenge Messina gegenüber. Die Ostlinie trifft, von Venedig ausgehend, in Bologna mit den über Mailand und Verona einmündenden Verlängerungen der Gotthard= und der Brennerbahnen zusammen und erstreckt sich dann, vielfach unmittelbar an der Küste des adri= atischen Meeres, über Rimini, Ancona, Foggia und die apulischen Hafenstädte Barletta und Bari bis nach Brindisi, das aufs Neue ein wichtiger Ausgangspunkt für die Seeverbindungen im Mittel= meer und darüber hinaus geworden ist. Die West= und die Ost= linie sind durch zahlreiche Querlinien verbunden, die den Apennin überschreiten. Die wichtigste derselben ist die Linie von Bologna über Florenz nach Livorno, an die sich die mit der Westküstenbahn parallel laufende Linie Florenz=Rom anschließt, ein Hauptglied in der Kette der großen internationalen Verbindungen zwischen Rom= Berlin und Rom=Wien. Zwei andere Querlinien entspringen in Rom, die eine um über Terni und Foligno durch Umbrien nach Ancona zu führen; die andere geht über Tivoli und Sulmona durch die Abruzzen und erreicht bei Pescara die adriatische Linie. Ebenso entspringen von Neapel zwei Querbahnen, von denen die mit etwas nordöstlicher Richtung über Benevent nach Foggia an der Ostlinie geht, die andere nach Osten über Potenza und Metapont nach Tarent führt. Endlich sind die Endpunkte der beiden Küsten= linien, Reggio und Brindisi, durch Bahnen in Verbindung gebracht, die sich um den Golf von Tarent an der Südküste entlang ziehen. Unter sich sind die verschiedenen Querlinien mehrfach durch Nebenlinien verbunden, unter denen die von Sulmona über Aquila nach Terni, sowie die von Foligno über Assisi und Perugia um den trasimenischen See führende besonders hervorgehoben seien.

Die beiden großen Inseln besitzen besondere Bahnnetze, von denen das sardinische sich im Wesentlichen darauf beschränkt, die

18*

weit auseinander liegenden beiden Hauptorte Cagliari im Südosten und Sassari im Nordwesten unter sich und mit dem Bergwerkbezirk in Verbindung zu bringen. Sicilien ist dagegen auf seiner Nord- und Ostseite ganz, an der Südseite wenigstens theilweis von Bahnen umsäumt, die, dem Küstenzuge folgend, Messina einerseits mit Palermo und den Weinstädten Trapani und Marsala, andererseits mit Catania, Syracus und Girgenti verbinden. Querbahnen von Catania westwärts und Palermo südlich, sowie die das mächtige Massiv des Aetna umschließende ferrovia circumetnea schließen das früher ganz weglose Innere des schönen Eilandes auf. Es ist wiederholt davon gesprochen worden, Sicilien durch eine die Meerenge von Messina unterbrückende Tunnelbahn mit dem Fest- lande in Schienenverbindung zu bringen. Diese Bahn würde von der Punta del Pizzo bei Messina bis S. Agata in Calabrien 13,2 km lang sein und bei einem Gefälle von 35/1000 eine Tiefe von 35 Meter unter dem Meeresgrund erreichen. Indessen ist an ihre Erbauung bisher noch niemals ernstlich herangetreten worden.

Ueberblickt man die Gesamtanlage, so ergiebt sich, daß Italien an Stelle seiner früheren Unwegsamkeit jetzt Verbindungen zwischen allen Theilen des Landes besitzt, die alle einigermaßen wichtigen Orte unter einander in Beziehung setzen und welche Rom, Neapel, Florenz, Genua, Turin, Mailand und Venedig vom Inlande wie vom Auslande auf zahlreichen und bequemen Schienenwegen erreich- bar machen. Das politische Ziel, das den Italienern bei Entwerfung ihres Eisenbahnplans vorgeschwebt hatte, darf sowohl von nationalem Standpunkte als von dem der Völkerverbindung im Wesentlichen als erreicht gelten. Man kann eher behaupten, daß mit der Er- bauung mancher Bahnen, namentlich in Calabrien und anderen Regionen Süditaliens, über das zur Zeit vorliegende Verkehrsbe- dürfniß nicht unerheblich hinausgegangen worden ist. Pessimisten meinen, daß sich unter diesen Bahnen verschiedene Linien befinden, die vorwiegend, wie die bereits erwähnten Depretis-Bomben, Wahlrück- sichten ihre Entstehung zu verdanken haben und deren Ertrag die Be- triebskosten nicht annähernd deckt. Immerhin darf nicht außer Acht gelassen werden, wie arg die Verwahrlosung jener abgelegenen, von aller Kultur abgeschnittenen Landestheile gewesen ist, und wie dringend der Staat das Bedürfniß empfinden mußte, sie aus den halbwilden Zuständen dieser Isolirung zu entreißen. Als dem König Friedrich Wilhelm I. vorgestellt wurde, daß die von ihm verlangten Poststraßen durch die littauischen und masurischen Wälder Zuschüsse erfordern würden, schrieb der sonst so sparsame Monarch an den Rand des Berichts: ich will haben ein Land, das cultiviret sein soll, und ließ sich in seinem Plane nicht stören. Damit können sich auch die Italiener trösten, wenn ihnen vorgehalten wird, daß sie eine oder die andere unrentable Bahn erbaut haben.

Die tüchtige Leistung ihrer Bahnanlage verdient um so mehr Anerkennung, als dabei nicht geringe Schwierigkeiten zu überwinden waren. Ein überwiegender Theil ihrer Bahnen trägt durchaus den Charakter von Gebirgsbahnen und ist mit Tunneln, Durchbrüchen, Ueberbrückungen wilder Bergströme, Steigungen und Kurven aller Art in großer Anzahl versehen. Auch die Küstenbahnen sind nicht selten auf weiten Strecken durch das hart ans Meer herantretende Gestein durchgebrochen; die zahlreichen Tunnel der Rivierabahn folgen dicht hintereinander und ermüden das Auge des Reisenden nicht wenig durch den blitzschnellen unaufhörlichen Wechsel von nächtiger Finsterniß und grellem Sonnenlicht. Bei anderen schein= bar einfachen Linien bereitet die mangelnde Stabilität des Bodens die größten Schwierigkeiten; in Toscana, in Apulien und in Calabrien gleiten nach starken Regengüssen ganze Strecken des Mergellandes auseinander und nöthigen zu umfangreichen Wiederherstellungen. Unter den Tunnelanlagen sind die Gallerien des Giovipasses zwischen Genua und Turin, die im Renothal aufwärts von Bologna auf der Linie nach Florenz, der große Tunnel durch den Apennin auf der Strecke nach Foggia als besonders kostspielige Bauausführungen weltbekannt. Alle diese Umstände haben nicht bloß die Erbauung der italienischen Bahnen sehr beträchtlich vertheuert, sondern sie machen auch ihre Unterhaltung und ihren Betrieb kostspieliger als in anderen Ländern. Während auf den preußischen Staatsbahnen Steigungen von mehr als 15/1000 nur 1,2 Prozent der Gesamtstrecke einnehmen, beträgt dies Verhältniß bei den Bahnen des Mittelmeer= netzes 5,6 Prozent, in Sicilien sogar 25,6 Prozent. Tunnel, die bei den Mittelmeerbahnen 5,56 Prozent, beim Adriatischen Bahn= netz 3,16 Prozent der Linien ausmachen, kommen auf den preu= ßischen Staatsbahnen nur 0,33 Prozent vor.

Der Bahnbetrieb befindet sich in Italien durchweg in der Hand von Privatunternehmungen. Unter ihnen ragen die drei großen Gesellschaften hervor, denen der Staat den Betrieb der ihm gehörigen Bahnen im Jahre 1885 verpachtet hat. Diese Gesell= schaften sind die Mittelmeer=, die Süd= und die sicilische Eisenbahn= gesellschaft. Die Mittelmeergesellschaft betreibt das westliche Bahn= netz (rete mediterranea) von Ober=, Mittel= und Unteritalien; ihr Sitz ist in Mailand. Die Südbahngesellschaft (meridionale) mit dem Sitze in Florenz hat das Ostnetz (rete adriatica) gepachtet, das mit dem des Mittelmeeres eine Reihe von Bahnhöfen, namentlich in Rom, Florenz und Neapel, sowie verschiedene Verbindungsstrecken gemein hat. Die sicilische Bahngesellschaft (società per le strade ferrate della Sicilia) betreibt die Bahnen im Osten und im Innern von Sicilien; ihr Sitz ist in Rom, die Generaldirektion befindet sich in Palermo. Neben diesen drei großen Gesellschaften kommen noch verschiedene kleinere in Betracht. Die westsicilische Bahngesell= schaft (società della ferrovia sicula occidentale) ist Eigenthümerin der Bahn von Palermo nach Trapani und Marsala und betreibt diese kleine (193 Kilometer Länge) aber sehr kostspielige Bahn gegen starke Subventionen, die ihr von der Regierung und den betheiligten Provinzen gewährt werden. Das Gleiche ist bei den beiden Gesell= schaften der Fall, denen das Eigenthum und der Betrieb der Bahnen auf Sardinien zusteht. Endlich ist die società siciliana di lavori pubblici in Catania zu erwähnen, welche die Schmalspurbahn rund um den Aetna erbaut und im Betriebe hat.

Der Vertrag, durch den der Staat seine Bahnen an die zuerst genannten drei großen Gesellschaften verpachtet hat, ist auf sechszig Jahre geschlossen, jedoch so, daß er in Zeitabschnitten von je zwanzig Jahren beiderseits gekündigt werden kann. Dem Abschluß dieser Pachtverträge ist, nach italienischer Sitte, eine umfassende Unter= suchung (1878—1884) durch eine Kommission von Technikern, Finanzmännern und Gelehrten vorhergegangen, deren Mitglieder alle mit dem Eisenbahnwesen zusammenhängenden Fragen einer eingehenden Erörterung unterzogen haben. Für ihren einstimmigen Beschluß zu Gunsten des Privatbetriebes sind, außer der auch hier hervortretenden doktrinären Abneigung gegen jede Einmischung des Staates in gewerbliche Unternehmungen, die üblen Erfahrungen

bestimmend gewesen, die man während der kurzen Zeit des Staats=
eisenbahnbetriebes in Italien mit diesem System gemacht hatte.
Die Verträge, denen das Parlament nach langen Berathungen zu=
stimmte, enthalten eine sehr verwickelte und unklare Regelung der
Verhältnisse zwischen dem Staat und den Gesellschaften, namentlich
des Maßstabes, nach welchem die an den Staat zu zahlende Pacht
sich durch Betheiligung an den Roheinkünften der ursprünglichen
und der neuerbauten Bahnstrecken ergiebt. Sie setzen ferner die
Zuschüsse fest, die der Staat für den Neubau und für den Betrieb
von hinzutretenden Strecken zu leisten hat, ordnen die Abzüge,
die zur Unterhaltung der Erneuerungs=, Unterhaltungs= und Reserve=
fonds, sowie zu den Versorgungskassen für das Personal gemacht
werden sollen, und legen dem Staat zur Wahrung seiner an den
Erträgnissen der Bahn mannichfach betheiligten Interessen ein weit=
gehendes Ueberwachungsrecht über den Bahnbetrieb bei. Dies Recht
wird durch eine unter dem Ministerium der öffentlichen Arbeiten
stehende Staatsaufsichtsbehörde, die Generalinspektion der Eisenbahnen
(Ispettorato generale delle strade ferrate) mit einem Stabe von
Bau= und Betriebsbeamten und nachgeordneten Betriebsinspektionen
ausgeübt.

Bei Abschluß der Verträge von 1885 war auf Grund sorg=
fältiger Berechnungen angenommen worden, daß der Rohertrag
eines jeden der drei verpachteten Bahnnetze nicht nur den beim
Abschluß des Pachtvertrages vorhandenen Betrag erreichen, sondern
diesen Anfangsertrag jährlich um vier Prozent übersteigen würde.
Auf diese Annahme waren die Vertheilung des Rohertrages zwischen
dem Staat und den pachtenden Gesellschaften und ebenso die Ab=
träge zu den Erneuerungs= x. Fonds und zu den Versorgungs=
kassen begründet. Allein die angenommene Steigerung ist ausge=
blieben; der Rohertrag der ersten zehn Pachtjahre ist insgesamt
etwa um dreihundert Millionen geringer gewesen, als bei Abschluß
der Pachtverträge gehofft wurde. Hierdurch haben sowohl der
Staat als die Gesellschaften große Ausfälle an den erwarteten
Einnahme=Antheilen erlitten; die Erneuerungs= x. Fonds haben nicht
die erhoffte Ausstattung erhalten können; die Versorgungskassen,
die ganz ohne die auf die Steigerung der Einnahmen angewiesenen
Zuschüsse geblieben sind, weisen einen Fehlbetrag auf, der sich nach

den mildesten Schätzungen auf 150 Millionen beziffert. Außer diesem Fehlgreifen in der rechnerischen Grundlage haben sich noch zahlreiche andere Uebelstände in der Anwendung der Verträge ergeben. Sie bestimmen u. A., daß der Rohertrag aus neuerbauten Bahnstrecken nach einem für die Gesellschaften günstigeren Verhältniß vertheilt wird; sobald dieser Ertrag aber eine bestimmte Summe (15000 L. für das km) erreicht, soll die neue Strecke dem ursprünglichen Bahnnetz hinzugerechnet und wie dieses behandelt werden. Da sich die Gesellschaften besser dabei stehen, wenn die Theilung nach den Normen für neuerbaute Strecken erfolgt, so haben sie ein Interesse daran, den Zugang derselben zum ursprünglichen Bahnnetz so lange wie möglich hinauszuschieben. Statt also den Verkehr auf den neuen Linien möglichst zu entwickeln, wird der Gesellschaft durch die fehlerhafte Bestimmung der Verträge nahe gelegt, ihn zurückzuhalten oder abzulenken.

Am übelsten fährt dabei der Staat. Die Einnahmen, die er aus dem Eisenbahnwesen bezieht, bleiben nicht nur sehr beträchtlich hinter den Erwartungen bei Abschluß der Verträge zurück, sondern sie werden bei Weitem durch die Ausgaben überstiegen, die ihm an Zinsen für den zum Eisenbahnbau u. s. w. verwendeten Betrag der Staatsschuld, an Garantieleistungen für die von den Gesellschaften aufgenommenen Kapitalien zur Ausführung der fehlenden Bahnstrecken, an Abzahlung der Restkaufgelder und an vertragsmäßig zu leistenden Zuschüssen zur Last fallen. Während anderwärts die Einnahmen aus den Eisenbahnen einen nicht unbedeutenden Theil der Staatsausgaben decken, schießen die Italiener für ihre Eisenbahnen alljährlich Summen zu, die, wie bereits oben bemerkt ist[1]), von Fachmännern auf jährlich zweihundert Millionen geschätzt werden.

Im Tarifwesen ist durch die Verträge von 1885 für die drei Hauptnetze sowohl für den Personen- als für den Güterverkehr Einheitlichkeit erreicht und damit gegen den früheren geradezu chaotischen Zustand ein wesentlicher Fortschritt erzielt worden. Indessen hat der Staat, bei dem wesentlichen Interesse, mit welchem er an der Höhe des Rohertrages betheiligt ist, sich eine sehr starke Einwirkung auf Tarifänderungen vorbehalten, und seine üble

---

[1]) S. 184.

Finanzlage hat bisher ausgereicht, um die Hoffnungen zu vereiteln, die man sich in der Eisenbahnkommission auf wesentliche Tarif= herabsetzungen beim Privateisenbahnbetrieb gemacht hatte; die Tarife sind nicht nur hoch geblieben, sondern durch die im Jahre 1894 eingeführten und neuerdings im Jahre 1898 erhöhten Zuschläge zu der Eisenbahntransportsteuer noch vertheuert worden. Man hat in einer amtlichen Schrift[1]) berechnet, daß bei Zugrundelegung der italienischen Tarifsätze der Rohertrag der preußischen Staats= bahnen im Jahre 1894/95 statt 1182,5 Millionen nicht weniger als 1674,1 Millionen betragen haben würde.

Was den Betrieb anlangt, so läßt er an Pünktlichkeit viel zu wünschen übrig. Selbst bei Schnellzügen (diretti) und bei Expreßzügen (direttissimi) gehören Verspätungen von einer Stunde und mehr zu den Vorkommnissen, mit denen man zu rechnen hat. Bei Personenzügen (misti) und auf Nebenlinien ist das Einhalten der in den Fahrplänen festgesetzten Ankunft= und Abfahrtzeiten geradezu eine Seltenheit. Dabei geht das Personal erheblich über den in anderen Ländern üblichen Bedarf hinaus; Rossi berechnet in der soeben angeführten Schrift, daß von den 86 000 Personen, die im Dienst an den beiden Hauptnetzen, dem mediterraneo und dem adriatico, geführt werden, 16—17 000 Mann zuviel vorhanden seien. Trotzdem hört man viele Klagen über mangelhafte und langsame Abfertigung der Reisenden an den Schaltern; auch gegen die Zuverlässigkeit mancher Schalterbeamten beim Geldwechseln rc. werden nicht selten Zweifel erhoben. Das sind alles Punkte, bei denen man vom Privatbetrieb größeres Entgegenkommen gegen die Wünsche des Publikums erwartet hatte. Eine italienische Schrift über den Eisenbahnbetrieb[2]) hält ihn in vielen Stücken für dringend reformbedürftig. Sie wendet sich namentlich gegen das System der Personenzüge, bei denen der Güterverkehr derartig als Hauptsache gilt, daß die Reisenden vielfach auf Benutzung dieser Züge ver= zichten müssen. Spera führt Fälle an, in denen das reisende Publikum wegen der Seltenheit, Unpünktlichkeit und der ungünstigen

---

[1]) Ad. Rossi, Spesa d'esercizio e quantità di personale delle principali reti ferroviarie italiane e di alcune reti estere. Roma 1897.

[2]) Gius. Spera. L'esercizio ferroviario e le possibili riforme ed economie. Vol. I. II. Roma 1897. 1898.

Fahrzeiten dieser Züge, namentlich auf den Seitenlinien, gerade zu den Verkehrsmitteln der Eisenbahnvorzeit zurückgegriffen hat. Andere italienische Schriftsteller[1]) tadeln auf das Bitterste den Schematismus, der ohne Rücksicht auf den Verkehrsbedarf die verkehrsreichsten Strecken über den gleichen Kamm scheert wie verkehrsarme; sie weisen ferner auf die Mißgriffe hin, die bei Neuanlagen durch Uebereilung des Bauangriffes ohne ausreichende Vorstudien des Geländes begangen worden sind, und die starke Ueberschreitungen der Bausumme zur Folge gehabt haben. Für den Bau der Nebenlinie am Giovi-Tunnel sind statt 24,9 Millionen 74,8 Millionen, also gerade das Dreifache des Anschlages ausgegeben worden.

Man ist in Italien ziemlich einstimmig der Ansicht, daß die Verträge von 1885 sich nicht bewährt haben, und daß sie, wenn nicht früher, spätestens zu dem ersten in ihnen vorgesehenen Termine, d. h. zum Jahr 1905, gekündigt werden müssen. Schon jetzt wird die Frage eifrig erörtert, wie die Verwaltung des Eisenbahnwesens künftig besser zu organisiren sein wird. Es ist bezeichnend, daß man in Italien von der Rückkehr zum Staatsbetrieb gar nicht spricht. Erfahrene Politiker halten sie schon deshalb für ausgeschlossen, weil es unmöglich sein würde, die Leitung des Eisenbahnwesens den durch den häufigen Ministerwechsel eintretenden Schwankungen und der Einmischung parlamentarischer Nebeneinflüsse zu entziehen. Praktiker und Theoretiker des Bahnwesens halten, soweit Aeußerungen vorliegen, auch jetzt noch an der Doktrin fest, daß der Staat sich nicht zum Eisenbahnunternehmer eigne; sie erwarten vielmehr das Heil von dem Wegfall aller staatlichen Beschränkungen der Privatunternehmer. Bei Berathung der Verträge von 1885 im Parlament hatten Gegner der Vorlage geltend gemacht, daß die Erfahrungen, die man bis dahin in Italien mit dem Staatsbetriebe gemacht hätte, nicht maßgebend sein könnten, um daraufhin ein Urtheil über den Staatsbetrieb überhaupt zu fällen; was man in Italien gehabt hätte, sei eine Parodie, eine Verleumdung des Staatsbahnbetriebes gewesen. Jetzt erklärt ein

---

[1]) Alfr. Cottrau. Il problema ferroviario. Nuova Antologia 15. IX. u. 15. X. 1894.

Italiener[1]) mit Seelenruhe, an Staatsbahnbetrieb sei gegenwärtig noch weniger zu denken als 1885, da die Illusionen, die man damals an die Staatsbahnen in Preußen und Ungarn geknüpft hätte, völlig verschwunden seien! Und der Leiter einer vom Staate subventionirten Privatbahn[2]) stimmt dieser Auffassung nicht nur bei, sondern stellt überdies zur Erwägung, ob der Staat nicht auch den Post- und Telegraphenbetrieb an Privatgesellschaften verpachten sollte. Wenn die Eisenbahngesellschaften diesen Betrieb mitübernähmen, so würde, meint Cottrau, der Staat ein Ministerium und viele Beamte sparen und etliche Millionen mehr verdienen. Angesichts der Erfahrungen, die der Staat gerade jetzt mit seinem Verdienst am Privatbetriebe der Eisenbahnen macht, gehört ein robustes Vertrauen auf seine Gutmüthigkeit dazu, ihm noch weitere Verpachtungen anzurathen.

Sehr günstig ist die Entwickelung, welche das Kleinbahnwesen (tramvie) in Italien gefunden hat. Die Dampf- und die elektrischen Straßenbahnen haben namentlich in der Lombardei, aber auch in Piemont, Ligurien und Venetien eine Ausdehnung erlangt, welche dies einfache und billige Transportmittel zu einer äußerst wirksamen Verkehrseinrichtung erhebt. Oberitalien nimmt mit 2643 km Trams die erste Stelle in der Ausbildung dieser Kommunikationen ein. Auch um Florenz und Rom wird auf stark frequentirten Linien ein Tramverkehr unterhalten, bei dem der elektrische Betrieb überwiegt. Im Ganzen waren Ende 1898 3107 km Trams im Betriebe, von denen sich nur 343 km auf eigens errichteten Anlagen, die übrigen sämtlich auf Staats-, Provinzial- und Gemeindestraßen bewegten.

Die Binnen-Wasserstraßen Italiens beschränken sich, bei der Kürze und unsicheren Schiffbarkeit der mittel- und süditalienischen Flüsse, im Wesentlichen auf das Flußgebiet des Po. Trotz der Erschwerungen, welche auch der Po durch die starke Ungleichheit seines Wasserstandes, die Menge des von ihm mitgeführten Gerölles und die vielfache Theilung seines Flußbettes der Schiffahrt bereitet, ist er doch stets, vom Alterthum bis zur Gegenwart, auf weiten

---

[1]) P. Carmine, La questione ferroviaria italiana. Riforma sociale Bd. VII, pag. 825 ff.

[2]) A. Cottrau am oben angeführten Ort.

Strecken seines eigenen Laufs wie auf seinen Nebenflüssen der Flößerei und der Schiffahrt dienstbar gemacht worden; namentlich ist dies bis 1854 innerhalb des ehemals österreichischen Gebiets vom Lloyd in beträchtlichem Umfange geschehen. Jetzt wird von einer Gesellschaft auf dem Po Schleppschiffahrt betrieben, welche sich durch Nebenflüsse und Kanäle von Venedig bis Mailand erstreckt. Durch den Ticino und die Abda, die beide mit Schiffen von ziemlich bedeutender Tragkraft befahren werden, dehnt sich die Binnenschiffahrt bis zum Lago Maggiore und zum Comersee aus. Sie bringt durch Kanäle nach Modena, Bologna und Ferrara, erreicht durch den Mincio Mantua, und geht von Venedig aus auf der Brenta und dem Bacchiglione über Padua bis Vicenza. Im Ganzen umfaßt dies Netz schiffbarer Wasserstraßen 1164 km. Außer dem Langen= und dem Comersee werden die Seen von Lugano, Iseo und der Gardasee sämtlich von zahlreichen Dampfern befahren, welche neben regem Personenverkehr auch namhaften Gütertransport betreiben.

Bei Weitem die wichtigste Wasserstraße Italiens ist das Meer. Es ist überall so nahe, daß es auch von den am meisten von der See entfernten Orten mit Leichtigkeit erreicht werden kann. Von Mailand ist man in drei, von Turin in vier Stunden in Genua. Darum ist das Meer zu allen Zeiten von den Italienern in aus= gedehntestem Maße befahren worden, und Italien nimmt, nachdem die schmachvolle Entfremdung von der See, die schlimmste Folge der staatlichen Ohnmacht, einem neuen Aufschwunge der italienischen Seeschiffahrt gewichen ist, unter den seefahrenden Nationen der Gegenwart eine zwar nicht hervorragende aber achtbare Stellung ein. Hierbei kommt ihm die Ausdehnung und die Beschaffenheit seiner Küsten zu Statten, die fast überall der Schiffahrt förderlich sind und eine ungewöhnlich große Zahl von Anlegeplätzen gewähren. An der Riviera, an der campanischen, calabrischen und apulischen Küste, auf Sicilien findet man nicht leicht einen am Meere gelegenen Ort, der nicht seine marina, den Hafen für Fischerboote, Barken und kleine Kauffahrer, besitzt. Das Fischereigewerbe, das in allen italienischen Küstengebieten eifrig getrieben wird, liefert der Handels= wie der Kriegsflotte treffliche, von Jugend auf seegewohnte Matrosen und Schiffer. Die Fischer von Capri fischen des Nachts, weil sie bei

Tage ihren Weinberg bestellen; Korallenfischer von Torre del Greco sind von den Franzosen nach Algier geholt worden, weil in der dortigen Bevölkerung für diesen schwierigen und gefahrvollen Betrieb keine geeigneten Kräfte vorhanden waren.

Unter den Schiffsunternehmungen Italiens nimmt die Aktiengesellschaft der Navigazione generale italiana in Genua (Sitz der Generaldirektion in Rom) durch die Größe ihrer Dampferflotte, sowie durch die Zahl und Ausdehnung der von ihr unterhaltenen Dampferlinien weitaus die erste Stelle ein. Diese Gesellschaft ist aus der Verschmelzung zweier Rhedereien entstanden, von denen die eine von dem bereits früher erwähnten Vincenzo Florio in Palermo, die andere von dem Genueser Raffaele Rubattino in seiner Vaterstadt errichtet worden war. Beide Männer haben sich aus kleinen Anfängen durch eigene Kraft emporgearbeitet; ihrem Unternehmungsgeist, ihrer Geschicklichkeit und Ausdauer ist es zu verdanken, daß die von ihnen ins Leben gerufenen Dampferlinien im Mittelmeer sich trotz der mächtigen Konkurrenz der Franzosen, der Engländer und des österreichischen Lloyds nicht nur gehalten, sondern immer weiter ausgedehnt haben. Während Rubattino von Genua aus vorzugsweise den Verkehr an der Westküste Italiens, sowie nach Frankreich und Spanien betrieb, dehnte Florio sein Unternehmen, das sich anfänglich auf die Verbindung zwischen Palermo und Neapel und auf Küstenfahrten um Sicilien beschränkt hatte, allmählich weiter nach Osten aus. Er richtete Linien nach Griechenland, der Türkei und der Levante ein; seine Schiffe ließen auf Fahrten übers Schwarze Meer die italienische Flagge an Kleinasiens Nordküste wieder in Häfen sehen, die Jahrhunderte lang unter der Herrschaft der Genueser gestanden haben. Seit 1882 sind beide Unternehmen vereinigt, sie führen neben der Firma der Gesellschaft noch jetzt den Titel Società riunite Florio e Rubattino, der die Namen ihrer beiden Gründer verewigt. Die Gesellschaft besitzt gegenwärtig eine Flotte von 93 Dampfern von rund 170 000 Tonnengehalt, darunter eine Zahl stattlicher, wohleingerichteter Schiffe, die allen Anforderungen der Reisebequemlichkeit entsprechen. Sie unterhält regelmäßige Dampferverbindungen von Genua nach Buenos Ayres und von Neapel nach Brasilien (beide zweimal monatlich), ferner von Neapel nach Bombay, sowie von dort nach Singapore und Hongkong (einmal monatlich). Diesen großen Hochseelinien reihen sich zahlreiche und ausgedehnte Dampfschiffverbindungen im Mittelmeer und seinen Nebengewässern an, darunter Linien von Genua nach Massaua und von dort nach Aden, von Genua und von Venedig nach Alexandrien, sowie von beiden Orten nach Konstantinopel, ferner Routen im Schwarzen Meere von Konstantinopel nach Odessa und in die Donaumündung, sowie von Konstantinopel nach Batum, endlich Linien von Genua und Palermo nach Tunis und Tripolis. Dazu kommen schließlich eine sehr große Zahl von Verbindungen italienischer Häfen sowohl des Festlandes als der Inseln, darunter die tägliche Dampferverbindung zwischen Neapel und Palermo. Im Ganzen zählt das Fahrtheft der Gesellschaft einige dreißig Dampferlinien mit regelmäßig wiederkehrenden Fahrten auf. Als zweitgrößtes Unternehmen ist die Aktiengesellschaft La Veloce in Genua zu nennen, die mit 14 Dampfern von über 50000 Tonnengehalt drei Hochseelinien nach Argentinien, Brasilien und Mittelamerika unterhält. Unter ihren Dampfern befinden sich einige, die zu den schnellsten Schiffen der italienischen Handelsmarine gehören und die im Kriegsfall für den Kreuzerdienst der Flotte bestimmt sind. An diese beiden großen Gesellschaften schließen sich mehrere kleinere an, von denen die Gesellschaft Puglia Dampferverbindungen zwischen der italienischen Ostküste und der Balkanhalbinsel, die Siciliana den Dienst zwischen Sicilien und den äolischen Inseln, endlich die Napoletana die Dampferfahrten im Golf von Neapel und nach Gaeta besorgt. Die meisten dieser Linien, sowohl die italienischen als die internationalen, werden zugleich zu Posttransporten benutzt. Die italienische Postverwaltung zahlt für die Unterhaltung von Postdampferlinien jährlich etwa zehn Millionen Lire an Subvention.

Vor einigen Jahren erregte es in Venedig die größte Freude, als in den Hafen des Markuslöwen der erste Dampfer einer damals neu errichteten Verbindung von Venedig nach Ostindien einlief, ein Dampfer der großen englischen Peninsular & Oriental Company, die unter der Bezeichnung P. & O. weltbekannt ist. Seitdem wird diese Verbindung auch von italienischen Schiffen unterhalten, die von Venedig über Brindisi nach Alexandria fahren und dort Anschluß an die Linie Genua-Bombay erhalten. Andererseits nehmen seit einer Reihe von Jahren die deutschen Dampfschiffgesellschaften einen regen Antheil an den internationalen Seeverbindungen Italiens. Die Postdampfer des Bremer Lloyds, welche Genua und Neapel auf der Fahrt nach Ostasien anlaufen, sind vielen deutschen Ver= gnügungsreisenden eine willkommene Gelegenheit, Italien auf der Seefahrt um Westeuropa herum durch die Straße von Gibraltar zu erreichen, und werden auch auf der Weiterfahrt nach Indien von Genua und Neapel aus von Reisenden aller Nationen mit steigender Vorliebe benutzt. Dampfer der Hamburgischen Packet= fahrt unterhalten von Genua aus Verbindungen nach Amerika, und die Salondampfer dieser Gesellschaft veranstalten alljährlich von Genua aus Lustfahrten nach Griechenland, der Türkei, Klein= asien und Aegypten, welche Scharen von Orientbesuchern eine be= queme und behagliche Reisegelegenheit bieten.

Wie für die beiden großen deutschen Schiffsunternehmungen, so ist auch für die beiden italienischen Dampferlinien der Aus= wandererverkehr nach Amerika ein Hauptgegenstand ihrer Transporte. Aber während die deutsche Auswanderung seit einem Jahrzehnt in Abnahme begriffen ist, sind die Ziffern der italienischen Auswanderer, und zwar nicht nur derer, die ihr Land zeitweise verlassen, um im Auslande Arbeit zu suchen, sondern auch derer, die Italien für immer den Rücken kehren, in den letzten zwanzig Jahren sehr stark gestiegen. Die Zahl dieser eigentlichen Emigranten beträgt schon seit 1887 jährlich mehr als hunderttausend und weist in den Jahren 1895—1897 die Höhe von 169513, 183620 und 165429 auf. Die Mehrzahl dieser Auswanderer kommt aus den vorwiegend ackerbauenden Provinzen des Landes und geht nach Südamerika, wo sich in Brasilien und in Argentinien schon einige Millionen eingewanderter Italiener befinden. Der Hauptstrom dieser Aus= wanderung nimmt Genua zum Ausgangspunkt. Sowohl die Schiffe der Navigazione als die der Veloce sind für diesen Verkehr eingerichtet und werden in Beziehung auf ihn staatlich überwacht. Das Leben und Treiben auf einem italienischen Ozeandampfer, der neben der internationalen Reisegesellschaft der ersten und zweiten Kajüte etwa fünfzehnhundert Auswanderer als Zwischendeckpassagiere nach dem Platastrom bringt, ist von Edmondo de Amicis[1]) in einem lesenswerthen Buche anschaulich geschildert worden. —

[1]) Edm. de Amicis, Sull' oceano. Milano 1889.

Die Post und die Telegraphie sind die einzige Verkehrs=
anstalt, die in Italien vom Staate betrieben wird, und auch sie
nicht in dem Umfang, an den wir in Deutschland gewöhnt sind.
Denn die italienische Post beschäftigt sich mit der Beförderung von
Reisenden garnicht und mit der von Päckereien nur insoweit, als
es sich um die kleinen Poststücke handelt; der schwere Päckereiverkehr
wird durch die Eisenbahnen besorgt. Das Fernsprechwesen gehört
nicht mit zur Telegraphie und ist überwiegend Privatunternehmern
überlassen. Post und Telegraphie sind seit 1879 unter einem be=
sonderen Ministerium vereinigt; auch die Provinzialbehörden und
ein großer Theil der Lokalämter behandeln beide Verkehrszweige
zusammen, wie sie auch räumlich meistens in denselben Gebäuden
untergebracht sind. Dies ist namentlich in den neu errichteten der
Fall, deren Zahl freilich nicht groß ist; denn auch in den größten
Städten, wie Rom, Florenz, Venedig, sind meist ältere Paläste,
Klöster ꝛc. für diesen Zweck hergerichtet worden. In Rom befindet
sich die Ober=Postdirektion, die Hauptpost und das Telegraphenamt
in einem Theil des weitläufigen Klosters von S. Silvestro; um
den mit Palmen und Schmuckpflanzen gefällig verzierten Arkaden=
hof sind die Schalteranlagen für das Publikum zweckmäßig und
übersichtlich angebracht. Aehnliche Anlagen kehren bei der Haupt=
post in Florenz in einem Theile der Uffizien, in Venedig im Palast
Grimani, in Siena im Palast Spannocchi wieder. Auch in Mittel=
städten wie Verona, Perugia zeichnen sich die Postgebäude durch
Sauberkeit, Zweckmäßigkeit und Helligkeit aus. In dem kleinen
Orvieto ist der Posthof besonders hübsch eingerichtet. Allenthalben
wird man durch die gute Verkehrslage der Postämter angenehm
berührt. Die Schreibstuben für das Publikum, die man an vielen
Orten im Postgebäude selbst, manchmal auch dicht daneben, z. B.
in Verona in einem netten Kiosk der Post gegenüber findet, sind
ursprünglich wohl als Ersatz der öffentlichen Schreiber eingerichtet,
die man früher an freien Plätzen ihres Verkehrsamtes für Schreib=
unkundige walten sah. Auch werden noch jetzt in ihnen viele
Briefe nach mündlichen Angaben der Absender verfaßt. Aber sie
dienen nicht minder dem Bedürfniß des schreibkundigen Publikums
und sind namentlich zahlreichen Reisenden zur Erledigung ihrer
Korrespondenz, z. B. zur Beantwortung der soeben empfangenen

Poſtlagerbriefe ſehr willkommen. Nicht ſelten findet man in ihnen auch die Schachteln, in denen man Lieben in der Heimat Blumen= grüße aus Italien poſtmäßig verpackt gegen eine geringe Gebühr zuſenden kann.

Wie in der Anlage und Einrichtung, ſo giebt ſich auch in der Verbreitung der Poſtſtellen ein löblicher Fortſchritt gegen früher zu erkennen. Ihre Zahl iſt ſeit 1871 bis Mitte 1898 von 3254 auf 7707 gewachſen; ſie iſt beſonders in den Jahren kräftig ver= mehrt worden, in denen die Poſt in dem Miniſter Maggiorino Ferraris einen jungen, thätigen, mit den Bedürfniſſen des Verkehrs vertrauten Leiter an der Spitze hatte. Damals ſind allein im Jahre 1895/96 243 neue Poſtämter und Poſthülfsſtellen einge= richtet worden. Man findet ſie jetzt in Orten, wo man ſie, wie in den Bergthälern der italieniſchen Alpen, früher garnicht zu ſuchen wagte. Doch ſind von den 8261 Gemeinden des Landes auch jetzt noch mehr als zweitauſend ohne Poſtſtelle und für ihren Poſt= verkehr lediglich auf den Landbriefträger angewieſen.

In Calabrien iſt ein altes Sprichwort im Gange: se vuoi vieni, se non vuoi scrivi; wenn Du es willſt, ſo komme, wenn Du nicht willſt, ſchreib! Dieſe Mißachtung des ſchriftlichen Meinungs= austausches beruht wahrſcheinlich zu einem nicht geringen Theile auf der Schreibunkenntniß, die früher dort ganz allgemein vor= herrſchte, und zu der ſich noch 1894 von hundert calabreſiſchen Brautpaaren 68,77 sposi und 88,93 Bräute bekannten. Zweifel= los trägt mangelnde Schreibkenntniß weſentlich dazu bei, daß die Zahl der in Italien aufgelieferten Briefe ſo langſam wächſt. Sie hat ſich von 100 Millionen im Jahre 1872 bis 1898 nur auf 170 Millionen geſteigert. Stärker iſt natürlich die Zahl der erſt 1874 eingeführten Poſtkarten (von 8,8 Mill. auf 94 Mill.) ge= wachſen. Bei einer Geſamtzahl von 597 Millionen von Poſt= gegenſtänden aller Art kamen im Jahr 1897/98 durchſchnittlich auf jeden Italiener 17,9 Poſtſachen, während dieſe für den ganzen Verkehr des Landes wichtige Ziffer in der Schweiz 112,4, in Deutſchland 81,2, in Frankreich 55,1, in Oeſterreich 40,6 betrug und ſogar in Ungarn (21,3) höher war als in Italien.

Neben dem Analphabetenthum ſind an dieſem auffallenden und betrüblichen Zurückbleiben des Poſtverkehrs zweifellos auch ſehr

wefentlich die hohen Gebühren Schuld. Italien bezahlt unter allen
Kulturländern weitaus die höchsten Posttaxen. Das einfache Brief=
porto beträgt im Inlande 20 Centesimi, ist also nur um 5 cent.
billiger als der Brief im Weltpostverkehr; für Postkarten ist die
Inlandstaxe von 10 cent. der ausländischen sogar völlig gleich.
Statt durch billiges Porto die Schreibkundigen zu belohnen und
den Geschäftsverkehr anzulocken, werden Beide durch Taxsätze ab=
geschreckt, die gleich einem Prohibitivzoll wirken. Bisher sind alle
Versuche, den in der Zeit der schlimmsten Finanznoth heraufge=
schraubten Posttarif wieder auf ein mit dem Kulturfortschritt ver=
einbares Maß zurückzuführen, an der Fiskalität der Finanzvertreter
gescheitert, welche die etwaigen Ausfälle an den Posteinnahmen
nicht verantworten zu können meinen. Die naheliegenden Gründe
für die dringend nöthige Ermäßigung des Briefportos, die Wahr=
scheinlichkeit, daß statt der befürchteten Ausfälle sich Mehreinnahmen
ergeben werden, und der Hinweis auf den handgreiflichen Nutzen,
den der Handel und die Industrie offensichtlich davon haben würden,
sind bis jetzt im Finanzministerium und im Parlament tauben
Ohren begegnet. Hoffentlich findet die italienische Postverwaltung
recht bald einen Minister, der Autorität und Willenskraft genug
besitzt, um den stumpfen Widerstand gegen die dringend erforderliche
Posttarifreform zu besiegen.

Im Geldverkehr besitzt die italienische Post mehrere Einrich=
tungen, die der deutschen bisher fremd geblieben sind. Hierzu ge=
hören die billigen Postanweisungen für Beträge bis zu 10 L., die
seit 1890 eingeführt sind und im ganzen Lande 10 cent., nicht
mehr als die einfache Postkarte, kosten. Ferner die Postbons
(cartoline-vaglia), die man sich über Beträge von 1, 2, 3, 4, 5,
10, 15 und 20 L. kaufen und innerhalb zweier Monate nach dem
Ausgabetage zur Ausgleichung von Zahlungen verwenden kann.
Sodann die Postkreditbriefe (titoli postali di credito), die gegen
Einzahlung von 200—5000 L. auf Höhe der eingezahlten Summen
in Gestalt eines Kreditbüchleins ausgefertigt und zur Abhebung in
Beträgen von 50—1000 L. bei jedem Postschalter präsentirt werden
können. Die wichtigste und erfolgreichste Einrichtung dieser Art
sind die im Jahre 1875 auf Anregung von Quintino Sella ins
Leben gerufenen Postsparkassen, auf die später im Zusammenhang

mit anderen ähnlichen Wohlfahrtsinstituten näher einzugehen sein wird.

Alle diese Veranstaltungen stellen der Intelligenz und Rührig=
keit der italienischen Postverwaltung ein rühmliches Zeugniß aus.
Sie erheben zugleich hohe Anforderungen an die Leistungsfähigkeit
und an die Zuverlässigkeit des Postpersonals. Nach den Wahr=
nehmungen, die man bei längerem Aufenthalt im Lande und aus
den Berichten der Verwaltung sammeln kann, entsprechen die ita=
lienischen Postbeamten diesen Anforderungen in erfreulichem Maße.
Klagen über Briefverluste kommen natürlich auch in Italien vor.
Aber sie führen sich dort nicht häufiger als anderwärts auf ein
Verschulden der Post zurück. Neben den anderen außerpostalischen
Ursachen, welche diese Klagen hervorzurufen pflegen — namentlich
die Nichtabsendung des angeblich verlorenen Briefs —, erweisen
sich in Italien besonders die Pförtnerlogen, in denen alle Briefe
für die Hausinsassen abgegeben werden, als wahre Brieffallen.
Denn der Pförtner selbst ist nicht selten Analphabet, und noch
häufiger sind es seine Angehörigen oder Vertreter. In solchen
Fällen werden die Briefe ziemlich aufs Gerathewohl Jedem ausge=
händigt, der darnach fragt, und nicht Jeder giebt die ihm nicht
gehörigen zurück oder an den richtigen Empfänger. An Gefällig=
keit und Anstelligkeit bleiben weder die Beamten noch die Brief=
boten der italienischen Post hinter ihren deutschen Amtsgenossen
zurück, obgleich ihre Geduld durch die Menge der an den Schaltern
verkehrenden, der Landessprache selten ausreichend mächtigen Aus=
länder häufig stark auf die Probe gestellt wird.

Die Telegraphie nimmt in Italien nicht die Stellung ein,
die ihr im Vaterlande Voltas und Galvanis zufallen sollte. Ihre
Anlagen bleiben an Zahl der Dienststellen, sowie an Länge der
Linien und der Leitungen hinter anderen Ländern weit zurück.
Zwar ist auch hierin in den Jahren 1894—97 ein namhafter
Fortschritt gemacht worden. Die Zahl der Telegraphendienststellen
hat sich in diesen Jahren von 5009 auf 5868, die Länge der
Leitungen von 151000 auf 161000 km gehoben. Aber noch jetzt
entbehren etwa 4000 Gemeinden, fast die Hälfte der Gesamtzahl,
einer Telegraphenstelle; der Depeschenverkehr beträgt im Ganzen nur
11,5 Millionen. Auch er wird durch die übermäßige Höhe der

19*

Tarife gehemmt. Noch mehr ist der Telephonverkehr in seiner Entwickelung zurückgeblieben. Die Zahl der Abonnenten belief sich in sämtlichen mit Fernsprecheinrichtungen versehenen Orten (59) nur auf 14000. Fernsprecher zwischen verschiedenen Orten sind so gut wie garnicht vorhanden. Das gesamte Fernsprechnetz von Ort zu Ort, das in Deutschland über 80000, in Frankreich fast 60000, selbst in der kleinen Schweiz 13000 km Leitungen umfaßt, erreicht gegenwärtig in Italien, nach den soeben[1]) veröffentlichten neuesten Mittheilungen, nur 1134 km und kommt auch nicht einmal dem von Bulgarien (1488) km gleich. Diese Zahlen beweisen, daß die Privatgesellschaften, in deren Händen der Fernsprechbetrieb sich fast ausschließlich befindet, ihrer Aufgabe nicht ausreichend gewachsen sind, und daß der Staat es an der erforderlichen Einwirkung, diese Schlaffheit anzuspornen, fehlen läßt. Zur Zeit nimmt der Fernsprecher im italienischen Geschäftsverkehr und im häuslichen Leben nicht annähernd die Stelle ein, die er sich in anderen Ländern erobert hat. Damit entbehrt Italien eines Verkehrsmittels, das sich anderwärts als ein mächtiger Hebel des Kulturfortschrittes und als eine der wirksamsten Ueberwindungen von Zeit und Raum bewährt. Auch hierin findet das organisatorische Talent eines tüchtigen Postministers dankbare Aufgaben zu lösen. Freilich müßten sich die leitenden Stellen zuvor entschließen, die Abneigung gegen Ausdehnung des Staatsbetriebes fallen zu lassen, der gegenüber dem Vernehmen nach frühere Anregungen zur Verstaatlichung des Fernsprechwesens fruchtlos geblieben sind.

[1]) **Luigi Rava**, Il telefono in Italia. N. Antol. 16. Juni 1901, S. 703 ff.

10. Unterricht und Volkserziehung.

Beim Zusammenbruch der Kleinstaaterei hatte sich das Unterrichtswesen in Italien in einem Zustande unglaublicher Verwahrlosung befunden. Mit Ausnahme der österreichischen Provinzen, in denen die Traditionen des Josephinismus auch in Italien für die Hebung der Volksschule sich geltend gemacht hatten, und des subalpinischen Königreichs, wo wenigstens seit 1848 kräftige Anstrengungen zur Einholung früherer Versäumnisse gemacht worden waren, war der Unterricht, wo er überhaupt ertheilt wurde, fast vollständig in den Händen oder doch unter der schärfsten Aufsicht der Geistlichkeit gewesen. Ihr Einfluß und die Aufklärungsfurcht der nach den Stürmen der Revolutionszeit wieder eingesetzten Dynastien hatten zusammengewirkt, um in manchen Ländern die Unwissenheit der unteren Klassen geradezu zum Regierungsgrundsatz zu erheben. Es hatte der Wirklichkeit entsprochen, wenn Giusti's satirische Muse einem jener kleinen Tyrannen, dem Herzog von Modena, die Worte in den Mund legte:

„Wird aus Unserm blüh'nden Ländchen
(Das Wir, Gott sei Dank, am Bändchen
        Lenken in der Finsterniß,)

Kraft ausdrücklichen Decretes,
Wer hinfort des Alphabetes
        Sich verdächtigt, weggejagt . . .

Um der Aufklärung zu steuern,
Sorg' ich, daß von meinen theuern
        Schäflein keines lesen lernt . . ."

Im Kirchenstaat hatte es für unpassend gegolten, daß Mädchen aus einfacheren Familien lesen und schreiben lernten. Was sollen sie damit, bekam man noch in den sechsziger Jahren dort zu hören, sie schreiben ja doch bloß Liebesbriefe! In Süditalien, namentlich auf Sicilien gab es bis 1860 ganze Provinzen, in denen unter hundert Einwohnern neunzig, ja fünfundneunzig des Lesens und Schreibens gänzlich unkundig waren. Noch im Jahre 1871 wurden bei der amtlichen Volkszählung in Sicilien 87 Prozent der Gesamtbevölkerung als Analphabeten ermittelt, so daß man schwerlich fehlgreift, wenn man annimmt, daß noch damals auf dem Lande die Kenntniß des Lesens und Schreibens eine sehr seltene Ausnahme bildete. Im Allgemeinen wurden vor 1881 auf dem Lande und in den kleinen Städten, abgesehen von den wenigen reichen Familien, nur diejenigen Kinder unterrichtet, die für den geistlichen Stand bestimmt waren. In geistlichen Händen befand sich ferner im weitaus größten Theile des Landes der mittlere Unterricht, der ganz überwiegend nicht in staatlichen Anstalten, sondern in Seminarien und Konvikten nach dem Vorbild mittelalterlicher Klosterschulen von Jesuiten, Schulorden und anderen geistlichen Organen ertheilt wurde. Auch an den meisten Universitäten, die während des Aufklärungszeitalters einer milderen und toleranteren Richtung zugänglich gewesen waren, war in der Reaktionszeit die geistliche Suprematie aufs Neue zum schärfsten Ausdruck gelangt.

Für das geeinte Italien war es eine der wichtigsten Aufgaben, hier Wandel zu schaffen, die starken Ungleichheiten zu ebnen, die zwischen dem Bildungszustande des Nordens und des Südens bestanden, und durch Herstellung eines geregelten Unterrichtswesens die Grundlagen für eine einheitliche nationale Volksbildung zu legen. Wer das, was auf diesem Gebiete von den Italienern in nahezu vierzigjähriger Arbeit geleistet worden ist, gerecht würdigen will, möge nicht vergessen, daß sie bei Lösung dieser Aufgabe mit Schwierigkeiten ganz ungewöhnlicher Art zu kämpfen haben, von denen nur auf zwei gleich hier hingewiesen wird, weil sie für die Beurtheilung des italienischen Schulwesens von wesentlichster Bedeutung sind.

Die eine besteht in der Stellung der Geistlichkeit zum Unterricht. Wird es der Regierung nirgends leicht, die staatlichen und die kirchlichen Organe zu einem für beide Theile befriedigenden Zu-

sammenwirken im Unterricht und in der Volkserziehung zu ver=
einigen, so ist dies in Italien ein Ding der Unmöglichkeit, da das
Oberhaupt der Kirche in dem nationalen Staat nur kirchenräuberische
Usurpation, in seinen Leitern nur Werkzeuge des Unglaubens und
kirchenfeindlicher Sekten erblickt und verdammt. Bei der ausge=
sprochenen Staatsfeindschaft der Hierarchie hat der Staat sich in
Italien in die Nothwendigkeit versetzt gesehen, auf die Mitwirkung
der Geistlichkeit bei dem großen Werk der nationalen Erziehung
ganz zu verzichten. Weder am Unterricht, noch an der Ueber=
wachung und Leitung des gesamten öffentlichen Schulwesens in
Italien nimmt die Geistlichkeit des Landes irgendwelchen amtlichen
Antheil. Sie ist namentlich auch von der öffentlichen Volksschule
gänzlich ausgeschlossen. Man bedenke, was dies in einem Lande
sagen will, dessen Bevölkerung bis auf einen verschwindend kleinen
Bruchtheil katholisch ist, in einem Lande, dessen Landbevölkerung
bis 1861 fast überall in dem Pfarrer der Gemeinde die höchste,
vielfach die einzige Autorität zu verehren gewohnt war. Die Aus=
schließung des Klerus vom Unterricht hatte weiter die Folge, daß
der Religionsunterricht in dem Programm der italienischen Schule
immer mehr zurückgetreten, ja thatsächlich fast vollständig daraus
verschwunden ist. Auch in der Volksschule wird in Religion gegen=
wärtig nur fakultativ und vereinzelt, gewissermaßen hinter dem
Rücken der Regierung unterrichtet, die diesen wichtigen Theil der
Volkserziehung ausgesprochener Maßen lediglich der Fürsorge der
Familie überläßt. Die umfassende Instruktion für den Volksschul=
unterricht, welche im Jahre 1894 von Guido Baccelli erlassen und
noch gegenwärtig in Kraft ist, erwähnt die Religion nur da, wo
von der sittlichen Erziehung die Rede ist, mit folgenden charak=
teristischen Worten: „Das religiöse Gefühl wird in den Kindern
frühzeitig erweckt durch die Traditionen, das Beispiel und die Unter=
weisung der Familie, zusammen mit anderen Kundgebungen reiner
und sanfter Gefühle. Der Lehrer findet also im Geist und im
Herzen seiner Zöglinge eines der Fundamente der Sittlichkeit vor,
als edelsten Theil der häuslichen Erziehung. Vor dieser Vor=
bereitung muß er tiefen Respekt empfinden und nie vergessen, daß
es eine tadelnswerthe Handlung sein würde, irgendwie Verwirrung
in die Gewissen hineinzutragen."

Ein zweites schweres Hinderniß liegt in dem Konstitutionalismus, welcher einen ungemein raschen Wechsel in der Leitung des Unterrichts= ministeriums unvermeidlich macht, solange man sich nicht entschließen kann, dieses Ressort als ein technisches anzusehen und ohne Rücksicht auf die Schwankungen der politischen Ministerien mit dauernd thätigen Fachmännern zu besetzen. Hiervon ist man jetzt soweit entfernt, daß im Gegentheil kein Ministerium seinen Inhaber so oft wechselt, als das des Unterrichts. Das letzte Kabinet Rudini hat während einer Dauer von nicht voll zwei Jahren (Juli 1896 bis Juni 1898) vier verschiedene Unterrichtsminister gehabt. Guido Baccelli war, als er dies Portefeuille im Ministerium Pelloux aufs Neue und zwar zum dritten Mal übernahm, seit der Konstitu= irung des Königreichs bereits der zweiunddreißigste Inhaber. Unter der langen Reihe seiner Vorgänger befinden sich Gelehrte von Weltruf und Männer von hoch erleuchtetem Geist, Historiker wie Michele Amari und Pasquale Villari, Philosophen wie Terenzio Mamiani, Domenico Berti, Francesco de Sanctis und Ruggero Bonghi, Staatsmänner wie Cesare Correnti, Quintino Sella und Ant. Scialoja. Aber gerade diese Liste von Charakterköpfen läßt erkennen, wie groß und wie durchgreifend mit dem Wechsel der maßgebenden Persönlichkeiten auch der Wechsel in den Ansichten und Ueberzeugungen der leitenden Männer gewesen ist, und wie schwer, ja fast unmöglich es gewesen sein muß, bei der Errichtung und Ausgestaltung des italienischen Unterrichtswesens einen ein= heitlichen Plan zu entwerfen, festzuhalten und durchzuführen.

Die Organisation des Unterrichts in Italien beruht auf dem Gesetze vom 13. November 1859, das, während des Zwischen= regiments nach Cavour's Rücktritt erlassen, von dem damaligen Unterrichtsminister, dem lombardischen Grafen Casati den Namen legge Casati führt, während es in Wirklichkeit von den beiden Turiner Professoren Melegari und Berti verfaßt worden ist. In seinem vollen Umfang nur in dem damaligen Staatsgebiet, König= reich Sardinien und Lombardei, als Gesetz proklamirt, ist das Gesetz von 1859 in den später hinzugetretenen Landestheilen mit mehr oder minder erheblichen Abweichungen oder nur in einzelnen Ab= schnitten eingeführt worden. Doch bildet es für ganz Italien die Hauptgrundlage des Unterrichtswesens, das sich in den Elementar=,

den mittleren und höheren Unterricht gliedert. Als Centralorgan
der Staatsverwaltung fungirt das Ministerium des öffentlichen
Unterrichts, welchem neben diesem großen Gebiet noch die staatliche
Pflege der Kunst mit der in Italien besonders umfangreichen Obhut
über die Kunstsammlungen und die öffentlichen Monumente, sowie
die Fürsorge für Ausgrabungen übertragen ist. Für die Leitung
des Unterrichtswesens bestehen im Ministerium drei Generaldirektionen,
je eine für das Volksschulwesen, für die Mittelschulen und für die
höheren Anstalten. Als Beirath ist dem Minister der Oberschul=
rath beigegeben (consiglio superiore di pubblica istruzione),
dessen zweiunddreißig Mitglieder vom König auf Vorschlag des
Ministers ernannt werden; die Hälfte von ihnen wird von den
Universitäten und den ihnen gleichgestellten höheren Lehranstalten
aus den Professoren, je vier für jede Fakultät, dem Minister be=
zeichnet. In den Provinzen schließt sich die Organisation des
Unterrichtswesens der Provinzialverfassung an. Es besteht in jeder
Provinz als berathende Behörde ein Schulrath (consiglio scolastico),
der unter dem Vorsitz des Präfekten aus dem Studiendirektor (provveditore agli studi), zwei Mittelschuldirektoren, dem Direktor der
Schullehrerbildungsanstalt, einem Arzt, einem Finanzbeamten, vier
Delegirten der Provinz und zweien der Kommunen zusammengesetzt
ist. Unter dem Präfekten wird die Verwaltung des Schulwesens
der Provinz von dem Provveditore geleitet, einem oberen Beamten,
der fachmännische Schulbildung und Erfahrung besitzt und etwa
die Stellung unserer Provinzial=Schulräthe einnimmt. Für die
Beaufsichtigung der Volksschulen sind ihm Kreisschulinspektoren
(ispettori scolastici) untergeben, ebenfalls Staatsbeamte, die aus
der Zahl praktisch erfahrener Schulmänner ernannt werden. Als
Zwischenstelle zwischen diesen Staatsschulbeamten und den Gemeinden
dienten bis vor Kurzem die ehrenamtlich für jedes Amt (manda-
mento) gewählten Schulverordneten (delegati scolastici), die neuer=
dings weggefallen und durch Ueberwachungskommissionen (commis-
sioni di vigilanza) ersetzt worden sind.

Der Elementarunterricht ist seit 1877 in ganz Italien obli=
gatorisch. Der Schulpflicht unterliegen alle Kinder vom vollendeten

sechsten bis neunten Jahre; ihr kann sowohl durch Unterricht im Hause als in einer nicht öffentlichen Schule (Privat=, Stiftungs= schulen, Schulen geistlicher Korporationen) genügt werden. Kinder, die nicht auf solche Weise unterrichtet werden, sind zum Besuch der öffentlichen Volksschule verpflichtet. Sie können von dieser Pflicht bereits vor vollendetem neunten Jahr entbunden werden, wenn sie das Freisprechungs=Examen (esame di proscioglimento) mit Erfolg ablegen; Kinder, die am Schlusse des neunten Jahres dies Examen nicht bestehen, bleiben bis zum Schlusse des zehnten Jahres schulpflichtig. Der Unterricht in der öffentlichen Volksschule wird unentgeltlich ertheilt. Er zerfällt in zwei Stufen, die untere von drei, die obere von zwei Klassen. Jede Klasse hat einen Jahreskurs.

Die Errichtung und Unterhaltung der öffentlichen Volksschulen liegt den Gemeinden ob. Jede Gemeinde ist verpflichtet, mindestens zwei Schulen der Unterstufe, je eine für Knaben und für Mädchen, zu halten. Nur in Gemeinden von weniger als achthundert Ein= wohnern darf die Knaben= und Mädchenschule vereinigt sein. Oeffent= liche Volksschulen der Oberstufe sind nur Gemeinden von mehr als 4000 Einwohnern und solche zu halten verpflichtet, in denen sich öffentliche Mittelschulen befinden. Die einzelnen Klassen öffentlicher Volksschulen sollen höchstens siebzig Schüler enthalten.

Nach der neuesten amtlichen Statistik betrug die Zahl der öffentlichen Volksschulklassen im Jahre 1895/96 50526 mit 2379349 Schülern. Im Jahre 1861/62 hatten 21253 mit 885152 Schülern bestanden. Hiernach hätten sich in 34 Jahren die Schulklassen mehr als verdoppelt, die Schülerzahl nahezu ver= dreifacht. Daneben sollen nach derselben Quelle im Jahre 1895/96 8867 Privatvolksschulklassen mit 205896 Schülern bestanden haben. Die Privatschulen würden hiernach nur etwas weniger als den zehnten Theil der Schülerzahl der öffentlichen Schulen aufweisen. Ob diese Zahlen völlig zutreffen, ist fraglich. Denn die Gesamt= schülerzahl der öffentlichen Volksschulen wird für dasselbe Schuljahr in dem Bericht, den der Generaldirektor des Volksschulwesens im Oktober 1897 an den Unterrichtsminister erstattet hat[1]), bedeutend

[1]) Supplemento al No. 47 del bollettino ufficiale del Ministero dell' istruzione pubblica. Roma, novembre 1897, pag. 82.

niedriger, nämlich auf 1670092 angegeben, und zwar ausdrücklich
als die Zahl der eingeschriebenen, nicht etwa als die der Schule
wirklich besuchenden Schüler. Andererseits erscheint gegenüber der
starken Verbreitung der Privatschulen schon die vom Annuario mit=
getheilte Zahl ihrer Schüler auffallend gering; der Bericht des
Generaldirektors giebt sie noch niedriger, nur auf 167936, an.
Nach derselben Quelle wird die Zahl der gesetzlich schulpflichtigen
Kinder auf 2475910 geschätzt. Es würde danach ein nicht un=
beträchtlicher Theil, etwa ein Viertel, ohne Unterricht geblieben sein.
Dieser Theil weist in den einzelnen Provinzen sehr große und
charakteristische Verschiedenheiten auf. Er steigt von 2 Prozent in
der Provinz Novara auf 67 Prozent in Reggio (Calabrien). Mit
geringen Ausnahmen bleiben die norditalienischen Provinzen unter
dem Durchschnitt zurück, während er in Süditalien überschritten
wird. So bestätigt sich in der Durchführung der obligatorischen
Schulpflicht aufs Neue der Abstand, in welchem der Süden des
Landes noch jetzt hinter dem Norden zurückbleibt. Aber trotz aller
dieser Verschiedenheiten und trotz der Unsicherheit über die mitge=
theilten Ziffern darf doch als feststehend betrachtet werden, daß der
Volksschulzwang in Italien in sehr bedeutendem Umfange durch=
geführt wird. Nach dem in keiner Weise schönfärberisch gehaltenen
Bericht des Generaldirektors giebt es in ganz Italien keine Gemeinde
mehr ohne öffentliche Volksschule.

Eine andere Frage ist freilich, in welchem Umfange die
Schulen von den in die Listen eingetragenen Schülern besucht
werden. Hierüber enthalten die beiden vorhin genannten amtlichen
Quellen keinerlei Angaben. Aber es wäre sicherlich irrig, aus diesem
Schweigen den Schluß zu ziehen, daß der wirkliche Besuch sich mit
der Zahl der Eingeschriebenen deckt. Selbst in den Großstädten, in
denen der Schulbesuch naturgemäß weit geringeren Abhaltungen
ausgesetzt ist und sich schärfer kontroliren läßt als auf dem Lande,
besteht zwischen der Zahl der eingeschriebenen und der die Schule
thatsächlich besuchenden Schüler ein nicht geringer Abstand. In
Rom z. B., wo das Volksschulwesen von den städtischen Behörden
in der anerkennenswerthesten Weise mit besonderer Sorgfalt gepflegt
wird, hatten im Schuljahr 1895/96 von 32892 eingeschriebenen
Schülern 25823 am Unterricht wirklich theilgenommen. Auf dem

Lande, wo im Winter die Unwegsamkeit, im Sommer die Feld=
arbeit, das Viehhüten, in manchen Gegenden auch die Hitze und der
Wassermangel dem Schulbesuch schwere Hindernisse bereiten, wird
der Abstand vielfach weit größer sein.

Auch für diejenigen Kinder, welche am Unterricht wirklich
theilnehmen, ist die Zeit des Schulbesuches um Vieles geringer als
bei uns. Die Schulpflicht erstreckt sich, wie bereits bemerkt, auf
drei Jahre, sie kann durch Ablegung des Examens auf zwei Jahre
verkürzt werden und wird thatsächlich in weitem Umfange auf
zwei Jahre verkürzt. Das Schuljahr der Volksschule soll vor=
schriftsmäßig am 15. Oktober beginnen und am 15. August enden.
Aber auf dem Lande erfolgt der Schluß fast durchgängig früher,
in der Regel schon im Mai, weil die Kinder doch wegbleiben würden.
Zu diesen großen Ferien kommen die kirchlichen und die bürger=
lichen Festtage, die Carnevals= und die Osterferien; ferner fällt in
Italien die Schule nicht bloß am Sonntag, sondern auch am
Donnerstag aus. Kenner des italienischen Schulwesens[1] nehmen
an, daß in den Städten nur an der Hälfte aller Tage im Jahr,
auf dem Lande an weniger als der Hälfte Schulunterricht statt=
findet. Die Dauer des Unterrichts beträgt normalmäßig in den
Klassen der Unterstufe 4, in denen der Oberstufe 5 Stunden. Jeden=
falls darf man sich der tröstlichen Ueberzeugung hingeben, daß von
einer Ueberbürdung dieser Schuljugend nicht die Rede sein kann.

In den großen Städten des Landes giebt sich ein rühmlicher
Wetteifer in der Beschaffung ausreichender und gesunder Räume
und zweckmäßiger Geräthe für die Volksschule kund. Schulpaläste,
wie man sie in Deutschland nicht bloß in den Großstädten, sondern
bis zu den Landstädten hinab jetzt allenthalben antrifft, bilden aller=
dings in Italien auch in den Städten jetzt noch die Ausnahme.
Allein man darf wohl sagen, daß die Schulen in den größeren
Städten überwiegend angemessen untergebracht und ausgestattet
sind, und daß vielfach besonderer Werth darauf gelegt wird, den
Anforderungen der Schulhygiene[2] zu genügen. Die Stadtgemeinde

[1] Aristide Gabelli, l'istruzione in Italia, Bologna 1891, Bd. II. S. 116.
[2] Hierfür ist in der soeben erschienenen sorgfältigen Schrift des Provinzial-
arztes Dr. Gius. Babaloni, Le malattie della scuola e la loro profilassi,
Roma 1901, eine Reihe von erfreulichen Zeugnissen enthalten.

Rom, die ihr Volksschulwesen erst seit 1870 von Grund auf
neu zu schaffen gehabt hat, besitzt durchweg Schullokale, die man
gern betritt. Die Klassen sind geräumig und hell, nicht bloß in
den von der Stadt neu errichteten drei großen Schulhäusern,
sondern auch in den Miethsräumen. Breite Corridore gestatten
in den Unterrichtspausen den Schülern Raum für freie Bewegung.
Auf dem flachen Dach der Scuola Vittorino da Feltre sieht
man in den Zwischenstunden und während der Frühstückspause
Hunderte von Kindern, die sich in der freien Luft tummeln und
der Ausblicke auf das benachbarte Coliseo und über die Trümmerwelt des Forums erfreuen. Ebenso ist die Ausstattung der römischen
Volksschulen durchaus zu loben. Ueberall trifft man Schulbänke,
die auch dem kleinsten Buben die Marter des Stillsitzens soviel wie
immer möglich erleichtern; nirgends sitzen mehr als zwei Schüler
auf einer Bank, so daß alle gleichzeitig von ihren Plätzen in die
Gänge zwischen den Bänken treten können. Die Tischplatten sind
zum Aufklappen eingerichtet, Bänke und Tische aneinander befestigt
und in einem Verhältniß zu einander, das eine gesunde und bequeme Körperhaltung der Schüler befördert. In jeder Klasse ist
eine große Schiefertafel vorhanden; Karten von Italien, Wandtafeln
mit den Maßen und Gewichten vervollständigen die Ausstattung
der oberen Klassen. Nirgends fehlt das Crucifix und unter ihm
das Bild des Königs.

So erfreulich sieht es in den kleinen Städten und auf dem
Lande nicht aus. Vielmehr lassen in den Provinzen die Räume
und die Ausstattung der Volksschulen noch viel zu wünschen übrig.
Der Bericht des Generaldirektors theilt hierüber aus den Aeußerungen der Provinzialbehörden manche Klagen mit. Niedrige,
schmutzige, schlecht gelüftete Räume, nicht selten ehemalige Ställe,
mangelhafte Fußböden, schadhafte Dächer, kein Waschraum und
keine Latrinen: so lautet es von vielen Orten her. Aus Sicilien
wird berichtet, daß für ungenügende Miethsräume das Doppelte
und das Dreifache des angemessenen Miethspreises bezahlt wird,
weil die Vermiether einflußreiche Mitglieder des Gemeinderathes
sind. Auch die Ausstattung ist oft nicht weniger als musterhaft:
lahme Bänke, wackelnde, zerbrochene Tische; hier wird die Schulbank ein mächtiges Beförderungsmittel der Kurzsichtigkeit und der

Rückgratsverkrümmung genannt, dort ist sie so hoch, daß die Kinder sich gegenseitig helfen müssen, um hinauf zu kommen. Aber trotz alledem tritt auch aus diesem ungeschmeichelten Bilde ein Zug zum Besseren deutlich hervor. Der Bericht stellt fest, daß im Schuljahr 1895/96 19 684 Schulen gut, 19 056 mittelmäßig und 11 289 weniger als mittelmäßig untergebracht waren. Er gedenkt der Beihülfen, die von der Staatsregierung bedürftigen Gemeinden theils an Zuschüssen, theils als Darlehen zur Verbesserung der Schulräume gemacht werden, und er hebt die Kreise rühmend hervor (darunter auch südliche), in denen eine langsame aber andauernde Besserung der Räume und der Ausstattung zu bemerken ist.

Das Lehrer=Personal der öffentlichen Volksschulen bestand 1895/96 aus 19 674 Lehrern und 31 831 Lehrerinnen. Dazu kommen noch 2366 Lehrer und 6984 Lehrerinnen an den Privat= Elementarschulen. Im Ganzen ist also ein Heer von nicht weniger als sechszigtausend Lehrern und Lehrerinnen in den Volksschulen thätig. Für die Vorbildung dieses großen Personals wird ein be= stimmter Schulbesuch nicht erfordert; Jeder und Jede kann sich durch Ablegung des vorgeschriebenen Examens das Lehrerpatent und damit die Berechtigung erwerben, an öffentlichen und privaten Volksschulen zu unterrichten. Zur Vorbereitung für den Lehrer= beruf dienen die Normalschulen, deren Unterhaltung zwischen dem Staat und den Gemeinden so getheilt ist, daß die Kosten für die Lehrergehälter und die Unterrichtsmittel vom Staat, die Beschaffung und Ausstattung der Räume von den Gemeinden getragen werden. Es bestehen 29 Normalschulen für Lehrer und 75 für Lehrerinnen, jene mit 1164 Schülern, diese mit 16 169 Schülerinnen. Daneben be= stehen, namentlich für Lehrerinnen, noch zahlreiche Normalschulen, die von Privaten, Stiftungen und Korporationen gehalten werden. Der Zutritt zur Normalschule steht jungen Männern vom 16., jungen Mäd= chen vom 15. Jahr ab gegen Ablegung einer Eintrittsprüfung offen. Der Besuch der Anstalten, die, namentlich die weiblichen, in der Regel mit Konvikten verbunden sind, wird den Zöglingen vielfach durch Gewährung von Stipendien aus Staats= oder Gemeindemitteln ermöglicht. Die Kurse der Normalschulen umfassen drei Jahre. Nach Absolvirung der beiden ersten sind die Zöglinge berechtigt, sich zum Examen für den Unterricht in den unteren Volksschul=

klassen zu melden. Die Absolvirung aller drei Kurse berechtigt zum Examen für alle fünf Volksschulklassen. Der Unterricht ist unentgeltlich; er umfaßt neben den üblichen Schulkenntnissen die Grundzüge der Mathematik, Physik und Chemie, allgemeine Grundbegriffe der Hygiene und Hausheilkunde, Pädagogik und Moral (keinen Religionsunterricht), Turnen, weibliche Handarbeiten und, neuerdings an allen Anstalten obligatorisch eingeführt, etwas praktische Ackerbaukunde.

Während für Mädchen, die die Volksschule durchgemacht haben, besondere Vorbereitungsschulen bis zum Eintritt ins Seminar der Normalschulen bestehen, ist dies für Knaben nicht der Fall. Da sie die Volksschule in der Regel mit dem vollendeten 11. oder 12. Jahre verlassen, ins Seminar aber erst mit dem 16. eintreten können, so bleibt für die männlichen Lehraspiranten eine so lange Zwischenzeit offen, daß sie in Verlegenheit sind, dieselbe fruchtbringend auszufüllen, und sich häufig anderen Berufsarten zuwenden. Daher ist die Zahl der männlichen Lehrerzöglinge in den Normalschulen gegenüber der weiblichen und gegenüber dem vorhandenen Bedürfniß eine so auffallend geringe. Es wird darüber geklagt, daß sich zur Ablegung der Lehrerprüfung junge Männer in Masse melden, die für diesen Beruf weder auf der Normalschule noch sonst eine genügende, den pädagogischen Anforderungen entsprechende Vorbildung erhalten haben. Zu den Lehrerprüfungen, die bei den Provinzial-Schulräthen abgehalten werden, melden sich zahllose Bewerber, an manchen Orten zwei- bis dreihundert zugleich. Was eine Prüfung solcher Scharen besagen will, läßt sich leicht denken, wenn man auch nicht an die Nachsicht, die Durchlassereien, die Abmachungen denken will, die dabei nach glaubwürdigem Zeugniß[1] vorkommen sollen. Wer auf diese Weise das Lehrerpatent erlangt hat, ist berechtigt, sich an den Konkurrenzen zu betheiligen, die zur Beschaffung vakanter Stellen ausgeschrieben werden. Die Anstellung der Lehrer bildet ein hochgeschätztes Recht der Gemeindebehörden, denen die Auswahl unter den Bewerbern und Bewerberinnen zusteht, und die sich dabei nicht selten von anderen als sachlichen Gründen bestimmen lassen. Bei dem starken Lokalpatriotismus der

---

[1] A. Gabelli a. a. O. II. 125 f.

Italiener ist es begreiflich, daß dem paesano, Bewerbern aus dem Ort oder der Heimatsprovinz der Vorzug vor „fremden" Kandidaten auch bei besserer Qualifikation der Letzteren gern gegeben wird. Die Abhängigkeit, in welcher die Volksschullehrer sich gegenüber den Gemeindebehörden befinden, wird dadurch beträchtlich gesteigert, daß die Anstellung zunächst auf Probe und auch nach deren Ablauf nur auf eine bestimmte Reihe von Jahren zu erfolgen pflegt. Um diese Abhängigkeit abzuschwächen, deren Nachtheile, besonders bei engen Verhältnissen, auf der Hand liegen, hatte die Unterrichts= verwaltung im Jahre 1885 festgesetzt, daß die Anstellung nach zweijähriger befriedigender Probezeit zunächst auf sechs Jahre und dann lebenslänglich erfolgen sollte. Allein der Bericht des General= direktors stellt melancholisch fest, daß diese Maßregel den gewünschten Erfolg nicht erreicht hat. Eifersüchtig auf ihr freies Bestimmungs= recht sind viele Gemeinden, um sich nicht auf sechs Jahre zu binden, einfach zur Kündigung des Lehrers vor Ablauf der Probezeit über= gegangen. Ist die Charybdis der Probezeit glücklich überwunden, so droht die Scylla nach Ablauf der sechsjährigen Anstellung. „Mit geringen Ausnahmen würde eine Gemeinde glauben ihrem Recht und ihrer Selbständigkeit zu entsagen, wenn sie in die lebenslängliche Anstellung willigen wollte, die sie als eine unerträgliche Auflage, ja fast als Vergewaltigung ansieht, und der sie sich mit allen Mitteln zu entziehen sucht."

Auch das Gehalt läßt das Loos des italienischen Volks= schullehrers nicht als beneidenswerth erkennen. Gesetzlich ist das Minimalgehalt in großen, mittleren und kleinen Gemeinden festgesetzt:

in Städten		I.	II.	III.
Oberklassen	Lehrer	1320 Lire	1110 Lire	1000 Lire
	Lehrerinnen	1056	880	800
Unterklassen	Lehrer	1000	950	900
	Lehrerinnen	800	760	720
auf dem Lande				
Oberklassen	Lehrer	900	850	800
	Lehrerinnen	720	680	640
Unterklassen	Lehrer	800	750	700
	Lehrerinnen	640	600	560

Das Minimalgehalt soll sich von sechs zu sechs Jahren um je ein Zehntel des Anfangsgehaltes steigern. Um bedürftigen Gemeinden bei der Erreichung dieser zwar nicht üppigen aber nach italienischen Begriffen erträglichen Sätze zu helfen, hatte das Gesetz die Gewährung von Staatszuschüssen bis zu drei Millionen vorgesehen, die, durch die Sparsamkeitspolitik der letzten Jahre leider etwas verkürzt, in Höhe von 1700000 L. gezahlt werden. Allein es giebt sehr viele ländliche Gemeinden, in denen die Lehrer= gehälter weit hinter dem Minimalsatz zurückbleiben. Im Kreise Bergamo erhielten nach dem Bericht des Generaldirektors 40 Lehrer weniger als 300 Lire jährlich. In vielen Landgemeinden, wo nur im Winter Schule gehalten wird, finden sich Lehrer und Lehrerinnen, die dies gegen eine Entschädigung von 70, 60, ja 50 L. für 3, 4 bis 5 Monate übernehmen. Dagegen wird in den größeren Städten der Minimalsatz nicht nur erreicht, sondern in der Regel über= schritten. In Rom werden bei den Schulen in der Stadt Ge= hälter für Lehrer von 1600 bis 2700 L., für Lehrerinnen 1200 bis 2300 L., bei Schulen außerhalb der Stadt für Lehrer 1200 bis 1800 L., für Lehrerinnen 600 bis 1800 L. gezahlt.

Der Lehrplan der Volksschule umfaßt italienische Sprache, zu deren Erlernung der Unterricht im Lesen und Schreiben zu dienen hat, Rechnen, einige Kenntnisse in Geschichte und Geographie, bürgerliche Rechte und Pflichten, gewisse Grundzüge der Natur= kunde, ferner Turnen und, wenngleich nicht obligatorisch, Gesang, Zeichnen, sowie für Mädchen weibliche Handarbeiten.

Der Schwerpunkt des ganzen Unterrichts liegt in der ita= lienischen Sprache. Baccellis Instruktion von 1894 nennt sie das süße Band der italienischen Volksstämme, das Symbol der Eintracht und der Vaterlandsliebe. Ihre Schönheit, ihren Reichthum kennen zu lehren, in den Schülern das Verständniß für diesen nationalen Besitz zu erwecken und zu pflegen, bildet eine der Hauptpflichten des Lehrers. Hierzu dienen ihm mündliche Unterweisungen in der Aussprache, Leseübungen nach auserwählten Texten, Diktate und schriftliche Aufsätze. Auch durch mündliche Vorträge über geeignete Themata wird die angeborene Sprachfreudigkeit und die natürliche Beredsamkeit der Kinder von klein auf systematisch ausgebildet. Die Unterrichtsleitung ist sich der Schwierigkeiten bewußt, welche die sehr starken Verschiedenheiten der Dialekte dem Unterricht in der Muttersprache entgegenstellen; sie sucht sie durch passende Auswahl der Lesestücke, durch sorgfältige Beachtung der richtigen Aussprache und der Orthographie, sowie durch Lesen mit Ausdruck (lettura con senso) nach Kräften zu überwinden.

Im Rechnen werden die vier Spezies in ganzen Zahlen und Brüchen mündlich und schriftlich geübt. Zugleich wird die Kenntniß der Gewichte und Maße, auch durch Anschauung und praktischen Gebrauch, gelehrt. Im oberen Kursus sind mit dem Rechnen die Grundbegriffe der Geometrie, Linien, Winkel, Flächen und Körper verbunden. Es ist drollig mitanzusehen, mit welcher Behendigkeit die kleinsten Schüler und Schülerinnen beim Kopfrechnen die Finger als Hülfsmittel anzuwenden wissen.

Der Unterricht in Geschichte und Geographie ist vorzugsweise dazu bestimmt, das Vaterland kennen und lieben zu lehren; er soll die Ueberzeugung erwecken, daß die Ehre und der Reichthum Italiens von der Rechtschaffenheit, der Geisteskraft, der Arbeit und dem Muthe seiner Bürger abhängen. Das Kind soll sich mit Freude bewußt werden, einer angesehenen und mächtigen Nation anzugehören, welche die Wahrzeichen ihrer Einheit und Größe von Rom ab= leitet. Sowohl im mündlichen Unterricht wie in den Lesebüchern wird die Geschichte der antiken Römer durchaus als Theil der vaterländischen Geschichte behandelt.

Von der Unterweisung in den verfassungsmäßigen Rechten und Pflichten der Staatsbürger scheint man zu hoffen, daß sie durch Wirkung des Pflichtgefühls einen Ersatz für den in den Lehrplan der Volksschule nicht mehr aufgenommenen Religionsunterricht ge= währen werde. Denn sie ist vor allem dazu bestimmt, die Achtung vor dem Gesetz und vor der Obrigkeit im Anschluß an die Gefühle der Dankbarkeit und des Gehorsams gegen die Eltern in den Kindern zu erwecken und lebendig zu erhalten. In der obersten Klasse der Volksschule soll sogar versucht werden, den Kindern den Unterschied zwischen der Moral und dem positiven Recht, zwischen Gewissens= und gesetzlichen Pflichten klar zu machen. So verlangt es wenigstens die Instruktion. In Wirklichkeit scheint man sich überwiegend damit zu begnügen, einige Sätze aus der Verfassung

dem Gedächtniß der Schüler einzuprägen und ihrer Auffassung ver=
ständlich zu machen.

Unter der Rubrik notizie varie ist dem Lehrprogramm der
Volksschule seit 1894 ein Unterricht hinzugefügt worden, den man
füglich als Grundzüge der Naturkunde bezeichnen kann, und der
nach der Absicht der Verwaltung dazu bestimmt ist, den Schülern
einige Kenntnisse vom praktischen Leben, etwas hochtönend scienza
della vita genannt, zu verschaffen. Dieser Unterricht soll umfassen:
Namen und Gebrauch der gewöhnlichen Gegenstände; Zeiteintheilung;
menschlichen Körper; Nahrungsmittel, Kleidung, Wohnung und
Gesundheitsregeln; Thiere, Pflanzen und Mineralien; natürliche
Eigenschaften der Körper; die gewöhnlichsten Erscheinungen der Luft,
des Wassers, des Lichts, Wärme und Ton; Künste, Gewerbe,
Arbeitsgeräthe; Kommunikations= und Transportmittel; die haupt=
sächlichsten Erfindungen und Entdeckungen. Um zu verhüten, daß
dieser Unterricht in eine mechanische Einpfropfung encyclopädischer
Kenntnisse ausarte, wird auf Anschauung und auf das pädagogische
Geschick des Lehrers besonderer Werth gelegt. Wo irgend möglich,
soll eine Sammlung der für den Anschauungsunterricht geeigneten
Objekte und Geräthe angelegt werden. In den letzten Jahren hat
sich, hervorgerufen durch die vom Minister Guido Baccelli ausge=
gebene Parole: Torniamo ai campi! eine lebhafte Bewegung dafür
kundgegeben, die Grundbegriffe der praktischen Ackerbaukunde in den
Lehrplan der Volksschule aufzunehmen. Zu diesem Zwecke sind
durch Schenkungen von Gemeinden, Schulfreunden, nicht selten
auch der Lehrer selbst, bis jetzt etwa 5000 Volksschulen mit einem
Stückchen Land für Ackerbau= und Gartenunterricht ausgestattet
worden. Der ausführliche Bericht,[1] der dem Unterrichtsminister
neuerlichst über die Erfolge dieses Unterrichts erstattet worden ist,
hebt hervor, daß an manchen Orten die Fortschritte der Volks=
schüler im Weinbau, in der Seidenraupen= und in der Bienenzucht
einen erfreulichen Einfluß auf die Landwirthschaft auszuüben be=
ginnen. Baccelli's Anregung verdankt auch die festa degli alberi

---

[1] Relazione a S. E. il Ministro della Pubblica Istruzione sull'
ordinamento del lavoro educativo nelle scuole elementari. Parte I: Pro-
gramma e primi risultati, Roma 1899. Parte II: Sistemazione legale ed
amministrativa, Roma 1900.

20*

ihre Entstehung, der neueste Schulfeiertag Italiens, an welchem
die Schüler gemeinsam ins Freie geführt werden, um von einer
passenden Stelle Jeder einen jungen Baum einzupflanzen. Deutsche
Besucher von Rom, welche am 21. September 1899 der ersten
Feier dieses Festes, die durch die Anwesenheit der Königin Mar=
gherita ausgezeichnet war, beiwohnen konnten, haben eine überaus
anmuthige Erinnerung davongetragen. Freilich wäre es ein starker
Optimismus, sich von diesem hübschen, erzieherisch werthvollen
Brauch eine Abhülfe gegen die Entwaldung des Landes zu ver=
sprechen, ja sogar zu hoffen, daß es auf diesem Wege gelingen
werde, die jüngeren Generationen Italiens zu Vogelfreunden zu
erziehen.

Das Turnen (ginnastica) wird schon seit 1878 als obliga=
torischer Unterrichtsgegenstand der Volksschule behandelt. In den
größeren Städten wird dieser Unterricht vielfach durch eigene Fach=
lehrer, nicht selten auf Turnplätzen und am Geräth ertheilt. In
den meisten Schulen begnügt man sich mit einer geregelten An=
weisung zu Freiübungen, Marschbewegungen, Reigen u. dgl., die
nach militärisch geordnetem Kommando ausgeführt werden. Häufig
wird, namentlich im Winter, der Unterricht durch die Vornahme
einiger derartiger Uebungen, Armstreckungen, Beugungen, Auf der
Stelle treten, Laufschritt, unterbrochen, um die Aufmerksamkeit der
Kinder wieder zu beleben und um sie in den oft ungeheizten Räumen
zu erwärmen. Als ein vorzügliches Mittel zur Kräftigung der
Kinder und zu ihrer Gewöhnung an gute Sitte haben sich die
neuerdings eingeführten Turnfahrten (passeggiate ginnastiche)
bewährt, bei denen Anfangs, namentlich auf dem Lande, manche
Vorurtheile der Eltern zu überwinden waren. An einzelnen Orten
fängt man an, diese Turnfahrten in größerem Umfange zu gymnastisch=
militärischen Zwecken zu organisiren. In Neapel wurde im Schul=
jahr 1895/96 ein Spezialkursus solcher Turnübungen abgehalten,
bei welchem etwa 550 Schüler der oberen Klassen unter dem Befehl
einiger, der Territorialmiliz als Offiziere angehöriger Lehrer vereint
waren, und wobei auch Dauermärsche ausgeführt wurden.

Zeichnen wird in etwa dem vierten Theile der Volksschulen
gelehrt, Singen bis jetzt auffallender Weise nur in einem Drittel.
Es wird darüber geklagt, daß der Unterricht in der einen wie in

der anderen dieser Fertigkeiten ohne Rücksicht auf die natürliche Anlage und Neigung der Kinder, nach schablonenhaften Methoden und ohne rechte Liebe auf Seiten der Lehrer ertheilt werde, die diese für die Erziehung so wichtigen Zweige nicht selten gering schätzen, weil sie keinen Gegenstand der vorschriftsmäßigen Schulprüfungen bilden.

Das ausgesprochene Ziel des Volksschulunterrichts ist, die Schüler zu guten Italienern zu erziehen, nationale Gesinnung in der Jugend einzupflanzen. Dies Ziel soll nicht durch Aufspeicherung eines möglichst umfangreichen Wissens, sondern durch Kräftigung des Körpers, der Uebung des Denkvermögens und Veredlung des Charakters erstrebt werden. Um die Gesundheit der Kinder zu schonen, wird der Unterricht durch häufige Zwischenpausen unterbrochen. Wo er lediglich auf den Vormittag fällt, da tritt nach den ersten zwei Stunden eine halbstündige Frühstückspause ein. In den römischen Volksschulen wird das Frühstück, das Knaben in Blechbüchsen, die kleinen Mädchen in Körbchen mit zur Schule bringen, in den Vorzimmern der Klassen eingenommen; für Bedürftige wird von der Schule Brod und Milch gestellt. Zur Gesundheitspflege wird mit Recht die Gewöhnung zur Sauberkeit gezählt. Wer Italien kennt, weiß, wie sehr die unteren Volksklassen in diesem Punkt der Erziehung zu besseren Gewohnheiten bedürfen. Die Volksschule ist mit Erfolg bemüht, die Grundlage dieser besseren Gewohnheit von klein auf zu legen.[1] Dem kleinsten Buben wird begreiflich gemacht, daß er sein zerrissenes Jäckchen wenigstens reinlich halten kann. Dem Mangel an Fußbekleidung wird in Rom auf Kosten der Gemeinde durch Austheilung von Schuhen an die ärmsten Volksschüler abzuhelfen gesucht. Auch in den Klassen-

---

[1] In den auch sonst mustergültig eingerichteten Volksschulen in der via Galliera in Bologna sind vorzügliche Waschgelegenheiten für die Schüler vorhanden; den etwa 3000 Schulkindern, welche diese Anstalten besuchen, wird in dem benachbarten, eigens für diesen Zweck erbauten Schulbade häufig die Wohlthat eines lauen Douchebades zu Theil. So stattliche Vorkehrungen für die Reinlichkeitspflege bilden natürlich eine Ausnahme; indeß bezeugt Dr. Babaloni in dem vorhin erwähnten Buche über die Schulkrankheiten, daß das Beispiel von Bologna in den größeren Städten des Landes Nachahmung zu finden beginnt.

heften, den schriftlichen Arbeiten und den Diktaten wird mit allem
Nachdruck auf größte Sauberkeit gehalten. Man giebt den Kindern,
um sie von Anfang an dazu zu nöthigen, Tinte und Feder bereits
von der untersten Klasse an in die Hand. — Die Uebung des
Denkvermögens wird durch Fragen, Gesprächsform des Unterrichts,
Erweckung des Wetteifers zwischen den begabten und den minder
befähigten Schülern, durch Anpassung an den Anschauungskreis
der Kinder gefördert. Der Unterricht sucht nicht Kenntnisse
in den Köpfen der Kinder anzuhäufen, sondern diese Köpfe an
eignes Denken, an selbständiges Erfassen und Verstehen des Mitgetheilten zu gewöhnen. — Auf den Charakter der Schüler wird
zunächst durch die Gewöhnung zum Gehorsam, zur Pünktlichkeit
und Exaktheit eingewirkt. Die Aufrechterhaltung der Disziplin wird
nicht durch Verhängung von Strafen — körperliche Züchtigungs-
mittel sind in der italienischen Volksschule nicht gebräuchlich —
sondern durch Wirkung des Ehrgefühls der Schüler zu erreichen
gesucht. Aus dem gleichen Grunde wird in der italienischen Schul-
praxis eine sehr ausgedehnte Verwendung von der Ertheilung von
Prämien gemacht. Es entspricht durchaus dem demonstrativen
Bedürfniß des Volkscharakters, daß man die Ertheilung dieser
Belohnungen und Belobigungen auf das allerstärkste in die
Oeffentlichkeit zieht. In der Regel beginnt das Schuljahr mit
einem feierlichen Akt, bei welchem, in Gegenwart der Eltern und
vor den dazu eingeladenen Vertretern der Staats- und der Gemeindebehörden, im Festsaal der Gemeinde den Schülern unter
Musik und Gesang Prämien für Fleiß, für Fortschritte in den
einzelnen Unterrichtszweigen und für gutes Verhalten ausgetheilt
werden. Die Stadt Rom läßt alljährlich in einem stattlichen
Bande die Namen der am 2. Oktober prämiirten Gemeindeschüler
drucken.

Ueber die Ergebnisse der Volksschule gehen die Meinungen
in Italien weit auseinander. Neben Stimmen unbedingter Lobredner begegnet man Aeußerungen des schärfsten Tadels. Einer
der ausgezeichnetsten früheren Unterrichtsminister des Landes nennt
den obligatorischen Unterricht in seiner Beschränkung auf das 6.
bis 9. Jahr eine Ironie; er meint, daß man damit nur Analphabeten
erziehen könne, und er fragt, wen man mit einem solchen Gesetz

habe täuschen können?[1]) Andere Italiener haben die Frage auf=
geworfen, ob Angesichts der schlimmen wirthschaftlichen Lage, in
welcher sich ein großer Theil der italienischen Landbevölkerung be=
findet, die Einführung des Schulzwanges nicht als eine voreilige,
ja schädliche Maßregel angesehen werden müsse. Ein liberaler
Staatsmann wie Sidney Sonnino hat in seinen Untersuchungen
über die Lage der Landbevölkerung in Sicilien offen ausgesprochen,
daß es Wind säen und Sturm ernten heißt, wenn man diesen
hungernden Massen im Namen des Staates immer nur Lasten auf=
erlegt, und sie als einzigen Ersatz dafür lesen und schreiben lehrt,
damit sie ihr Elend recht begreifen (Franchetti e Sonnino, la
Sicilia II. 198).

Ohne die politische und soziale Bedeutung der Frage zu ver=
kennen, sei hier auf einige Anhaltspunkte für eine objektive Beur=
theilung der Leistungen des italienischen Volksunterrichts hingewiesen.

Da seit 1871 eine statistische Ermittelung über die Zahl
der des Lesens und Schreibens Unkundigen nicht mehr vor=
genommen worden ist, so stehen dafür, wie weit sich die Volks=
bildung in Italien seit 1861 gehoben hat, nur einzelne indirekte,
aber doch ziemlich beweiskräftige Kriterien zu Gebote. Unter hundert
Brautleuten waren Analphabeten im Jahre 1861 69,46 Prozent,
im Jahre 1897 44,55 Prozent. Von hundert Rekruten konnten
bei ihrer Aushebung zum Landheer weder lesen noch schreiben im
Jahre 1861 64 Prozent, im Jahre 1896 36,65 Prozent. Bei
den zur Marine Ausgehobenen haben diese Ziffern im Jahre 1871
68,52, im Jahre 1897 47,87 Prozent betragen. Nach diesen
Indizien zu urtheilen, hat sich unter den Erwachsenen die Zahl der
Analphabeten in Italien seit 1861 um etwas mehr als ein Drittel
verringert. Dies Ergebniß läßt sicherlich noch sehr viel zu wünschen
übrig, und es giebt der andauernden Thätigkeit der italienischen
Volksschulleitung nach wie vor noch schwere Aufgaben zu über=
winden; aber es stellt einen kräftigen Fortschritt dar und ist nicht
so trostlos entmuthigend, wie man nach den skeptischen Stimmen

---

[1]) Pasqu. Villari: Dove andiamo? Nuova Antologia b. 1. Novbr.
1893. Derselbe in G. Gabelli e P. Villari l'istruzione classica in
Italia, Roma 1889, p. 39.

mancher Beurtheiler annehmen müßte. Durch nachhaltige Förde=
rung der Abend=, Sonntag= und Ergänzungsschulen für Erwachsene
würde sich dieser Fortschritt sicherlich beschleunigen lassen. Für die
Organisation eines wirksamen Nachhülfeunterrichts, der sich die Auf=
gabe stellt, die Volksschule zu ergänzen, fehlt es in Italien nicht
an vortrefflichen Beispielen. In Florenz sind durch den Professor
Pietro Dazi im Jahre 1869 unter dem Namen der Scuola del
popolo Unterrichtskurse für Kinder und für Erwachsene ins Leben
gerufen worden, die sich unter der hingebenden Leitung dieses
patriotischen Pädagogen zu einem umfassenden Institut entwickelt
haben. Jahraus jahrein erhalten über 2000 Zöglinge beiderlei
Geschlechts, Kinder und Erwachsene in den Abend= und Sonntags=
klassen der Scuola del popolo einen Nachhülfeunterricht, der sich
für die Vorgeschrittenen zu einer vollständigen Handwerkerschule
steigert. In Rom sind ähnliche Fortbildungsklassen für junge
Männer, die die Volksschule durchgemacht haben, unter praktischer
Vorbildung für ihren Beruf als Professionisten oder als Kaufleute,
von der Stadtverwaltung eingerichtet worden. Neben tüchtigen
Fachlehrern unterrichten in Florenz, in Rom und an anderen Orten
an diesen Nachhülfestunden vielfach Volksfreunde der verschiedensten
Stände. In Florenz wird des fördernden Interesses noch jetzt dank=
bar gedacht, welches Karl Hillebrand und Heinrich Homberger für
die Scuola del popolo bethätigt haben. —

Ueber das moralische Ergebniß des Volksunterrichts ist es
noch schwieriger, sich ein zutreffendes Urtheil zu bilden. Reicht bei
der ungewöhnlichen Gewecktheit der italienischen Jugend die kurze
Dauer der Schulpflicht allenfalls hin, um die Volksschüler mit den
nothdürftigsten Anfangsgründen des Wissens auszurüsten, so erweist
sich diese kurze Zeit der sittlichen Erziehung in vielen Fällen machtlos
gegenüber Trieben, Neigungen und Angewohnheiten, die in den
Schülern tiefe Wurzeln geschlagen haben, und die nur zu oft durch
die häusliche Umgebung immer wieder genährt werden. Anderer=
seits übt die Volksschule schon dadurch, daß sie die Kinder der
Aermsten mit denen der Wohlhabenderen und der Gebildeten als
gleichberechtigte und gleichverpflichtete Genossen zusammenbringt,
einen sittigenden Einfluß auf die Gemüther auch der Verwildertsten
und Verlassensten. Die Schilderungen, welche Edmondo de Amicis

in seinem viel gelesenen „Cuore" von diesem Einfluß der Volksschule entwirft, mögen vielfach idealisirt sein, aber ein richtiger und
wahrer Kern liegt ihnen zu Grunde. Hiervon kann sich jeder überzeugen, der eine italienische Volksschule besucht. Auch nach dieser
Richtung hin läßt sich ihr Einfluß ergänzen und verstärken. In
Rom ist durch die vereinte Thätigkeit der städtischen Schulver-
waltung und werkthätiger Freunde der Volkserziehung eine Anzahl
von Edukatorien errichtet worden, die dazu bestimmt sind, unbe-
mittelten Volksschülern im Anschluß an die Unterrichtsstunden der
Volksschule einen behaglichen Aufenthalt in eigens dazu herge-
richteten Räumen des Schulhauses, sowie eine bescheidene und ge-
sittete Erholung zu verschaffen. Solche Edukatorien sind für
Kinder, die zu Haus nur Noth und Elend sehen, eine Wohlthat,
die sich etwa mit den sich immer mehr ausbreitenden Ferienkolonien
der Schweiz und Deutschlands vergleichen läßt. Von nicht minder
wohlthätiger Wirkung haben sich die von Frau Julie Salis-Schwabe
in Neapel begründeten und mit aufopferndster Hingebung ein
Vierteljahrhundert hindurch unterhaltenen Schulen erwiesen, in
denen jahraus jahrein mehr als Tausend der Aermsten und Verlassensten unterrichtet und erzogen werden.

Bei einer Dauer von zwanzig Jahren lassen sich greifbare
Erfolge, statistisch nachweisbare Fortschritte des Standes der öffentlichen Moral kaum erwarten. Es ist sicherlich eine Illusion gewesen,
wenn man von der Einführung des Schulzwanges in Italien Anfangs eine schleunige Verbesserung der Sitten erwartet, eine Illusion,
wenn man damals gemeint hat, eine Schule eröffnen heiße ein
Gefängniß schließen. Trotz des Wachsthums der Schulen haben
die Gefängnisse bisher nicht vermindert werden können. Aber in
manchen Punkten weist die Kriminalstatistik Italiens eine fort-
schreitende Besserung auf. So hat sich, um nur den wichtigsten
hervorzuheben, die Zahl der Verbrechen gegen das Leben nicht unwesentlich verringert. Im Jahre 1880 betrug sie (Morde, Todschläge, Verletzungen mit tödtlichem Ausgang) 5418, im Jahre
1897 4005. Damals kamen auf 100000 Einwohner 19,26 Verbrechen gegen das Leben; 1897 hatte sich diese furchtbare Verhältnißzahl doch auf 13 herabgemindert.

— — —

Auch der mittlere Unterricht (istruzione secondarla) hatte sich in Italien vor der Errichtung des Königreichs überwiegend in den Händen der Geistlichkeit befunden. Neben ganz verein= zelten Staatsanstalten war er vornehmlich in den zur Vorbe= reitung der jungen Kleriker bestimmten bischöflichen Seminaren, die in ihre Konvikte auch Laienschüler aufnahmen, und in den von geistlichen Körperschaften oder durch Privatstiftungen errichteten Kollegien ertheilt worden, die zum größten Theil gleichfalls mit Alumnaten verbunden waren. Alle diese Anstalten waren aus= schließlich von Geistlichen geleitet worden; auch die Lehrer hatten meistens dem geistlichen Stande angehört, namentlich war der Jesuitenorden zahlreich unter ihnen vertreten gewesen. Geistliche Andachten, strengste Ueberwachung in den Klassen, in den Er= holungs= und Schlafräumen, Absperrung gegen die Außenwelt hatten diesen Anstalten einen klösterlichen Anstrich gegeben. Da= gegen waren die Anforderungen an den Fleiß und die Fassungs= kraft der Zöglinge sehr milde gewesen: das Ziel des Lehrpro= gramms hatte sich auf eine leichte gefällige Bildung von ästhetisch= klassischem Anstrich gerichtet, wenig oder gar kein Griechisch, viel Latein und Italienisch mit besonderer Berücksichtigung der Literatur, der Metrik und Rhetorik, ein wenig Mathematik und Naturkunde, etwas mehr — formale und selbstverständlich recht= gläubige — Philosophie.

Diesem Zustande gegenüber war es ein kühnes Unternehmen gewesen, daß das Casatische Unterrichtsgesetz von 1859 das Mittel= schulwesen von Grund auf nach staatlichen Gesichtspunkten und in modernen Lehrkursen organisirte. Nach diesem Gesetz, dessen Grund= bestimmungen sich trotz mancher Abänderungen in Einzelheiten noch heute in Kraft befinden, zerfällt der Sekundärunterricht in zwei streng von einander geschiedene Gruppen, von denen die eine, die Gymnasien und Lyceen, dem klassischen, die andere, die Technischen Schulen und Technischen Institute, dem Realunterricht zu dienen bestimmt sind. Der klassische Unterricht umfaßt als untere Stufe die Gymnasien (ginnasi) mit fünf, als Oberstufe die Lyceen (licei) mit drei Jahreskursen. Der Realunterricht ist ebenfalls in eine untere Stufe, die scuola tecnica, und in eine obere, das istituto tecnico, jede mit drei Jahreskursen getheilt. Jede dieser Anstalten

hatte sich der Gesetzgeber als ein in sich geschlossenes Ganzes ge=
dacht; jede sollte für sich, unabhängig von der korrespondirenden
Ober= oder Unterstufe ihrer Gruppe, unter selbständiger Leitung
stehen, also das Gymnasium nichts mit dem Lyceum, die technische
Schule nichts mit dem technischen Institut gemein haben. Diese
Zerreißung der Ober= und Unterklassen desselben Bildungsganges
zu je zwei gesonderten Erziehungsanstalten bildet ein charakteristisches
Merkmal der italienischen Mittelschule, das ihr nicht zum Segen
gereicht. Sie unterscheidet sich von der anderer Länder auch darin
sehr wesentlich, daß sie das Latein vom Realunterricht grundsätzlich
völlig ausschließt und dadurch den Uebertritt aus den Realschulen
in die klassischen Institute unmöglich macht. Hieran wird auch jetzt
noch unverbrüchlich festgehalten, obwohl es in Italien nicht an ge=
wichtigen Stimmen fehlt, welche in der gänzlichen Ausschließung
des klassischen Elements einen beklagenswerthen Mangel der ita=
lienischen Realschule und den Hauptgrund ihres geringen Ansehens
erblicken. Dagegen hat sich die schroffe Trennung der Unter= und
Oberstufen nicht in vollem Umfang aufrecht erhalten lassen. Wo
ein Gymnasium und ein Lyceum als Staatsanstalten an demselben
Ort bestehen, ist es jetzt allgemein üblich, daß der Vorsteher des
Lyceums zugleich auch das Gymnasium leitet; ebenso ist der Vor=
steher des technischen Instituts häufig zugleich auch Leiter der an
demselben Orte befindlichen technischen Schule. Man hat ferner
nachgegeben, daß das Abgangszeugniß (licenza) des Gymnasiums
ohne das früher erforderliche Examen zum Eintritt in das Lyceum,
und ebenso die licenza der technischen Schule zum Eintritt in das
technische Institut berechtigen. Kenner des italienischen Schulwesens
halten es für bringend wünschenswerth, daß mit der Verschmelzung
der Mittelschulen weiter vorgegangen wird, und daß das Gymnasium
mit dem Lyceum, die technische Schule mit dem technischen Institut
überall, wo sie örtlich zusammen bestehen, zu vollen Bildungs=
anstalten vereinigt werden.

    Um den Mittelschulen möglichst rasch die Verbreitung zu geben,
die im Interesse der Hebung des Bildungsstandes für wünschens=
werth gehalten wurde, hatte das Gesetz den Unterrichtsminister
ermächtigt, die früheren Erziehungsanstalten, welche das Lehr=Pro=
gramm des staatlichen Sekundärunterrichts annähmen, den Staats=

anstalten in Hinsicht auf die Ertheilung von Zeugnissen gleichzu=
stellen (pareggiare). Mit dieser Gleichstellung ist, theils um die neu
angegliederten Landestheile bei guter Stimmung zu erhalten, theils
aus anderen, nicht selten außerhalb des Unterrichtsgebiets liegen=
den Rücksichten ungemein freigebig verfahren worden. Namentlich
hat man viele Jahre hindurch dem Streben der Gemeinden, sich
durch Errichtung eines Gymnasiums oder einer technischen Schule
hervorzuthun und darin nicht hinter Nachbarorten zurückzubleiben,
weit über das Bedürfniß nachgegeben. Wenn die Zahl der Mittel=
schulen für den Werth des Sekundärunterrichts entscheidend wäre,
so würde Italien der Vorrang von keinem anderen Lande streitig
gemacht werden können. Denn Italien besaß am Schlusse des
Schuljahres 1895/96 nicht weniger als anderthalb tausend Mittel=
schulen, während Preußen, das klassische Land der Schulen, sich bei
annähernd gleicher Einwohnerzahl mit 576 Anstalten dieser Art
begnügt.

Für den klassischen Unterricht allein bestanden in jenem Jahr
in Italien 708 Gymnasien, darunter 183 Staats= und 525 Ge=
meinde=, Korporations= und Privatanstalten, und 332 Lyceen, da=
runter 116 königliche und 216 andere. Die Gymnasien wurden
von 59578 Schülern (25244 der Staatsgymnasien, 34334 der
anderen), die Lyceen von 17689 (10945 und 6744) Schülern be=
sucht. Für den technischen Unterricht waren 381 technische Schulen
(182 und 199) sowie 74 (54 und 20) technische Institute vor=
handen. Die technischen Schulen zählten 37305 (24205 und
13100), die technischen Institute 10274 (8720 und 1554) Schüler.
Die Mittelschulen beider Stufen des klassischen und des technischen
Unterrichts zählten die abnorm große Zahl von fast 125000 Schülern,
von denen etwas mehr als drei Fünftel auf die klassischen, nahezu
zwei Fünftel auf die technischen Anstalten kamen. Diesem Heer
von Mittelschülern entsprach die Zahl der Mittelschullehrer. Es
unterrichteten an Gymnasien 4739, Lyceen 1852, technischen Schulen
2754 und technischen Instituten 1314, zusammen über 10600 Lehrer!

Man braucht diese Zahlen nur vor sich zu sehen, um als=
bald zu erkennen, daß die Entwickelung der Mittelschulen sich nicht
in dem richtigen Verhältniß zu dem Wohlstande, der Bildung und
den Interessen des Landes befindet. Dieser Eindruck wird durchaus

bestätigt und verstärkt, wenn man die sehr ungleichmäßige Ver=
breitung der Mittelschulen über die einzelnen Landestheile etwas
näher ins Auge faßt, und dabei wahrnimmt, daß es reiche und
hochgebildete Provinzen giebt, in denen gar kein Staatsgymnasium
besteht. In Pisa und Lucca ist beispielsweise die Jugend, welche
sich dem klassischen Unterrichtskurs zu widmen gedenkt, lediglich auf
den Besuch von nicht staatlichen Gymnasien angewiesen. Bei der
erheblichen Ungleichheit, die zwischen den Privatanstalten und den
Staatsinstituten besteht, muß ein derartiger Verzicht des Staates
auf die Mitwirkung am klassischen Unterricht ganzer Provinzen
schwere Bedenken erregen.

Andererseits sind vielfach von Gemeinden und Provinzial=
vertretungen Mittelschulen ins Leben gerufen worden, obwohl in
unmittelbarer Nachbarschaft ausreichende Gelegenheit zum Besuch
derartiger Anstalten geboten war. Vielfach haben sich die künstlich
geschaffenen Anstalten als nicht lebensfähig erwiesen; manche von
ihnen sind nach kurzem Dasein wieder eingegangen, andere führen
bei mangelhaftem Besuch eine überflüssige Scheinexistenz. Der be=
trächtliche Aufwand für diese Luxusschulen ist um so weniger zu
rechtfertigen, als gleichzeitig oft in denselben Städten und Provinzen
der Elementar=Unterricht weit hinter den Anforderungen der
Nothwendigkeit zurückbleibt. Die Provinz Syracus, in der bei
der letzten Volkszählung, die Kinder von 6 Jahren und darunter
abgerechnet, nicht weniger als vierundachtzig Prozent Analphabeten
sich herausgestellt hatten, besaß Angesichts dieses geradezu ver=
nichtenden Ergebnisses ihrer Volksschulen nicht weniger als achtzehn
Mittelschulen für ihre etwa 400000 Einwohner, nämlich 7 Gym=
nasien, 2 Lyceen, 8 technische Schulen und 1 technisches Institut.
In den acht technischen Schulen wurden von 59 Lehrern 614 Schüler
unterrichtet. Wenn die Hälfte dieser schlecht besuchten kostspieligen
Anstalten aufgehoben würde, so könnte mit dem dadurch ersparten
Gelde sicherlich ein tüchtiger Schritt zur Verbesserung des in dieser
Provinz so übel bestellten Volksschulwesens geschehen.

Erinnern wir uns indessen, daß den Italienern die Ver=
nachlässigung ihres Mittelschulwesens lange genug zum Vorwurf
gemacht worden ist, so wird der Uebereifer, mit welchem bei Nach=
holung des lange Versäumten hier und da überstürzt und über

das Ziel hinaus vorgegangen worden ist, begreiflich und verzeihlich erscheinen. Jedenfalls legen die mitgetheilten Zahlen ein sprechendes Zeugniß dafür ab, daß sowohl die staatliche Leitung des Schulwesens, als die Gemeinden und Provinzen Italiens sich beim Ausbau ihrer Mittelschulen von dem den Italienern so gern nachgesagten dolce far niente gänzlich ferngehalten haben.

Ueber die Leistungen sowohl der klassischen als der technischen Mittelschulen gehen im Lande selbst die Meinungen weit auseinander. Dem Ausländer, zumal dem Nichtfachmann, wird es schon deshalb nicht leicht, sich ein zutreffendes Urtheil zu bilden, weil für manche in Italien bestehende Einrichtung auf diesem Felde der Vergleich mit der Heimat entweder ganz fehlt oder zu Irrthümern Anlaß giebt. Auch macht sich die große Verschiedenheit des Temperaments und der ganzen Anlage hier stärker als bei anderen Dingen geltend. Immerhin werden einige Wahrnehmungen eines unbefangenen Beobachters am Platze sein.

Sehr abweichend von unseren Schulsitten besteht in den unteren Stufen der klassischen wie der technischen Mittelschule in Italien der Brauch, daß die Schüler während der ganzen Schulzeit denselben Klassenlehrer behalten. Der Lehrer der untersten (ersten) Klasse des Gymnasiums rückt nach dem ersten Jahreskursus mit seinen Schülern, soweit sie nicht etwa sitzen bleiben, in die zweite Klasse und von dort wieder nach einem Jahre in die dritte Klasse auf, und so fort in die vierte und fünfte. Er macht also mit den Schülern, welche regelmäßig fortschreiten, den ganzen fünfjährigen Gymnasialkurs durch. Die Einwirkung, die ihm schon hierdurch in einem uns unbekannten Maße auf die Ausbildung seiner Klasse zuertheilt ist, wird noch dadurch verstärkt, daß der Klassenlehrer mit Ausnahme einzelner Spezialunterrichtszweige den ganzen Unterricht in der Klasse allein ertheilt. Auf fünf Jahre ist also der italienische Gymnasiast fast allein an den Lehrer gewiesen, in dessen Klasse er beim Beginn seiner Gymnasialzeit tritt. Dazu kommt noch, daß nach italienischem Schulgebrauch der Direktor, oder wie er dort heißt der preside der Anstalt, sich am Unterricht gar nicht zu betheiligen pflegt, sondern sich ausschließlich den Verwaltungsgeschäften und der oberen Aufsicht über das Institut widmet. Zwischen dem Schüler und seinem Klassenlehrer ergiebt sich hieraus ein Verhältniß, für das es in der modernen deutschen Schule kein Analogon giebt, und das eher an die engen Beziehungen erinnert, die im Mittelalter oder im Alterthum zwischen dem Lehrer und den Lernenden bestanden haben. Herrlich, wenn Telemach einen Mentor findet, der ein wirklicher Erzieher ist; aber eine Tortur, wenn der arme Junge an einen trockenen Pedanten geräth, und eine Gefahr, wenn er einem Flatterkopf in die Hände fällt und fünf Jahre lang an ihn gebunden bleibt. Auf alle Fälle — ein starkes Wagniß.

Im Lyceum begleitet der Klassenlehrer seine Klasse nicht. Dafür weicht die Studienordnung wieder nach einer anderen Richtung von unserem Brauch ab. Für jedes Lehrfach ist am Lyceum ein Lehrer bestellt, der den Unterricht in allen drei Klassen ertheilt. Von den acht Lehrfächern des Lyceums (Philosophie, Mathematik, Elemente der Physik und Chemie, italienische Literatur, griechische Literatur, Geschichte und Naturgeschichte) wird jedes von seinem Vertreter naturgemäß für das Nothwendigste und Unerläßlichste angesehen; jeder der acht Professoren strebt das ihm durch den Studienplan vorgezeichnete Programm im vollsten Umfang zu erfüllen. Diese Programme, meist Denkmäler der ministeriellen Thätigkeit eines hervorragenden Gelehrten, scheinen hier und da zu vergessen, daß es sich um den Unterricht von Fünfzehn- bis Siebzehnjährigen handelt. Das Programm für Philosophie in der dritten (also obersten) Licealklasse verlangt von dem Professor, daß er „mit raschen aber sicheren Zügen ein geschichtliches Bild der antiken, mittelalterlichen und neueren Philosophie vorführen und dies durch Erklärung ausgewählter Lesestücke, für das Alterthum aus Plato, Aristoteles und Cicero, für die neuere Philosophie aus Descartes' Discours de la méthode, aus Kants Kritik der praktischen Vernunft, aus Rosmini und Gioberti erläutern wird... Im Mittelalter wird die Philosophie in ihrem Zusammenhang mit der christlichen Dogmatik und Apologetik darzustellen sein; der Professor wird aber gleichzeitig auf die Beziehungen der Scholastik zu den religiösen und politischen Streitfragen der Zeit hinweisen..." Zum Schluß kommt... „die Bekanntschaft mit den hauptsächlichsten Richtungen des philosophischen Gedankens der Gegenwart". Und dazu noch ein Abriß der Philosophie der Kunst; der Professor wird die

Prinzipien der Aesthetik erläutern und einen geschichtlichen Ueber-
blick über die Theorie des Schönen geben, wobei ihm warm
empfohlen wird, „einige Seiten aus Lessings bewunderungswürdigem
Laokoon" lesen zu lassen. — Etwas reichlich für Primaner, und
kein Wunder, wenn ein so gedrängter Kurs statt zu solider Bildung
zu oberflächlicher Vielwisserei führt. Wahrscheinlich ist es der
Kursus in der Philosophie, der den Kritikern des italienischen
Lyceums öfters Anlaß gegeben hat, sich darüber zu beklagen, daß die
oberste Klasse mehr einem Debattirklub als einem Schulunterricht gliche.

In den technischen Mittelschulen wird, wie bereits hervorgehoben, Lateinisch gar nicht gelehrt, dagegen in der unteren Stufe
Französisch, in der oberen Deutsch und Englisch. Fremdartig berührt uns, daß der Unterricht in den Schulen der Oberstufe von
Anfang an streng nach dem Beruf gesondert ist, dem sich die Schüler
zu widmen gedenken. An jedem technischen Institut bestehen fünf
Sektionen, für Mathematik und Naturwissenschaften, für Feldmeß-
kunst, für Landwirthschaftskunde, für Handel und Rechnungswesen
(ragioneria) und endlich für Gewerbe. So zerfällt die Schule,
statt eine wissenschaftlich-praktische Vorbereitung fürs Leben zu sein,
in eine Reihe von Fachschulen für ganz bestimmte und fest begrenzte
Berufszweige, und sie läuft Gefahr, junge Feldmesser, Rechnungsbeamte oder Ackerbauschullehrer zu züchten, statt tüchtige Menschen
auszubilden. —

Die ursprüngliche Gestalt der italienischen Mittelschule, die des
Konvikts, ist nicht bloß in den etwa einhundert Priesterseminarien,
von denen viele namentlich in den neapolitanischen Provinzen
auch Laienschüler aufnehmen, beibehalten worden, sondern sie beherrscht noch heut einen großen Theil derjenigen Anstalten, die
von Körperschaften, Stiftungen und Privaten ins Leben gerufen
werden. Die amtliche Statistik gibt die Zahl der Konvikte für männliche Schüler im Jahre 1895/96 auf 919 mit 58839 Alumnen
an, begreift dabei aber auch Wohlfahrtsinstitute, wie Waisenhäuser,
Blindenanstalten u. s. w. ein. Indessen ist es nicht zweifelhaft, daß
sich unter dieser Zahl eine beträchtliche Anzahl von Gymnasien
und Lyceen befinden. Vierzig dieser Konvikte sind Staatsanstalten,
meist ehemalige Jesuiten-Institute, die eingezogen und in Alumnate
von Gymnasien oder Lyceen umgewandelt worden sind. Die Mehr-

zahl von ihnen wird durch den Vorsteher der Schulanstalt, bei
der sie eingerichtet sind, verwaltet; eine Anzahl aber hat noch die
frühere Verfassung behalten und führt eigene Rektoren an der
Spitze. Vor einigen Jahren wurden mehrere dieser Convitti
nazionali nach vorgängiger Verständigung zwischen dem Unterrichts=
und dem Kriegsministerium unter militärische Leitung gestellt; dem
Erziehungspersonal wurden Offiziere beigegeben, die Alumnen er=
hielten Uniform und wurden, ungefähr wie unsere Kadetten, nicht
bloß unterrichtet, sondern auch disziplinirt und stramm gehalten.
Aber trotz des Beifalles, den angesehene Pädagogen dem Unter=
nehmen schenkten, hat man das Experiment fallen lassen, weil sich
in der Presse und in der Kammer lebhafter Widerspruch gegen die
mit demokratischen Anschauungen unverträgliche Militarisirung
nationaler Erziehungsanstalten erhob. —

Der höhere Schulunterricht für Mädchen war bis zur poli=
tischen Neugestaltung Italiens in noch stärkerem Maße geistlichen
Händen überlassen, als die Knaben=Mittelschulen. Er wurde nahe=
zu ausschließlich in Konvikten und Pensionsanstalten ertheilt, die
entweder direkt unter klösterlicher Zucht standen, oder doch von
Schulschwestern und anderen von der Geistlichkeit abhängigen Per=
sonen geleitet wurden. Auch heutzutage haben die höheren Töchter=
schulen, die von einzelnen Stadtgemeinden, wie Mailand, das 1861
den Anfang machte, Genua, Venedig, Bologna, Florenz und Rom,
errichtet worden sind, auf das Stärkste mit der Konkurrenz zu
kämpfen, die ihnen von Erziehungsanstalten unter geistlicher Leitung
gemacht wird. Die Zahl der privaten Erziehungsanstalten für
Mädchen, welche von geistlichen Assoziationen, Schulschwestern, suore
di Carità, Canossianerinnen, Ursulinerinnen u. a. m. geleitet werden,
wird in dem Bericht[1]), welcher dem Unterrichtsminister vor Kurzem
über die weiblichen Erziehungs= und Unterrichtsanstalten erstattet
worden ist, auf nicht weniger als 471 angegeben. Da außerdem
unter den von Stiftungen (opere pie) abhängigen Mädchenschulen
445 und von den Wohlthätigkeitsanstalten 159 geistlich geleitet
werden, so stehen mehr als zwei Drittel der sämtlichen in diesem

---

[1]) Relazione presentata a S. E. il Ministro della Pubblica Istruzione
sugli istituti femminili di educazione e di istruzione. Roma 1900.

Fischer. 2. Aufl.   21

Bericht erwähnten weiblichen Erziehungsanstalten (1114 von 1429) unter geistlicher Leitung. Freilich befaßt sich der größte Theil dieser Anstalten lediglich mit Elementarunterricht. Aber auch von den 543, die höheren Unterricht ertheilen, sind 394 unter geistlicher Leitung. Gegenüber diesem Uebergewicht des klerikalen Elements in der Erziehung gebildeter Mädchen ist der Antheil, den der Staat daran nimmt, ein fast minimaler.

Das neueste Jahrbuch bezeichnet unter den 214 höheren Töchterschulen, die es mit insgesamt 7319 Schülerinnen als einen Anhang seiner Mittheilungen für den Elementar-Unterricht aufführt, nur acht Institute mit 316 Schülerinnen als Staatsanstalten. Auch diese scuole superiori femminili scheinen im Wesentlichen nur Vorbereitungsanstalten für den Besuch der Lehrerinnen-Seminare zu sein, würden also dem wenig entsprechen, was wir uns unter einer höheren Töchterschule vorzustellen gewohnt sind. Allerdings scheint ein Theil der im statistischen Jahrbuch erwähnten Schulen auch höheren Ansprüchen zu genügen, denn es wird hervorgehoben, daß mehrere von ihnen den Kursus der Lehrerinnen-Seminare in ihren Lehrplan aufgenommen haben, ihre Schülerinnen also zur Ablegung des Lehrerinnen-Examens ohne Seminarbesuch befähigen. Die höhere Töchterschule in Rom, die nach ihrer langjährigen Leiterin den Namen Erminia Fua-Fusinato führt, macht dem Namen dieser Dichterin auch unter der jetzigen Direktion Ehre; sie wird von Töchtern der besten Familien besucht und genießt ein wohlverdientes Ansehen. Bei dem Mangel ausreichender höherer Töchterschulen nehmen seit einigen Jahren in steigendem Maße junge Mädchen am Unterricht von Gymnasien Theil. In Rom bestehen, angegliedert an das im ehemaligen Collegio Romano errichtete Istituto Ennio Quirino Visconti, das ein Gymnasium und ein Lyceum mit zusammen 20 Klassen und etwa 500 Schülern umfaßt, eigene Mädchenkurse unter dem Namen eines Ginnasio femminile. Neuerdings werden junge Mädchen aus besseren italienischen Familien, die ihre Kinder nicht gern klerikal geleiteten Anstalten anvertrauen wollen, vielfach in deutsche und schweizerische Mädchenpensionen geschickt.

Im Ganzen scheint das, was für höheren Mädchenunterricht in Italien geleistet wird, hinter der Wichtigkeit und dem Umfange der Aufgabe noch erheblich zurückzubleiben. Doch soll nicht unerwähnt bleiben, daß die von der Stadt Rom ins Leben gerufene weibliche Gewerbeschule (scuola professionale femminile) sich unter der ausgezeichneten Leitung ihrer Direktorin, der Frau Amalia Prandi=Ribighini zu einer wahren Musteranstalt ausgebildet hat. Im Jahre 1876 mit acht Schülerinnen eröffnet, zählt dies vortreffliche Institut jetzt über neunhundert Zöglinge im Alter von zwölf bis siebzehn Jahren, die für alle Berufszweige des bürgerlichen Lebens, namentlich aber für den einer Hausfrau erzogen werden. Wer Rom besucht, sollte nicht verfehlen, die weibliche Gewerbeschule, die, wie fast alle guten und nützlichen Einrichtungen, unter dem Protektorat der Königin Margherita steht, kennen zu lernen.

Ungewöhnlich stark entwickelt ist in Italien das höhere Unterrichtswesen. Das Land besitzt nicht weniger als einundzwanzig Universitäten; daneben bestehen eine nicht unbedeutende Zahl von höheren Lehranstalten, die mit den Universitäten gleichen Rang haben (istituti universitari), und von Fachhochschulen (scuole superiori speciali). Endlich sind von Alters her den Lyceen in Aquila, Bari und Catanzaro Universitätskurse angegliedert.

Von den Universitäten sind siebzehn Staats= und vier freie Institute. Die Staatsuniversitäten in Bologna, Catania, Genua, Messina, Neapel, Padua, Palermo, Pavia, Pisa, Rom und Turin besitzen alle vier Fakultäten, in Cagliari, Modena und Parma fehlt die philosophische, in Sassari und Siena außer dieser auch die mathematisch=naturwissenschaftliche Fakultät; Macerata hat nue eine, die juristische Fakultät. Von den vier freien Universitäten ist keine ganz vollständig, da Camerino, Ferrara und Perugia keine philosophischen Fakultäten, Urbino außer dieser auch keine medizinische Fakultät besitzt. Unter den Hochschulen mit Universitätsrang stehen mehrere, wie die Ingenieurschulen von Bologna, Neapel, Rom und Turin, sowie die Thierarzneischulen von Neapel und Turin, mit den an diesen Orten befindlichen Universitäten in naher Beziehung. Andere dagegen, wie die Technische Hochschule von Mailand und das Istituto superiore von Florenz, bestehen an Orten ohne Universität und nehmen durch ihren Umfang, ihren Lehrkörper und die Organisation ihres Unterrichts durchaus die Stelle von Hoch=

21*

schulen ein. Unter den Fachhochschulen sind die drei Handels=
akademien (scuole superiori di commercio) in Bari, Genua und
Venedig, die beiden Landwirthschafts=Akademien (scuole superiori
di agricoltura) in Portici und Mailand, die Schiffbauschule in
Genua und die einzige Forstlehranstalt des Landes, Vallombrosa
bei Florenz (mit nur 49 Schülern) zu erwähnen.

Die Verbreitung der höheren Lehranstalten über das Land
weist sehr beträchtliche Verschiedenheiten auf. In Oberitalien sind
alle Landschaften damit versehen: Piemont hat Turin, Ligurien
Genua, die Lombardei Pavia und die verschiedenen Fachhochschulen
in Mailand, Venezien Padua, in den Provinzen der Emilia aber
bestehen neben der ältesten Universität der Welt in Bologna die
Universitäten von Parma, Modena und Ferrara ziemlich dicht neben
einander. In Mittelitalien besitzt Toscana die Universitäten in
Pisa und Siena, sowie das mancher kleinen Universität an Umfang
und Lehrkräften weit überlegene Istituto superiore in Florenz;
Latium hat Rom, Umbrien Perugia und die Marken die kleinen
Universitäten Macerata, Camerino und Urbino. Dagegen besteht
in Unteritalien für die Provinzen des Festlandes nur die eine
große Universität in Neapel; in Sicilien sind drei, Palermo, Messina
und Catania, auf Sardinien zwei, Cagliari und Sassari, vorhanden.

Nicht minder erheblich sind die Verschiedenheiten, welche die
Universitäten unter einander in Bezug auf ihre Frequenz aufweisen.
Die größte von allen ist Neapel, das im Jahre 1894/95 318 Lehrer
und 5022 Studenten besaß. Dann kommen mit weitem Abstand
Turin mit 138 Lehrern und 2438 Studenten und Rom mit 148 Lehrern
und 2207 Studenten. Mehr als tausend Studenten haben Padua
(1677), Pavia (1509), Palermo (1402), Bologna (1370), Genua
(1027) und Pisa (1006). Die kleinsten Staatsuniversitäten sind
Modena (221), Siena (220) und Sassari (160); die vier freien
Universitäten hatten zusammen nur 634 Studenten, wovon die
Hälfte auf Perugia kam. Im Ganzen waren im Jahre 1895/96
an den 21 Universitäten 21955 Zuhörer, gegen 11997 im Jahre
1871/72, eingeschrieben; außerdem waren an den Istituti universitari 2668, an den Fachhochschulen 813 Zuhörer vorhanden.

Die große Zahl der Universitäten und die starken Verschieden=
heiten ihres Wirkungskreises und ihres Umfanges werden in Italien

seit langer Zeit als ein schwerer Uebelstand empfunden. Es ist
einfach unmöglich, einer solchen Anzahl von Hochschulen samt und
sonders eine der Höhe ihrer wissenschaftlichen Aufgabe entsprechende
Ausstattung zu geben. Müssen die kleineren von vornherein darauf
verzichten, Hörsäle, Bibliotheken, Kliniken und Laboratorien zu erhalten, die den modernen Anforderungen voll genügen, so werden
auch für die größeren und die ganz großen Institute die zu Gebote
stehenden Mittel durch die Nothwendigkeit, für die kleineren wenigstens
nothdürftig zu sorgen, in unerwünschtem und nachtheiligem Maße
verkürzt. Bei der Abgelegenheit und der geringen Frequenz vieler
kleinerer Hochschulen ist die Neigung, an ihnen zu lehren, begreif-
licher Weise keine sehr große; ihre Lehrstühle werden als Anfangs-
und Durchgangsstellen angesehen und wechseln ihre Inhaber öfter,
als im Interesse der Studenten liegt. Hingegen ist der Andrang
zu den Kathedern der großen Universitäten ein ganz enormer; jede
Vakanz ruft neben der erlaubten Theilnahme an der Mitbewerbung
ein Aufgebot aller Hülfsmittel der Konnektion und der Klientel
wach. Trotzdem ist bisher noch niemals ein ernstlicher Versuch zur
Verminderung der Zahl der Universitäten gemacht worden. Bei
der bloßen Ankündigung von Reformversuchen nach dieser Richtung
hin hat sich jedes Mal zur Vertheidigung der durch die Einziehung
der kleinen Anstalten in ihren vermeintlichen Lebensinteressen bedrohten Städte, Kreise und Provinzen ein derartiger Sturm erhoben, daß der Bestand des Ministeriums in Frage gestellt erschien;
in einzelnen Fällen mußte sogar der Unterrichtsminister geopfert
werden, um die Existenz des Kabinets zu sichern.

Von den vier Fakultäten umfaßt die juristische, die einzige,
die an sämtlichen Universitäten vorhanden ist, in Italien auch
die staatswissenschaftlichen Lehrfächer, wie Nationalökonomie, Finanz-
wissenschaft, Statistik und Verwaltungslehre. Die medizinisch-
chirurgische Fakultät überläßt dagegen Lehrstühle, die bei uns zu
ihrem Hauptbestande gehören, wie vergleichende Anatomie und
allgemeine Physiologie, der naturwissenschaftlich-mathematischen
Fakultät, die gleichzeitig auch Disziplinen in sich begreift, die bei
uns lediglich an Technischen Hochschulen gelehrt zu werden pflegen,
wie Baukunst, Maschinenlehre, Eisenbahnkunde u. dgl. Die vierte
Fakultät, die philosophisch-literarische, umfaßt die philosophischen,

historischen und philologischen Wissenschaften. Theologische Fakultäten bestehen nirgends mehr, nachdem sie unter dem Minister Cesare Correnti im Jahre 1873 da, wo sie noch vorhanden waren, in vermeintlicher Durchführung des Cavourschen Programms von der freien Kirche im freien Staat aufgehoben worden sind. Damals war versprochen worden, als Ersatz Lehrstühle für Kirchengeschichte und Dogmatik zu errichten. Dies Versprechen ist unerfüllt geblieben. Nur an zwei Universitäten wird die Geschichte des Christenthums gelesen, an vielen fehlt sogar der Lehrstuhl für Religions= philosophie.

Das Lehrerkollegium der Universitäten besteht wie bei uns aus ordentlichen und außerordentlichen Professoren, sowie aus Privatdozenten. Daneben sind, abweichend von unserer Einrichtung, in der Regel einige Dozenten mit der Abhaltung bestimmter Vor= lesungen gegen feste Vergütung aus Staatsmitteln beauftragt (in= caricati), nicht selten Professoren, die neben ihrem Hauptfach noch andere Kurse auf solche Weise übernehmen, oder Privatdozenten, die dadurch zu einem wenngleich geringen Einkommen gelangen. Derartige Aufträge werden entweder auf die Dauer oder vorüber= gehend zur Vertretung zeitweise verhinderter Professoren ertheilt. Bei der kurzen Lebensdauer der italienischen Ministerien ist es üblich, daß die Professoren, welche jeweils einen Ministersessel einnehmen, nicht auf den Lehrstuhl an ihrer Universität verzichten, sondern sich während ihrer Ministerschaft durch einen incaricato vertreten lassen. So hat sich Luigi Luzzatti, der zwei Jahre lang Schatzminister im letzten Kabinet Rubini war, seine Staatsrechtsprofessur an der Universität Rom offen gehalten, und ebenso hat es Guido Baccelli während seiner wiederholten Ministerschaften, zuletzt im Ministerium Pelloux, mit dem Lehrstuhl der klinischen Medizin an derselben Hoch= schule gemacht. Die Politik nimmt die Zeit und die Kräfte der italienischen Universitätslehrer stark in Anspruch. Viele der angesehensten Professoren sind lebenslängliche Mitglieder des Senats und nehmen, besonders bei wichtigen Fragen, an den Berathungen und Abstimmungen dieser hohen Körperschaft theil. Der Deputirtenkammer gehören Universitäts= professoren und Privatdozenten aller Fakultäten an. Zahlreiche Professoren sind als Mitglieder des Oberschulraths, als Mitglieder der Provinzial= und der Gemeindevertretungen, sowie durch Theil=

nahme an den dauernden und vorübergehenden Kommissionen, die einen beträchtlichen Raum in dem italienischen Verwaltungsapparat einnehmen, zu häufigen Unterbrechungen ihrer Kurse genöthigt. Bei der geringen Höhe der Professorengehälter, und da den Dozenten ein Antheil an den Kollegiengeldern nicht zusteht, sind nicht wenige Professoren darauf angewiesen, ihre Einkünfte durch Nebenbeschäftigungen als Anwalt, Arzt, Ertheilung von Unterricht und durch journalistische Thätigkeit aufzubessern. Auch hierdurch wird der Regelmäßigkeit in der Abhaltung der Vorlesungen kein Vorschub geleistet. Vielmehr werden oft Klagen über Unregelmäßigkeit und häufige Unterbrechungen laut.

Keiner Fakultät fehlt es indessen in Italien an Männern, die sich der Lehrthätigkeit und der Förderung der wissenschaftlichen Ausbildung der ihnen anvertrauten Jugend mit voller Energie hingeben. Auch in Italien beruht gegenwärtig der wissenschaftliche Fortschritt hauptsächlich auf den Forschungen und den Publikationen der Universitätslehrer. Viele von ihnen haben durch ihre Schriften europäischen Ruf erlangt und zählen zu den ersten Autoritäten der von ihnen vertretenen Wissenschaften. Namen wie die des Chemikers Cannizzaro, der Physiker Palmieri und Blaserna, der Mathematiker Brioschi und Cremona, des Chirurgen Durante stehen in der exakten Forschung ebenso hoch, wie die der Historiker Michele Amari und Pasquale Villari, des Nationalökonomen Messedaglia, der Soziologen Ellera und Sergi in den Geisteswissenschaften. Ihnen, ihren Genossen und Schülern ist es zu verdanken, daß Italien, dessen Stimme lange genug im Wettkampf der Geister vermißt worden war, jetzt wieder den ihm gebührenden Rang einnimmt, und daß die Hochschulen des Landes Pflanzstätten solider wissenschaftlicher Bildung geworden sind.

Unter den Professoren, namentlich der jüngeren Generation, trifft man wenige, die Deutschland nicht aus eigener Anschauung kennen; Viele von ihnen verdanken deutschen Universitäten den Abschluß ihrer Vorbereitung und die Richtung für ihren Beruf. Bis vor wenigen Jahren bestand in Italien die löbliche Sitte, daß alljährlich eine Anzahl von jungen Männern, welche die Universität mit dem besten Doktorexamen verließen, von der Regierung ein Reisestipendium auf ein oder zwei Jahre erhielten, um ihre

Ausbildung durch den Besuch ausländischer, namentlich deutscher
Hochschulen zu vollenden. Diese allen Fakultäten angehörigen
Stipendiaten sind ein wahres Seminar für italienische Universitäts=
lehrer geworden. Wer die Freude gehabt hat, diese talentvollen
jungen Sendboten hier in Deutschland kennen zu lernen und den
Feuereifer zu sehen, mit welchem sie ihren Studien oblagen, der
erlebt jetzt das Vergnügen, an allen Universitäten, zu denen ihn
eine hesperische Wanderung führt, seine jungen Freunde als ange=
sehene Dozenten und zugleich als begeisterte Apostel deutscher Bil=
dung in Italien wiederzubegrüßen. Es ist im Interesse beider
Nationen zu wünschen, daß dieser schöne und fruchtbringende Brauch,
der durch die Sparsamkeitspolitik des Ministeriums Rudini zeitweilig
unterbrochen worden ist, recht bald wieder aufgenommen werde. —
Die Vorträge der italienischen Professoren sind im Allgemeinen
lebhafter als bei uns, es wird seltener diktirt; oft giebt der Dozent
seinen Zuhörern einen Abriß des gelehrten Materials, worüber er
spricht, gedruckt in die Hand, um sich demnächst mündlich mit
größerer Freiheit bewegen zu können. Auch wird wohl von vielen
Vortragenden darauf Rücksicht genommen, daß sich unter ihren
Zuhörern eine im Wachsen begriffene Zahl von Studentinnen
befindet, deren Anwesenheit übrigens sonst in keiner Weise Störungen
hervorrufen soll. Wie in Deutschland, herrscht auch in Italien
eine weitausgedehnte Lernfreiheit unter der akademischen Jugend,
und es wird jenseits wie diesseits der Alpen von dieser Freiheit nicht
immer der zweckmäßigste Gebrauch gemacht. Aeltere Herren neigen in
Italien wie in Deutschland zu der Meinung, daß dies zu ihrer Zeit
besser gewesen sei. Aber es hat wahrscheinlich in Italien, wie bei uns,
auch früher Studenten gegeben, denen, wie dem jungen Giusti in Pisa,

> Vier Jahr verflogen in
> Seligen Freuden,
> Wie junge Thoren die
> Tage vergeuden!
> Während verstauben die
> Bücherregale,
> Oeffnet, entziffert man
> Zum ersten Male
> Voll Wonnebebens
> Das Buch des Lebens!

Ebenso ist es selbstverständlich, daß es auch jetzt in Italien nicht an Studenten fehlt, die sich ihren Studien mit Anspannung aller ihrer Kräfte und Gaben widmen. Will man Unterschiede zwischen deutschen und italienischen Studenten hervorheben, so sind die Letzteren durchschnittlich etwas jünger als ihre deutschen Kommilitonen, weil die Unterrichtskurse der italienischen Gymnasien u. f. w. kürzer sind als die deutschen, und unter den jüngsten und talentvollsten der italienischen Studenten sind Viele in einem bei uns unbekannten Maße glühende Anhänger des politischen und sozialen Radikalismus.

Die Art, wie das Studium eingerichtet ist, weicht erheblich von der bei uns üblichen ab. Jede Disziplin ist nach einem all= gemein vorgeschriebenen Plan in bestimmte Jahreskurse vertheilt, an deren Schluß jedes Mal Prüfungen abgehalten werden. Das Bestehen aller dieser Jahresprüfungen muß der Examinand, der sich zur Schlußprüfung melden will, nachweisen. Nun ist ihm zwar unbenommen, außer den für den Jahreskurs vorgeschriebenen auch noch andere Vorlesungen zu hören. Aber da die Prüfungen lediglich von Professoren abgehalten werden, und die Jahrespensa ziemlich reichlich bemessen sind, so bildet es die Regel, daß der Student bei dem Professor hört, der ihn später prüft; außer den vorgeschriebenen Vorlesungen werden andere nur ausnahmsweise gehört. Hieraus ergiebt sich die Sitte, daß italienische Studenten gewöhnlich nur eine Universität besuchen. Die fröhliche, den ganzen Menschen bildende Wanderzeit der deutschen akademischen Jugend, die unter anderen Vortheilen mit sich bringt, daß die norddeutschen Studenten fast ausnahmslos ein oder ein paar Semester auf einer süddeutschen Universität „Studienhalber“ sich auf= halten, und auch Süddeutsche in wachsender Zahl nach Leipzig und Berlin kommen, ist der italienischen fremd geblieben. Jener schablonenhafte Studiengang führt ferner dazu, daß die Fakultäten in Italien in einem Maße abgeschlossen und von einander getrennt sind, wovon wir glücklicher Weise keine Vorstellung haben. Nicht ohne Neid blicken italienische Universitätslehrer darauf hin, daß in Deutschland Vorlesungen allgemein wissenschaftlichen Inhalts von Studenten aller Fakultäten gehört zu werden pflegen; sie beklagen die Abgeschlossenheit der Fakultäten in Italien, welche verursacht, daß die Studenten der einen in der Regel die Vorlesungen einer andern nicht besuchen.[1]

Die Ueberwucherung des Examenwesens, die den ganzen Unterricht in Italien durchzieht, hat auch weitere ernste Nachtheile im Gefolge.

Bei der Massenhaftigkeit der zu Prüfenden können die Examina naturgemäß nicht übermäßig streng sein. Sie sind aber in einem Grade milde, der für den Zweck und die Ziele einer wissenschaftlichen Ausbildung geradezu bedrohlich wird. Der Uebertritt in den Staatsdienst als angehender Jurist, als Lehrer, als Verwaltungsbeamter und als Ingenieur, die Niederlassung als Arzt, als Apotheker, als Baumeister ist in Italien nicht, wie bei uns, von Prüfungen abhängig, die unter dem Vorsitz und unter Mitwirkung von Staatsbeamten des betreffenden Faches stattfinden, sondern wird lediglich durch die Ablegung der akademischen Schlußprüfung bedingt, die, wie bei uns das Doktorexamen, ausschließlich von Universitätsdozenten abgehalten wird. Die laurea (Doktorprüfung) und das Diplom haben daher in Italien eine staatliche Bedeutung, welche die ihnen bei uns zukommende weitaus übersteigt. Trotzdem werden diese Prüfungen beinahe ausnahmslos von allen Kandidaten bestanden. Nach der amtlichen Statistik über den höheren Unterricht haben im Schuljahr 1893/94 von 4421 Kandidaten 4398, im Jahr 1894/95 von 4549 nicht weniger als 4527 bestanden; nur ein halbes Prozent der Prüflinge war in jedem dieser beiden Jahre durchgefallen! Hiernach liegt also in Italien für jeden Studenten nahezu die absolute Sicherheit vor, daß die Schlußprüfung für ihn keine Klippe sein wird, an der er scheitern könnte.

Diese Erfahrung ist sicherlich nicht ohne weitgehenden Einfluß auf die starke Steigerung, die sich seit zwei Jahrzehnten in dem Andrang zu den höheren Bildungsanstalten geltend macht. Die Zahl der Zuhörer, und zwar sowohl an den Universitäten als an den ihnen gleichgestellten Instituten und den höheren Fachschulen, hat sich seit 1880 nahezu verdoppelt. Jahraus jahrein verlassen

---

[1] So z. B. Prof. Cantoni in der Nuova Antologia 1. Juli 1898, p. 63: „essendo le Facoltà italiane quasi del tutto chiuse in se stesse, ne deriva che gli studenti dell' una, per regola generale, non seguono i corsi dell' altra . . .“

nach drei-, vier- und fünfjährigem Studium Tausende von jungen Männern diese Institute, um als Juristen, als Aerzte, als Lehrer ins praktische Leben überzutreten. Hieraus ergiebt sich für die Berufszweige, die akademische Bildung erfordern, eine Ueberfüllung, welche einen beunruhigenden Charakter anzunehmen beginnt. Nur die Minderzahl der jungen Männer vermag in dem Berufe, für den sie sich vorbereitet haben, ein ihrem Bildungsgrade einigermaßen entsprechendes Unterkommen zu finden. Junge Advokaten, die mit einer Dorfkundschaft und einem Einkommen von hundert Lire monatlich vorlieb nehmen, Aerzte ohne Praxis, die gegen die denkbar geringste Entschädigung in einem Hospital oder einer Privatheilanstalt ankommen, sind noch nicht am schlimmsten daran. Vor einer Reihe von Jahren melbeten sich, als die Zahl der staatlichen Schulinspektoren um 18 mit einem Anfangsgehalte von 1500 L. vermehrt werden sollte und für ein Drittel dieser neuen Stellen akademisch gebildete Lehrer verlangt wurden, nicht weniger als 840 Bewerber, welche die Universität absolvirt hatten. Aber das Schlimmste ist, daß viele Hunderte überhaupt gar kein Unterkommen finden. Diese spostati mit ihren getäuschten Hoffnungen bringen ein stark fühlbares Element der Zersetzung und Verbitterung in den Klassengegensatz hinein; ihr Vorhandensein wird von italienischen Politikern als eine bedenkliche Verschärfung der sozialen Gefahr angesehen. Patriotische und weitblickende Männer beklagen außerdem nicht ohne Grund, daß durch den übergroßen Andrang zu den akademisch gebildeten Berufsarten ihrem Lande die so bringend nöthigen Hände zur Verstärkung des Gewerbefleißes, zur Verbesserung der Landwirthschaft, zur Wiedergewinnung einer fruchtbringenden Stellung im Welthandel in einer äußerst nachtheiligen Weise entzogen werden; sie halten für unbedingt geboten, daß die nationale Erziehung sich von dem ihr anhaftenden Zuge zum Rhetorisch-Aesthetischen energisch losreiße und sich mit voller Entschiedenheit der Vorbildung von praktisch brauchbaren, der wirthschaftlichen Hebung Italiens dienenden Kräften zuwende.[1]

---

[1] Vgl. z. B. die kleine Schrift des Ingenieurs Giuf. Spera, Il Problema del Lavoro nei suoi rapporti con la pubblica educazione. Roma 1897.

11. Volksthum und Volkscharakter.

In seinem für den Schulgebrauch der oberen Elementarklassen bestimmten Buch la Patria nostra gibt Angelo de Gubernatis folgende Schilderung des italienischen Volkstypus:

„Der Italiener ist von mittlerem Wuchs und trägt den Kopf hoch und frei auf starkem Nacken; er hat eine breite Brust, bewegliche Gliedmaßen und kräftige Muskeln. Sein Haar ist meist schwarz und dicht, die Augen ausdrucksvoll und lebhaft, seine kraftvolle und wohltönende Stimme befähigt ihn ebenso zum Befehl wie zum Gesang. Er ist von ungemein gewecktem Geist, der Begeisterung leicht zugänglich, aber zu gleicher Zeit fähig, sich zurückzuhalten und ihren Ausdruck zu mäßigen; unter dem Anschein der Natürlichkeit voll von berechnender Vorsicht; fast ausnahmslos mäßig in Speise und Trank, eine Eigenschaft, die den italienischen Arbeiter in fremden Werkstätten besonders hochgeschätzt macht."

Diese Schilderung, in der einige der hervorstechendsten Kennzeichen des Italieners zusammengefaßt sind, bewährt sich auch bei näherem Eingehen auf die körperliche und geistige Begabung des Volkes als zutreffend; sie ist auch, obwohl sie mehr die Lichtseiten als den Schatten betont, nicht allzu ruhmredig.

Wer Italien von Norden her betritt, nimmt zunächst mit Erstaunen wahr, daß ihm in den Alpenthälern von Piemont, der Lombardei und Venetien vielfach Menschen von hohem Wuchs, mit blondem Haar und hellen Augen begegnen. Je weiter er ins Land hinein kommt, desto mehr vermindert sich das Körpermaß der Bewohner und desto überwiegender wird der schwarzhaarige und dunkeläugige Typus. Er beherrscht den Süden fast ausschließlich. Die vereinzelten großen blondhaarigen Menschen, die man hier und da im Neapolitanischen oder gar auf Sicilien noch vorfindet, stellen sich, wenn man Gelegenheit hat, ihre Abkunft zu erfragen, meist als Abkömmlinge von Schweizern heraus, die bis 1860 zu Tausenden in den Fremdenregimentern der Bourbonenzeit im Lande verweilt haben und vielfach dauernd dort geblieben sind.

Diese Wahrnehmungen, die sich jedem Reisenden aufdrängen, stimmen mit den Ergebnissen der wissenschaftlichen Beobachtungen über die Körperbeschaffenheit der Italiener durchaus überein. Nach den Messungen, die von Militärärzten an mehreren hunderttausend Rekruten bei ihrer Einstellung in die Armee gemacht worden sind[1]), beträgt das Verhältniß der Größen von 1,70 Meter und darüber in ganz Italien 17,632 vom Hundert der Gemessenen. Dieser Durchschnitt steigert sich in Oberitalien; er nimmt an Dichtigkeit zu, je mehr man sich dem Abhang der Alpen nähert, und erreicht seine größte Höhe in den venezianischen Provinzen. Aber auch Piemont und die Lombardei, sowie ein großer Theil von Toscana weisen mehr oder minder starke Ueberschreitungen der Durchschnitts= zahl auf. Dagegen beginnt der Durchschnitt bereits in Mittel= italien zu sinken. Südlich von Rom, das sich vermöge des statt= lichen Körperwuchses seiner Bevölkerung noch über den Durchschnitt erhebt, wird die Beimischung der Großgewachsenen immer geringer, sie sinkt auf 14, 11, 8 und 5 Prozent und erreicht in Sardinien, das noch hierunter zurückbleibt, den tiefsten Stand. Für die kleinen Staturen von weniger als 1,60 m Körperlänge beträgt das Durch= schnittsverhältniß im ganzen Lande 18,225 Prozent. Dieser Durch= schnitt beginnt schon in vielen Theilen Mittelitaliens zu sinken, er wird in Oberitalien immer geringer und bleibt in mehreren vene= zianischen Provinzen unter 9 Prozent zurück. Dagegen wird er in Süditalien fast ausnahmslos überschritten und steigert sich in Calabrien, im südlichen Sicilien und in fast ganz Sardinien auf über dreißig vom Hundert. Aehnlich ist das Verhältniß der Blonden und der Braunen.

Die nicht unerheblichen Unterschiede, die sich zwischen dem Norden und dem Süden hinsichtlich der Körperbeschaffenheit der

[1]) Ridolfo Livi, Saggio dei risultati antropometrici ottenuti all' sipettorato di sanità militare. Roma 1894.

Bevölkerung herausstellen, und die auch mit anderen anthropologischen Messungen, wie der Kopfform und der Brustweite, im Ganzen und Großen übereinstimmen, werden neuerdings von Gelehrten, die sich auf Grund sprachgeschichtlicher Forschungen mit der Stammes= geschichte Italiens beschäftigen, auf die Verschiedenheiten der Rassen zurückgeführt, die sich von den Urzeiten an in der Bevölkerung Italiens auf einander gefolgt sind und neben einander gewohnt haben. Einer der jüngeren Vertreter[1]) dieser Richtung hat in einer vor Kurzem erschienenen Schrift den Versuch gemacht, auch die Ab= weichungen, die zwischen Nord= und Süditalien hinsichtlich des Wohlstandes, der Bildung, der Sittlichkeit u. f. w. vorhanden sind, als Nachwirkungen von Rassenunterschieden nachzuweisen. Andere Kenner des italienischen Volksthums neigen dazu, seine Eigenart gegenüber anderen Völkern und die Verschiedenheiten zwischen Nord und Süd wesentlich aus den klimatischen Verhältnissen des Landes und den daraus für Nord= und Süditalien sich ergebenden Ab= weichungen der natürlichen Bedingungen abzuleiten[2]). Ohne die wissenschaftliche Bedeutung der einen wie der anderen Richtung zu verkennen, will uns scheinen, als ob Beide die Verschiedenheiten, die zwischen Nord= und Süditalienern bestehen, weitaus überschätzen. Denn viel stärker als diese Verschiedenheiten ist die Uebereinstimmung der körperlichen und der geistigen Veranlagung, die zwischen den Bewohnern aller Theile von Italien vorhanden ist. Auf ihr beruht es, daß die italienische Bevölkerung trotz der Ueberflutung mit fremdem Volksthum, der sie seit Jahrtausenden in ungewöhnlich hohem Maße ausgesetzt gewesen ist, und trotz des Druckes der Fremdherrschaft, den sie zu einem großen Theil Jahrhunderte hin= durch zu erdulden gehabt hat, das Gefühl der nationalen Zusammen= gehörigkeit niemals verloren, und daß sie trotz der Ungunst der Ver= hältnisse sich zu einer charakteristischen Volkspersönlichkeit, zu einer in sich geschlossenen Nation ausgebildet hat. Auf dieser Unzer= trennlichkeit des nationalen Bandes hat in den schlimmsten Tagen der Fremdherrschaft und der politischen Zersplitterung die festeste

---

[1]) Francesco Lor. Pullé, Profilo antropologico dell' Italia (con at-lante) Firenze 1898.

[2]) z. B. Alb. Trolle, Das italienische Volksthum und seine Abhängigkeit von den Naturbedingungen. Leipzig 1885.

Hoffnung derer beruht, welche die Wiedererstehung Italiens vor=
bereiteten. Jetzt, wo sich erfüllt hat, was damals als ein visionärer
Traum erschien, hat man um so weniger Grund, die schönen Worte
anzuzweifeln, mit denen der prophetische Dichter des conte di Car-
magnola schon vor achtzig Jahren die Volkseinheitlichkeit der Italiener
geschildert hat:

> D'una terra son tutti: un linguaccio
> Parlan tutti: fratelli li dice
> Lo straniero . . .

Die Gesundheit und die mit ihr in unmittelbarem Zusammen=
hang stehende Lebensdauer der Italiener werden durch die klima=
tischen Verhältnisse des Landes in starkem Maße beeinflußt. Wenn
die Milde des Himmelsstrichs, der herrliche Sonnenschein und die
in allen Theilen Italiens gleichmäßig verbreitete Gewohnheit, viel
in freier Luft sich zu bewegen, der körperlichen Ausbildung der
Italiener günstig sind, und namentlich die Stubenhockerleiden, die
im Norden durch die Einsperrung in schlecht gelüfteten und während
der langen Winterzeit überheizten Räumen großgezüchtet werden,
in Italien in erfreulichem Maße selten sind, so ist der Italiener
andererseits klimatischen Angriffen ausgesetzt, mit denen die Nord=
länder entweder garnicht oder nur vereinzelt und in viel geringerer
Heftigkeit zu kämpfen haben. Von erschlaffender Wirkung, welche
die körperliche Rüstigkeit wie die geistige Spannkraft in gleich hohem
Maße in Mitleidenschaft zieht, ist der Scirocco, der schwüle Süd=
wind, der, wenn er einige Tage anhält, die Nerven geradezu auf
die Folter spannt und zu der nervösen Reizbarkeit, die einen her=
vorragenden Charakterzug der Italiener bildet, wahrscheinlich in
sehr hohem Grade beiträgt. Si vive allo scirocco ist in Rom
früher eine Bezeichnung für ganz ungewissen und kärglichen Lebens=
unterhalt gewesen. Noch heut wird jeder Unfall in der Häuslich=
keit wie im öffentlichen Verkehr gern auf den gerade herrschenden
Scirocco zurückgeführt. Es wird sogar von landeskundigen Beob=
achtern[1]) versichert, daß Todschlag bei Scirocco mildernde Um=
stände beim Strafgericht zu begründen pflegt.

Auf welchen Ursachen die verbreitetste klimatische Krankheit des
Landes, die Malaria, beruht, ist bis in die neueste Zeit streitig ge=

---

[1]) Gustav Floercke, Italisches Leben. Stuttgart 1890, S. 147.

blieben. Sie ist kein neuer Gast in Italien; schon das Alterthum hat der Göttin Febris Altäre errichtet, um ihren Zorn abzuwenden. Aber zu einer Landplage von dem Umfange und der Verderblichkeit, wie sie jetzt besteht, hat sich die Malaria doch erst unter dem schlechten und schwachen Regiment des Partikularismus ausgebildet, der die Verstopfung der Flußläufe und die Versumpfung der Meeres= küsten nicht aufzuhalten vermochte und durch die Latifundien= wirthschaft die Veröbung weiter, im Alterthume wohl angebauter Landstriche herbeigeführt hat. So hat das Wechselfieber, auch in seiner schwereren perniziösen Form, sich nicht nur im Pothal ein= genistet, das ihm von der piemontesischen Ebene an in breiten Landstrichen der Lombardei und Venetiens bis zur Mündung unter= worfen ist, sondern es hat von Aquileja ab an den Küsten des adriatischen, des jonischen und des tyrrhenischen Meeres sein Banner aufgepflanzt und vielfach bis tief ins Innere der Halbinsel hineingetragen; es umsäumt vom Meere aus die Eilande Sicilien und Sardinien und hält weite Theile beider Inseln unter .seiner Geißel. Auf der Karte, die der Senator Torelli von dem Herrschafts= gebiet der Malaria in Italien entworfen hat, erscheint der Leib des schönen Landes allenthalb vom Meere aus von dieser schlimmen Krankheit angefressen; der schmale Streifen Fieberlandes, der die Küsten mit nur geringen Unterbrechungen umgiebt, verdichtet sich in den Sumpfniederungen der toscanischen Maremmen und der Tibermündung und macht im Hügelland der römischen Campagna und in den südneapolitanischen Provinzen breite Eingriffe ins Binnenland. Mit welcher Wucht diese schlimme Landplage auf dem Gesundheitsstande der Nation und damit .zugleich auf ihrer gesamten wirthschaftlichen und sozialen Entwickelung gelastet hat, davon wird es Nordländern schwer, sich eine zutreffende Vorstellung zu machen. Italienische Hygieniker veranschlagen die Zahl der in ihrem Vaterlande an Malaria Erkrankten auf jährlich mehr als eine Million, den wirthschaftlichen Schaden auf mindestens eine Milliarde.

Während der Kampf gegen die Malaria bis vor Kurzem wesentlich darauf ausging, die schlimmsten Fieberheerde durch Aus= trocknung von Sümpfen, wie an der Tibermündung, im Po=Delta, in den Maremmen und in den Niederungen der venezianischen Lagunen= küste zu beseitigen, ist er durch die wichtige Entdeckung Robert

Kochs, welcher die Entstehung des Fiebers auf giftige Mückenstiche zurückführt, in ein neues, anscheinend hoffnungsreicheres Stadium getreten. Es haben sich Vereine zum Studium der Malaria=Abwehr gebildet, die der Koch'schen Theorie auf Grund ausgedehnter praktischer Versuche Geltung und Anwendung zu verschaffen bemüht sind. Nach den vorliegenden Berichten[1] hat der von Koch empfohlene Schutz gegen Mückenstiche ausgereicht, um das Wärterpersonal von Eisenbahnstrecken, das sonst der Malaria im höchsten Maße ausgesetzt war, fast vollkommen fieberfrei zu erhalten. Man knüpft an die Fortsetzung dieser Versuche, die, wie alle guten Werke in Italien, von der Königin Margherita durch Theilnahme und Unterstützung gefördert worden sind, hohe Erwartungen, die, wenn sie sich erfüllen, für das gesamte Volksthum segensreiche Folgen in Aussicht stellen.

Durch die Fortschritte, welche die staatliche Gesundheitspflege in Italien durch Schaffung besseren und gesünderen Trinkwassers, durch bessere Abflüsse und durch Hebung der Reinlichkeit unverkennbar aufzuweisen hat, ist eine namhafte Abnahme der Fiebergefahr erreicht worden. Seit 1887, wo die statistische Ermittelung der Todesursachen begonnen wurde, hat sich die Zahl der an Malaria Gestorbenen von 21033 auf 11378 (1898), die der an Typhus Gestorbenen von 27800 auf 17412 verringert. Noch stärker tritt die wohlthätige Wirkung der staatlichen Gesundheitspflege bei den Pocken zu Tage, die bis vor Kurzem zu den verbreitetsten und gefährlichsten Ansteckungskrankheiten des Landes zählten. Pockennarbige Gesichter, die in Deutschland zu den größten Seltenheiten gehören, sind in Italien namentlich unter der Landbevölkerung ungemein häufig; ein toscanisches Sprichwort sagt, daß die Mutter den Sohn nicht eher ihr eigen nennen darf, als bis er die Pocken überstanden hat. Der Impfzwang ist in Italien erst im Jahr 1888 allgemein eingeführt worden. Seitdem ist die Zahl der an den Pocken Gestorbenen in rapider Abnahme begriffen. Sie hatte noch im Jahre 1888 die hohe Ziffer von 18110 erreicht. Schon im nächsten Jahre sank sie auf 13416, dann sprungweis auf 7017 und auf 2910; in der neuesten Statistik für 1897 ist sie mit nur 1003 aufgeführt.

---

[1] Nuova Antologia v. 1. Oktober 1900, S. 541 ff.

Fischer. 2. Aufl.   22

Alle diese Urſachen haben eine nicht unbeträchtliche Abnahme der Sterblichkeit oder, was dasselbe iſt, eine Verlängerung der mittleren Lebensdauer in Italien zur Folge gehabt. Die Zahl der Todesfälle, die im Jahre 1887 ſich auf 828992, je 28,10 auf 1000 Einwohner belaufen hatte, war trotz der ſtarken Vermehrung der Bevölkerung bis 1898 auf 732265 oder 23,19 aufs Tauſend geſunken. Insbeſondere hat ſich die ſchreckhaft große Kinderſterblichkeit nicht unweſentlich verringert. Nach den Angaben von Bodio in ſeinen Indici misuratori waren während der Jahre 1862 bis 1866 von je tauſend Kindern jährlich 225 vor Vollendung des erſten Lebensjahres geſtorben. Dieſer Durchſchnitt iſt in den Jahren 1873—77 auf 213, von 1878—82 auf 207,2, von 1883—87 auf 195,9 geſunken; 1894 betrug er 185,5.

Freilich ſind auch dieſe Ziffern noch recht hoch; ſie bezeugen, daß die Hygiene Italiens auch jetzt noch ſtarker Verbeſſerungen fähig und bedürftig iſt. Im Jahre 1885 iſt eine Umfrage über die hygieniſchen Verhältniſſe in ſämtlichen Gemeinden Italiens gehalten worden. Dabei ergab ſich, daß 1881 Gemeinden mit einer Geſamtbevölkerung von 9,5 Millionen ſchlechtes oder mittelmäßiges Trinkwaſſer beſaßen, und daß in 1495 Gemeinden mit 6 Millionen Einwohnern Trinkwaſſer nur in ungenügender Menge vorhanden war. Damals beſtanden in 6404 Gemeinden überhaupt keinerlei Abzugseinrichtungen, wirkliche Abzugskanäle nur in 97 Gemeinden. Wenngleich dieſe Dinge ſich inzwiſchen durch die Geſundheitsgeſetzgebung und ihre immer beſſere Durchführung weſentlich günſtiger geſtaltet haben, ſo bleibt immer noch ein weites Feld für die Staats- und die Gemeindeverwaltung für die Hebung der Volkswohlfahrt und der Volksgeſundheit offen.

Gegenüber den Kraftgeſtalten, die man in vielen Bezirken Norddeutſchlands, in Weſtfalen, Mecklenburg und Pommern, in den frieſiſchen und holſteiniſchen Marſchen, vielfach aber auch in Baiern im Landbau thätig ſieht, erſcheinen die italieniſchen Arbeiter klein, ſchmächtig und von ſchwächerer Körperkraft. Allein ſie entwickeln eine Ausdauer und eine Zähigkeit auch bei ſchweren Feld- und Erdarbeiten, die man ihnen auf den erſten Blick hin kaum zutrauen würde. Dabei erweiſen ſie ſich abgehärtet gegen die Witterung; ſie arbeiten in glühender Sonnenhitze und wiſſen Kälte in einem Maße zu ertragen, das uns Nordländer in Staunen setzt, und das italienische Matrosen zu besonders geeigneten und willkommenen Begleitern von Nordpol=Expeditionen macht. Diese Eigenschaften zeigen sich nicht nur in den arbeitenden Klassen der Bevölkerung. Auch in den höheren Ständen ist Unempfindlichkeit gegen Kälte sehr ver= breitet. Der Gebrauch geheizter Zimmer ist in Mittel= und Süd= italien trotz des im Winter mitunter ziemlich strengen Frostes keines= wegs allgemein üblich. In Rom sind selbst in den neueren Stadttheilen viele Häuser ohne Heizvorrichtung geblieben. Wird's ungemüthlich kalt, so behält man den Ueberrock oder Mantel im Zimmer an und wickelt die Beine in eine Decke, oder man behilft sich mit dem Kohlenbecken des braciere und ist ganz vergnügt, wenn dadurch eine Zimmerwärme von 9—10 Grad Reaumur er= reicht wird. Bei einer Witterung, bei der wir uns bereits in den Stuben einzuwintern anfangen, sieht man Italiener noch im Freien sitzen; man begegnet älteren und jüngeren Herren, die sich bei einer Temperatur von 5 und 6 Grad im einfachen Rock oder im leichten Sommerüberzieher mit Behagen im Freien ergehen.

Die dem Nordländer am meisten auffallende Körpereigenschaft der Italiener ist ihre große Bedürfnißlosigkeit in Speise und Trank. Nicht nur die Zahl der Mahlzeiten — deren Häufigkeit bei Nord= ländern dem Italiener zu unverhohlenem Erstaunen und zu mancher Spottrede Anlaß giebt —, sondern auch die Menge und die Sub= stanz der dabei genossenen Nahrung ist in Italien wesentlich geringer als im Norden. Wohl sieht der Nordländer nicht selten mit Verwunderung auf die kolossale Portion Maccaroni hin, mit welcher der Italiener seine Hauptmahlzeit zu eröffnen pflegt. Aber was darauf folgt, ist wenig und leichte Kost, und die Hauptmahl= zeit ist für Viele im Wesentlichen die einzige des Tages. Diese Bedürfnißlosigkeit prägt sich auch im geselligen Verkehr aus und verleiht ihm eine Leichtigkeit und Anmuth, um die der unter der Schwere seiner heimischen Diners seufzende Nordländer die Italiener zu beneiden alle Ursache hat. Die schöne Sitte, daß man sich spät Abends, frei von jedem Bedürfniß nach Speise und Trank, zu geselliger Plauderei in befreundeten Häusern versammelt, hat sich in Italien glücklicher Weise noch in voller Reinheit erhalten und bildet einen Hauptreiz des Winteraufenthalts für viele

22*

Fremde, denen der Zutritt zu dieser rein platonischen Gastlichkeit
stets auf das Freundlichste erleichtert zu werden pflegt.

Auf dem Lande ist diese Enthaltsamkeit leider nicht aus=
schließlich durch die klimatischen Verhältnisse bedingt, sondern bei
den Landarbeitern vielfach geradezu durch den Mangel an Nahrungs=
mitteln. Man hat das wöchentliche Nahrungsbudget italienischer
Handwerker und Tagelöhner auf Grund einer Reihe von Mono=
graphien über die Lebensbedingungen der städtischen und der länd=
lichen Arbeiter aufzustellen versucht. Es ergiebt für die städtischen
Arbeiter eine leibliche Fleischkost (in Ober= und Mittelitalien
750 Gramm, im Süden etwa 400 Gramm frisches Fleisch wöchent=
lich und daneben 300 bis 400 Gramm Salzfleisch und Salzfisch),
reichliches Brot (4700 und 6000 Gramm), sowie Mehlspeisen und
4 oder 5 Liter Wein. Für die Landarbeiter in Oberitalien schmilzt
die Fleischkost auf sehr schmale Bissen (200 Gramm frisches und
200 Gramm Salzfleisch oder Salzfisch) zusammen, der Brotver=
brauch verringert sich auf 2000 Gramm, dagegen steigt die Mais=
kost der Polenta auf 4000 Gramm und erzeugt durch dies starke
Uebergewicht die in ganz Ober= und in einem Theil von Mittel=
italien grassirende schlimme Krankheit der Pellagra, die jährlich
mehrere Tausende dahinrafft und andere Tausende zu unheilbarem
Siechthum verurtheilt. In Süditalien verschwindet beim Land=
arbeiter die Fleischkost ganz und die Nahrung beschränkt sich in einem
der Gesundheit unzuträglichen Maße auf vegetabilische Stoffe von
nicht selten unzureichendem Nährwerth.

Nicht nur in den Klassen, bei denen die Enthaltsamkeit eine
Folge des Mangels, sondern auch in der bemittelten und der reichen
Bevölkerung ist die Mäßigkeit im Trinken in Italien durchaus all=
gemein. Trunkenheitsfälle gehören, abgesehen von Volksfesten, wo
die Theilnehmer sich aber auch vielfach mehr von der allgemeinen
Lustigkeit und dem Lärm als von dem genossenen Getränk über=
mannen lassen, zu den seltensten öffentlichen Erscheinungen; sie
rufen stets einen für die Volkssitte bezeichnenden Ausbruch des
Widerwillens und der Mißbilligung hervor. Und das in einem
Lande, in welchem die Menge, die Billigkeit und die Güte des
Weins dies Getränk zu einem für alle Klassen der Bevölkerung
gebräuchlichen machen.

Die Sonne, die leichte Kost und der Wein tragen sicherlich viel dazu bei, dem Italiener jene natürliche Grazie der äußeren Erscheinung, jenes Ebenmaß der Glieder, jene Anmuth der Gebärden zu verleihen, die immer aufs Neue die Freude und die Bewunderung des Ausländers erwecken. Sie sind allen Klassen der Bevölkerung in einem Maße zu eigen, das man sonst nirgendwo antrifft, und das sich neben den klimatischen Bedingungen sicherlich auch auf die alte Kultur zurückführt. Der Lastträger und der feine Stutzer, der Droschkenkutscher und der Kavalier, der eigenhändig sein Tilbury oder seinen Gig lenkt, der Gemüsehändler und der Parlamentarier: Alle nehmen, unbewußt oder nicht, in den Ruhepausen ihrer Arbeit, in der ruhigen Unterhaltung oder im Affekt Stellungen an, die einem Maler oder Bildhauer alsbald zum Modell dienen könnten, und Alle begleiten den Fluß ihrer Rede mit so eindrucksvollem Mienenspiel und mit so treffenden und harmonischen Gesten, daß ihr Wort wirklich „Hand und Fuß" hat und auch dem verständlich wird, der der Sprache nicht vollkommen mächtig ist. Selbst dem des Italienischen gänzlich unkundigen Beobachter macht es Vergnügen mitanzusehen, wie zwei Italiener sich mit einander unterhalten, wie ihre Hände sich zum Text ihrer Rede wie Klavierbegleitung zum Gesange verhalten, wie Aug' und Lippe, Schultern und Rücken des Zuhörers den Chor zum Solo des Sprechers bilden, und wie Beide in dem Bestreben wetteifern, den größtmöglichen Eindruck zu machen und einen wirkungsvollen Abgang zu erzielen. Im Affekt steigert sich die Gebärdensprache zu dramatischen Wirkungen von großer Kraft. Die Kundin, die den Zornausbruch des Fischweibes oder der Obsthökerin zunächst mit verhaltenem Ingrimm über sich ergehen läßt, reckt plötzlich, von einem besonders spitzen Schimpfwort im Innersten getroffen, den Arm in die Höhe und schmettert die Gegnerin mit einem Wortschwall von geradezu tragischer Leidenschaft moralisch zu Boden, um sich demnächst mit Schritten einer Niebesiegten zu entfernen.

Gewöhnlich aber löst sich der heftigste Wortwechsel durch ein wohlgezieltes und rasch erfaßtes Scherzwort in laute Fröhlichkeit auf. Denn Frohsinn und Munterkeit sind für diese Kinder des sonnigen Italiens ein Theil der Lebensluft, deren sie zum Athmen bedürfen. Der warme, heitere, caressirende Ausdruck italienischer Augen bildet eine der angenehmsten Ueberraschungen, die den Nord= länder auf der Südseite der Alpen erwarten; heimgekehrt mag er es manchmal schwer genug finden, sich wieder an den gleichgültigen frostigen Blick zu gewöhnen, der im Norden leider vielfach für guten Ton gehalten wird. Allegria ist eins der Lieblingsworte und eine der Lieblingsbeschäftigungen des Italieners. Schon Montaigne[1]) hat die Wahrnehmung aufzeichnenswerth gefunden, daß Traurigkeit im Italienischen gleichbedeutend ist mit Boshaftigkeit; tristo ist noch im heutigen Sprachgebrauch ein krasser Ausdruck für einen moralisch nichtswürdigen Menschen, etwa auf gleicher Höhe mit unserm miserablen Kerl. Das Lob der Fröhlichkeit hin= gegen wird am schönsten durch das Sprichwort verkündet. Hundert Jahre Schwermuth, sagt das Eine, bezahlen noch nicht eine einzige Stunde Schuldigkeit. Und während ein Zweites unser deutsches Wort bestätigt, daß Gott die Fröhlichen lieb hat, wird es von einem Dritten noch überboten, wonach ein frohes Gemüth sogar die Nägel aus der Bahre zieht[2]). — Ein charakteristischer Ausdruck dieser Lebensfreudigkeit ist es, daß der Italiener, statt die Todten selig zu preisen, sie im Sprachgebrauch stets mitleidig beklagt. Man hört bejahrte Männer, deren Vater im höchsten Lebensalter ent= schlafen ist, nicht von ihrem seligen Vater sprechen, sondern er bleibt il mio povero babbo.

Von den mannichfaltigen Geistesgaben des Italieners tritt dem Fremden zuerst und immer wieder am eindringlichsten der stark ausgeprägte und reich entwickelte Schönheitssinn des Volkes entgegen. Die große Gewecktheit des Italieners macht ihn für alle Eindrücke der Sinnenwelt ungemein leicht zugänglich; seine stets rege Phantasie steigert diese Eindrücke und erzeugt das Bedürfniß, ihnen einen möglichst wirksamen und harmonischen Ausdruck nach Außen hin zu verleihen. Dies ist die Quelle des Kunstsinnes, der den Landmann in Unteritalien und Sicilien dazu antreibt, seinen zweirädrigen Karren mit traditionell überlieferten Schildereien in

---

[1]) Essais I chap. 2 „de la tristesse": les Italiens ont plus sorta- blement baptisé de son nom la malignité . . .

[2]) Cento anni di tristizia non pagano un' ora di debito. — Dio ama i riditori. — Chi ride leva i chiodi della bara.

kräftigen bunten Farben zu verzieren; ihm entspringt das Bestreben des römischen Weinfuhrmanns, seinem Karrengaul einen prunkvollen Kopfputz von Metallzierrathen, Federn und Fuchsschwänzen umzuhängen. Selbst der Neapolitaner, der sonst nicht im Rufe besonderer Thierfreundlichkeit steht, legt Werth darauf, dem kleinen flinken Gaul seines Calessino eine recht stattliche Fasanenfeder auf den Kopf zu stecken und ihm eine klingende schimmernde Schelle um den Hals zu thun. Grünkramhändler, Garköche und Fleischer schmücken beim Herannahen von Festtagen ihre Läden durch Dekorationen, in denen Säulen von hochaufgeschichteten Käselaiben, Guirlanden von Würsten, lorbeerumkränzte Braten mit künstlich zusammengestellten Stillleben von allerlei Delikatessen, schimmernden Früchten und reichem Blumenflor sich auf das Geschmackvollste und Wirksamste zu einem erfreulichen und anlockenden Schaustück verbinden. Bei größeren Anlässen, Volksfesten, Einzügen und dergl. giebt sich dieser Kunstsinn des Volkes in der Umwandlung von Straßen und Plätzen zu Triumphstraßen und Festhallen von nicht selten wunderbarer Schönheit zu erkennen. Wer die grandiose Dekoration kennt, vermöge deren das Pantheon am Tage der Gedächtnißfeier König Victor Emanuels sich in eine Trauerhalle von unbeschreiblicher Würde und Hoheit verwandelt, der hat eins der hervorragendsten Beispiele von der Leistungsfähigkeit italienischer Ausschmückungskunst vor Augen gehabt.

Dieser Schönheitssinn liegt auch dem Interesse und dem Verständniß zu Grunde, die in weiten Kreisen des Volkes für künstlerische Leistungen und für Kunstwerke aller Art lebendig sind. Die Kunst ist in Italien nicht ein Privileg der oberen Klassen, sondern ein Gemeingut für Alle, von dem zu genießen sich Alle berufen fühlen. Von dem Enthusiasmus, mit dem hervorragende Leistungen der Musik, des Gesanges, der Schauspielkunst, der öffentlichen Rede in Italien von allen Klassen der Bevölkerung aufgenommen werden, kann man sich anderwärts nicht leicht eine zutreffende Vorstellung machen. Ein Meisterwerk der Malerei oder der Bildhauerkunst bildet ein Tagesereigniß von allgemeiner Bedeutung und erregt den patriotischen Stolz der Nation. Die Namen und die Schöpfungen der großen Meister der Vergangenheit leben im Munde auch der Ungebildeten fort. Die Gondoliere von Venedig

singen Strophen aus Tassos befreitem Jerusalem; Citate aus
Dantes Göttlicher Komödie sind allgemein verständlich und werden
von Personen gebraucht, die bei uns von der Existenz eines Dichters
der Vorzeit keine Ahnung zu haben pflegen. Wer Interesse für die
Kunstdenkmäler des Landes bezeugt, kann darauf rechnen, in allen
Klassen der Bevölkerung Verständniß und Förderung zu finden.
Ein Schlächtergesell, seine Mulde auf der Schulter, sieht einen
Fremden einen Brunnen auf der Straße abzeichnen, er tritt hinzu
und entfernt sich mit den billigenden Worten: E dal cinquecento.

In der wohllautenden, biegsamen, zur Dichtung und zum
Gesange einladenden Sprache besitzt die italienische Nation ein In=
strument, das ihrem Schönheitssinn die willkommenste Gelegenheit
zur Bethätigung darbietet und das allgemein mit Vorliebe und
mit Virtuosität gehandhabt wird. Wortkarge, in sich gekehrte
Menschen trifft man in Italien nur selten. Dagegen hat man
tagtäglich auf Straßen und Gassen, im Haus und im Café reich=
liche Gelegenheit, sich von der Sprachfreudigkeit und der Rede=
gewandtheit der Italiener zu überzeugen. Selbst der Geringste aus
dem Volk legt auf sonore Diktion, auf wohlgerundete Sätze, auf
eine gewisse Eleganz der Sprache hohen Werth. Unter den Ge=
bildeten geht diese Werthschätzung nicht selten soweit, daß über der
Form der Inhalt vernachlässigt wird; Sprachfragen werden mit
einem Feuer erörtert, für das wir Nordländer über der Nothwendig=
keit, uns mit der Sache abzufinden, keine Zeit übrig haben würden.
Nichts verzeiht man einem Politiker schwerer als eine schlecht stili=
sirte Rede. Wo dagegen „mit Grazie die Rednerlippe spielt", da
darf sie der Theilnahme und des Beifalls der Zuhörer sicher sein,
auch derer, welche dem Inhalt der Rede nicht beistimmen.

Dieser natürlichen Redebegabung kommt das vorzügliche Ge=
dächtniß zu statten, daß bei Italienern nicht selten bis zu einem
staunenswerthen Umfang ausgebildet ist. Von Quintino Sella
wird berichtet, daß er mit vierzehn Jahren bereits mehr als vierzig
Gesänge der Göttlichen Komödie auswendig gewußt habe, und
daß ihm dieser Besitz bis in die letzten Lebensjahre treu und gegen=
wärtig verblieben sei. Ihm ist nachgesagt worden, daß er von
vielen Dingen Vieles, von manchen Manches und nur von wenigen
wenig wüßte.

Sowohl die körperliche als die geistige Begabung des Italieners begünstigt den Kultus der Persönlichkeit, der in Italien seit alter Zeit mit raffinirter Feinheit betrieben und in weitem Umfang gepflegt wird. In der Entwickelung des Individuums sind die Italiener der Renaissance allen anderen Nationen vorangeschritten. Den Heroen jenes Zeitalters, und zwar nicht bloß den harmonisch durchgebildeten Persönlichkeiten der großen Dichter, Schriftsteller, Künstler, sondern auch den Gewalt= und Uebermenschen, jenen Tyrannen, Machthabern und Feldherren, die sich durch Frevelthaten aller Art die Herrschaft zu verschaffen und zu erhalten wußten, wird noch heut in Italien eine Verehrung gewidmet, die sich von moralischen Bedenken ganz frei hält. Sich ein nobles Auftreten, eine stolze selbstbewußte Haltung anzueignen, fare una buona figura, ist weiten Volkskreisen in Italien ein dringendstes Bedürfniß. Die Freude an der eigenen Persönlichkeit, ein Selbstgefühl, das sich nicht selten bis zur Selbstgefälligkeit steigert, bilden hervorstechende Züge des Volkscharakters, die auch auf die Entwickelung seiner sittlichen Eigenschaften einen starken Einfluß ausüben.

Als eine der harmloseren Folgen dieses starken Selbstgefühls darf die Sorgfalt betrachtet werden, die der Italiener namentlich in seiner Jugend auf die Eleganz seiner äußeren Erscheinung verwendet. Derselben Quelle entspringt das Bestreben, die eigene Person möglichst zur Geltung zu bringen und in das vortheilhafteste Licht zu setzen. Der Italiener liebt es deshalb nicht, in seiner Beschäftigung, auch wenn sie den Lebensberuf bildet, äußerlich in dem Maße aufzugehn, wie dies im Norden die Regel bildet. Er ist nicht Arzt, sondern fa il medico; ebenso „macht" er den Schuster, aber er bleibt vor allem Er selbst. Daher stammt auch das starke Bedürfniß nach Beifall, nach lauter Anerkennung, das sich beim Italiener von klein auf in einem uns überraschenden Maße geltend macht, und das, in Voraussetzung der Reciprozität, einen bei uns unerhörten Verbrauch von Superlativen bei Würdigung fremder Verdienste zur Folge hat. Eine Leistung, die bei uns als tüchtig bezeichnet wird, heißt in Italien un lavoro stupendo; chiarissimo, egregio, ja illustre sind ständige Beiwörter für Jeden, der eine bemerkenswerthe Stellung einnimmt.

Die auf sich selbst gestellte Persönlichkeit steht anderen nicht minder entwickelten Individualitäten gegenüber. Um sich zu behaupten, bedarf sie vor allen Dingen einer sorgfältigen Beachtung dessen, was die Anderen thun und wollen. Durchdringende Menschenkenntniß ist eine Eigenschaft, die man bei Italienern von vornherein vorauszusetzen hat; jedenfalls wird sie von ihnen im Verkehr unter einander im weitesten Umfange angewendet. Ein Mensch, der ohne eigene Beweggründe handelt, gilt kaum für zurechnungsfähig. Von Verständigen wird ohne Weiteres angenommen, daß sie ihren Vortheil wahrzunehmen und, wo sich die Gelegenheit dazu nicht von selbst bietet, sie durch geschickte Benutzung geeigneter Umstände, durch eine combinazione, zu schaffen wissen.

Im Kampf ums Dasein entwickelt sich unter so stark ausgebildeten Individualitäten von selbst eine Tiefgründigkeit des Wesens, eine Neigung zum Hinterhaltigen und zum Versteckten, die durch die politischen Verhältnisse der Vergangenheit lange Zeit hindurch geradezu großgezogen worden sind. Nach dem Untergang unserer Selbständigkeit, sagt einer der besten Kenner des italienischen Volkscharakters[1]), waren Vorsicht und Hinterlist die vorzüglichsten Bürgschaften unseres öffentlichen Lebens. Aehnlich hat dies Massimo d'Azeglio ausgedrückt, wenn er beiläufig bemerkt: Ein bischen Bürgerkrieg steckt jedem Italiener im Herzen. Die vertrauensselige Gemüthlichkeit, welche das germanische Naturell auch im Verkehr mit Fremden zu entfalten liebt, ist dem Italiener aus dem Volke unverständlich und befremdlich, da sein eigenes Verhalten zunächst und vor allem von einem gründlichen und grundsätzlichen Mißtrauen gegen Andere gelenkt wird. Dies Mißtrauen wird durch den Mißbrauch erhöht, der in Italien allgemein mit Versprechungen getrieben wird. Guarantisco io, ich bürge Ihnen dafür, ist die übliche Redensart, mit welcher der römische Handwerker sich dem Kunden gegenüber zu einer Lieferungsfrist verpflichtet, deren Innehaltung ihm nicht im Mindesten am Herzen liegt. Mit Worten speist der Politiker seine Klienten ab, ohne sich dadurch einer Verpflichtung bewußt zu werden, denn er weiß, daß sie den Unterschied von Worten und Thaten kennen, und daß auf die männliche Uebereinstimmung des

---

[1]) P. Turiello, Governo e governati I. 7.

Wortes mit der That von ihnen nicht gerechnet wird[2]). Hält man doch selbst dem Heiligen nicht, was man ihm in der Gefahr verspricht: passato il pericolo, gabbato il Santo.

Dem Mißtrauen gegen Andere entspricht das Mißtrauen gegen das eigene Ich, das man in Italien so häufig und zwar in der Regel bei den edelsten und am meisten begabten Naturen als einen Grundzug ihres Wesens wahrnimmt. Der Skeptizismus hat unter der italienischen Jugend von Alters her tiefe Wurzeln geschlagen; er findet reichen Nährboden in dem Zwiespalt zwischen Staat und Kirche, der die stärksten Stützen des Charakters, Religion und Vaterlandsliebe, in anscheinend unlösliche Widersprüche verwickelt und unreife, exaltirte Köpfe leicht dazu bringt, Beide über Bord zu werfen und sich dem unfruchtbarsten und radikalsten Pessimismus zu überlassen. Ohne in anstrengender und verantwortlicher Thätigkeit Heilung zu finden, vielmehr durch die Enttäuschungen verschärft und verbittert, die sich für zahlreiche gebildete junge Leute aus der Ueberfüllung der sog. liberalen Berufszweige ergeben, nimmt der Skeptizismus unter der italienischen Jugend eine Ausbreitung und eine Intensität an, auf die man nur mit Bedauern und Betrübniß hinblicken kann.

Aber bei der Leidenschaftlichkeit des italienischen Temperaments bringt der entfesselte Individualismus größere Gefahren mit sich. Haß, Zorn und Eifersucht, die wir nur im Singular kennen, sind dem Italienischen durchaus im Plural geläufig: gli odi, le ire, le gelosie schlagen in der Seele des Italieners tiefe Wurzeln und reißen ihn nicht selten zu zügellosen Ausbrüchen und schlimmen Thaten hin. Rachsucht hat sich zu einem Motiv ausgebildet, das in dieser Stärke in anderen Ländern kaum bekannt ist. Una bella vendetta bildet für Viele, die durch Wort oder That eine Kränkung erfahren haben, ein Lebensziel, das sie mit Aufbietung aller Geisteskräfte und mit Einsetzung des eigenen Lebens zu erreichen streben. Die Göttliche Komödie ist ein kolossales Monument dieser nationalen Rachbegier. Es ist für das italienische Temperament in hohem Grade bezeichnend, daß der Dichter diejenigen, die leidenschaftslos genug waren, um ohne Schande und

---

[2]) Turiello l. c. I. 85: la coerenza virile delle parole coi fatti ci pare, per dir cosi, scandalosa. . . .

ohne Lob zu leben, als feige Memmen, die Gott und Gottes Feinden
gleich mißfallen, mit der ausgesprochensten Verachtung behandelt.[1]
Auch wo die Nachträglichkeit sich nicht, wie wir bei Betrachtung
der Kriminalität sehen werden, in schweren Thaten zur Geltung
bringt, da macht sie sich, verbunden mit der Spottlust des Südens,
in einer Schandmäulerei Luft, von deren Bösartigkeit und Fülle
man sich kaum einen Begriff machen kann. Maldicenza und tur-
piloquenza sind sprichwörtliche Bezeichnungen für die landläufige
Lust an übler Nachrede. Vielfach wird sie so zu sagen in dem guten
Glauben getrieben, daß der Zuhörer nicht alles für baare Münze
nehmen werde. Unter allen Umständen thut man wohl daran,
von dem, was Italiener einander Böses nachsagen, recht viel ab-
zuziehen, namentlich wenn es sich um Nachbarn handelt, die sich
gegenseitig mit besonders gesalzenen Redensarten verfolgen. Wahrscheinlich ist's ein Römer gewesen, der erzählt hat, Cavour habe,
als er einen Neapolitaner in sein letztes Ministerium aufnehmen
wollte, den Professor de Sanctis deshalb gewählt, weil dieser der
Einzige gewesen wäre, über den ihm von zwei Neapolitanern Gutes
erzählt worden sei.

Wir fühlen das Ich zu stark, das Wir zu wenig: mit diesen
Worten fassen patriotische Italiener den Charaktergrundzug zusammen,
der dem ausgesprochenen Individualismus ihrer Landsleute nicht
nur die Selbstzucht des eigenen Temperaments, sondern noch mehr
die Unterordnung unter die Autorität Anderer außerordentlich erschwert. Den Mangel an Disziplin hat selbst einer der beredtesten
Lobredner der italienischen Volkstugenden, Torquato Tasso, in einem
berühmten Verse anerkannt, der es ausspricht, daß

> . . . alla virtù latina
> O nulla manca, o sol la disciplina[2]).

Darum ist der Italiener ein unübertrefflicher Soldat da, wo
es auf Geltendmachen der einzelnen Persönlichkeit ankommt, hervorragend im Einzelkampf, ein Fechtmeister sonder Gleichen. Aber
im Krieg wie im Frieden wird es ihm schwer, der eigenen Persönlichkeit in dem Maße zu entsagen, wie dies durch gemeinsame Zwecke

---

[1]) Inferno III. 35 ff.
[2]) Gerusalemme liberata I. 64.

unabweislich gefordert wird. Alle wollen capi sein, sich sichtbar oder hörbar zur Geltung bringen. Behauptet man doch sogar, daß es aus diesem Grunde, troß der musikalischen Volksbegabung, in Italien schwerer sei als anderwärts, einen guten Sängerchor zu bilden.

Ob der rasche Stimmungswechsel, der ausländischen Beobachtern des italienischen Volkslebens auffällt, sich mehr auf psychische Gründe oder auf körperliche Anlagen zurückführt, ob ihm mehr der Mangel an geistiger Selbstzucht des Temperaments, oder die starke Nervosität des Italieners zu Grunde liegt, wird schwer zu entscheiden sein. Jedenfalls ist auf der schwanken Leiter der Gefühle der italienischen Volksseele bei dem Einzelnen wie in der Gesamtheit der Uebergang von himmelhoch Jauchzen — zum Tode betrübt — jäher und häufiger als in nordischen Ländern, und er macht sich mit einer Ursprünglichkeit und Mittheilsamkeit geltend, die man anderwärts nicht leicht wahrnehmen kann. Leiter größerer Arbeitermassen, Beobachter von Volksbewegungen, Streiken u. dgl., Truppenführer, welche bei den Expeditionen in Abessinien betheiligt gewesen sind, wissen von den Gefahren zu erzählen, welche diese Seite des italienischen Temperaments beim Eintritt kritischer Momente mit sich bringt. Indessen werden diese Gefahren gemildert durch die in allen Klassen der Bevölkerung verbreitete Fähigkeit, Entbehrungen, Mühsal, ja körperliche Leiden mit Ausdauer zu ertragen.

Der Verfasser eines Buches, das bei seinem Erscheinen Aufsehen erregt hat, sieht als den unterscheidenden Charakterzug seiner Landsleute ihre ungezügelte Sinnlichkeit an und sucht aus dieser Quelle alle Schäden des Volkslebens abzuleiten: das Widerstreben gegen die Disziplin und gegen andauernde Arbeit; die Klatschsucht, die grimmige Eifersucht, die Lockerheit der Familienbande, die Nachsicht gegen geschlechtliche Vergehungen. Auch wenngleich Ferrero's Europa giovane ein ernstgemeintes Buch ist, dessen Autor bei diesem harten Urtheil nicht dem italienischen Hang zum turpiloquio zu folgen scheint, so wird man sich doch hüten müssen, ihm zu glauben. Denn die Dinge, die er als feststehende Thatsachen annimmt, erweisen sich bei einer Betrachtung der sozialen Seite des Volksthums größtentheils als unerwiesene Behauptungen.

Nichts ist für einen Ausländer schwerer, als das Familien=
leben einer anderen Nation zu beurtheilen. Denn auch bei der
bereitwilligsten und gastfreiesten Aufnahme erschließt sich ihm das
Innerste der Familie doch nur selten und mit Zurückhaltung. In
der Literatur und in der dramatischen Kunst treten naturgemäß die
Konflikte mehr in den Vordergrund als das friedliche Zusammen=
leben; auch wo die Wirklichkeit wiedergegeben werden soll, erscheint
sie in einer Umkehrung der Verhältnisse, die die Ausnahme als
Regel darstellt, weil das, was in Wahrheit die Regel ist, einfach
übergangen wird. Dazu kommt die Verschiedenheit der Gewohn=
heiten und des Temperaments, die auf diesem Gebiete das Urtheil
besonders empfindlich trübt. Wer mit diesen Vorbehalten, auf Grund
langjähriger eigener Beobachtungen und an der Hand objektiver
Merkmale, wie die statistischen Publikationen sie gewähren, die
italienischen Familienverhältnisse betrachtet, der kann das Ver=
dammungsurtheil, das man so häufig darüber aussprechen hört,
nur als ein sehr leichtfertiges und unzutreffendes bezeichnen.

In Italien wird viel geheirathet. Indessen hat sich die Zahl
der Eheschließungen, die im Jahr 1872 sich auf 202361 (7,53
auf je 1000 Einwohner) belief, bis 1898 nur wenig, nämlich auf
219597 gehoben, so daß die Verhältnißziffer 6,98 sich merklich
vermindert hat. Trotz der Frühreife beider Geschlechter erfolgt die
Eheschließung keineswegs, wie man vielfach behaupten hört, besonders
frühzeitig. Ueber das Alter der Eheschließenden liegen fortlaufende
Mittheilungen der italienischen Statistik nicht vor. Soweit sie
vorhanden sind, lassen sie erkennen, daß in einer sechsjährigen
Periode vor 1873 das Durchschnittsalter der Bräute 23 Jahre
10 Monate, der Männer 30 Jahre 7 Monate betrug. Nach dem
Durchschnitt der Jahre 1872—76 waren von 20000 Eheschließenden
in Italien

	Männer	Frauen
unter 20 Jahren	103	1719
20—25 Jahre	2549	4364
25—30 „	3711	2203

Hiernach erfolgte die Eheschließung in Italien etwa in dem
gleichen Alter wie im Königreich Sachsen und beträchtlich später
als in Rußland.

Sehr groß ist der eheliche Kinderreichthum. Die Zahl der Lebend-Geborenen überschreitet jährlich eine Million und hält sich seit langer Zeit auf der hohen Verhältnißziffer von 35—39 auf je tausend Einwohner. Dies ergibt im Vergleich mit der Verhältnißziffer der Eheschließungen die sehr starke Durchschnittszahl von 4,9 Kindern auf jede Ehe, eine Zahl, die, soweit bekannt, nur noch in Rußland übertroffen wird. Diese Fruchtbarkeit des italienischen Stammes bewährt sich auch jenseits des Ozeans; sie steigert sich in Argentinien, nach den Mittheilungen in Mulhalls Handbook of the river Plate, 6. ed. Buenos-Ayres 1892, sogar zu der staunenswerthen Höhe von 60 Geburten auf je 1000 Italiener. Beispiele noch größerer Kinderzahl gehören in Italien, auch in den höheren Ständen, durchaus nicht zu den Seltenheiten. General Enrico della Rocca, der 1897 verstorbene Veteran der italienischen Armee, hat uns in seinen Lebenserinnerungen eine anziehende Schilderung der Kinderschar in seinem elterlichen Hause hinterlassen, wo die eine Schwester den sieben Brüdern gegenüber, die beiläufig sämtlich Offiziere geworden sind, keinen leichten Stand gehabt hat. Maurizio Sella, der Vater des späteren Finanzministers, besaß aus einer Ehe zehn Söhne und zehn Töchter. Wenngleich die Mutter so vieler Kinder an sich erfährt, daß das Wort wahr ist, welches die Mutter eine Märtyrerin nennt, so wird sie sich mit dem andern schönen Wort trösten, wonach wer keine Kinder hat, nicht weiß was Liebe ist.[1])

Unter den Gründen, die für die angebliche Lockerung des italienischen Familienlebens angeführt werden, pflegt die große Zahl der Findelkinder besonders stark betont zu werden. Diese Zahl hat in den Jahren 1865 bis 1879 die erschreckende Höhe von 536217 Kindern, etwa vier Prozent aller Neugeborenen, ergeben. Es ist indessen zu bedenken, daß diese Zahl fünfzehn Jahre umfaßt, und daß sie sicherlich den größten Theil aller unehelich Geborenen in sich schließt. Die Auffassung des Moralstatistikers von Oettingen, daß diese Zustände zum größten Theil durch die Existenz der zahlreichen Findelhäuser mit Drehladen hervorgerufen worden seien,

---

[1]) Madre vuol dir martire. — Chi non ha figliuoli, non sa che sia amore.

hat sich inzwischen durch die Erfahrung bestätigt. Im Jahre 1866 waren in Italien in 1179 Gemeinden Findelhäuser mit Drehladen (con ruote) geöffnet. Durch Schließung der Drehladen hat sich diese Zahl bis 1895 auf 503 Gemeinden vermindert. Gleichzeitig hat die Zahl der Ausgesetzten merklich abgenommen. Während sich in jenem Abschnitt auf je drei Jahre rund 100000 ergaben, hat sie in dem Triennium 1890/92 nur noch 29003 betragen. Damit ist auch die Behauptung widerlegt worden, daß bei Schließung der Drehladen die Zahl der anderwärts, also ganz hülflos Ausgesetzten sich furchtbar vergrößern würde. Vielmehr hat auch die Zahl der außerhalb der Findelhäuser Ausgesetzten beträchtlich abgenommen und, merkwürdig genug, namentlich in den Provinzen, in denen es keine Findelhäuser mit Drehladen mehr gibt. Dadurch ist der Zusammenhang, der zwischen den Kinderaussetzungen und jener verrotteten Einrichtung besteht, unwiderleglich dargethan.[1]

Uebrigens bleibt die Zahl der unehelichen Kinder in Italien, die in den Jahren 1882/90, sämtliche Findelkinder eingerechnet, 74,81 auf je tausend Neugeborene betragen hat, weit hinter derjenigen anderer Länder zurück. Diese Zahl ist am größten in den Provinzen Rom, Umbrien, der Romagna und der Marken, die sämtlich dem ehemaligen Kirchenstaat angehört haben.

Das innere Familienleben wagen wir nicht zu beurtheilen. Was dem Verfasser dieses Buches aus eigener Wahrnehmung davon kund geworden ist, widerlegt die darüber vielfach verbreiteten Vorurtheile auf das Glänzendste. Ihm sind in italienischen Familien Beispiele kindlicher Pietät gegen die Eltern, Aufopferungsfähigkeit der Eltern für ihre Kinder, treues Aushalten der Gatten in guten und bösen Tagen, festes Zusammenstehen von Geschwistern nicht seltener vor Augen gekommen als in deutschen. Man muß hören, mit welcher Liebe ältere Italiener von ihrer Mutter sprechen, um die Thorheit des Geschwätzes von der Lockerung der italienischen Familienbande richtig zu würdigen. Ehrfurcht vor den Alten findet sich in den niederen wie in den höheren Klassen verbreitet. Das toscanische Sprichwort drückt dies volksthümlich und treffend aus:

---

[1] Sehr interessante Einzelheiten hierüber enthält das Annuario Statistico für 1895, S. 85. f.

beata quella casa dov'è carne secca. Auch die Eltern zeigen im
Verkehr mit den Kindern vielfach einen Grad von Rücksicht und
zarter Aufmerksamkeit, der uns überrascht. Massimo d'Azeglio hat
uns den reizenden Zug von seinem Vater überliefert, der, sonst
ein sehr strenger Mann, seinen kleinen Sohn mit einem leisen Ge=
sang allmählich zu wecken pflegte, um ihn nicht plötzlich aufzu=
schrecken.

Die Tugenden der Hausfrau sind wohl niemals prägnanter
gepriesen worden als in jenem altitalischen Grabspruch: domi
mansit, lanam fecit. Er drückt das Frauenideal aus, das noch
heut in den unteren Klassen der Bevölkerung, namentlich in Unter=
italien, weit verbreitet ist. „Ich habe eine gute Frau; sie ist seit
drei Jahren nicht ausgegangen", erzählt der Bootsführer oder der
Kutscher, mit dem man in der Umgegend von Neapel einen Aus=
flug macht. Auch in den Mittelklassen Italiens genießen die Frau
und die erwachsenen Töchter nicht annähernd die Freiheit der Be=
wegung, die ihnen in Deutschland, in England oder gar in Amerika
zusteht. Im Süden gilt es noch heut für jüngere Frauen und für
junge Mädchen aus achtbaren Familien kaum für zulässig, unbe=
gleitet über die Straße zu gehen. Der Norden hat sich auch in
dieser Beziehung dem internationalen Brauch mehr angeschlossen.
Dagegen erhob sich, als dem Vorgange Frankreichs entsprechend
im Jahre 1881 vom Justizminister Villa ein Gesetzentwurf einge=
bracht wurde, um die Ehescheidung einzuführen, aus allen Theilen
Italiens ein so lebhafter Sturm von Protesten, daß der Entwurf
zurückgezogen wurde; er ist auch bis heute nicht wieder aufge=
nommen worden.

An ausgezeichneten Frauen ist Italien von jeher reich ge=
wesen und es hat diesen Reichthum von jeher als eine Zierde des
nationalen Lebens zu schätzen gewußt. Die Mutter der Gracchen
wird noch jetzt in Lehrbüchern der Volksschule dem Kindergemüth
als Vorbild vorgeführt. Vittoria Colonna und andere edle Frauen=
gestalten der Renaissance leben in Aller Munde. Auch in der
Gegenwart hat es an Frauen nicht gefehlt, die das politische
Martyrium ihrer Gatten heldenmüthig getheilt und ihnen die Leiden
des Kerkers oder der Verbannung erleichtert haben. Den erlauchten
Namen der Marchesa Arconati und der Gräfin Confalonieri lassen

sich sicherlich viele andere aus allen Ständen anreihen. Ganz Italien neigte sich in ehrfürchtiger Bewunderung vor der Seelengröße, mit welcher die Mutter der Brüder Cairoli drei ihrer Söhne im Kampfe um die Befreiung Italiens fallen sah. Unter den Schriftstellern Italiens nehmen Frau Pierantoni-Mancini, die Tochter des Ministers Mancini, Frau Matilde Serao und die Dichterin Ada Negri einen anerkannt hohen Rang ein. An Geburt, umfassender Bildung und geistiger Beweglichkeit ihrem Gatten, dem edlen Ubaldino Peruzzi, durchaus ebenbürtig, hat die jüngst verstorbene Frau Emilia Peruzzi manches Jahrzehnt hindurch den Florentiner Familienpalast und das Landgut des alten Geschlechts in Antella zu Mittelpunkten des geistigen Verkehrs erhoben, wo sich Italiener, Deutsche, Franzosen und Engländer in ungezwungenem Meinungsaustausch zu treffen pflegten. Le plus actit foyer de l'italianité hat ein ausgezeichneter Franzose Donna Emilias Salon genannt. Von einem ihrer deutschen Gäste aber ist das Porträt der bedeutenden und liebenswürdigen Frau in einer seiner besten Erzählungen der Mit- und Nachwelt mit liebevoller Treue überliefert worden.[1]

Unter dem Druck der früheren politischen Verhältnisse war es den Italienern verwehrt oder doch sehr erschwert, sich über den Kreis der Familie hinaus im sozialen Leben zu bethätigen. Die Spuren dieses Druckes sind noch jetzt vielfach wahrzunehmen. Wer mit Italienern verkehrt, bemerkt nicht selten, daß ihnen der Anschluß mangelt, den in anderen Ländern die Gemeinschaft des Berufes, der wissenschaftlichen oder humanitären Interessen, gleiche Richtung in politischen und kirchlichen Fragen in den mannichfaltigsten Formen herzustellen pflegen. Das zu viel Ich, zu wenig Wir macht sich auch in der Vereinzelung und in dem Mangel an fördersamem Zusammenhang der im öffentlichen Leben wirkenden Kräfte empfindlich fühlbar. Dieser Mangel wird durch die namentlich im Süden häufige Bildung von Klientelen und politischen Gefolgschaften nicht ersetzt. Denn in ihnen stellen sich Abhängigkeitsverhältnisse dar, welche das freie gemeinsame Zusammenwirken Gleichberechtigter ausschließen oder doch auf ein geringes Maß einschränken.

[1] Heinrich Homberger, Italienische Novellen. Berlin 1880. (Donna Ersilia im „Säugling".)

Eine schlimmere Nachwirkung des früheren politischen Druckes besteht darin, daß die durch ihn erzeugten Verbildungen des sozialen Lebens, die Geheimbünde und das Sektenwesen, noch jetzt keineswegs verschwunden sind. Schon in den zwanziger Jahren des vorigen Jahrhunderts hat ein freiheitsliebender Italiener die geheimen Gesellschaften die Pest Italiens genannt, jedoch gleichzeitig gefragt, wie man sie entbehren solle, wenn es keine Oeffentlichkeit und kein legales Mittel gäbe, seine Meinung ungestraft zu äußern. Jetzt sind die Presse und die Tribüne in Italien seit einem halben Jahrhundert frei; das Recht der freien Meinungsäußerung ist verfassungsmäßig gewährleistet und wird in des Wortes verwegenster Bedeutung ausgeübt. Aber trotzdem ist die Vorliebe für versteckte, unterirdische Wege, für Geheimbünde und Sektenbildung noch heutigen Tages in Italien weit verbreitet. Noch in einer Schrift aus dem Jahr 1881 wird von der Romagna gesagt, daß das Sektenwesen dort fast instinktmäßig und ganz allgemein als Ergebniß einer früher unvermeidlichen, heut verabscheuenswürdigen politischen Gewöhnung bestehe.

Nicht selten liegt den Geheimbünden die Erreichung von Privatvortheilen ihrer Mitglieder zu Grunde. Manchmal sind diese Vortheile verhältnißmäßig harmlos, wie bei dem römischen Bagarinaggio, der seinen Theilnehmern eine Art von Vorkaufsrecht im Lande auf dem Wochenmarkt zu sichern und nöthigen Falles durch Gewaltthaten zu verschaffen suchte. In einem Prozeß der mala vita, der Anfangs 1891 vor dem Schwurgericht zu Bari mit der Verurtheilung von 175 Angeklagten endigte, handelte es sich großentheils um unreife halbgebildete Burschen, die sich unter jenem Namen und mit Anwendung aller den politischen Sekten abgelernten Abzeichen zu einer ausgedehnten Verbrecherbande organisirt hatten. Die berüchtigte Camorra, die Anfangs nichts als eine Gesellschaft von Zuhältern neapolitanischer Straßendirnen gewesen und sich dann mit dem Schutz des heimlichen Lottospiels abgegeben haben soll, ist zu einer Macht erwachsen, die seit Jahren über weite Kreise der Bevölkerung von Süditalien einen terrorisirenden Einfluß ausübt und die namentlich zu einer fast unbeschränkten Herrschaft über die Verbrecherwelt in den Gefängnissen gelangt zu sein scheint. Das Wesen der Camorra ist von einem mit dem neapo-

23*

litanischen Volksleben durch langjährigen Aufenthalt genau vertrauten Engländer[1]) zum Gegenstand einer sorgfältigen literarischen Studie gemacht worden. Wer Mr. Grants Buch liest, wird sich manchmal in die Jahre zurückversetzt glauben, in denen Eugen Sues Roman die Geheimnisse von Paris enthüllte. Allein es handelt sich bei der Camorra und bei ihrer sicilianischen Schwester, der Mafia, nicht um Ausgeburten einer sensationslüsternen Romantik, sondern leider um nüchterne Thatsachen, welche die Aufmerksamkeit der italienischen Verwaltung und Gesetzgebung wohl noch lange beschäftigen werden.

Bei der Verfolgung der von diesen Geheimbünden verübten Verbrechen haben die Organe der Staatsgewalt nicht selten mit der unbesieglichen Abneigung der Geschädigten gegen die Erfüllung ihrer Zeugenpflicht zu kämpfen. Diese Abneigung sowie der Vorschub, der den Camorristen und den Mafioten auch sonst von den niederen Klassen der Bevölkerung oft geleistet wird, entspringen nicht bloß der Furcht vor der Rache der Geheimbündler, sondern sie führen sich vielfach auf die in Italien weitverbreitete Neigung des gemeinen Mannes zurück, für den Verbrecher und namentlich gegen den Staat Partei zu nehmen. Diese Neigung, vielleicht der schlimmste Rest jener Zeit, in der der Italiener im Staat seinen Feind zu erblicken gewohnt war, erschwert der Kriminaljustiz die Aufgaben, die ihr im Kampf gegen das Verbrecherthum obliegen, in ganz ungewöhnlichem Maße.

Unter den Verbrechen erhält sich die Zahl der gegen das Leben gerichteten in Italien auf einer betrübenden Höhe. Noch gegenwärtig kommen dort alljährlich 3—4000 zur obrigkeitlichen Kenntniß. Zieht man nur die Fälle in Betracht, die strafgerichtlich abgeurtheilt werden, so erreichen auch diese (für das Triennium 1892—94 durchschnittlich 2329) eine Ziffer, welche diejenige anderer Kulturländer weitaus übertrifft. Nach der von Bodio (Indici p. 43) mitgetheilten Statistik wurden im Jahre 1892 Verbrechen gegen das Leben abgeurtheilt:

in Italien	2160		7,10	
Frankreich	609	Fälle	1,75	auf 100000 Einwohner.
Deutschland	535		1,06	
Spanien	849		4,73	

---

[1]) **Charles Grant**, Stories of Naples and the Camorra. London 1896.

Die Verhältnißzahl dieses schwersten Verbrechens war hiernach in Italien vier Mal höher als in Frankreich, mehr als sechs Mal so hoch als in Deutschland und überstieg selbst Spanien um fast fünfzig Prozent. Der traurige Primat im Mord und Todschlag (primato nei reati di sangue), den bereits vor längerer Zeit ein hervorragender Kriminalist[1] für sein Vaterland zu beanspruchen gezwungen war, dauert zum tiefen Schmerz italienischer Patrioten noch in der Gegenwart fort.

Unter dem Omicidio der italienischen Kriminalstatistik werden nicht nur die Fälle der vorsätzlichen Tödtung einbegriffen, sondern, wie es nach den Darlegungen der dieser Verbrechensart gewidmeten sorgfältigen Monographie eines verdienstvollen jüngeren Soziologen[2] den Anschein gewinnt, auch Körperverletzungen mit tödlichem Ausgang; ferner sind in den oben mitgetheilten Zahlen auch die Fälle enthalten, wo es beim Versuch geblieben ist. Trotzdem wird von Bosco die Zahl der Opfer, die jährlich ums Leben gebracht werden, auf zweitausend geschätzt. Angesichts dieser furchtbaren Thatsache muß man anerkennen, daß die Klage noch heut berechtigt ist, die vor zwanzig Jahren von einem der leitenden Staatsmänner Italiens im Parlament öffentlich über den breiten Strom des unschuldig vergossenen Blutes mit beredten Worten erhoben wurde.[3]

Ueber die Beweggründe, durch welche die Verbrechen gegen das Leben herbeigeführt werden, liegen bis zum Jahre 1889 amtliche Aufzeichnungen vor. Sie ergaben für dies Jahr, daß unter 2264 von den Schwurgerichten abgeurtheilten Fällen nicht weniger als 35,3 Prozent aus Rache oder Haß, 18,9 aus Jähzorn, 10,6 aus Liebe oder Eifersucht, aus Eigennutz oder Gewinnsucht hingegen nur 15,7 Prozent begangen waren. Hiermit stimmt die Wahrnehmung überein, wonach die ohne Vorbedacht und im Affekt begangenen Todschläge in der Regel etwa zwei Drittel der Gesamtzahl der Verbrechen gegen das Leben ausmachen. Es ist daher

---

[1] Raffaele Garofalo, Criminologia. Torino 1885.

[2] Augusto Bosco, Sulla statistica dell' omicidio in Italia. Roma 1898.

[3] March. di Rubini in der Sitzung vom 11. Februar 1879: Questa larga fiumana di sangue innocente, che scorre perenne sulle nostre zolle, dovrebbe rappresentare per noi una vergogna ben maggiore di una perduta battaglia.

nicht unbegründet, wenn man ihre Häufigkeit zum größten Theil auf die Leidenschaftlichkeit des Volkstemperaments zurückführt und mit dem vorhin dargelegten Mangel an Disziplin und geistiger Selbstzucht in Verbindung bringt. Allein es bleibt doch auch für die Fälle des mit Ueberlegung verübten Mordes, sowie der durch nahe Verwandtschaft (z. B. Eltern- und Gattenmord) und durch die Wahl des Mittels (Giftmord!) als besonders schwer qualifizirten Verbrechen eine Fülle von Gewaltthaten übrig, in welcher die Hinterhaltigkeit und die lang aufgesparte Rachbegier, die Neigung zu versteckten Wegen und andere schlimme Seiten des Volkscharakters zu furchtbarem Ausdruck gelangen. Welch inniger Zusammenhang zwischen der Mordstatistik und den sozialen und wirthschaftlichen Uebelständen Italiens vorhanden ist, ergiebt sich mit größter Klarheit aus den außerordentlich starken Abständen, welche bei der Vertheilung des Mordes innerhalb der verschiedenen Regionen und Provinzen an den Tag treten. Hier sei nur erwähnt, daß ganz Ober- und Mittelitalien, mit alleiniger Ausnahme Roms, unter dem mittleren Durchschnitt zurückbleibt, während er im Süden weitaus überschritten wird und in Sicilien die Ziffer 30,22, in der Provinz Girgenti sogar die schreckenerregende Höhe von 66,87 auf 100000 Einwohner erreicht.

Welche Fülle von Aufgaben der schwierigsten Art diese alljährlich sich erneuernde Blutschuld Denen auferlegt, welche für die Volksseele verantwortlich sind, bedarf keiner näheren Darlegung. Leider ist ein wirksames Mittel zu ihrer Verminderung von der Gesetzgebung Italiens bisher nicht gefunden worden. Vielmehr ist bei dieser starken Neigung zu Verbrechen gegen das Leben ihre staatliche Repression in Italien am allerschwächsten und unwirksamsten. Angesichts der fürchterlichen Mordstatistik hat man nicht nur die Todesstrafe — nach der Meinung vieler italienischer Patrioten gänzlich übereilt — völlig aufzuheben gewagt, sondern in dem neuen Strafgesetzbuch von 1890 auch sonst die Strafen beträchtlich gemildert. Von zweitausend Verbrechern, die in jedem der Jahre 1891 bis 1893 wegen Verbrechen gegen das Leben verurtheilt wurden, wurden jährlich nur 116 mit lebenslänglichem Zuchthaus belegt. Also kaum Einen von je 20 Verurtheilten traf die im Gesetz vorgesehene schwerste Strafe; alle Anderen kamen mit Freiheitsstrafen auf beſtimmte längere oder kürzere Zeit davon. Dieſe Milde in der Anwendung des Strafgeſetzes iſt gegenüber einer Bevölkerung, in deren Geiſtesanlage die Einbildungskraft ſo vorwiegt und eine ſo ſtarke Macht beſitzt, durchaus unangebracht und verderblich. Scharfe und ſicher treffende Strafen ſind zur Unterdrückung des Hanges zu Blut= thaten, der ſo tief eingewurzelt iſt, die erſte und unerläßlichſte Vor= bedingung. Dies Mittel zu ergreifen, ſollten ſich die leitenden Geiſter Italiens durch Rückſichten einer falſchen, hier wahrhaft in= humanen Humanität nicht abhalten laſſen. Nur durch nachhaltige Strenge iſt es gelungen, dem Brigantenthum, das Anfangs der ſechs= ziger Jahre in einem großen Theil des ſübitalieniſchen Feſtlandes um ſich gegriffen hatte, Einhalt zu thun und das Unweſen nach hartem Kampfe auszurotten. Dieſe Strenge hat Erfolge erzielt, welche in dem Zuſtande der öffentlichen Sicherheit noch heute andauern. Sie hat bewirkt, daß der Fremde gegenwärtig in den Abruzzen, in Calabrien, an den Küſten und im Innern von Sicilien vor Raub= anfällen ebenſo unbeſorgt ſein kann wie in Toscana und in Ober= italien. Was zum Schutze reiſender Ausländer zu erreichen ge= weſen iſt, das ſollte nicht unmöglich erſcheinen, wo es ſich um das Leben von zahlreichen Einheimiſchen handelt. Aber die doktrinäre Richtung, die für ſo viele Dinge die öffentliche Meinung in Italien beherrſcht, und die in der Abſchaffung der Todesſtrafe einen Triumph der italieniſchen Kultur erblickt, iſt bisher durch thatſächliche Er= fahrungen nicht zu erſchüttern geweſen; ſie hat ſich ſelbſt darüber hinweggeſetzt, daß den nichtswürdigen Mörder des guten Königs Humbert nach italieniſchem Geſetz nur Freiheitsſtrafe treffen konnte. Unter den zahlreichen Reformvorſchlägen, die nach der Kataſtrophe am Monza ans Licht getreten ſind, um die ſozialen Uebelſtände des Landes zu heilen, hat ſich ein Vorſchlag zur Wiedereinführung der Todesſtrafe nicht befunden.

Freilich iſt durch Repreſſivmaßregeln allein eine gründliche Heilung dieſer Uebel nicht zu erzielen. Wir werden im nächſten Abſchnitt einige der poſitiven Wege zur Beſſerung der ſozialen Zu= ſtände zu betrachten haben.

12. Soziale Gegensätze und Ausgleichungen.

Arm und Reich, Vornehm und Niedrig, Gebildet und Un=
gebildet: diese Gegensätze, die sich aus dem Wesen der menschlichen
Gesellschaft überall ergeben, sind auch in Italien von jeher vorhanden
gewesen, aber sie haben sich bis in die neueste Zeit hinein weniger
schroff geltend gemacht als in anderen Ländern. Zunächst äußerlich
schon deshalb, weil die Unterschiede des Standes, des Besitzes und
der Bildung im Verkehr der verschiedenen Bevölkerungsklassen sich
in Italien lange nicht so scharf von einander abheben als ander=
wärts. Die allen Volksschichten gemeinsame Anmuth der Erscheinung,
das Allen angeborene Erbe der ungezwungenen Grazie in Körper=
haltung, Gebärde und Sprache verleihen auch dem Geringsten eine
Sicherheit des Auftretens, die sich von der plumpen Unmanierlich=
keit und der blöden Verlegenheit in anderen Ländern gleich vortheil=
haft unterscheidet. Das stark entwickelte Selbstgefühl des Italieners
schützt ihn im Verkehr auch mit den Vornehmsten vor der unter=
würfigen Haltung und vor den Demuthsbezeigungen, in denen
nach slavischer Sitte der Niedere dem Höheren seine Ehrfurcht an
den Tag zu legen beflissen ist. Andererseits verbietet dem ita=
lienischen Adel seine alte Kultur, Geringere oder selbst Untergebene
mit jener arroganten Ueberhebung oder auch mit jener bewußten
Herablassung zu behandeln, die anderwärts von Manchen für vor=
nehm gehalten werden. Zwischen Herrschaft und Gesinde, Vorge=
setzten und Nachgeordneten, Fahrgast und Kutscher, ja zwischen
Offizier und Burschen nimmt der Fremde in Italien einen Ton
von familiärer Gleichberechtigung wahr, der zunächst befremdet,
bald aber erfreut, weil er bei näherer Betrachtung auf dem bei

allen Betheiligten gleichmäßig vorhandenen Takte beruht. Selbst die Unterschiede der Bildung treten in Italien weniger stark in die Erscheinung, weil sie durch die allen Klassen gemeinsame natürliche Begabung und das Allen gemeinsame Schönheitsgefühl äußerlich mehr als anderswo verwischt werden. Der geringste Italiener empfindet für künstlerische Leistungen Verständniß, zeigt für die Alterthümer und die historischen Denkwürdigkeiten seiner Heimat Interesse und weiß seinen Gefühlen einen passenden, nicht selten schwungvollen Ausdruck in beredten Worten zu geben. Mit den Namen und Daten, die er bei solchen Gelegenheiten anführt, möge die nordische Pedanterie freilich nicht allzustreng ins Gericht gehen.

Die Milde des Klimas und die darauf beruhende Bedürf= nißlosigkeit tragen viel dazu bei, die Ueberwindung derjenigen Gegensätze, die anderwärts am peinlichsten berühren, auch inner= lich zu erleichtern. Arm und Reich sind in Italien durch keine geringere Kluft geschieden als in anderen Ländern, aber der ita= lienische Arme empfindet sein Loos weniger hart, weil er weniger braucht. Mit einer Melone, sagt das neapolitanische Sprichwort, kann man essen, trinken und sich waschen. Und mit welchem Ge= nuß werden die um die kleinste Kupfermünze erstandenen saftigen Schnitten der Wassermelone von Alt und Jung verzehrt! Der Arbeitslohn ist in Italien, nach unserem Maßstabe gemessen, er= schreckend niedrig; aber wieviel weniger als bei uns ist davon für Kleidung, Erwärmung, Heizung, Beleuchtung abzugeben! Wieviel geringer als bei uns ist das Bedürfniß nach Fleischkost und nach alkoholischen Getränken!

Die Entwickelung der Industrie ist, wie wir gesehen haben, in Italien geraume Zeit in Stadien stecken geblieben, die ander= wärts schon lange überwunden sind, und steht auch jetzt noch trotz des beginnenden Aufschwunges einiger Zweige des Großgewerbes hinter anderen Ländern weit zurück. Dafür sind in Italien, mit wenigen und verhältnißmäßig geringen Ausnahmen, die schreiendsten sozialen Gegensätze, der Abstand zwischen dem Kapitalismus der Unternehmer und den Proletariern der Fabrikarbeit und der daraus sich ergebende Klassenhaß zwischen Arbeitern und Arbeitsgebern, bis in die neueste Zeit hinein fast unbekannt geblieben. Anhäufungen großer Arbeitermassen und die ihnen entspringenden schweren sozialen Aufgaben und Uebelstände kommen selbst gegenwärtig nur vereinzelt vor. In den Schwefelgruben Siciliens und in den Berg= werken Sardiniens erreicht die Ausbeutung des Arbeiterproletariats einen Schrecken erregenden Grad, aber diese Distrikte bleiben an räumlichem Umfang und an Zahl der in ihnen beschäftigten Arbeiter weit hinter den englischen, preußischen und belgischen Bergwerken und Kohlenlagern zurück. Fabrikbezirke, wie in England, im Elsaß, am Niederrhein, in Sachsen und Oberschlesien, die ganze Landstriche einnehmen, sind in auch nur annähernder Dichtigkeit in Italien bis jetzt noch nicht vorhanden.

Endlich überwog bis vor Kurzem das politische Interesse in Italien so sehr alle anderen, daß die sozialen Gegensätze, auch wo sie bestanden, dagegen zurücktraten. Das Joch der Fremdherrschaft, das auf dem größten Theil des Landes bis 1859 gelastet hat, ist von den gebildeten Klassen am stärksten empfunden worden; aber der Drang, es abzuschütteln, hat sich keineswegs auf sie beschränkt, sondern ist auch in den unteren Volksständen vorhanden gewesen und lebhaft bethätigt worden. Daß der Adel sich an dem Kampf um die Unabhängigkeit und die politische Einigung der Nation fast in allen Landestheilen hervorragend betheiligt hat, wird ihm in Italien noch jetzt mit Anerkennung und Dank nachgerühmt, und hat zur Ausgleichung der Standesunterschiede wirksam beigetragen. Piemontische, lombardische und venezianische Eble, Abkömmlinge aus den vornehmsten Geschlechtern des Kirchenstaates und des Königreichs beider Sicilien haben nach den Aufstandsversuchen von 1821 und 1831 die Kerker gefüllt und die Listen der politischen Flüchtlinge vermehrt, die im Auslande Zuflucht zu suchen gezwungen waren. Nach der blutigen Niederwerfung der Freiheitsbewegungen des Jahres 1848 haben neapolitanische und sicilianische Fürsten und Barone mit bürgerlichen Genossen die gleichen Verfolgungen der bourbonischen Reaktion und die gleichen Leiden der schrecklichen Inselgefängnisse zu erdulden gehabt. Unter den Fahnen Victor Emanuels und in den Freischaren Garibaldis haben, als 1859 die Stunde der Befreiung schlug, vornehm und niedrig Geborene aus allen Landestheilen nebeneinander gekämpft, und an der Spitze der Volksbewegungen, die sich gegen die Fremd= und die Priester= herrschaft erhoben, haben Adlige wie der stolze Baron Ricasoli und der Marchese Pallavicini neben Bürgerlichen wie Farini und Crispi gestanden.

Die soziale Stellung, die trotz der auch in die gesellschaftlichen Sitten tief eingedrungenen Gleichberechtigung aller Stände dem italienischen Adel im Allgemeinen bereitwillig eingeräumt wird, beruht weniger auf Besitz und Herkunft, als auf dem Respekt, mit dem die Italiener an den Erinnerungen ihrer Vergangenheit hängen, und auf der Führung, die der Adel lange Zeit hindurch im geistigen Leben der Nation behauptet hat. Das Mäcenatenthum, das die edlen Geschlechter von Toscana, Venedig, Genua und Rom Jahrhunderte hindurch ausgeübt haben, hat sich nicht auf die Hauptsitze der künstlerischen Thätigkeit beschränkt. In den Kirchen, den Rathhäusern, den Kunstsammlungen auch mittlerer und selbst kleiner Städte nimmt man noch jetzt allenthalben die Förderung wahr, welche der Adel den Künsten zu Theil werden ließ, und den Gemeinsinn, mit dem die Kunstschätze dem öffentlichen Gebrauch gewidmet oder doch der allgemeinen Benutzung zugänglich gemacht wurden. Eine Unsumme von wohlthätigen Stiftungen aller Art führt sich auf adlige Donatoren zurück. An der Verwaltung der kommunalen Interessen hat sich der Adel stets mit Eifer und Hingebung bethätigt. Noch jetzt giebt es kaum einen Gemeinde- oder Provinzialrath, keinen landwirthschaftlichen Verein, in dessen Vorstand und unter dessen Mitgliedern der Ortsadel nicht vertreten wäre. Mit Vorliebe sieht auch die demokratische Bevölkerung der Großstädte an der Spitze der Gemeindeverwaltung den Sprößling eines Geschlechts, das seit Jahrhunderten mit den geschichtlichen Erinnerungen der Stadt verflochten ist.

Zwischen dem Adel und dem Bürgerstande haben sich die sozialen Gegensätze früher und harmonischer ausgeglichen als anderwärts. Hierzu hat schon frühzeitig das Ueberwiegen der Städte über das flache Land beigetragen. Die mächtigen Kommunen in Ober- und Mittelitalien zwangen den umwohnenden Adel, seinen Wohnsitzen außerhalb der Stadt zu entsagen und sich als Bürger in ihrem Mauerkreis aufnehmen zu lassen. Wie war da eine Abschließung nach Geburt und Herkunft möglich? Fürstengeschlechter, die ihren Namen glorreich in die politische und in die Kulturgeschichte des Landes eingeschrieben haben, wie die Medicäer, sind sich ihres bürgerlichen Ursprungs mit Stolz bewußt geblieben. Auch die Kirche, in deren höchsten Würden Söhne des vornehmsten Adels mit Hirten- und Bauernkindern abwechselten, trug mächtig zur Nivellirung der Geburtsunterschiede bei.

Dagegen hat sich in dem Maße, in welchem die Städte alle Kulturelemente der Nation in sich vereinigten, der Gegensatz zwischen dem Stadt- und dem Landbewohner in Italien bis zu einem in Deutschland nicht bekannten Grade verschärft. Der Absentismus der Gutsbesitzer, das Ueberwuchern des Latifundien-Unwesens und die Abneigung der Italiener gegen das Landleben wirkten zusammen, um dem flachen Lande eine Menge der leistungsfähigsten und der gebildetsten Kräfte zu entziehen. Was zurückblieb, war wirthschaftlich und sozial von geringem Werth und von den Stadtherren abhängig. Wie diese auf die Landbevölkerung mit Geringschätzung herabzusehen sich gewöhnten, sie als contadini, villani, in Rom als Ciociaren zu bezeichnen pflegten, so entstand in der Klasse der unwissenden, absichtlich vernachlässigten Landbewohner allmählich ein dumpfes Gefühl der Abneigung gegen die „Signoren" der Städte, das sich unter dem wirthschaftlichen Druck der Pächter, Geschäftsführer und anderer Zwischenpersonen vielfach bis zum Haß steigerte und schon früher zu heftigen Ausbrüchen führte. Die Ausbeutung, der sich der Landarbeiter durch den Eigennutz und die Ueberhebung jener Zwischeninstanzen, der fattori, der sicilianischen gabellotti u. a. m. ausgesetzt sah, rief Aufstände hervor, in denen sich der uralte Ruf der italienischen Bauern nach besserer Bodenvertheilung, nach wirksamen Agrargesetzen in stark kommunistischen Anklängen erneuerte. Der Wortführer des sicilianischen Bauernaufstandes von 1649 sprach schon damals die Losung aus, die seitdem oft genug in Tumulten und Revolteversuchen auf dem Lande wiederholt worden ist: die Vorsehung hat die Gefilde für Alle fruchtbar gemacht; wir sind nicht verpflichtet Hungers zu sterben, damit einige Diebe sich mästen!

Nach der Ueberzeugung vieler, auch gemäßigter Italiener ist die Lage der Landarbeiter durch die politische Neugestaltung wirthschaftlich nicht verbessert, sondern verschlimmert worden. Denn der Einheitsstaat legte durch die allgemeine Wehrpflicht, durch die Vermehrung der indirekten Abgaben, namentlich durch die Besteuerung der unentbehrlichsten Lebensbedürfnisse und durch die daraus sich ergebende Vertheuerung der Lebensmittel dieser Bevölkerungsklasse Lasten auf, für welche ihr die bürgerlichen Rechte, die ihr die Verfassung gewährte, einen genügenden Ersatz nicht leisten konnten. Für diese Rechte und für das Verfassungsleben, für die Herrschaft der Mehrheit im Staat und in der Gemeinde waren die halbwilden Campagnolen, die unwissenden Hirten der Abruzzen, die Waldarbeiter Calabriens und die ländliche Tagelöhnerschaft Siciliens in keiner Weise vorbereitet. Sie vermochten von den ihnen zustehenden Rechten einen ihren Interessen entsprechenden Gebrauch nicht zu machen, sondern fielen dem Patronat übermächtiger Besitzer oder der Leitung von Agitatoren anheim, die ihr Mißtrauen gegen die Reichen zum Haß und zum Klassenkampf aufzustacheln sich bemühten.

Schon vor mehr als zwanzig Jahren ist die Lage der Landbevölkerung von patriotischen und umsichtigen Italienern als eine schwere Gefahr für den sozialen Frieden des Landes erkannt worden. Pasquale Villari hat in seinen lettere meridionali, deren erste Auflage 1878 erschien, diese Lage rückhaltslos geschildert und als einen Brennstoff bezeichnet, der nur des zündenden Funkens bedürfe, um zu einem gefährlichen Brande aufzulodern. Uebereinstimmend mit ihm hat P. Turiello in seinen Schriften auf die Drachensaat des Klassenhasses hingewiesen, die in den Gemüthern der Landbevölkerung des Südens aufgesprossen war, und die schon in den siebziger und achtziger Jahren in agrarischen Morden, in Brandstiftungen und Gewaltthaten gegen die Possidenti schlimme Früchte zu zeitigen begann. Beide haben sich ernstlich bemüht, die besitzenden Klassen aus ihrer Unkenntniß dieser Nothlage und aus der Gleichgültigkeit gegen die aus ihr sich ergebende Erbitterung der Landarbeiter aufzurütteln.

Andererseits fehlt es in Italien nicht an Parteien und an Männern, welche die niederen Klassen allgemein aufzureizen und zum Widerstand gegen die oberen zu organisiren suchen.

Schon früh haben die Anarchisten in Italien Fuß zu fassen gesucht. Bakunin selbst hat den Verband der internationalen Anarchistenpartei in Italien eingeführt und im offenen Gegensatz zu Mazzinis Lehren auszubreiten unternommen. Die von ihm und

seinen Anhängern ins Leben gerufene anarchistische Presse, die sich
in den siebziger Jahren in italienischen Arbeiterkreisen Gehör und
Anhang zu verschaffen bemühte, läßt schon in den Titeln erkennen,
weß Geistes Kind sie war. Indessen weder dem Comunardo, noch
dem Satana, dem Ateo oder der Canaglia war ein langes Leben
beschieden. Sie scheiterten meist an dem Umstande, daß die Kreise,
an die sich ihre Hetzrufe hauptsächlich richteten, Analphabeten waren.
Zu weitgehendem Einfluß haben es die Apostel des Anarchismus
in Italien auch bei mündlichem Agitiren nicht gebracht. Wohl
aber haben ihre Irrlehren in den Seelen Einzelner Eingang gefunden
und wilde Entschlüsse gezeitigt, die in grauenerregenden Thaten sich
kundgegeben haben. Der Mörder Carnots und der Mordbube, der
die Kaiserin von Oesterreich niederstieß, waren italienische Anarchisten,
welche die Doktrin ihrer Verführer mit südländischer Messerfertigkeit
in die Praxis übersetzten. Deshalb war es nicht ohne innere Berechtigung, daß die italienische Regierung die Initiative zu internationalen Berathungen über ein gemeinsames Vorgehen gegen diese
gemeinschädliche Rotte ergriff, die freilich ohne greifbares Ergebniß
geblieben sind und nicht verhütet haben, daß bald darauf König Humbert, ebenfalls von einem italienischen Anarchisten, ermordet wurde.

Auf breiterer Grundlage beruht das Bestreben, eine Arbeiter-
partei in Italien zu organisiren. Sein Ausgangspunkt war die Lombardei, in der die Großindustrie am frühesten einen gewissen Umfang
erreicht hat. Seit dem Anfang der achtziger Jahre bildet Mailand
das Centrum einer Agitation, welche durch Herausgabe eines Partei-
organs („il fascio operaio", der Arbeiterbund) und durch Aufstellung
eigener Kandidaten für die Deputirtenwahlen auf die Arbeitermassen
einzuwirken sucht. Der Leitung dieser Agitation bemächtigten sich
gegen Anfang der neunziger Jahre Führer, welche die Partei nach
dem Vorbilde englischer und deutscher Arbeiterparteien zu sozial-
demokratischem Klassenkampf zu organisiren suchten. Das Organ der
neuen Richtung führt den Titil la lotta di classe, der Klassenkampf.

Allein mächtiger als diese Agitation erweisen sich in
Italien Diejenigen, die sich unmittelbar an die Noth der unteren
Klassen wenden und durch gemeinsamen Aufstand gegen die
Besitzer schleunige Heilung ihrer Schäden verheißen. Solche
Agitatoren sind es gewesen, die seit 1891 von Catania aus

Sicilien mit einem Netze von Arbeiterbünden (fasci dei lavoratori)
zu überziehen begonnen. Diese Bünde verbreiteten sich mit un=
glaublicher Geschwindigkeit. Sie zählten bereits im nächsten Jahre
mehrere Hunderttausend Theilnehmer. Ihrer Ausbreitung leisteten
die traurigen wirthschaftlichen Zustände Vorschub, die unter der
Landbevölkerung von Sicilien besonders drückend bestehen. Heiß=
blütige Führer hielten, auf diese Macht gestützt, den Augenblick
für gekommen, um vom Wort zur That überzugehen. Der Auf=
stand brach unter dem alten Schlachtruf des Landvolks „morte alli
cappeddi"[1] aus, um nach einer Reihe von Gewaltthaten von der be=
waffneten Macht niedergeschlagen zu werden. Gleiches Schicksal be=
reitete Crispis energisches Einschreiten den Aufstandsversuchen, die in
Massa=Carrara und in der Romagna gemacht wurden. Diese
Emeuten haben sich seitdem in kleineren lokalen Herden erneuert.
Sie richten sich vielfach auf die Beseitigung ganz unmittelbar vor=
liegender Nothstände. Arbeitslosigkeit, unbequeme Konkurrenz anderer
Industrien, Beschwerden über erlittene Bedrückung oder Ungerech=
tigkeit des Aufsichtspersonals, namentlich aber die Zölle auf die
Lebensmittel bilden wiederkehrend die Ursache ihrer Entstehung.
Meist erschallt als Losung der Ruf: Brot und Arbeit! Die Wuth
der aufgeregten Masse richtet sich dann in der Regel gegen die
Gemeindebehörden und ihre Organe; die Thorwachen werden ver=
wüstet, Rathhäuser demolirt, einige Läden geplündert. Ein innerer
Zusammenhang tritt bei diesen Aufstandsversuchen bisher ebenso
wenig zu Tage, wie bei den sich mehrenden Arbeiterausständen,
die sich, gleich ihnen, überwiegend auf die Erlangung augenblick=
licher Ziele, namentlich von Lohnerhöhungen richten. Charak=
teristisch ist für die Strikebewegung der italienischen Arbeiter die
starke Betheiligung der Frauen, die hier nicht, wie anderwärts, die
Männer zurückzuhalten, sondern vielfach mit sich fortzureißen suchen.
Die Bewegung der toscanischen Strohflechterinnen im Frühjahr
1896, die Villari einer eingehenden Schilderung[2] gewürdigt hat,
war sogar vorzugsweise gegen den Wettbewerb gerichtet, der ihrer

---

[1] „Tod den Hüten." Unter diesem Titel ist der Aufstand in Sicilien
von Konrad Telman in seinem letzten Roman geschildert worden.

[2] P. Villari, Le trecciaiole. Nuova Antologia 1. August 1896.

vielfach als häuslicher Nebenerwerb betriebenen Industrie durch Ein=
richtung von Fabrikbetrieben mit männlichen Arbeitern bereitet wurde.

Die sozialdemokratische Partei, deren Vertreter inzwischen im
Parlament zahlreicher geworden sind, hat den sicilianischen Auf=
stand offen gemißbilligt, wie sie auch die Verantwortlichkeit für die
Unruhen, deren Schauplatz Italien im Frühjahr 1898 an vielen
Orten gewesen ist, namentlich für den Arbeiteraufstand in Mailand
von sich abzulehnen sucht. Dagegen predigen ihre Führer offen
die Nothwendigkeit des Zusammenschlusses aller Arbeiter zu einem
organisirten Klassenkampf gegen die Bourgeoisie und den Kapitalis=
mus. Sie suchen dieser Organisation durch Errichtung von Ge=
werkvereinen, durch Arbeiterverbände in provinzialen und regionalen
Gliederungen, durch Abhaltung nationaler und Beschickung inter=
nationaler Arbeiterkongresse und durch eine ungemein rührige
Parteipresse in immer weiteren Kreisen Eingang und Aktionsfähig=
keit zu verschaffen. Für die sozialdemokratische Agitation bietet sich,
im Gegensatz zu anderen Ländern, in Italien vornehmlich unter dem
ländlichen Proletariat ein äußerst fruchtbarer Boden. Dies ist nicht
nur im Süden der Fall, wo der Druck des Latifundienwesens am
schwersten auf dem Landvolk lastet, sondern auch im Venezianischen,
in den Provinzen der Emilia und in der Romagna, wo die Zer=
splitterung des Grundbesitzes viele Tausende von kleinen ländlichen
Eigenthümern zu Tagelöhnern werden läßt, und wo wegen rück=
ständiger Steuern von oft höchst geringfügigem Betrage alljährlich
zahlreiche Kleinbesitzungen versteigert werden. Andererseits wider=
strebt das italienische Naturell der festen Disziplin, welche die Sozial=
demokratie von ihren Anhängern fordert; der italienische Arbeiter
ist mißtrauisch gegen die gebildeten Parteihäupter, die ihm Opfer
für gemeinsame Zwecke und Gehorsam für fernabliegende Ziele ab=
fordern, und zieht es vor, sich zu Genossenschaften zu gliedern, die
nicht den Umsturz der bestehenden Gesellschaftsordnung, sondern die
Verbesserung der eigenen Lage durch gemeinsame wirthschaftliche
Selbsthülfe erstreben. Daher ist die Hauptaktion der sozialdemo=
kratischen Führer, unter denen die Parlamentsmitglieder Bissolati,
Turati und Costa sich durch ihre rege Thätigkeit bemerklich gemacht
haben, gegenwärtig dahin gerichtet, die großen Arbeitervereinigungen,
von denen später die Rede sein wird, zum Hasse gegen die Be=

sitzenden zu entflammen und in sozialdemokratische Gefolgschaften zu verwandeln. Die Parteipresse, besonders der Avanti, der seinem deutschen Namensvetter, dem „Vorwärts", an Heftigkeit der Sprache und Schärfe der Angriffe auf alles Bestehende nicht nachsteht, sucht sich namentlich an die Nothlage der unteren Klassen zu wenden, die ohne Weiteres den Besitzenden zur Last gelegt wird. Diese Nothlage ist es, die in Italien zahlreiche Mitglieder der mittleren und der oberen Klassen ins Lager der Sozialdemokratie führt. Dem Turiner Wochenblatt Il grido del popolo hat Edmondo de Amicis sich als Mitarbeiter angeschlossen. Der Kriminalist Enrico Ferri, Dozent an der römischen Universität und Parlamentsmitglied, ist öffentlich für die Feier des 1. Mai aufgetreten und hat sich in mehreren Schriften bemüht, die sozialdemokratische Doktrin als noth= wendige Folge der vorgeschrittenen wissenschaftlichen Erkenntniß zu erweisen[1]). Auch unter der akademischen Jugend zählt der Sozialismus zahlreiche und begeisterte Anhänger.

Während die Sozialisten alles Heil von der konsequenten Durchführung des Klassenkampfs erwarten und jeden Versuch des Staats und der bürgerlichen Gesellschaft, die Lage der unteren Klasse zu verbessern, als schwächliche Uebertünchung der vorhandenen Schäden abweisen, sind in Italien von den Anhängern der be= stehenden Gesellschaftsordnung eine Reihe von Wohlfahrtseinrich= tungen ins Leben gerufen worden, die jene Nothlage theils durch Wohlthätigkeit zu lindern, theils durch wirthschaftliche und soziale Selbsthülfe zu beseitigen streben.

Zur Wohlthätigkeit (beneficenza) wird in Italien Vieles ge= zählt, was bei uns unter den Begriff der Armenpflege und der öffentlichen Gesundheitspflege fällt; so die den Provinzen obliegende Fürsorge für Geisteskranke und die Veranstaltungen der Gemeinden für hülflose Kinder und für Einrichtung eines Sanitätsdienstes. Im engeren Sinn werden unter beneficenza alle jene zahlreichen öffent= lichen oder privaten Stiftungen zusammengefaßt, die sich die Erleich= terung des Looses der Armen und Hülfsbedürftigen zur Aufgabe stellen. Diese Stiftungen, die opere pie, stellen eine riesige Leistung des itali=

---

[1]) Ferri, Il Socialismo e la scienza positiva. Roma 1894. Derselbe: Socialismo e criminalità.

enischen Wohlthätigkeitssinnes dar. Ihre Zahl belief sich, nach der Statistik von 1880, auf etwa 22000 mit einem Gesamtvermögen von zwei Milliarden; inzwischen ist ein Zuwachs von etwa dreihundert Millionen hinzugekommen. Die Einkünfte aus diesem Vermögen belaufen sich auf 90 Millionen; dazu kommen die Zuschüsse der Provinzen und der Gemeinden, der Ertrag von Sammlungen, Geschenke und vorübergehende Zuwendungen mit 45 Millionen. Nach Abzug der auf dem Stiftungsvermögen ruhenden Lasten, Abgaben, Verwaltungs= und Kultusausgaben bleiben jährlich 88 Millionen für Wohlthätigkeitszwecke übrig. Von dieser Summe werden etwa 17 Millionen stiftungsmäßig zur Vertheilung von Almosen verwendet; die Zahl der damit Bedachten belief sich im Jahre 1887 auf nicht weniger als 770000. Der Rest von 71$\frac{1}{2}$ Millionen deckt die Ausgaben der Stiftungen, welche Krankenhäuser und Hospize für Alte und Arbeitsunfähige oder Waisenhäuser unterhalten.

Ebenso groß wie die Zahl der opere pie ist auch ihre Mannichfaltigkeit. Sie weist in Hinsicht auf Alter, Umfang und Ausstattung der Anstalten eine wahre Musterkarte von Verschiedenheiten auf. Zu den ältesten auf Stiftung beruhenden Krankenhäusern darf sich wohl das von Folco Portinari, dem Vater von Dantes Beatrice, gestiftete große Hospital von S. Maria nuova in Florenz rechnen. Es bedeckt mit seinen Anlagen, die nach einem umfassenden Umbau allen Anforderungen der modernen Hygiene entsprechen, ein ganzes Straßenviertel im Herzen der schönen Arnostadt und schließt neben Krankensälen und Baracken aller Art den ganzen wissenschaftlichen Apparat der medizinischen Fakultät der Florentiner Hochschule mit Operationssälen, Laboratorien und Hörsälen in sich ein. Die in einem benachbarten Bau befindliche Gemäldegalerie des Hospitals weist als Hauptbild das herrliche Triptychon von Hugo van der Goes auf, das zweihundert Jahre nach der Gründung der Anstalt von einem späteren Portinari gestiftet worden ist. Das Hospital von Pistoja, ein gothischer Bau von reizenden Verhältnissen, trägt über den Säulen=Arkaden der Fassade einen Fries in buntem Thonrelief von dem jüngeren della Robbia, der die sieben Werke der Barmherzigkeit darstellt und nicht bloß künstlerisch, sondern auch kulturgeschichtlich von hohem Werthe ist. Die Außenseiten wie die Höfe des Ospedale maggiore in

Mailand werden vielen Besuchern der lombardischen Hauptstadt als Muster italienischer Ziegelarchitektur in Erinnerung sein. Bei Instituten dieses Umfangs hat sich die ursprüngliche Stiftung durch vielerlei hinzutretende Donationen und durch die Zuwendungen der Gemeinde bedeutend erweitert. Oft schließen sich an sie Spezialstiftungen an, wie z. B. das Vermächtniß Ponti, welches den Arbeitern der großen Leinen= und Hanfspinnerei[1]) unentgeltliche Aufnahme in das im Anschluß an das Mailänder Hospital errichtete Institut für die Heilung der von Berufsunfällen Betroffenen zusichert.

Neben die älteren Stiftungen stellen sich neuere von nicht geringerem Umfang. Zu den größten Vermächtnissen dieser Art ist wohl die Stiftung De Ferrari=Brignole Sala aus dem Jahr 1884 zu rechnen, welche mit jener fürstlichen Freigebigkeit, die das edle genuesische Geschlecht der Brignole Sala bis zu seinem Erlöschen ausgezeichnet hat, die kolossale Summe von zwanzig Millonen zur Errichtung von Krankenhäusern überwies. Ihr mag sich das Vermächtniß Loria aus dem Jahr 1892 anreihen, durch welches dem Humanitätsverein nicht weniger als zehn Millionen zur Begründung von Asylen für beschäftigungslose Arbeiter zugefallen sind. In Turin ist ein ganzes Straßenviertel von den Wohlthätigkeitsanstalten eingenommen, welche der Abbate Cottolengo ins Leben gerufen hat. In dem dazu gehörigen Krankenhause, der piccola casa di Providenza, werden viertausend Kranke verpflegt. Man erzählt sich, daß der Abbate Cottolengo eines Morgens zum König Karl Albert gerufen worden sei, um ihm über den Fortgang seines Werks zu berichten. Als der König gefragt habe: Aber wenn Sie nun sterben, was dann? habe der Priester dem Monarchen die Schildwache gezeigt, die vor dem Schlosse auf und ab ging. Wenn ich abgerufen werde, zieht eben ein anderer auf, wie für den da. In Neapel sind vom Pater Lodovico da Casoria eine Fülle von Wohlfahrtsanstalten aller Art, Krankenhäuser, Schulen, Greisenhospize u. s. w. begründet worden. Erst vor wenigen Jahren ist in Rom unter dem Namen der Sacra Famiglia ein Wohlthätigkeits=Institut ins Leben gerufen worden, das sich die Aufgabe gestellt hat, verlassene und verwahrloste Kinder dem Elend zu entreißen und durch Ge-

---

[1]) Siehe oben S. 251.

24*

wöhnung an geregelte Thätigkeit zu nützlichen Menschen zu erziehen.
Man sieht den Namen des Instituts auf der Mütze und an den
Geräthen zahlreicher kleiner Lumpensammler, welche die Abfälle
jeder Art aus römischen Haushaltungen, als Beitrag für die Sacra
Famiglia, abholen und einer Centralstelle zuführen, wo diese Abfälle gesichtet, gereinigt und verwerthet werden. Die geschickte
Leitung des Instituts hat es zu Wege gebracht, daß aus dem Ertrage dieser Abfälle, der sich auf über hunderttausend Lire jährlich
beläuft, bereits vier Waisenhäuser (in Rom, Albano, Velletri und
ganz neuerdings in Frosinone) haben errichtet werden können, in
denen etwa dreihundert Kinder aus den elendesten und traurigsten
Verhältnissen Unterkunft finden, um zu Handwerkern und Landarbeitern auferzogen zu werden. Diese Beispiele würden sich durch
Mittheilungen aus vielen anderen Städten Italiens leicht vermehren lassen.

Die Verwaltung der opere pie ist in Betonung ihres öffentlichen Charakters durch Gesetz vom 17. Juli 1890 nach übereinstimmenden Grundsätzen geordnet und mit den Einrichtungen der
gesetzlichen Armenpflege in zweckmäßigen Zusammenhang gebracht
worden. Es verdient hervorgehoben zu werden, daß in diesem
Gesetz zum ersten Male umfassende Bestimmungen über den Unter-
stützungswohnsitz getroffen worden sind.

Vielfach in engem Anschluß an die opere pie, manchmal
jedoch auch als selbständige Gliederungen bestehen an vielen Orten
Italiens Wohlthätigkeitsvereine, die ihren Theilnehmern eine persönliche Mitwirkung bei der Krankenpflege und bei Beerdigungen
zur Pflicht machen. Um nicht erkannt zu werden, legen die Mitglieder dieser Vereine, die sich vielfach Brüderschaften, Confraternite,
nennen, bei Ausübung ihrer Vereinspflichten eine Tracht an, die
auch den Kopf mit einer larvenartigen Hülle umgiebt. Es gewährt
ein charaktervolles Bild, wenn auf das Glockenzeichen der Brüderschaft
die Mitglieder in diesen Vermummungen zum Versammlungsorte
eilen, um demnächst in feierlichem Zuge, Fackeln in den Händen,
die Leiche eines ihnen gänzlich Unbekannten zu Grabe zu tragen,
unter ihnen edle Gestalten, die sich trotz der Kutte in ihrer Haltung
und in Eleganz der Fußbekleidung als Mitglieder der obersten
Gesellschaftsklassen erkennen lassen. Nach der letzten amtlichen

Statistik[1]) bestehen in Italien unter provinziell abwechselnden Namen (außer confraternite werden sie confratrie, sodalici, gilde, gildonie, schole genannt) nicht weniger als 18119 solcher Brüderschaften, die sich unter den verschiedensten Spezialbenennungen im ganzen Lande verbreitet finden. In Toscana sind die Brüderschaften der Misericordia, im Venezianischen die des Sakraments (S. S. Sacramento) am ausgedehntesten. Insgesamt besitzen diese z. Th. aus früher Zeit herstammenden Wohlthätigkeitsvereine ein nicht unbeträchtliches Vermögen von 180 Millionen; für ihre Zwecke steht ihnen ein Jahreseinkommen von rund 11 Millionen zu Gebote. Allein die Brüderschaften der Provinz Rom besitzen wegen ihrer großen Zahl und ihres Reichthums ein Vermögen von 43,7 Millionen.

Unter den Einrichtungen, welche die wirthschaftliche Selbsthülfe zu wecken und zu fördern bezwecken, reihen sich die Sparkassen nach ihrer Entstehungsart am nächsten an die Wohlthätigkeitsinstitute an. Denn sie sind in Italien, wie anderwärts, ursprünglich vielfach durch Stiftungen und Vereine begründet worden, welche sich die Aufgabe stellten, unter der ärmeren Bevölkerung den Sparsinn durch Verleihung von Prämien an besonders eifrige Sparer zu wecken, und ihm durch Bürgschaften für sichere Anlegung und Rückzahlung der Ersparnisse einen festen Halt zu geben. Die Sparkasse in Padua, eine der ältesten in Italien, ist im Jahre 1822 von der Kongregation der opere pie im Anschluß an das städtische Leihhaus errichtet worden; ähnlich verhält es sich mit dem Ursprung anderer durch Privatunternehmungen ins Leben gerufener Sparkassen in Oberitalien. Diese Anfänge sind im Verlaufe der Entwickelung weit überflügelt worden; die Sparkassen haben sich auch in Italien zu großen umfassenden Kreditinstituten entwickelt, die nicht bloß in der Ansammlung, sondern in der volkswirthschaftlich zweckmäßigen Fruktifizirung der Spargelder ihre Aufgabe erblicken. Ihr Zusammenhang mit den Wohlthätigkeitsinstituten hat sich meist gelöst. Die alten Sparkassen sind jetzt fast sämtlich entweder zu Kommunalanstalten oder zu Aktiengesellschaften geworden. Ihnen haben sich die im Jahre 1875 ins Leben gerufenen, vom Staate unterhaltenen Postsparkassen ergänzend angeschlossen. Endlich sind

[1]) Statistica delle confraternite vol. I Roma 1892, vol. II Roma 1898.

auch mit den meisten Volksbanken, auf die weiter unten näher einzugehen ist, Sparkassen verbunden. Nach den letzten Statistiken
ergiebt sich folgende Uebersicht:

	Zahl der Sparstellen	Sparbücher im Umlauf	Guthaben der Sparer
Alte Sparkassen 1899	404 (215 Institute mit 189 Zweigkassen)	1 630 678	1 430 816 003
Postsparkassen 1899	5029	3 664 618	628 000 000
Sparkassen der Volksbanken 1895	793	374 294	266 053 032

Es waren hiernach 6226 Sparstellen für den Sparverkehr
geöffnet, 5 669 590 Sparbücher im Umlauf, und das Gesamtspar-
guthaben belief sich auf 2 324 869 035 Lire, ein Ergebniß, welches
dem Sparsinn des italienischen Volks, namentlich in Anbetracht der
ungünstigen Lage, in welcher sich weite Volkskreise befinden, alle
Ehre macht.

Von den älteren Sparkassen haben sich mehrere zu ganz hervorragenden Finanzinstituten entwickelt. Die mächtigste von ihnen,
die mailändische Sparkasse, umfaßt mit ihren zahlreichen Filialen
die ganze Lombardei und wies Ende 1899 einen Sparbestand von
585,4 Millionen Lire, mehr als ein Viertel des Sparguthabens
sämtlicher Sparkassen auf. Neben ihr nehmen die Sparkassen von
Bologna, Padua, Parma, Piacenza u. A. sowohl durch die Summe
der bei ihnen angelegten Ersparnisse, als durch ihre volkswirthschaftlich und sozial fruchtbare Thätigkeit eine hervorragende Stellung
ein. Viele dieser Institute sind über den Kreis ihrer ursprünglichen
Statuten hinaus rüstig in den Kampf für die Hebung der Industrie und der Landwirthschaft, sowie für die Verbesserung des
Looses der arbeitenden Klassen eingetreten. Die Sparkassen in
Bologna, Parma und Piacenza haben eine umfassende Thätigkeit
für die Schaffung billigeren und besseren Agrarkredits entfaltet;
sie haben sich an der Errichtung agrarischer Kreditgenossenschaften
nach Raiffeisenschem Muster eifrig betheiligt und in Verbindung
mit den Landwirthschaftsvereinen Lehrstühle für Wanderlehrer der
Landwirthschaft ins Leben gerufen.

Die große Zahl der bei den Postsparkassen in Umlauf be=
findlichen Sparbücher und der verhältnißmäßig geringe Durchschnitt
der auf sie entfallenden Guthaben beweisen, daß diese Einrichtung
ihrem Zweck, insbesondere dem kleinen Mann das Sparen zu er=
leichtern, treu geblieben ist, und daß sie hierbei in den Wirkungs=
kreis der bereits bestehenden Sparkassen nicht übergegriffen hat.
Vergleicht man die Uebersicht, die über den Bestand aller drei
Arten von Sparkassen im Statistischen Jahrbuch für 1900 provinzen=
weise gegeben ist, so ergiebt sich zwar auch hier wieder, wie sehr
der Süden hinter dem Norden zurückbleibt. Andererseits geht aus
dieser Uebersicht hervor, daß es den Postsparkassen gelungen ist,
den Spartrieb in Regionen heimisch zu machen, in denen er früher
nur in sehr geringem Maße vorhanden war. Während beispiels=
weise Sicilien mit dem Guthaben bei den gewöhnlichen Sparkassen
von 23,5 Millionen weit hinter Toscana (167,7 Millionen) zurück=
bleibt, übertreffen die sicilianischen Postspareinlagen mit 46,6 Milli=
onen die toscanischen (42 Millionen).

Von noch weit höherer Bedeutung sowohl für die wirth=
schaftliche Hebung der unteren Volksklassen als für die Organisirung
und Zusammenfassung ihrer gemeinsamen Kraft sind die auf dem
Boden des Genossenschaftswesens entstandenen Wohlfahrtsein=
richtungen.

Die einfachsten, ältesten und verbreitetsten von ihnen sind
die gegenseitigen Hülfsvereine, società di mutuo soccorso, die
nach dem Vorbild der englischen friendly societies als Vereini=
gungen zur gegenseitigen Unterstützung ihrer Mitglieder in Krank=
heits= und ähnlichen Nothfällen entstanden sind, ihre Thätigkeit
aber auch in Italien bald auf das genossenschaftliche Gebiet,
namentlich durch die Errichtung von Konsumvereinen aller Art
ausgedehnt haben. Vielfach werden auch Vorschüsse von ihnen ge=
währt. Diese Gesellschaften haben Italien mit einem dichten Netz
genossenschaftlicher Gliederungen überzogen, dessen einzelne Bestand=
theile meist nur von beschränktem lokalen Umfange sind, und die
unter einander nur in Ausnahmefällen zusammenhängen. Aber
sie nehmen nichts desto weniger eine wichtige Stelle in der sozialen
Entwickelung Italiens ein. Denn sie gehören zu den Einrichtungen,
denen es am frühesten gelungen ist, das Mißtrauen und die Ab=

neigung gegen gemeinsame Thätigkeit zu überwinden, die in dem italienischen Volkscharakter tief eingewurzelt sind. Jetzt trifft man allenthalben, auch in den entlegensten Oertchen, Schilder an, die das Vorhandensein einer und wohl auch mehrerer società di mutuo soccorso anzeigen, oft über sehr bescheidenen Geschäften, in denen der Konsumverein der Gesellschaft sein Waarenlager hält, nicht selten begrenzt auf bestimmte Berufskreise oder Gesellschaftsklassen, wie z. B. auf pensionirte Beamte; mitunter aber auch sehr umfangreiche Unternehmungen, wie das dem Waarenhaus des deutschen Offiziervereins nachgebildete Konsumgeschäft der italienischen Armee.[1]) Bei den letzten Erhebungen sind 6725 Gesellschaften mit mehr als einer Million Mitglieder ermittelt worden.

Schärfer begrenzt und fester gegliedert als die Hülfsvereine sind die Organisationen, welche nach dem Vorbilde deutscher Kreditgenossenschaften zur Hebung des Volkskredits ins Leben gerufen worden sind.

Unter ihnen ragen die Volksbanken (banche popolari) hervor, sowohl nach ihrer Zahl als nach dem Umfang ihrer Operationen. Den Anstoß zu ihrer Entstehung hat schon im Beginn der sechsziger Jahre Luigi Luzzatti gegeben, damals ein junger Dozent der Volkswirthschaft, der, begeistert von Schulze-Delitzschs Schöpfungen, seine Kreditgenossenschaften in einer dem italienischen Volkscharakter geschickt angepaßten Umgestaltung auf den Boden Italiens verpflanzte, und der seitdem mehr als ein Menschenalter hindurch ihr eifriger und erfolgreicher Förderer geblieben ist. Die italienischen Volksbanken unterscheiten sich von ihrem deutschen Vorbilde in ihrer rechtlichen Grundlage nicht unwesentlich dadurch, daß sie von vornherein als Genossenschaften mit beschränkter Haftpflicht errichtet worden sind. Während ferner die deutschen Vorschußvereine ursprünglich wesentlich auf den Bedarf des städtischen kleinen Geschäftsmannes und des Handwerkers zugeschnitten waren, haben die banche popolari sich gleich vom Ursprung an die wechselseitige Aushülfe

---

[1]) Die Unione militare, mit dem Centralsitz in Rom, zählte Anfangs 1896 15325 Mitglieder; der Geschäftsumsatz des Jahres 1895 erreichte die Höhe von 5,2 Millionen; den Mitgliedern konnte auf ihre Einlage ein Gewinnantheil von 28 Prozent gutgeschrieben werden.

des ländlichen und des städtischen Kreditbedürfnisses, die Verbindung industriellen und agrarischen Kredits zur Aufgabe gestellt. Es ist ihnen gelungen, innerhalb ihrer Wirkungskreise namentlich den Wucher auf dem Lande erfolgreich zu bekämpfen. Die ausgezeichnete französische Schrift, die auf Grund einer von Mitgliedern des Pariser Musée social unternommenen Reise in Oberitalien neulich eine eingehende Schilderung der italienischen Wohlfahrtseinrichtungen gegeben hat, führt Beispiele an, wo der Zinsfuß für ländliche Darlehen durch die Wirksamkeit der Volksbanken von dem regelmäßigen Satz von 11 und 12 Prozent auf 5 Prozent ermäßigt worden ist.[1] Hierbei dienen den Volksbanken die durch den Gutsbesitzer Dr. Wollemborg seit 1883 nach dem Vorbilde der Raiffeisenschen Kreditvereine ins Leben gerufenen ländlichen Kreditgenossenschaften, casse rurali, vielfach als Sukkursalen, die dem Genossenschaftswesen bis in die Dörfer hinein Eingang und ein fruchtbares Feld für seine Thätigkeit verschaffen. Die solide Fundirung der Volksbanken hat sich in der langen und schlimmen Krise, die Italiens gesamtes Wirthschaftsleben in Folge des Bau- und Bankkrachs in den Jahren 1888 bis 1894 durchzumachen gehabt hat, vorzüglich bewährt. Während von den großen Banken eine nicht geringe Zahl völlig zusammenbrach, kaum Eine ganz unbeschädigt blieb, sind nur wenige Volksbanken dem Sturm erlegen; ihre Zahl ist bis 1893 in stetem Wachsen geblieben und hat sich seitdem nur wenig verringert. Sie belief sich nach der letzten vorliegenden Statistik auf 720 mit über 400000 Mitgliedern; das eingezahlte Kapital betrug Ende 1893 rund 90 Millionen; ihr Portefeuille belief sich auf 214,5, ihre Depositen auf 372 Millionen. Die Zahl der casse rurali nach Raiffeisenschem Muster wird auf ungefähr 50 angegeben; nähere Daten über ihren Vermögensstand liegen nicht vor.

Diesen rein wirthschaftliche und soziale Ziele verfolgenden Kreditgenossenschaften hat sich seit einigen Jahren eine Bewegung auf konfessioneller Grundlage gegenüber gestellt in den auf Anregung der Katholikenkongresse ins Leben gerufenen casse rurali catoliche, die namentlich in Oberitalien durch die Thätigkeit eines

[1] Léopold Mabilleau, Ch. Rayneri et Cte. de Rocquigny La Prévoyance sociale en Italie. Paris 1898, p. 108.

Geiſtlichen, des Pfarrers Luigi Cerutti, eine ſehr ſtarke Verbreitung gefunden haben. Im Anſchluß an die hierarchiſche Ordnung der katholiſchen Kirche nach Diözeſan= und Provinzialverbänden gegliedert, bilden dieſe katholiſchen Landbanken, deren Zahl ſich auf über 700 belaufen ſoll, nur einen Theil der großen Organiſation, mit welcher die Katholikenpartei ſeit Kurzem auf allen Gebieten des öffentlichen Lebens ſich zuſammenzuſchließen und neue Anhänger zu erwerben ſtrebt. Dieſer Parteicharakter der katholiſchen Kreditgenoſſenſchaften, die im Weſentlichen wie die Wollemborgſchen auf Raiffeiſenſchen Grundlagen beruhen, hat die Aufmerkſamkeit der italieniſchen Regie= rung wachgerufen und wiederholt zu Schließungen einzelner Ver= eine oder Vereinsgruppen Anlaß gegeben.

Am reinſten tritt der ſoziale Charakter der Genoſſenſchaften bei den von ihnen errichteten Produktivvereinen an den Tag. Zwar befinden ſich auch unter ihnen Einrichtungen, welche, wie die Molkereigenoſſenſchaften, vorzugsweiſe gemeinſame Wirthſchaftszwecke verfolgen. Nicht minder hat ſich das konfeſſionelle Element auch auf dieſem Gebiet Eingang verſchafft. Aber im Großen überwiegt bei den Produktivvereinen doch das Beſtreben, einzelne Klaſſen von Berufsgenoſſen zu gemeinſamem Erwerb zu verbinden. Die Pri= vilegien, welche die italieniſche Geſetzgebung den società cooperative in Beziehung auf Befreiung oder Ermäßigung von Gebühren und auf Bevorzugung bei öffentlichen Bauausführungen und Lieferungen beilegt, ſind theils ausdrücklich, theils ſtillſchweigend an die Vor= ausſetzung gebunden, daß die Produktivgenoſſenſchaft die Hebung der unteren Klaſſen zum Ziele hat. Es iſt vorgekommen, daß Ge= richte ſich geweigert haben, einem Verein den Charakter als società cooperativa im geſetzlichen Sinne zuzuerkennen, weil ſeine Mit= glieder nicht zu den ärmeren Klaſſen gehören.[1]) In dem Geſetz= entwurf, durch den Luzzatti als Miniſter die rechtliche Lage der Produktivgenoſſenſchaften klar zu ſtellen ſuchte, wurde ihr Begriff dahin begrenzt, daß als Arbeitsgenoſſenſchaften (cooperative di la- voro) diejenigen anzuerkennen ſind, welche Arbeiten ausführen, bei denen die Handarbeit überwiegt.

Unter der Geſamtheit dieſer Genoſſenſchaften treten diejenigen der Maurer und Bauhandwerker ſtark hervor, die ſich unter dem

---

[1]) Mabilleau, La Prévoyance sociale en Italie, pag. 333.

Eindruck der Baukrisis zusammengeschlossen haben, und die vorzugs=
weise den Zweck verfolgen, als Unternehmer bei Ausführung von
öffentlichen Bauten des Staats, der Wohlthätigkeitsinstitute und
der Eisenbahngesellschaften aufzutreten. Es wird vielfach darüber
geklagt, daß die cooperative di muratori von kapitalistischen Unter=
nehmern vorgeschoben werden, um die den Genossenschaften gesetzlich
zustehenden Bevorzugungen für Privatzwecke auszubeuten. Dieses
Manöver zu verhindern, war eins der Ziele des Luzzattischen
Gesetzentwurfs, der im Sommer 1897 im Parlament stecken ge=
blieben ist. Außer den Bauarbeitern haben sich auch andere Berufs=
arbeiter genossenschaftlich organisirt. Auf dem ersten Kongreß, den
die Produktivgenossenschaften 1895 in Rom abhielten, waren neben
den zu den Bauhandwerken zählenden cooperative der Marmor-
und Stuckarbeiter, Zimmerer, Tischler, Glaser, Dekorateure und
Vergolder auch Genossenschaften von Möbelverfertigern, Tapezierern,
Wagenbauern, Sattlern, Töpfern, Schneidern, Schuhmachern, ferner
Buch= und Steindrucker und Buchbinder vertreten. Auch die tos=
canischen Strohflechterinnen haben sich nach dem vorhin erwähnten
Ausstand zu Produktivgenossenschaften organisirt.

Diesen mehr gewerblichen Vereinen haben sich andere an die
Seite gestellt, die vorwiegend oder ausschließlich aus Tagelöhnern
ohne professionelle Fertigkeit bestehen. Die cooperative di braccianti, unter denen die von Ravenna mit mehr als 2000 Mit=
gliedern hervorragt, treten ebenfalls als Unternehmer auf, und zwar
bei Erdarbeiten oder sonstigen Werkausführungen, bei denen Hand=
arbeit überwiegt. Sie haben sich aber auch als ländliche Ackerbaugesell=
schaften mit der Kultivirung von Oedländereien beschäftigt und hierin,
wie in der Ackerbaukolonie bei Ostia, achtbare Erfolge erzielt. Wir
haben der Förderung gedacht,[1]) die König Humbert und sein Nachfolger
den romagnolischen Ansiedlern durch Wort und That gewährt haben.
Ein berechtigtes Streben der Arbeitergenossenschaften ist darauf ge=
richtet, daß ihnen die Errichtung von Ackerbaukolonien auch an
anderen Orten und in größerem Umfange ermöglicht werde. Bis=
her stehen diesem Streben der büreaukratische Schlendrian der be=
theiligten Ressorts und die im Parlament noch immer vorherrschende

---

[1]) S. 47.

doktrinäre Abneigung gegen das staatliche Eingreifen in die soziale Bewegung hindernd im Wege.

Alle diese Arbeitergenossenschaften, deren Mitglieder allein für die cooperative di muratori e di braccianti schon vor einigen Jahren auf dreihunderttausend geschätzt wurden, sind in einem Nationalverbande, der Lega nationale della società cooperative italiane centralisirt. Der Sitz dieses mächtigen Verbandes ist in Mailand; ihr Präsident ist Antonio Maffi, der erste Arbeiter, der als Kandidat der Arbeiterparteien in das Parlament gewählt wurde, und der zu den Führern der Sozialdemokratie gezählt wird. Dem Vorsitzenden stehen ein Exekutivkomité von sieben Mitgliedern sowie ein Generalrath von Abgeordneten der verschiedenen Provinzialverbände zur Seite. In der cooperazione italiana besitzt der Verband ein wöchentlich erscheinendes Preßorgan.

Dem Staate wird vielfach selbst von Italienern eine völlige Theilnahmlosigkeit gegenüber der sozialen Bewegung zum Vorwurf gemacht. Nicht bloß seitens der Radikalen, sondern auch in der Presse der Ordnungsparteien kehrt die Klage, oft in sehr scharfen Ausdrücken, über die Unthätigkeit der Regierung und des Parlaments immer wieder; der Ruf nach einer gründlichen Verbesserung der Lage der Arbeiter, namentlich des ländlichen Proletariats, wird immer lauter und dringender. Muß nun auch unumwunden anerkannt werden, daß die regierenden Klassen hinsichtlich der Sozialreform viele Unterlassungssünden begangen, vieles unnöthig hinausgeschoben und manches ganz versäumt haben, so ist es doch übertrieben, wenn hier und da behauptet wird, daß sozialpolitisch bisher von der italienischen Regierung gar nichts geschehen sei. Wenngleich vereinzelt, zaudernd und systemlos, hat die italienische Sozialgesetzgebung doch namentlich in neuester Zeit einige Fortschritte zum Bessern aufzuweisen, die freilich noch ein weites Feld für fernere Bethätigung offen lassen.

Sehr mangelhaft ist es um den Schutz der Arbeiter gegen Ueberlastung bestellt. Weder für die Länge der Arbeitszeit, noch für ihre Unterbrechung durch Sonntagsruhe bestehen gesetzliche Normen. In dem fast ausschließlich katholischen Lande sieht man an öffentlichen wie an Privatbauten, vielfach auch in Werkstätten und in Fabriken, die Arbeit ununterbrochen fortgehen. Eine Be-

wegung für Einführung von Sonntagsruhe hat sich bisher kaum
bemerkbar gemacht. Ebensowenig sind die Arbeiter bisher gesetzlich
gegen die Ausbeutung durch das Trucksystem geschützt. Nach einer
im Jahre 1893 vorgenommenen Ermittelung wurden in zwanzig
Provinzen Lebensmittel u. s. w. in Anrechnung auf den Lohn ge=
liefert; diese Naturallieferungen bildeten in den Bergwerken von
Sardinien und Sicilien die Regel und riefen durch die rücksichts=
lose Uebervortheilung der ohnedies schwer gedrückten Arbeiter in den
sicilianischen Schwefelgruben die bittersten Klagen hervor. Gänzlich
schutzlos sind die in Italien zahlreichen Arbeiterinnen; die Versuche,
die Frauenarbeit einzuschränken, wie dies in den meisten civilisirten
Ländern durch die Gewerbegesetzgebung geschehen ist, sind bisher
fruchtlos geblieben. Nur die Kinder sind durch ein im Jahre 1886
ergangenes Gesetz bis zu einem gewissen Grade geschützt, indem es
seitdem untersagt ist, Kinder unter neun (!) Jahren in Fabriken,
Gruben und Bergwerken zu beschäftigen. Kinder unter zehn Jahren
dürfen nicht in unterirdischen Betrieben, Kinder unter fünfzehn
Jahren in Betrieben mit beschränkter Kinderarbeit nur dann be=
schäftigt werden, wenn sie durch ärztliches Zeugniß für gesund und
zu der betreffenden Arbeit für tauglich erklärt sind. Nachtarbeit
von Kindern ist nur beschränkt zulässig; in gefährlichen Betrieben
ist Kinderarbeit ganz ausgeschlossen. So mangelhaft dies Gesetz
ist, das z. B. für die in Fabriken ꝛc. zugelassenen Kinder keinerlei
Schranken festgesetzt hat, so bleibt nach den darüber vorliegenden
Berichten die Ausführung auch dieser an sich unvollkommenen
Vorschriften hinter den billigsten Erwartungen zurück. Zur Ueber=
wachung seiner Durchführung fehlt es an staatlichen Organen.
Mit Ausnahme der Bergwerke, die der Beaufsichtigung durch die
staatlichen Bergbehörden unterstehen, sind für die Kontrole sämtlicher
Gewerbebetriebe nur zwei Inspektoren vorhanden, denen überdies
noch vielerlei andere Dinge obliegen. So bleibt die Staatsaufsicht
wirkungslos, obwohl bei dem Widerstreben der Großindustrie ein
scharfes und dauerndes Einschreiten dringend Noth thut. Die Be=
richte, welche die Minister Lacava und Miceli über die Wirkungen
des von ihnen als verbesserungsbedürftig anerkannten Gesetzes von
1886 erstattet haben, werden von Kennern der italienischen Zu=
stände als traurige Beweise der Ohnmacht bezeichnet, mit welcher

die Staatsgewalt den Sonderinteressen einflußreicher Industrieller gegenüber steht.

Etwas besser ist es um die Unfallversicherung der Arbeiter bestellt. Die Bestrebungen, sie gesetzlich zu regeln, reichen bis in die siebziger Jahre zurück. Die Gesetzentwürfe, die seit 1879 zu diesem Zwecke theils von einzelnen Abgeordneten, theils von der Regierung eingebracht wurden, haben sich lange in der Richtung des deutschen Haftpflichtgesetzes von 1871 bewegt; man hielt die durch die allgemeinen Gesetze vorgeschriebene Haftpflicht des Unternehmers für Unfälle in seinem Betriebe an sich für ausreichend und meinte den Arbeiter genügend zu schützen, wenn man dem Unternehmer den Nachweis auferlegte, daß ihn keine Verantwortung treffe, also die Beweislast umkehrte. Dies Prinzip stieß auf Widerspruch im Parlament; verschiedene Entwürfe wurden abgelehnt. Um wenigstens etwas zu Stande zu bringen, schloß der Minister Lacava auf Grund des Gesetzes vom Juli 1883 einen Vertrag mit einer Anzahl von bedeutenden Kreditinstituten, auf Grund dessen dieselben ein Kapital von anderthalb Millionen zur Gründung einer Arbeiter- und Unfallversicherungskasse zusammenschossen. Die Cassa nazionale per l'assicurazione degli infortuni del lavoro ist kein Staatsinstitut, sondern eine unter öffentlicher Aufsicht stehende Versicherungsanstalt, bei welcher Versicherungen von Arbeitern gegen Betriebsunfälle einzeln und kollektiv, und zwar sowohl durch Arbeiter selbst als durch Arbeitsgeber abgeschlossen werden können. Die freiwillig eingegangenen, meist kollektiven Versicherungen umfaßten Ende 1896 152 608 Arbeiter mit 197 Millionen Entschädigung.

Als sich bald herausstellte, daß auf dem Wege freiwilliger Versicherung nichts Erhebliches erreicht werden konnte, entschloß man sich im Jahre 1889, zum System der Zwangsversicherung zu schreiten. Es hat neun volle Jahre bedurft, um den Widerstand zu überwinden, den Anfangs die Kammer, sodann aber längere Zeit hindurch der Senat unter dem Einfluß seiner industriellen Mitglieder auch gegen diese Form des Arbeiterschutzes geleistet haben. Nach so vielen Mühen ist endlich das Unfallversicherungsgesetz vom 17. März 1898 zu Stande gekommen und gegenwärtig in der Ausführung begriffen. Es legt dem Unternehmer die Pflicht auf, seine Arbeiter gegen Betriebsunfälle („Unfälle, die sich durch eine

gewaltsame Ursache bei der Arbeit ereignen") zu versichern. Die
Versicherung umfaßt Unfälle, welche den Tod oder Körperverletzung
mit längerer als fünftägiger Arbeitsunfähigkeit zu Folge haben.
Sie richtet sich auf Entschädigungen, deren Höhe sich im Todesfall
nach dem fünffachen Betrage des Jahreslohns, bei gänzlicher oder
theilweiser Arbeitsunfähigkeit auf anderweit abgestufte Beträge des=
selben, entweder in Kapital oder in entsprechende Rente umgewandelt,
bestimmt. Die Versicherung kann bei Privat=Versicherungsgesell=
schaften erfolgen, welche dafür gewisse, im Gesetz vorgesehene Bürg=
schaften bieten; Arbeiter an öffentlichen Betrieben sollen bei der
Nationalkasse für invalide Arbeiter versichert werden, von der sogleich
die Rede sein wird. Betriebe, die dauernd mehr als 500 Arbeiter
beschäftigen, und Syndikate von Unternehmern mit zusammen
mindestens 4000 Arbeitern können von der Versicherung befreit
werden, wenn sie sich verpflichten, bei Betriebsunfällen Entschädigungen
von mindestens der im Gesetz vorgesehenen Höhe zu leisten, und die
Einhaltung dieser Verpflichtung durch Hinterlegung einer Kaution
bei der unter Staatsverwaltung stehenden Cassa dei depositi e
prestiti sicher stellen. Als Ergänzung dieser Versicherung ist im
Gesetz der Erlaß von Vorschriften in Aussicht genommen, welche
die Unfallverhütung in den einzelnen Gewerbebetrieben besonders
regeln sollen.

Die Versorgung alter und arbeitsunfähig gewordener Arbeiter,
die in Deutschland in so großartiger Weise durch die Alters= und
Invalidenversicherung geschieht, ist in Italien bisher in den aller=
ersten Anfängen geblieben. Ein Bedürfniß, sie vom Staat in An=
griff zu nehmen, hatte bereits Cavours heller Geist empfunden. Er
hat dem sardinischen Parlament im Jahre 1858 einen Gesetzentwurf
vorgelegt, um eine wesentlich für Arbeiter bestimmte Altersversorgungs=
kasse (cassa di rendite vitalizie per la vecchiaia) zu errichten,
bei der sich Jeder durch Einzahlung von ganzen oder getheilten
Beiträgen eine Leibrente beim Eintritt einer bestimmten Altersgrenze
oder der Arbeitsunfähigkeit versichern können sollte. Dies Gesetz
ist auch im nächsten Jahr angenommen und am 15. Juli 1859,
also kurz nach Beendigung des sardo=französischen Feldzuges, publizirt
worden, aber es ist unausgeführt geblieben und über dem Eintritt
der weiteren politischen Ereignisse, besonders nach dem Tode seines

Urhebers Cavour, einfach in Vergessenheit gerathen. Erst im Jahre 1879 ist der Plan, zusammen mit der Unfallversicherung der Arbeiter, wieder aufgenommen worden, aber es hat fast zwanzig Jahre gedauert, ehe es gelungen ist, etwas zu Stande zu bringen. Auch faßten alle Entwürfe immer nur eine freiwillige Versicherung der Arbeiter gegen Alter und Invalidität ins Auge. Auf diese be= schränkt sich auch das Gesetz vom 17. Juli 1898, durch welches für die Alters= und Invalidenversorgung der Arbeiter ein besonderes Institut, die Cassa Nazionale di previdenza per la invalidità e per la vecchiaia degli operai, ins Leben gerufen worden ist. Allein dieses Gesetz bedeutet darin einen nicht unerheblichen sozialen Fortschritt, daß es Beiträge aus Staatsmitteln zu dieser Versicherung gewährt. Die geplante Nationale Alters= und Invalidenkasse für Arbeiter ist vom Staat mit einem Fonds von 10 Millionen dotirt worden und soll aus den Ueberschüssen der Postsparkassen sowie aus dem Ertrag der dem Staat anfallenden Erbschaften jährliche Staatszuschüsse erhalten. Aus diesen Zuwendungen und aus den Zinsen des Stiftungsfonds werden den Versicherten jährlich Quoten von 9—12 Lire gutgeschrieben und gleich ihren eigenen Einlagen, die mindestens 6 Lire betragen müssen, verzinst. Bei Eintritt der Altersgrenze (60. oder 65. Lebensjahr) oder der Invalidität wird das so angesammelte Kapital, in Leibrente umgewandelt, an die Versicherten gezahlt. Also eine freiwillige Versicherung, die durch Gewährung von Staatsbeiträgen erleichtert und zugänglich gemacht werden soll. Zunächst ist diese Einrichtung nur für eine kleine Zahl von Versicherten geplant, denn die auf jährlich 2 Millionen berechneten Zuschüsse aus Staatsmitteln würden nach Abzug der aus ihnen zu bestreitenden Verwaltungskosten des Instituts nur ausreichen, um für etwa hunderttausend Versicherte jährlich 12 L. gutzuschreiben. Wie man sieht, ein sehr bescheidener Anfang. Auch fragt sich, ob die hülfsbedürftigsten unter den italienischen Arbeitern im Stande sein werden, aus ihren geringen Löhnen auch nur den allerkleinsten Beitrag zu bestreiten, den das Gesetz zuläßt. Wahr= scheinlich wird sich herausstellen, daß die freiwillige Versicherung nichts zu leisten vermag, und daß auch für die Invaliden= und Altersversorgung nach dem Vorgange der Unfallversicherung zur Zwangsversicherung geschritten werden muß.

Bereits 1889, bei Vorlegung des ersten Entwurfs über die Zwangs-Unfallversicherung, hatte König Humbert in seiner Thronrede mit Nachdruck darauf hingewiesen, daß die sozialen Probleme nicht übergangen werden dürften, und er hatte hinzugesetzt, daß er in der Wohlfahrt der ärmeren Klassen den Ruhm seiner Regierung erblicke.[1] Zur Einlösung dieses königlichen Worts ist bisher, wie die vorstehende Uebersicht der Sozialgesetzgebung von Italien zeigt, wenig geschehen. Allein die Herrschaft der schwächlichen Doktrin des laissez faire auf dem sozialen Gebiet ist auch in Italien durchbrochen worden. Einem zielbewußten und kraftvollen Vorgehen der Regierung würde es sicherlich gelingen, den Widerstand zu überwinden, der ihr von den Anhängern dieser Lehre und von der kurzsichtigen Selbstsucht einzelner Unternehmer entgegengesetzt wird. Die Berichte großer industrieller Betriebe lassen erkennen, daß auch in den Kreisen der Großindustriellen das Bewußtsein ihrer sozialen Pflichten gegen die Arbeiter sich zu regen beginnt. Andererseits fangen die Arbeiter an ungeduldig zu werden; zahlreiche Apostel der Umsturzparteien reden ihnen ein, daß von der regierenden Bourgeoisie eine wirksame Abhülfe ihrer Beschwerden nicht zu erhoffen sei, und suchen sie zum Klassenkampf aufzureizen.

Auch hier liegen für die Krone schwere aber verlockende Aufgaben vor. Sie ist, wie die vorhin angeführten Worte König Humberts beweisen, sich der Tragweite und der Dringlichkeit dieser Aufgaben bewußt. Nichts könnte stärker dazu beitragen, die savoyische Dynastie in ganz Italien volksthümlich zu machen, als wenn der jetzige, jugendliche Träger der Krone sich entschließen wollte, der Führer der sozialen Reformbewegung zu werden. Es ist dringend zu wünschen, daß die Krone sich dieser hohen Mission, von deren glücklicher Lösung das Heil der Nation abhängt, nicht aus formalen Bedenken entziehe.

---

[1] „Nel bene degli umili io ripongo la gloria del mio regno.“

---

13. Italien und der Papst.

In der Ansprache, mit welcher König Victor Emanuel im Oktober 1870 das Ergebniß des römischen Plebiscits über den Anschluß an Italien entgegennahm, sagte er:

„Als König und als Katholik verbleibe ich, indem ich die Einheit Italiens proklamire, fest in dem Vorsatz, die Freiheit der Kirche und die souveräne Unabhängigkeit des Papstes zu sichern."

Und bis auf den heutigen Tag sind alle vaterländisch ge= sinnten Italiener einmüthig der Ueberzeugung, daß durch die An= nektion des Kirchenstaates und die Besetzung von Rom nichts ge= schehen ist, was den Papst als Oberhaupt der katholischen Kirche in der Freiheit seines Handelns beschränkt oder seine Würde als geistlicher Herrscher beeinträchtigt.

Dem gegenüber hält der Papst an der Auffassung fest, daß Rom ihm gehört, und daß der Kirchenstaat der Kirche verliehen ist, um ihrem Oberhaupte die zur Leitung des Kirchenregiments nöthige Freiheit und Unabhängigkeit zu gewähren. Er betrachtet die Einverleibung des Patrimoniums Petri in den italienischen Nationalstaat als einen kirchenräuberischen Akt, gegen dessen Ur= heber und Begünstiger der Stellvertreter Christi nicht nur die schärfsten geistlichen Waffen zu führen, sondern auch den weltlichen Arm der katholischen Mächte zur Hülfeleistung anzurufen nicht müde wird, und gegen dessen rechtlichen Bestand er in zahllosen feierlichen Hirtenbriefen und Ansprachen zu protestiren fortfährt.

Zwischen dem Königreich Italien und dem Papst besteht somit ein Konflikt, dessen Schärfe durch das einzigartige Verhältniß, in welchem die Päpste seit Jahrhunderten zu der italienischen Nation gestanden haben, noch wesentlich vermehrt wird.

Denn der Papst ist bis 1870 ein italienischer Landesherr gewesen, der sich auf Grund seines weltlichen Besitzes als der Erste und Vornehmste unter den Fürsten Italiens ansah und der innerhalb seiner Grenzen alle Vorrechte eines unbeschränkten Herrschers im vollsten Umfange ausübte. War in früheren Jahrhunderten die Herstellung und die Mehrung dieser weltlichen Herrschaft ein Ziel gewesen, welches die Nachfolger Petri über den kirchenpolitischen Anforderungen ihres geistlichen Amts niemals aus dem Auge ließen, und zu dessen Erreichung sie vor den ungeistlichsten Mitteln nicht zurückschreckten: so hat andererseits eine Jahrhunderte lange Tradition der römischen Diplomatie dahin gearbeitet, den Bestand des Kirchenstaats durch den Nimbus der Religion jedem weltlichen Angriff zu entrücken und seine Fortdauer durch die Unverletzlichkeit sicherzustellen, die das kanonische Recht dem Gute der Kirche beilegt. Schon seit Jahrhunderten schwört Jeder, der zum Kardinal der römischen Kirche ernannt wird, vor dem Empfang der Abzeichen seiner Würde, sich der Veräußerung von Bestandtheilen des Patrimoniums Petri zu enthalten, und dies eidliche Gelöbniß wird von dem zum Papst Erwählten nach seiner Krönung in einer besonderen Konfirmationsbulle in feierlicher Form wiederholt.

Um dem Oberhaupte der Kirche die Wahrung dieser Stellung als italienischer Landesherr zu erleichtern, werden nach einer Uebung, die seit nahezu einem halben Jahrtausend kaum jemals, seit dem Tode Hadrians VI. (1523) gar nicht mehr unterbrochen worden ist, nur Italiener zu Päpsten erwählt. Angesichts einer so langen und so festen Ueberlieferung ist es nicht zu verwundern, daß das Papstthum in den Augen vieler Italiener als eine speziell italienische Einrichtung, ja als ein unveräußerlicher Bestandtheil des Nationalbesitzes gegolten hat und noch gilt. Selbst nicht klerikal gesinnte Italiener sehen in dem Papstthum einen der Ruhmestitel, auf welche Italien seinen Anspruch auf den Primat unter den Kulturvölkern begründet; sie weiden sich an dem Gedanken, daß Italiener an der Spitze der katholischen Kirche zur Ausübung einer Weltherrschaft berufen sind, die in ihrem Umfange wie in ihrer Dauer die der römischen Cäsaren weit hinter sich zurückläßt. Als die

25*

politische Wiedererstehung Italiens sich literarisch vorbereitete, da haben ihre Verkündiger, Männer wie Gioberti und Cesare Balbo, Italien zu einem Bundesstaat machen wollen, der von dem Papst geleitet werden sollte.

Schärfer Blickende hingegen haben schon früh in der Doppel=stellung des Papstes als Kirchenoberhaupt und als italienischer Landesherr eine der Ursachen von Italiens staatlicher Ohnmacht erkannt. Ein Politiker wie Macchiavell hat es mit dürren Worten ausgesprochen: die Päpste sind die Ursache unseres Unterganges. Und einem so unbefangenen Beobachter, wie unserm Jacob Grimm, leuchtete, als er in Italien weilend den Gründen nachsann, welche die Italiener trotz ihrer großen Veranlagung zur Freiheit so lange davon abhielten, mit voller Klarheit ein: In Italien stand mitten im Lande die Idee des Papstes und hemmte allen weltlichen Auf=schwung[1]).

Der Begründer des italienischen Einheitsstaats hat dies Dilemma dadurch lösen wollen, daß er der Kirche eine ihrer gött=lichen Mission freien Spielraum gewährende, gegen alle Einmischung der Staatsgewalt gesicherte Stellung im Staate einzuräumen ge=dachte. Noch ehe er an die Ausführung dieses Programms heran=treten konnte, ist er dahingestorben, und er hat noch auf dem Sterbebette dem Priester, der ihm die Absolution ertheilte, das Losungswort wiederholt: Pater, freie Kirche in freiem Staat!

Cavours Nachfolger haben geglaubt, in seinem Sinne zu handeln, indem sie nach der Besetzung Roms die Stellung des Papstes zum italienischen Staat und gleichzeitig das Verhältniß des Staats zur Kirche gesetzlich zu regeln unternahmen. Das Garantiegesetz vom 31. Mai 1871 erkennt die Souveränität des Papstes als Oberhaupt der katholischen Kirche an und schützt seine Unverletzlichkeit mit den für die Person des Staatsoberhauptes geltenden Strafbestimmungen. Es bestimmt, daß dem Papste die Ehrenbezeigungen wie einem regierenden Herrn zu erweisen sind, und räumt den Kardinälen den Vortritt vor den obersten Würden=trägern des Staats ein, selbst vor den als Vettern des Königs

---

[1]) Auswahl aus den Kleineren Schriften von Jacob Grimm (Berlin 1871) S. 73.

geltenden Rittern des Annunziatenordens. Als Souverän ist der Papst befugt, die gewohnte Zahl von Garden zum Schutze seiner Person und zur Bewachung der ihm vorbehaltenen, von jeder staatlichen Einmischung befreiten Paläste, des Vatikans und der Sommerresidenz im Schlosse zu Castelgandolfo zu halten. Um dem Papste bei Leitung des Kirchenregiments die volle Freiheit in seinen geistlichen Akten zu gewährleisten, ist die Unverletzlichkeit der ihm dabei dienenden Beamten und Angestellten anerkannt; es ist ihm volle Verkehrsfreiheit bei Benutzung der staatlichen Posten und Telegraphen zugestanden. Die Seminare, Kollegien und sonstigen kirchlichen Erziehungsanstalten in Rom und an den Sitzen der suburbicarischen Bisthümer sind von jeder Staatsaufsicht befreit. Als Ausfluß der Souveränität des Papstes ist das Recht des päpst= lichen Stuhls, Gesandte auswärtiger Staaten zu empfangen und Gesandte an sie abzusenden, mit den völkerrechtlich sich daraus er= gebenden Immunitäten des Gesandtschaftspersonals anerkannt. End= lich ist dem Papst, um seine Unabhängigkeit auch finanziell sicher zu stellen, eine staatliche Dotation zugesichert, deren Betrag, drei und eine viertel Millionen Lire jährlich, dem Budget entspricht, welches im Jahre 1848 während der kurzen verfassungsmäßigen Regierung Pius' IX. für den Bedarf des päpstlichen Stuhls in Aussicht genommen worden war.

In seinem zweiten Abschnitt sucht das Garantiegesetz Cavours Programm von der freien Kirche im freien Staat dadurch zu ver= wirklichen, daß es der Kirche für ihre geistlichen Akte grundsätzlich eine von der staatlichen Einmischung freie Bewegung gestattet und insbesondere die Vereins=, die Publikations=, die Wahl= und die Jurisdiktionsfreiheit der kirchlichen Organe anerkennt. Aber es spricht gleichzeitig aus, daß diese Freiheit ihre Grenzen in den ge= setzlich geschützten Rechten der Staatsbürger findet. Denn es ent= zieht den Akten der kirchlichen Behörden auch in geistlichen und disciplinaren Sachen die Rechtskraft, insofern sie den Gesetzen des Staates oder der öffentlichen Ordnung zuwiderlaufen oder die Rechte von Privaten verletzen. Ein Verzicht auf das staatliche Bestätigungs= recht kirchlicher Wahlen, namentlich zum Bischofsamt, ist bis da= hin vorbehalten, daß durch spätere Gesetze die Reorganisation, die Er= haltung und die Verwaltung des Kirchenvermögens geordnet sein wird.

Wenn die italienische Regierung durch dies Gesetz die Kurie versöhnlich zu stimmen oder wenigstens zu einer stillschweigenden Anerkennung des faktisch eingetretenen Zustandes geneigt zu machen gehofft hat, so hat sie sich vollständig getäuscht. Der Papst beantwortete die Publikation des Garantiegesetzes durch eine Encyclika, die auf das Schärffte das von jeder Staatsgewalt unabhängige Selbstbestimmungsrecht des päpstlichen Stuhles betonte, den Bestand der weltlichen Herrschaft des Papstes für unerläßlich zur freien Ausübung des Kirchenregiments, ihre Entziehung für Kirchenraub erklärte und die katholischen Mächte zu ihrer Wiederherstellung und zum Schutze des päpstlichen Stuhls vor der ihm durch frevelhafte Usurpatoren angethanen Gewalt aufrief. Damals entstand jene Legende von dem Gefangenen im Vatikan, die, durch die katholische Presse aufs Eifrigste verbreitet, die Phantasie der Gläubigen durch Schilderungen zu erhitzen suchte, welche den Statthalter Christi einem Märtyrer gleich in engem Kerkerraum auf Strohlager darstellten. Um dieser Legende Nachdruck zu geben und um die Unfreiheit, in welche der Papst sich auch bei Ausübung kirchlicher Akte durch die italienische Okkupation versetzt sähe, urbi et orbi greifbar vor die Augen zu stellen, wurden die kirchlichen Prunkaufzüge und die großen geistlichen Feierlichkeiten innerhalb der Peterskirche theils völlig eingestellt, theils auf das geringste Maß eingeschränkt.

Aber auch die Kurie hat sich verrechnet, wenn sie durch diese Maßnahmen eine baldige Aenderung des von ihr als unerträglich geschilderten Zustandes herbeizuführen hoffte. Ihr Appell an die katholischen Mächte hat kein Gehör gefunden, selbst nicht bei der ältesten Tochter der Kirche. Die dritte französische Republik, so gespannt auch ihre Beziehungen zu dem ihr äußerst ungelegenen italienischen Nationalstaat oft gewesen sind, und so sehr die französische Presse die Kluft zwischen Italien und dem Papste zu erweitern beflissen ist, hat bisher keine Neigung verspürt, zur Wiederherstellung der weltlichen Herrschaft des Papstes Italien und seinen Bundesgenossen den Krieg zu erklären. Oesterreich, das sich früher mit Frankreich öfters in die undankbare Aufgabe getheilt hat, den Papst vor seinen rebellischen Unterthanen durch Besetzung des Kirchenstaats zu schützen, ist als Mitglied des Dreibundes Italiens Bundesgenoß und ihm gegen ausländische Angriffe zu helfen verpflichtet. Den katholischen Staaten der Pyrenäenhalbinsel fehlt, wenn nicht die Luft, so jedenfalls die Macht, mit Italien des Papstes wegen Krieg zu führen. Die Resolutionen der Katholikentage, die Adressen begeisterter Pilgerscharen, welche die Wiederherstellung des Kirchenstaats mehr oder minder ungestüm verlangen, haben sich seit mehr als einem Vierteljahrhundert als unwirksam erwiesen. Weder von Außen her, noch von Innen, aus der Mitte der italienischen Nation heraus, ist irgend ein Versuch gemacht worden, den Papst in seine weltliche Herrschaft wieder einzusetzen. In dem von Parteien sonst mehr als gut zertheilten politischen Leben Italiens ist bei allen an der Politik praktisch Theilnehmenden darüber Einverständniß, daß Rom ein untrennbarer Bestandtheil des italienischen Staatsgebiets geworden ist und bleiben muß.

Inzwischen ist ein Menschenalter seit dem Tage vergangen, an welchem die Divisionen des Generals Cadorna durch die Bresche bei der Porta Pia in die ewige Stadt eingedrungen sind. Die Stadtgemeinde Rom hat am 20. September 1895 die fünfundzwanzigjährige Wiederkehr ihres Befreiungstages festlich begangen, unter Anderem durch die Einweihung des Garibaldidenkmals, das von der Höhe des Janiculums allenthalben in Rom sichtbar auf die Stadt hinabschaut. Und bei der fünfzigjährigen Wiederkehr des Tages, an welchem König Karl Albert dem sardinischen Volke die Verfassung gab, hat sein Enkel, der zweite König von Italien, im großen Saal des Senatorenpalastes auf dem Kapitol vor den Mitgliedern des italienischen Parlaments und vor den Bürgermeistern der Hauptstädte Italiens die Vereinigung Roms mit dem Königreich aufs Neue als den Schlußstein der italienischen Einheit bezeichnet und seinen festen Willen ausgesprochen, in Rom bleiben zu wollen. Einen Tag früher, am 3. März 1898, hatte Papst Leo XIII. die Wiederkehr des Tages, an welchem seine Papstkrönung stattgefunden, unter Entfaltung des ganzen pontifikalen Hofgepränges auf das Feierlichste begangen. Durch die mit den Kunstwerken der lebensfrohen Renaissance geschmückten fürstlichen Säle des riesigen Papstpalastes hindurch hatte sich der prunkvolle Zug aus den Gemächern des Papstes bis zur Sixtinischen Kapelle bewegt, an Tausenden vorüber, die zu diesem kirchlichen Hoffeste eingeladen oder die als Pilger aus fernen Ländern dazu nach Rom gekommen waren,

durch ein Spalier, das von dem ganzen Heerbann gebildet worden
war, über welchen der Souverän des Vatikans noch gebietet, päpst=
liche Bürgermiliz in sehr unkriegerischer Erscheinung und Haltung,
Schweizergarde in der von Michelangelo entworfenen bunten Tracht
mittelalterlicher Landsknechte, Nobelgarde in goldstrotzenden Uni=
formen theatralischen Schnittes. Als nach dem Vorbeidefiliren des
geistlichen und des weltlichen Hofstaats, der Kämmerer in spanischer
Hoftracht, der Malteser in malerischem Ritterkostüm, der weißen,
schwarzen und braunen Kutten der Ordensgenerale, der Bischöfe,
Erzbischöfe und Patriarchen in goldfunkelnden Dalmatiken und
Mitren, des Kardinalskollegiums in den glänzenden Scharlachroben,
die Gestalt des Papstes auf dem Tragsessel hoch über den Köpfen
seiner Umgebungen sichtbar wurde, die schmächtige Gestalt in dem
großen Ornat fast verschwindend, das schmale Greisenantlitz unter
der dreifachen Krone noch bleicher als sonst: da war sein Erscheinen
mit einem donnernden Applaus begrüßt worden, und durch das
nicht endende Händeklatschen, durch die begeisterten Zurufe der
Pilger war ihm der Ruf entgegen geklungen: Vive le Pape-Roi,
evviva il nostro Sovrano, il Papa-Re!

Im Gegensatz zu seinem Vorgänger, der sich in der legen=
dären Vorstellung des Gefangenen im Vatikan gefiel, liebt es
Leo XIII., sich als Oberhaupt der Kirche in dem glanzvollen
Ceremoniell des päpstlichen Hofes zu zeigen und sich soweit wie
möglich öffentlich huldigen zu lassen. Unter seinem Pontifikat sind
einige kirchliche Feierlichkeiten, die unter Pius IX. ganz eingestellt
worden waren, wieder aufgenommen worden; der Papst celebrirt
am Morgen des Neujahrstages alljährlich in dem über der Vor=
halle der Peterskirche liegenden großen Saal vor Tausenden von
Zuschauern die Messe; bei großen Anlässen läßt er sich auch in
die Kirche selbst hineintragen und betheiligt sich am Gottesdienst.
Niemand würde ihn hindern, wenn er dies auch außerhalb des
vatikanischen Bezirks thun wollte. Daß er sich auf den Bereich
beschränkt, den die festungsartige Gartenmauer des Vatikans und die
durch Hallen und Gänge mit ihm verbundene Peterskirche umschließen,
ist sein freier Wille, an welchem festzuhalten dem trotz seines hohen

Alters noch lebhaften und beweglichen Greise im Laufe der langen Jahre nicht leicht geworden sein mag.

Als nach dem unerhört langen Pontifikat Pius' IX. in einem Konklave von ungewöhnlich kurzer Dauer der Kardinal Joachim Pecci zum Papst erwählt wurde (Februar 1878), hat sicherlich Niemand geglaubt, daß ihm eine so lange Regierung beschieden sein würde. Wohl aber wurden an seine Wahl Erwartungen der verschiedensten Art geknüpft.

Die Freunde Italiens hofften, daß der neue Papst eine versöhnlichere Stellung zum Nationalstaat einnehmen würde. Sie rechneten darauf, daß er der neuen Gestaltung der Dinge ruhiger und objektiver gegenüber stehen würde als Pius IX., dessen sanguinischer Charakter die Kränkungen nicht zu überwinden vermocht hatte, die ihm während des Revolutionsjahres 1848 widerfahren waren. Was den alten Papst als bitterster Undank und als Abfall von seiner eigenen Person verletzt und erzürnt hatte, das fand der Neugewählte als vollendete Thatsache vor, mit der zu rechnen die Zeit, wie man meinte, auch den Starrsinnigsten allmählich lehren würde. Und für starrsinnig galt der neue Pontifex nicht, sondern für einen in allen Künsten der kirchlichen Diplomatie wohlerfahrenen, klugen Herrn, der während seiner Nunziatur in Brüssel in das politische Getriebe des modernen Staatswesens tiefe Einblicke gethan und als langjähriger Inhaber des wichtigen Erzbisthums Perugia die verrotteten Zustände des theokratischen Regiments im Kirchenstaat gründlichst kennen gelernt hatte. Andererseits erwartete die intransigente Partei innerhalb und noch mehr außerhalb der Kurie von dem neuen Papst, daß er die Rechte des päpstlichen Stuhls wirksamer und mit größerem Erfolge wahrnehmen werde als sein Vorgänger. Was dessen leidenschaftlich aufbrausendes Wesen nicht zu erreichen vermocht hatte, das versprachen sie sich von der Geschäftskunde und der kühlen Folgerichtigkeit des gewandten Diplomaten: ihm würde es, so hofften sie, gelingen, Kombinationen zu schaffen, durch deren Ausnützung der Kartenbau des italienischen Revolutionsstaats zusammenbrechen, und das Patrimonium Petri, sei es durch Intervention ausländischer Mächte, sei es durch den Sieg der Bessergesinnten in Italien selbst, seinem rechtmäßigen Herrn zurückgegeben werden sollte.

Weder die Hoffnungen der Patrioten noch die kühnen Träume der Intransigenten sind in Erfüllung gegangen. Nach mehr als zwanzig Jahren ist das Verhältniß des Papstes zu Italien im Wesentlichen wie beim Beginn der Regierung Leos XIII.

Wohl hat es Momente gegeben, in denen eine Annäherung zwischen Papst und König sich anzubahnen, wo, wenn auch nicht ein Ausgleich, so doch ein Abstumpfen der schärfsten Gegensätze, ein erträgliches Nebeneinander des Vatikans und des Quirinals denkbar und möglich schien. Die Sprache der Kurie war nicht nur maßvoller, sparsamer im Verbrauch von Invektiven gegen die politischen Machthaber und von weiterem Gesichtskreis zeugend, sondern bei einzelnen Anlässen auch von einem nationaleren Klange, als man ihn unter dem vorigen Papst seit seiner Wiederkehr aus Gaeta vernommen hatte. Bei großen Heimsuchungen, welche Italien trafen, der Cholera, den verheerenden Ueberschwemmungen, bewies Papst Leo, daß er sich auch auf dem Stuhle des Apostelfürsten ein italienisches Herz bewahrt hatte. Als bei der Einweihung der neuen Domfassade in Florenz der Erzbischof an der Spitze seines Klerus den König begrüßte und segnete, glaubten selbst Priester, die dem Vatikan nahe standen, die Stunde der Versöhnung wäre im Anzuge begriffen. Der gelehrte Abt von Montecassino, Pater Luigi Tosti, der durch seine kirchengeschichtlichen Schriften als ein Licht vatikanischer Gelehrsamkeit galt, warf in einem viel gelesenen Schriftchen, dem er den hoffnungsvollen Titel der Versöhnung[1]) gab, die Frage auf, ob denn in Rom, wo alle Nationen willkommen seien, nur Italien es nicht sein sollte; er schilderte eindringlich die schlimme Stellung eines patriotischen Priesters in Italien, die Uebelstände, die sich auf dem Fortbestehen des Konflikts für gläubige Katholiken ergeben, und ließ die Hoffnung deutlich durchblicken, daß es der Weisheit Leo's XIII. gelingen werde, einen Ausgleich zu Stande zu bringen.

Aber diese Annäherungsversuche wurden von der intransigenten Richtung mit dem schärfsten Mißtrauen verfolgt. Die ultramontane Presse schlug bei dem Gedanken an eine Aussöhnung des Papstes mit Italien den lautesten und heftigsten Lärm. Ganz besonders in

---

[1]) L. Tosti, La Conciliazione. 3. ed. Roma 1887.

Frankreich, wo jede Stärkung Italiens die bittersten Gefühle er-
weckte, und wo man in der Fortdauer des Konflikts mit dem Papst
eine Quelle schwerer Schäden für den italienischen Staat erkannte.
Der Terrorismus, mit dem sich die Unversöhnlichen aller Länder
gegen jeden Ausgleichversuch erhoben, blieb nicht ohne Wirkung; er
trug im Vatikan über die etwaigen Velleitäten der milderen Richtung
den Sieg davon. Pater Tosti ward zum Widerruf seines Schriftchens
veranlaßt, der gelehrte Jesuitenpater Curci, der sich schon in früheren
Schriften gegen die Fortdauer des Konflikts ausgesprochen hatte,
aus dem Orden gestoßen: die Niederlage des liberalen Katholicismus
schien eine endgültige zu sein.

Jedoch auch die Heißsporne der Reaktion haben sich in
Leo XIII. getäuscht. Trotz aller Verhetzungen, in denen die Organe
ihrer Presse das Unglaublichste leisten, trotz des stürmischen Drängens
durch Ergebenheitsbezeugungen und Adressen aus allen Ländern,
trotz der Organisation zahlloser Pilgerfahrten, die jahraus jahrein
Scharen von Gläubigen aus allen Klassen der Bevölkerung zu den
Schwellen der Apostel und in die Empfangsäle des Vatikans führen,
hat sich der Papst nicht dazu bestimmen lassen, das Losungswort
zu der von den Intransigenten so heiß erwarteten Aktion gegen
Italien auszusprechen. Weder der Bund der katholischen Mächte
zur Wiederherstellung des Kirchenstaats, den man von seiner diplo-
matischen Kunst erhoffte, ist zu Stande gekommen, noch hat die
Nachgiebigkeit des Papstes gegen die Machthaber der französischen
Republik, sein geflissentliches Bestreben, sich mit allen dort am
Ruder befindlichen Parteien auf freundlichem Fuß zu erhalten,
einen offenen Bruch zwischen Italien und Frankreich herbeizuführen
vermocht.

So erlebt die Welt das bisher noch nicht dagewesene Schau-
spiel, daß seit einem Menschenalter in derselben Stadt zwei Souveräne
neben einander existiren, von denen Jeder die Herrschaft über Rom
mit voller Entschiedenheit und auf Grund unveräußerlicher Rechtstitel für sich in Anspruch nimmt. Um die Residenzen dieser beiden
Herrscher gruppiren sich, wie in zwei feindlichen Heerlagern von
einander geschieden, ihre Anhänger. Während sich um den nationalen
König seine Würdenträger, seine Rathgeber, das Parlament und
die Vertreter der Wissenschaft, die Büreaukratie und die bewaffnete

Macht scharen, sieht sich der Träger der dreifachen Krone, der welt=
gebietende Knecht der Knechte Gottes, umgeben von einem glänzenden,
alle Souveränitätsansprüche aufrechthaltenden geistlichen, weltlichen
und militärischen Hofstaat, von dem höchsten Areopag und den
obersten Würdenträgern der alle Welttheile umspannenden Hierarchie,
von den Leitern der Orden, Brüderschaften, Stiftungen und Kon=
gregationen, welche die Jahrtausende als Stützen und geistliche
Miliz des Stuhls Petri ausgebildet haben, von den Rüstzeugen
der kanonischen und scholastischen Gelehrsamkeit und einem streit=
baren Stabe von Journalisten, die sich aus allen Ländern willig
in den Dienst der römischen Kurie stellen.

Die Uebelstände, welche dieser Gegensatz zwischen den beiden
großen Polen des nationalen und des kirchlichen Lebens nach sich
zieht, sind schwerwiegender Art. Sie beschränken sich nicht auf die
zahlreichen Unzuträglichkeiten und Zusammenstöße, die das räum=
liche Zusammenwohnen der Antagonisten an demselben Ort noth=
wendig und häufig hervorruft, sondern sie greifen tief in das Innere
der in so unheilvollen Kontrast gerathenen großen Organismen ein
und bedrohen ihre Zukunft mit den ernstesten Gefahren. Wenn
diese Gefahren für den Staat offenkundig vorliegen, so sind sie
doch auch für die Kirche vorhanden, wenngleich hinter scheinbaren
Erfolgen versteckt und schwerer erkennbar.

Der italienische Staat zählt unter einer Bevölkerung von
über zweiunddreißig Millionen nur wenige hunderttausend Nicht=
katholiken. Die letzte Volkszählung, die sich auf die Ermittelung
der Konfessionsangehörigkeit miterstreckt hat, ergab im Jahre 1882
62000 Protestanten und 38000 Juden. Diese Zahl wird sich
seitdem, namentlich was die Protestanten betrifft, um etliche Tausend
vermehrt haben. Auch kommen noch die Bekenner anderer Religionen
und die Religionslosen hinzu, die bei der Volkszählung von 1871
auf 44500 ermittelt worden waren. Es giebt kein zweites Land
von einer so großen Bevölkerungsmenge, das so überwiegend, ja
fast ausschließlich dem katholischen Bekenntniß angehört. Schon
dies Zahlenverhältniß stellt klar, was ein Zerwürfniß mit der ka=
tholischen Kirche für Italien bedeutet.

Diese Bedeutung wächst noch, wenn man sich die Organisation
des katholischen Klerus in Italien vergegenwärtigt. Von allen

Ländern der Welt hat Italien, ganz abgesehen von den geistlichen Würdenträgern aller Grade, die sich in Rom in den Centralbehörden des Kirchenregiments zusammenfinden, die weitaus größte Zahl von hohen Geistlichen aufzuweisen. Denn es besitzt nicht weniger als 49 Erzbisthümer und 221 Bisthümer, von denen ein Jedes, außer dem Inhaber des Titels, mit einem mehr oder minder zahlreichen Stabe von Domherren, Generalvikaren und sonstigen Prälaten versehen ist. Wie dicht die Bischofssitze in Italien gesäet sind, kann man z. B. daran ersehen, daß in dem kleinen Gebiet des vormaligen Großherzogthums Toscana allein vier Erzbisthümer: Florenz, Siena, Pisa und Lucca vorhanden sind. Fiesole, das kaum eine Stunde von Florenz entfernt ist, ist bereits wieder Sitz eines eigenen Bischofs. In Unter- und Mittelitalien wird man kaum eine einigermaßen namhafte Landstadt finden, die nicht ihren Bischof nebst Kapitel und allem Zubehör hätte; die größeren und selbst die Mittelstädte thun es kaum unter einem Erzbischof. Nicht minder zahlreich ist das Pfarrpersonal. Nach der Zählung von 1881 waren in Italien 20465 Parochien mit 55263 Kirchen und Kapellen und einem Pfarrpersonal von 76560 Köpfen vorhanden. Dazu kommt die Ordensgeistlichkeit, die Mönche und Nonnen aller erdenklichen Stiftungen, deren Zahl trotz der Aufhebung der Klöster und geistlichen Korporationen in rasch zunehmendem Wachsthum begriffen ist.

Diese ganze Organisation, vom Papste und der Kurie an, Bischöfe, Pfarrgeistlichkeit, der ganze niedere Klerus bis zum letzten Bettelmönch hinab, steht wie eine festgeschlossene Phalanx dem Staate feindlich gegenüber. Sie sieht in dem König nichts als einen Usurpator, den treulosen und glaubensbrüchigen Savoyer, den Räuber des Kirchengutes, das Werkzeug der Revolution und der Sekten. Ihre über das ganze Land verbreitete Presse wird nicht müde, seine Rathgeber, die Minister, die leitenden Politiker, die Mitglieder der Landesvertretung als Kirchenfeinde, als Glaubenslose und — was für die ungebildete Bevölkerung als Inbegriff alles Verwerflichen dargestellt wird — als Freimaurer zu bezeichnen. Sie sieht in der politischen Wiedergeburt Italiens nichts als eine verdammungswürdige Auflehnung gegen die Kirche und die rechtmäßige Obrigkeit, in dem nationalen Parlament die Interessenvertretung der begüterten Minderheit, in den Anstrengungen, die der nationale Staat für seine Wehrkraft und für die Verbesserung seiner Finanzlage macht, die rücksichtsloseste Ausbeutung der Besitzlosen.

Was eine solche systematische Verhetzung in einem Lande zu bedeuten hat, in welchem die politischen und sozialen Gegensätze ohnedies durch die tief im Blute steckenden Nachwirkungen des alten Sekten- und Verschwörerwesens sich leicht verschärfen und vergiften, liegt auf der Hand und ist bei den Aufständen, die im Frühjahr 1898 das Land beunruhigten, klar zu Tage getreten. Man wird in Italien die zweideutige Haltung nicht vergessen, die einer der streitbarsten Vorfechter der Kurie, der Erzbischof von Mailand, gegenüber dem Arbeiteraufstande in der lombardischen Hauptstadt eingenommen hat.

Auch abgesehen von den politischen Gefahren, die das Vorhandensein einer so großen und so offenkundig staatsfeindlichen Macht im Innern des Staats in sich birgt, wird das nationale Leben Italiens nach vielen anderen Hinsichten dadurch geschädigt, daß die Kirche dem Staat ihre Hülfe bei Erfüllung seiner Aufgaben versagt, oder daß der Staat bei der feindlichen Haltung der Kirche sich gezwungen sieht, auf ihre Mitwirkung zu verzichten. Auf dem Gebiete der Volkserziehung, des Schulwesens, der Armenpflege, der gesamten Wohlfahrtseinrichtungen ergeben sich in der täglichen Handhabung tausendfältige Berührungen der staatlichen Organe und der Gemeindebehörden mit der Geistlichkeit, die bei beiderseitigem gutem Willen äußerst förderlich, bei grundsätzlicher Gegnerschaft aber nicht minder schädlich wirken können, und die in vielen Fällen zu lähmender Konkurrenz führen. Der staatlichen Volksschule steht ein großer Theil der Geistlichkeit mit unverhohlenem Widerwillen gegenüber. Die Abneigung, welche die Landbevölkerung namentlich der südlichen Provinzen dem ihr neuen und schwer begreiflichen Schulzwange entgegenbringt, wird vermehrt durch die ablehnende Haltung des einflußreichen Pfarrers. In den Städten wird den von den Gemeinden eingerichteten Volks- und Mittelschulen vielfach durch geistlich geleitete Privatanstalten Abbruch gethan. Als es sich in Rom darum handelte, Geistliche zur Ueberwachung und Leitung des Religionsunterrichts in den städtischen Volksschulen heranzuziehen, ist bei der Erörterung im römischen Stadtrath selbst von Männern, die sich als überzeugte Katholiken

bekannten, offen erklärt worden, daß der Geistlichkeit eine Mit=
wirkung am Volksunterricht so lange versagt bleiben müsse, als sie
in der Feindschaft gegen den italienischen Einheitsstaat und seine
Ordnungen verharre.

Die päpstliche Partei hat nach dem Vorgang anderer Länder
sich auch in Italien zu einer umfassenden sozialen Thätigkeit or=
ganisirt. In den Parochien bestehen katholische Jünglings=, Männer=
und Frauenvereine, die durch Interparochial= und Diöcesanverbände
zu größeren Gruppen, durch Centralcomités zu einem Ganzen ver=
bunden sind. An diese Organisation schließen sich Arbeitervereine,
landwirthschaftliche Vereine, Gesellenvereine u. dgl. an, die durch
Hülfskassen, Vorschußvereine, landwirthschaftliche Kreditbanken, katho=
lische Versicherungsanstalten ihre Mitglieder wirthschaftlich zu fördern
bestrebt sind. Durch Vereine zu Gunsten der Sonntagsruhe, durch
die Errichtung eines Volkssekretariats, das sich der arbeitenden
Klassen anzunehmen bestimmt ist, durch Centralverbände für Ge=
meinde= und Handelskammerwahlen sucht die Partei ihren Einfluß
auf die niedere Bevölkerung nach den verschiedensten Richtungen
hin zu verstärken. In regelmäßig wiederkehrenden großen Ver=
sammlungen katholischer Kongresse findet diese umfassende Organi=
sation die einheitliche Leitung und ein wirksames Agitationsmittel.
Sie beginnt auch auf dem sozialen Gebiet eine Machtstellung ein=
zunehmen, welche die Wirksamkeit der staatstreuen Organe beein=
trächtigt und die Besorgniß der Regierung wachruft.

Was die Kirche betrifft, so hat die italienische Regierung sich
von jedem Versuch einer Einwirkung auf die Leitung des Kirchen=
regiments durchaus ferngehalten. Der Papst hält seine Konsistorien,
seine Empfänge, seine Audienzen ab, als ob die Italiener niemals
in Rom eingezogen wären. Die großen Centralbehörden, durch
welche seit Sixtus V. die Verwaltung der katholischen Kirche geführt
wird, sind in ihrem Bestande, in ihren Funktionen und in der
Freiheit ihrer Bewegung durch die Besetzung von Rom nicht gestört
worden. Die Kongregation des heiligen Offizes, die Inquisition,
wacht nach wie vor über der Reinhaltung des katholischen Glaubens,
die des Index vermehrt das Verzeichniß der kirchlich verbotenen
Bücher, und die Propaganda arbeitet zielbewußt und mit Erfolg
an der Ausbreitung des Katholizismus in allen Welttheilen. Unter

dem jetzigen Pontifikat hat sich, nach den Angaben des offiziellen Handbuches der katholischen Hierarchie[1]), die Zahl der zu ihr ge= hörigen kirchlichen Würdenträger, welche sich Ende 1897 auf 1298 belief, um 218, ein volles Fünftel ihres früheren Bestandes, ver= mehrt. Zwei Patriarchate, 30 Erzbisthümer, 97 Bisthümer, 59 Apostolische Vikariate, 26 Apostolische Präfekturen sind von Leo XIII. neu errichtet worden. Dies ist eine Verstärkung der obersten Organe der katholischen Kirche, wie sie in solchem Umfange noch niemals früher während der Regierung eines Papstes stattgefunden hat, und die für die Freiheit des Papstes in seinen kirchenregimentlichen Handlungen ein beredtes Zeugniß ablegt.

In Rom selbst tritt dem unbefangenen Beobachter allenthalben ein starkes Wachsthum der Klerisei und der klerikalen Einrichtungen entgegen. Aeußerlich ist von einem Nothstande der Kirche nichts wahrzunehmen. Vielmehr wird mit glanzvollen Restaurationen der zahllosen Kirchen Roms in ausgedehntem Maße fortgefahren. Wer Rom jetzt nach langer Zeit wiedersieht, hat Mühe, manche der ihm früher liebgewordenen Kirchengebäude in dem Prunkgewande wieder= zuerkennen, das sie im Innern erhalten haben. S. Maria sopra Minerva strahlt jetzt in einem Schmucke von Gold, Marmor und Glasmalerei, der die pittoreske Wirkung und die geschichtliche Würde der gothischen Halle beeinträchtigt. Die goldglänzenden Mosaiken, welche im Chor des Laterans theils erneuert, theils neu entstanden sind, bekunden ebenso wie der mächtige Anbau am Chor und am Querschiff die Vorliebe Leos XIII. für diese Basilika, die eine alte Tradition die Mutter und das Haupt aller Kirchen Roms und des Erdkreises nennt. Auch an kirchlichen Neubauten fehlt es nicht. Zu der Reihe von alten Kirchen, die auf der Höhe des Aventins neben einander stehen, ist ein umfangreicher nagelneuer Bau gekommen, der mit Klostergebäuden, Basilika und Glocken= thurm hoch aufragt und weithin in Rom und Umgegend sichtbar ist; es ist das Kollegium des heiligen Anselm, eine Gesamtstiftung des Benediktinerordens, in welchem zweihundert junge Geistliche der verschiedensten Nationen für den Dienst der Kurie vorbereitet werden. Auch sonst hat sich die Zahl dieser geistlichen Kadetten=

---

[1]) La Gerarchia cattolica für 1898, Rom, S. 475 f.

anstalten in Rom erheblich vergrößert. Den alten Nationalkollegien, von denen die Zöglinge des Collegium Germanicum in Rom wegen ihrer rothen Langröcke die Krebſe (gamberi) heißen, haben ſich neue Stiftungen zu gleichem Zwecke aus Nord- und Südamerika zugeſellt; man trifft ſie ſelbſt in den neuen Stadttheilen am Abhang des Pincio und auf den Prati del Caſtello, wo ganze Straßenviertel von ſolchen geiſtlichen Anſtalten beſetzt ſind.

Gleich ſeinem Vorgänger hat Leo XIII. die Annahme der dem Papſt im Garantiegeſetz ausgeſetzten ſtaatlichen Jahresdotation verweigert. Aber die Einkünfte, die der Kurie durch die Einziehung des Kirchenſtaats verloren gegangen ſind, werden mehr als erſetzt durch den Peterspfennig, der ſich durch eine großartige internationale Organiſation zu einer freiwilligen Selbſtbeſteuerung der katholiſchen Chriſtenheit für ihr Oberhaupt geſtaltet hat, und durch die reichen Geſchenke, welche die periodiſch wiederkehrenden Pilgerzüge aus allen Ländern der Welt zu den Füßen des heiligen Vaters niederzulegen ſich beeifern. In einer zur Spendung des Peterspfennigs auffordernden katholiſchen Broſchüre wird das Budget des päpſtlichen Haushalts, einſchließlich der Beamtengehälter, Penſionen und des Almoſenfonds, auf jährlich 7 100 000 Lire angegeben.

Aber wenngleich es der Kirche auch in dem jetzigen Stande der Dinge weder an Freiheit in der Leitung des Regiments noch an äußerem Glanz und an Mitteln gebricht, ſo hat ſie doch Gründe genug, ihr Verhältniß zu Italien zu beklagen und eine Aenderung dieſes Zuſtandes zu erſehnen. Dem italieniſchen Klerus in · ſeiner überwiegender Mehrheit iſt, nach den glaubwürdigen Verſicherungen, die man in Italien zu hören bekommt, der ihm aufgedrungene Kriegszuſtand gegenüber der Staatsgewalt nicht weniger als willkommen. Er ſieht durch die Entkirchlichung des Staats ſich eines weſentlichen Theils ſeines Arbeitsfeldes beraubt, ſeinen legitimen Einfluß verringert; ſeine Stellung zu den tüchtigſten und geiſtig hervorragendſten Gemeindegliedern iſt unſicher geworden. Läßt ſich das in großen Städten im Verkehr der Geiſtlichen untereinander und in der Leitung des katholiſchen Vereinsweſens einigermaßen verſchmerzen, ſo tritt die Iſolirung der Landpfarrer, der Kuraten in den kleinen Städten um ſo peinlicher an den Tag. Wie mancher Don Abbondio würde überglücklich ſein, wenn König und

Papst, des langen Haders müde, endlich Friede machten und Thron und Altar wieder einander stützten, statt sich zu befehden!

Indem der Staat, in mißverstandener Anwendung des Cavourschen Programms von der freien Kirche im freien Staate, sich seines Einflusses auf die Ausbildung des Klerus begab, überließ er die Erziehung der Geistlichkeit ausschließlich den im Sinne der Kurie geleiteten bischöflichen Seminaren. Dieser Fehlgriff hat, nach einer in Italien weit verbreiteten Ansicht, ein fortschreitendes Herabsinken des geistlichen Bildungsniveaus zur Folge, das von den besten Köpfen unter dem italienischen Klerus als ein Schaden der Kirche schmerzlich empfunden und bitter beklagt wird.

Wirthschaftlich sieht sich die Kirche durch die Einziehung eines großen Theils der Kirchengüter und durch die Besteuerung der kirchlichen Einkünfte schwer geschädigt. Hiergegen auf gesetzlichem Wege anzukämpfen, ist sie außer Stande, weil sie sich den Verzicht auf jede Betheiligung an der parlamentarischen Thätigkeit auferlegt hat, und weil es ihr in Folge dessen an einer Vertretung ihrer Interessen im Parlament fehlt. Aus welchen Gründen dieser Verzicht ausgesprochen worden ist und noch heute festgehalten wird, darüber gehen die Ansichten in Italien auseinander. Die strengste Richtung der intransigenten Partei behauptet, daß die Betheiligung an den Parlamentsdingen eine Anerkennung des bestehenden Zustandes in sich schließe, die mit den kirchlichen Pflichten eines gläubigen Katholiken unvereinbar sei. Ihre Presse hat daher seit mehr als zwanzig Jahren die Losung ausgegeben: nè elettori, nè eletti, und hält an dieser Formel fest, die, wie man sich erzählt, in derselben Fassung schon früher von einem andern Unversöhnlichen, von Joseph Mazzini, gegenüber dem sardinischen Königreich proklamirt worden ist. Andere sind zwar der Meinung, daß die Ausübung des aktiven oder passiven Wahlrechts zum Parlament eine katholische Gewissenspflicht in Italien ebenso wenig verletzt, wie in Frankreich, wo die Kirche sie nicht nur gestattet, sondern dazu auffordert; sie verkennen auch nicht, daß die Kirche, indem sie ihren Anhängern in Italien die Betheiligung an den Parlamentswahlen abräth, bei den Gemeindewahlen dagegen zuläßt, in Widerspruch mit sich selbst geräth und durch das Verbot der Ausübung einer bürgerlichen Pflicht ein recht bedenkliches Gebiet betritt. Allein sie

halten es dennoch für klug, sich der Theilnahme am parlamenta=
rischen Leben zu enthalten, um nicht eine Verantwortung für die
Mißgriffe der Regierung mit zu übernehmen, und um nicht die
numerische Schwäche der klerikalen Partei offenkundig zu machen.
Noch andere endlich sprechen offen aus, daß sie sich der Wahl
enthalten, um die staatserhaltenden Parteien in ihrem Kampf gegen
den Radikalismus zu schwächen und um dadurch den Zusammen=
bruch der jetzigen Zustände und die Wiederherstellung des Alten
zu beschleunigen. Richtig wird wohl sein, daß die Kurie auf eine
baldige Veränderung der Sachlage hoffte, als sie zuließ, daß jene
Losung ausgegeben wurde, und daß sie sich jetzt durch Zurücknahme
derselben bloßzustellen fürchtet. Die Nichtbetheiligung an den
Parlamentswahlen als Prüfstein des katholischen Gehorsams hin=
zustellen, wie dies noch vor kurzem von einem Führer der italienischen
Katholikenkongresse[1]) geschehen ist, erscheint indessen mindestens in
hohem Maße unvorsichtig. Denn die Probe auf dies Exempel
läßt sich sehr leicht machen. Nach der amtlichen Statistik hat
die Zahl der Italiener, welche sich an den Wahlen der Deputirten=
kammer betheiligten, 1895 59 Prozent, 1897 58,54 Prozent der
Gesamtzahl der eingeschriebenen Wähler betragen, sie bildet also
schon an sich, mit nahezu drei Fünfteln der Gesamtzahl, die Mehr=
heit. Da nun erfahrungsmäßig auch in anderen Ländern niemals
alle Wahlberechtigten an der Wahl theilnehmen, so verringert sich
die Minderheit derer, die sich ihrer aus Gehorsam gegen den Papst
enthalten haben, noch ganz beträchtlich; sie wird statt zwei Fünfteln
höchstens auf ein Fünftel der Gesamtzahl zu schätzen sein und stellt
daher das klar, was die Partei durch die Wahlenthaltung im Un=
klaren lassen wollte, nämlich ihre numerische Schwäche.

Aber die tiefste Schädigung, welche die Kirche in Italien
durch ihr gegenwärtiges Verhältniß zum Staat erleidet, ist innerer
Natur. Man mag über die weltliche Gewalt des Papstes denken
wie man will: zum Wesen der Kirche gehört sie nicht. Das Streben
nach Wiederherstellung des Kirchenstaats, das seit 1870 die ita=
lienische Politik der Kurie beherrscht, lenkt die Aktion der Kirche

---

[1]) Graf Ed. Soderini, Clericali e Monarchia in Italia. Roma
1898, p. 23.

26*

von ihrer Hauptaufgabe ab und auf ein seiner Natur nach welt=
liches Ziel. Indem die Geistlichkeit sich in einen unversöhnlichen
Gegensatz zu dem bürgerlichen Gewissen der überwiegenden Mehr=
heit der italienischen Nation stellt, wird die eigentliche Mission der
Kirche in Italien außerordentlich erschwert. Der fromme und ge=
lehrte Abt Tosti hat in seiner vorhin erwähnten kleinen Schrift die
Gewissensnöthe geschildert, in welche der italienische Priester sich
versetzt sieht, der am Sterbebette die Absolution verweigern soll,
weil der Sterbende ein guter Patriot gewesen ist. „Der Italiener
und der Katholik bekämpfen sich in seinem Herzen; er liebt sein
Vaterland wie seine Mutter, er will nicht, daß es zerstückelt und
ausländischen Begierden zur Beute werde; die Idee der nationalen
Einheit steckt auch ihm im Blute. Aber er muß der Mutter Kirche
gehorchen..." Wie viele Geistliche mögen über solchen Nöthen in
ihrem Gewissen Schiffbruch gelitten und innerlich abgestorben sein,
wie Viele nur gehorchen, um in der Pfarre zu bleiben, wie Viele
zu Eiferern werden, weil sie erfahren haben, daß dies ein sicherer
Weg ist, um in der Hierarchie aufzusteigen. —

Und die Abhülfe? Von wo wird sie kommen? Wer soll
nachgeben? Kann Italien sich aufgeben? Kann der Papst auf
seine Ansprüche verzichten?

Eine vor etlichen Jahren in Italien erschienene Schrift:
„Italien lutherisch oder heidnisch" glaubte den Ausweg in einer
Protestantisirung des italienischen Volkes zu erblicken. Der Ver=
fasser meinte, daß bei der vollständigen Stagnation, in welche der
offizielle Katholizismus in Italien moralisch und geistig versunken
sei, nur die Wahl zwischen Lutherthum oder Heidenthum übrig
geblieben sei, und entschied sich mit Rücksicht auf die moralische
Gesundheit seines Volks für die erstere Alternative. Zur Unter=
stützung dieser Auffassung wird in Deutschland und von deutschen
Besuchern Italiens wohl auf die Fortschritte hingewiesen, welche
seit Proklamirung der Gewissensfreiheit in Italien die dem Prote=
stantismus verwandte Kirche der Waldenser auch außerhalb ihrer
Bergthäler, namentlich in einigen Hauptstädten gemacht hat. In
Rom, Florenz, Mailand, Neapel u. a. O. sind Waldensergemeinden
entstanden, die mit den evangelischen Gemeinden der Deutschen und
der Engländer in freundliche Beziehungen getreten sind. Unab=

hängig von den Waldensern ist seit einigen Jahren eine gewisse innerkirchliche Bewegung in Italien wahrzunehmen; es haben sich Gemeinden einer evangelischen Kirche gegründet, anderwärts sind freikirchliche Gemeinden errichtet worden; beide Richtungen stehen auf evangelischem Grunde und suchen an die in Italien vorhandenen Protestantengemeinden Anschluß. Auch literarisch hat der Protestantismus in Italien einen namhaften Vertreter in dem Philosophen Raffaele Mariano in Neapel aufzuweisen, der als Apostel der Hegelschen Philosophie auch in Deutschland bekannt ist und u. A. in seiner (deutsch geschriebenen) Broschüre: Das jetzige Papstthum und der Sozialismus (Berlin 1882) es unumwunden ausgesprochen hat, Italiens einzige Hoffnung könnte nur die sein, daß das Laienthum und der niedere Klerus schließlich doch zu einem Einverständnisse gelangen und gemeinsam das Joch des Papstes abschütteln.

Alle diese Erscheinungen stehen vereinzelt da, und es wäre eine Illusion, von ihnen Erfolge zu erwarten, die eine Aenderung in dem Verhältniß zwischen Kirche und Staat in Italien herbeizuführen vermöchten. Einer Protestantisirung Italiens stehen noch heute dieselben Schwierigkeiten entgegen, die sie zu Luthers Zeiten verhindert haben. Sie wurzeln in der italienischen Volksnatur, die ihrem ganzen Wesen nach dem vereinsamenden Individualismus des Protestantenthums abhold ist und bei Befriedigung ihres religiösen Bedürfnisses zugleich Nahrung für ihre imaginative Anlage und für ihr Schönheitsgefühl sucht. Das auf sich selbst gestellte, nach Innen gekehrte Gedankenleben, in welchem der Protestantismus seine Grundlage findet, aus welchem er die Freiheit des persönlichen Gewissens schöpft und jeden Mittler zwischen dem Heilsbedürftigen und Gott ablehnt, ist der expansiven Natur des Italieners fremd. Ihm genügt die persönliche Ueberzeugung nicht zum Ausdruck seines Glaubens; er verlangt die laute und öffentliche Uebereinstimmung mit seinen Gemeindegenossen und ihre gemeinsame Kundgebung in den durch die Tradition geheiligten Formen des feierlichen Gottesdienstes. Das Gepränge des katholischen Ritus, das den Protestanten als ein leerer äußerer Pomp kalt läßt, entzückt seine Sinne und bewegt sein Gemüth; ihm sind die prachtvollen Gewänder, die abgemessenen feierlichen Gebärden, die Litaneien der Priester kein Schaugepränge, sondern ein Ausdruck seiner Zugehörigkeit zu der großen heiligen Kirche. Die Gesänge der Kapelle, die Klänge der Orgel und der Instrumente, die Statuen der Heiligen, die reiche Farbenpracht der Gemälde, der Glasfenster und der Mosaiken, die Düfte, die den Weihrauchkapseln entsteigen, das Alles befriedigt seine Phantasie und bildet einen wesentlichen Bestandtheil seines religiösen Bedürfnisses. Eine so wenig sentimentale Natur wie Napoleon I., der aber dabei ein richtiger Italiener war, hat es auf St. Helena als eine seiner größten Entbehrungen bezeichnet, niemals den Ton einer Glocke hören zu können.

Noch illusorischer ist der Gedanke, den der ehemalige Kultus=minister Pius' IX., der alte Graf Terenzio Mamiani, in einer seiner letzten Schriften: la religione dell' avvenire (Mailand 1880) ausgesprochen hat, daß die Religion in Italien dereinst durch die Wissenschaft ersetzt werden würde. In Italien, noch heute dem klassischen Lande der Analphabeten! Was soll die Wissenschaft dem italienischen Ackerbauer, dem einsamen Hirten der Campagna oder auf dem Tafellande Apuliens, dem Tagelöhner in den sumpfigen Reisfeldern der Lombardei oder in den Schwefelminen Siciliens als Ersatz für die Tröstungen bieten, die ihm die Religion, und wäre es in der Form des krassesten Aberglaubens, seinen Bedürf=nissen entsprechend zu gewähren vermag?

Bei Ausländern findet sich vielfach die Meinung, die Italiener seien irreligiös. Diese Meinung wird genährt durch den Skepti=cismus, mit dem gebildete Italiener sich über religiöse Fragen, wenn sie überhaupt darauf eingehen, manchmal zu äußern lieben, ferner durch die Spöttereien, in denen man sich in Italien von Alters her ungenirt über die Klerisei ergeht, endlich durch den ir=religiösen Ton, den einige der im Auslande am meisten bekannten italienischen Dichter anschlagen. Wer Gelegenheit gehabt hat, die Dinge in der Nähe zu betrachten, kann jener Meinung nicht bei=stimmen.

Es ist wahr, Italien ist, wie Massimo d'Azeglio gesagt hat, das alte Land des Zweifels. „Es liegt in unserer Anlage, nicht gläubiger sein zu wollen als die Priester, und die römischen Priester haben immer durch die That dargethan, daß sie wenig glauben." Aber der Glaube an das Dogma und die Religiosität decken sich nirgends, auch nicht in Italien, wo man sich um des Dogmas willen den Kopf zu zerbrechen sehr wenig geneigt ist. Auch ist zuzugeben, daß der Indifferentismus, der in den gebildeten Kreisen des italienischen Volkes vielleicht noch weiter als in den entsprechenden Klassen anderer Nationen um sich gegriffen hat, durch die feindliche Stellung genährt wird, welche die Kirche gegenüber dem nationalen Staat einnimmt. Nichts desto weniger wäre es ein gründlicher Irrthum, die Italiener für ein wesentlich irreligiöses Volk zu halten. Dem widerspricht schon die Thatsache, daß die Kirchen in Italien, und zwar nicht bloß bei den zahlreichen Festgottesdiensten, aller Orten stark besucht sind. Der Fremde, der es an einem Sonntag unternimmt, Kirchen zu besichtigen, kann das während der Stunden des Gottesdienstes — und ihrer sind nicht wenige — nur thun, wenn er sich rücksichtslos über das Aergerniß hinwegsetzt, welches er dadurch der Menge der Andächtigen verursacht. Zu den Kirchenbesuchern gehören nicht bloß die Frauen, sondern Männer aller Berufszweige, Vornehme, Bürger und geringe Leute, Alte und Junge, Civil und Militär. Als die Garnison von Rom im Frühjahr 1898 aus Anlaß der Brotkrawalle in Mittelitalien verstärkt wurde, sah man am nächsten Tage zahlreiche Soldaten der neueingerückten Truppentheile in den verschiedensten Kirchen. An Festtagen erblickt man in den Vorstadtkirchen, in der weiten Säulenhalle von S. Paolo fuori le mura, in der Doppelbasilika von S. Lorenzo, in dem leider etwas zu glanzvoll renovirten uralten Bau von S. Agnese Scharen von Campagnolen, die, auf dem Fußboden knieend, die braunen bärtigen Gesichter zur Erde gesenkt, in tiefster Andacht am Gottesdienst theilnehmen. Dieser Kirchenbesuch hat sich seit dreißig und mehr Jahren fortdauernd verstärkt. Nun mag viel davon rein äußerlicher Brauch sein; aber auf einen Mangel oder auf eine Abnahme des religiösen Gefühls läßt sich aus der Zunahme des Kirchenbesuches doch sicherlich nicht schließen.

Es war ein verhängnißvoller Mißgriff der italienischen Politiker, daß sie das religiöse Gefühl ihrer Nation bei der Behandlung der kirchenpolitischen Fragen unterschätzt, daß sie geglaubt haben, die schwierigen Probleme, welche diese Fragen dort wie in anderen Ländern enthalten, durch eine schablonenhafte Anwendung der Cavourschen Formel und durch Niederlegung aller Waffen, welche der Staatsgewalt gegenüber geistlichen Uebergriffen nach der früheren

Gesetzgebung zustanden, lösen zu können. Der Staat hat sich durch diese Waffenstreckung umsonst gedemüthigt; die Kirche weist ihn ab und verweigert nach wie vor jede Anerkennung.

Deshalb ist es auch ein grundfalscher Gedanke, wenn einzelne italienische Staatsmänner noch jetzt an der Meinung festhalten, der Staat sei in seinem Entgegenkommen noch nicht weit genug gegangen; es komme nur darauf an, mit dem Reste der alten staatskirchlichen Gesetzgebung aufzuräumen und der Kirche in jeder Hinsicht volle Freiheit der Bewegung zu gestatten. Die Trennung der Kirche vom Staate, das Divorzio, das von einem Veteranen der italienischen Politik[1]) als Heilmittel empfohlen worden ist, hat sich anderwärts als ein solches keineswegs bewährt. Auch ist die Kirche nirgends und am wenigsten in Italien eine Privatgesellschaft, die man ohne weiteres den Regeln des gemeinen Rechts unterstellen kann. Sie trachtet ihrer Natur nach, einen Theil der Aufgaben ihrer Herrschaft zu unterwerfen, auf welche der moderne Staat ohne sich aufzugeben nicht Verzicht leisten kann.

Man wird sich in Italien vielmehr entschließen müssen, eine Revision der Staatskirchengesetze in dem Sinne vorzunehmen, daß der Staat der Kirche zwar innerhalb ihres Gebiets die erforderliche Freiheit der Bewegung läßt, sich aber die Mittel wahrt, Uebergriffen des Kirchenregiments in die Sphäre des Staats nachdrücklich entgegenzutreten. Daß das nicht ohne harte Kämpfe, nicht ohne energischen Widerstand der Kurie zu erreichen sein wird, liegt auf der Hand, und ebenso, daß es viel Geduld, viel Konsequenz und viel Festigkeit auf seiten des Staats erfordern wird, um aus diesen Kämpfen siegreich hervorzugehen.

Inzwischen wird man in Italien sehr geneigt sein, sich damit zu begnügen, daß es eben so weiter gehen wird, wie es seither gegangen ist. Im tiefsten Herzensgrunde liegt bei Italienern, mit denen man über dies Kapitel spricht, doch immer die Hoffnung, daß der Papst nicht vergessen wird, daß er selbst ein Italiener ist.

---

[1]) Graf L. Ferraris (früherer Justizminister) in dem oben (S. 114) angeführten Buche.

14. Rom.

In seinem hübschen Buch „le tre capitali" erzählt Edmondo de Amicis, daß er am Tage nach dem Einzuge der italienischen Truppen oben auf der Höhe der Peterskuppel mit einem Soldaten zusammengetroffen sei, der sich die herrliche Rundsicht über Rom, die Campagna und die sie umkränzenden Bergzüge lange schweigend angesehen und schließlich, mit der Hand auf die Balustrade schlagend, gerufen habe: „Finalment ghe semm".

Endlich sind wir drin! Diese Empfindung, endlich am Ziel zu sein, endlich den Abschluß des langen Ringens nach Unabhängigkeit erreicht, die nationale Einigung vollendet zu haben, flutete damals durch ganz Italien. König Victor Emanuel hat ihr in seiner Erwiderung auf die Ansprache, mit welcher der Herzog von Sermoneta das Ergebniß der römischen Volksabstimmung überreichte, vollen Ausdruck gegeben:

„Endlich ist das kühne Unternehmen vollendet, das Vaterland wieder hergestellt. — Jetzt sind die italienischen Stämme in Wahrheit Herren ihrer Geschicke . . ."

Ohne Rom war der nationale Staat unvollendet und von unsicherm Bestand; ohne Einheitsstaat aber kann Italien das köstlichste und unentbehrlichste Gut jedes nationalen Daseins, die Unabhängigkeit, sich nicht dauernd erhalten. Für die Italiener war die Einverleibung von Rom gleichbedeutend mit ihrem politischen Sein oder Nichtsein. Roma o morte, jenes Losungswort Garibaldis, das dem nüchternen Nordländer phrasenhaft klingt, traf in Italien den Nagel auf den Kopf. Auch heute noch, wo sich die patriotische Begeisterung nach manchem herben Fehlschlag und

mancher schweren Enttäuschung merklich abgekühlt hat, sind mit
alleiniger Ausnahme der unversöhnlichsten Klerikalen alle Parteien
in Italien darin einig, Rom als unzertrennlichen Bestandtheil des
Nationalstaats festzuhalten. An der alten Stadtmauer findet sich
häufig, mitunter in wenig geübten Schriftzügen, die Inschrift Roma
intangibile.

Es hat damals in Italien und mehr noch im Auslande
Freunde der italienischen Einheit gegeben, welche vor der Verlegung
des Regierungssitzes nach Rom gewarnt haben. Ihnen erschien die
Aufgabe, das Rom der Päpste zur Metropole eines modernen
Großstaats umzuschaffen, so schwierig, das Zusammenleben des
Königs und der Staatslenker mit dem Papste und seiner Kurie so
gefahrvoll, daß sie in der Beibehaltung der bisherigen Landeshaupt=
stadt das kleinere Uebel erblickten und in Florenz zu bleiben riethen.
Diesen Rath haben die Italiener nicht befolgt; sie haben Rom zu
ihrer Hauptstadt gemacht und haben damit den politischen Takt,
der ihnen in entscheidenden Momenten ihrer nationalen Wieder=
erstehung zu eigen gewesen ist, auch bei dem Schlußakt aufs Neue
bethätigt. Denn sie erkannten richtig, was jenen Rathgebern ver=
borgen blieb, daß Rom ein todtes Glied am Leibe der Nation sein
mußte, wenn es nicht zu neuem Leben erweckt werden konnte, und
das war auf keinem andern Wege zu erreichen, als indem man
versuchte, Rom zum Mittelpunkt aller nationalen Interessen zu
machen.

Freilich mag man in Italien des Umfanges der Aufgabe,
Rom zu erneuern, sich nicht voll bewußt gewesen sein oder ihre
Schwierigkeiten in dem Freudenrausch über die glückliche Krönung
des Werks unterschätzt haben. Sie waren in der That ganz enorm.
Es fehlte im Rom der Päpste so gut wie Alles, was für die Haupt=
stadt eines modernen Großstaats als unerläßlich gilt.

Vor allem an Raum. Innerhalb des weiten Umkreises der
alten Stadtmauer hatte sich der bewohnte Theil der Stadt im
Wesentlichen auf die Niederung am Tiber eingeschränkt; die historischen
sieben Hügel waren theils mit Ruinen des Alterthums und mit
weitläufigen geistlichen Anlagen bedeckt, theils ganz verlassen. Weite
Strecken im Innern der Stadt waren von Weinbergen, Gärten und
Villen eingenommen, zwischen denen Kirchbauten und Klostermauern

vereinzelt aufragten. Die ausgedehnte Hochebene hinter dem Quirinal
und dem Esquilin, die einen beträchtlichen Theil des ummauerten
Areals einnimmt, war an Veröbung von der Campagna draußen
vor den Mauern wenig verschieden. Unten in der Tiberniederung
dagegen hatte sich ein Gewirr enger krummer Straßen und Gassen
auf das Dichteste zusammengeknäuelt; um zahllose Kirchen und um
die stolzen Palastbauten der römischen Adelsgeschlechter und der
päpstlichen Nepotenfamilien drängten sich in Kurven, die häufig noch
jetzt die Anlage antiker Bauwerke erkennen lassen, die hohen licht=
und luftarmen Wohnhäuser aneinander, aus deren Untergeschossen
vom Himmel oft gar nichts oder nur ein schmaler Streifen zu sehen
war. Außerhalb des Fremdenviertels, das nur eine kleine Zahl
von Straßen umfaßte, waren die Wohnungen meistens ungenügend
und überfüllt. Im Jahre 1869 gab es in Rom, nach Abzug der
von 9374 Personen bewohnten religiösen Gebäude, für eine ständige
Bevölkerung von 217000 Köpfen im Ganzen 162000 bewohnbare
Räume. Für die Arbeiterbevölkerung von 57000 Personen waren
nur 13274 Räume vorhanden, also durchschnittlich ein Zimmer für
4,29 Personen. Aber es gab Räume, in denen sich Nachts zehn
bis zwölf Personen jedes Alters und Geschlechts zusammendrängten.

Von den öffentlichen Einrichtungen, ohne die das Leben in
einer Großstadt jetzt kaum zu denken ist, besaß Rom wenig oder
nichts. Die Straßenreinigung befand sich in völlig verwahrlostem
Zustande. Selbst in Hauptstraßen gab es Stellen, wo aller Un=
rath zusammengekehrt und hingeworfen werden durfte; sie hießen
amtlich Schmutzwinkel (immondezzai), obwohl es der Aufschrift
nicht bedurft hätte, um sie als solche zu kennzeichnen. Verstopfte
Abzugskanäle, vernachlässigte Abfuhr, die mit südlicher Ungenirtheit
überall und in ausgedehntestem Maße betriebene Verunreinigung
der Straßen und Plätze machten Rom zu einer ungewöhnlich un=
sauberen Stadt. Dazu kamen periodisch wiederkehrende Tiber=Ueber=
schwemmungen, welche die niederen Stadtviertel unter Wasser zu
setzen und langwährende Rückstände von Schlamm und Schmutz
zurückzulassen pflegten. Beim Mangel jeder geordneten Gesundheits=
polizei wirkten alle diese Dinge zusammen, um im Verein mit der
Malaria Rom, trotz seines herrlichen Klimas, zu einem ungesunden
Ort zu machen, in welchem namentlich während des Hochsommers

der Aufenthalt für gefährlich galt. Die Malaria aber war aus der verödeten Campagna, von welcher die Stadt

come una maligna
Fascia di solitudine e di febbri

immer enger umschlossen ward, bis tief in das Innere des Mauer=
ringes hineingedrungen; sie hatte die verlassenen Hügel im Osten
und Süden Roms in Besitz genommen und schien der Erweiterung
und Erneuerung der Stadt schwere Hindernisse entgegenzustellen.
Hat doch noch in späteren Jahren der nationalste Dichter Italiens
die Fiebergöttin geradezu angerufen, daß sie die neuen Menschen
und ihre Alltäglichkeiten von dem geweihten Boden Roms fern=
halten möge.[1]

In Rom Raum schaffen, Unterkommen für den ganzen viel=
gestaltigen Regierungs=Apparat eines modernen Großstaats, für
den König und die obersten Staatsbehörden, für die Landesver=
tretung und für das Militär, die Verwaltung und die Gerichte, aus=
reichende Wohnungen für die Tausende von Beamtenfamilien, welche
durch die Verlegung der Hauptstadt alsbald hierher gezogen wurden,
und für den sonstigen Bevölkerungszuwachs, der dieser Einwande=
rung nothwendig auf dem Fuße nachfolgen mußte; Rom vor den
Ueberschwemmungen des Tibers schützen; Rom gesund machen und
allen den jahraus jahrein thätigen Organen der Staatsleitung
den dauernden Aufenthalt in der neuen Metropole ermöglichen:
das waren die unerläßlichsten Forderungen, die für die äußere Um=
gestaltung der Stadt alsbald und unaufschieblich an die neuen
Herren von Rom herantraten.

Der Eifer, mit welchem die Regierung und die neugeschaffene
Gemeindeverwaltung von Rom an dies große Werk herangegangen
sind, hat in und außerhalb Italiens vielfach die herbste Kritik
wachgerufen. Noch jetzt lebt in der Vorstellung Vieler der Eindruck
fort, daß bei den Erneuerungsarbeiten in Rom mit Ueberstürzung

---

[1] Giosuè Carbucci: Vor den Caracalla=Thermen (Odi barbare
Buch I):

Febbre, m'ascolta. Gli uomini novelli
quinci respingi e lor picciole cose:
religioso è questo orror: la Dea
Roma qui dorme.

und ohne Pietät verfahren, ja planlos und zwecklos gegen die Monumente des Alterthums gewüthet worden sei. Dieser Eindruck ist durch die Klagen verstärkt worden, welche in der Mitte der achtziger Jahre von deutschen, englischen und französischen Alter= thumsforschern, Kunstgelehrten und Historikern über die Umgestaltung oder vielmehr, wie sie es hinstellten, über die Zerstörung Roms erhoben worden sind.

Wer Rom in jenen Jahren besucht hat, mußte in der That einen Eindruck empfangen, der von den traditionellen Schilde= rungen der ewigen Stadt sehr betrüblich abwich. Damals begann das Baufieber der Stadterneuerer seinen Höhepunkt zu erreichen. An allen Ecken und Enden zugleich waren umfangreiche Stadt= viertel in der Errichtung begriffen; die herrlichen Laubgänge der Villa Ludovisi und der Sallustianischen Gärten wurden schonungs= los niedergehauen, um grablinigen Straßenvierecken mit nüchternen Miethskasernen Platz zu machen; die einsamen Spaziergänge vor dem salarischen Thor, vor Porta Pia und Porta S. Lorenzo hallten von dem Getöse der Erdarbeiter wieder, welche die Funda= mente für weite Vorstadtanlagen aushoben. Ueberall Lärm und Staub, endlose Züge jener zweirädrigen Karrenfuhrwerke, auf denen die Travertine und die Peperine, der Tuff und die Puzzolanerde der Campagna, Balken und Bretter und sonstiges Baumaterial in hochgethürmten Lasten unter Peitschengeknall und Geschrei heran= geschleppt wurden. Allenthalben Scharen von Bauarbeitern, die, von dem hohen Tagelohn gelockt, zu Zehntausenden aus allen Theilen des Landes herbeigeströmt waren; durch die Stroh= und Erdhütten, in denen ein großer Theil dieser Leute mit Weib und Kind hauste, die Feuer, an denen sie ihre Polenta unter freiem Himmel bereiteten, die fliegenden Marketender= und Weinwirthschaften, die in der Nähe der Neubauten ihre Zelte errichteten, war Rom an vielen Stellen in eine Art von Feldlager verwandelt und sah im Ganzen überaus ungemüthlich aus.

In der Zeit dieser übertriebenen Bauthätigkeit sind Mißgriffe begangen worden, deren Nachwirkung noch jetzt andauert, und die das edle Bild der alten Roma mit manchem häßlichen Fleck ver= unziert haben. Vor allem ist die Stadterweiterung, in Ueber= schätzung des vorhandenen Bedürfnisses, in viel zu ausgedehntem

Maße und an zu vielen Stellen auf einmal angegriffen worden. Als der Schwindel jener Bauwuth in dem Krach der Jahre 1888—90 zusammenbrach, sind massenhaft Neubauten unvollendet liegen geblieben; selbst jetzt noch stehen, namentlich in den neueren Stadtvierteln außerhalb der Mauern, ganze Reihen von unfertigen Rohbauten in allen Stadien der Bauausführung, den Unbilden der Witterung preisgegeben, verlassen da. Sowohl auf den Prati del Castello, dem weiten Wiesenplan, der sich auf dem rechten Tiberufer gegenüber der Piazza del Popolo bis an den Fuß des Vatikans und an die Wälle der Engelsburg hinzieht, als auch vor der Porta Salara in der nächsten Nachbarschaft der Villa Albani finden sich ganze Straßenzüge solcher unvollendeten Häuser als ein trauriges Denkmal jener Gründerzeit, die in ihrer Bauwuth sich nicht daran erinnern wollte, daß Rom nicht in einem Tage erbaut werden kann.

Auch innerhalb des Mauerringes ist zuviel auf einmal und zu großartig begonnen, manches Unternehmen jäh abgebrochen und muthlos liegen gelassen worden, mitunter an Stellen, die den Blicken ausländischer Besucher am meisten ausgesetzt sind. Unmittelbar an der Engelsbrücke, die noch heute jeder Besucher der Peterskirche und des Vatikans passirt, zeigt sich ein Trakt halb durchgeschnittener und in dieser Verfassung stehen gebliebener Häuser, die den Eindruck eines kleinen Bombardements erwecken. Ebenso trümmerhaft stellen sich an der Einmündung des Corso auf die Piazza bi Venezia, der belebtesten Stelle von Rom, einige seit Jahren zum Abbruch bestimmte halb abgerissene Gebäude dar. Auch in den schönen großartigen Straßenzügen des Corso Vittorio Emanuele, der mitten durch das Gassengewirr der Altstadt eine breite Verkehrsbahn gebrochen hat, und der Via Cavour, die vom Bahnhof her zum Forum führt, fehlt es nicht an Abbruchstellen, die von Jahr zu Jahr verwahrloster dreinschauen.

Nichts desto weniger würde es völlig verfehlt sein, wenn man auf diese und andere Mißgriffe und Unterlassungssünden hin in das Verdammungsurtheil einstimmen wollte, das auch heut noch nicht selten, freilich meistens von denen, die Rom am flüchtigsten besuchen, über die Erneuerung der ewigen Stadt gefällt wird.

Vor allen Dingen ist es gänzlich unrichtig, daß bei der Umgestaltung von Rom mit den Monumenten der Vorzeit schonungslos umgesprungen worden sei. Es läßt sich im Gegentheil nachweisen, daß gegen die Baudenkmäler des Alterthums eine Pietät beobachtet worden ist, wie man sie in Rom nie zuvor geübt hat. Kein einziges Bauwerk der Römerzeit und kaum eins des Mittelalters ist bei der Anlegung neuer Straßen, bei der Tiberregulirung, bei den großen Durchbrüchen von seiner Stelle verrückt oder sonst geschädigt worden. Daß die malerische Wirkung, welche das Forum in seiner früheren Verlassenheit, mit seinen Baumgängen und den auf seinen Grasplätzen weidenden Heerden ausübte, jetzt dem zunächst unerfreulichen Eindruck einer wohl aufgeräumten Brandstätte gewichen ist, ist nicht den römischen Stadterneuerern, sondern dem Ordnungssinn der Archäologen zuzuschreiben, der auch im Coliseo und in den Caracallathermen durch einen schonungslosen Vertilgungskrieg gegen die liebliche Vegetation, welche diese Trümmerwelt sonst poetisch mit Blüten umrankte und durchduftete, recht störend wirkt. Die oft als Vandalen geschmähten Stadterneuerer haben sogar solche Reste des Alterthums, die erst durch die neuen Straßenanlagen aus dem Schutt der Vignen und Gärten wieder ans Licht gezogen worden sind, respektvoll an ihrem Fundort belassen. Am Kreuzungspunkt der Hauptstraßen von Neurom, der Via nazionale und der Via del Quirinale, ist mitten auf dem Straßendamm, auf welchem sich der stärkste Wagenverkehr bewegt, ein dort ausgegrabenes Stück des Servianischen Mauerrings mit einem Gitter umfriedigt und mit Palmen und Blumenpflanzungen durch eine Marmortafel den Vorübergehenden als ein Denkmal ältester Vergangenheit kenntlich gemacht.

Auch läßt sich dem Schuldregister jener Bausünden der Gründerzeit ein beträchtliches Guthaben wohlgelungener und wohlthätig wirkender Bauausführungen gegenüberstellen.

Innerhalb des Mauerringes haben sich die weite Hochebene zu beiden Seiten des Zentralbahnhofs, sowie die Abhänge des Pincio, des Quirinals, des Viminalis und des Esquilins mit einem ununterbrochenen Netz neugeschaffener oder aus alten Gartenwegen umgewandelter Straßen bedeckt. Breit, gerade, regelrecht angelegt,

faſt durchweg von vier= oder mehrſtöckigen Häuſern eingefaßt, ent=
behren dieſe Straßen in der nüchternen Proſa ihrer Großſtadt=
erſcheinung zwar des romantiſchen Zaubers, der die engen finſteren
Gaſſen Altroms umgiebt. Aber ſie ſind hell, luftig und geſund;
ſie umſchließen Plätze mit ſtattlichem Baumſchmuck und Raſen=
flächen, auf denen die römiſche Jugend ſich im Sonnenſchein tummeln
kann, und ſie bieten Zehntauſenden des Mittelſtandes und der
Kleinbürgerſchaft menſchenwürdige nnd behagliche Wohnſtätten. Vor
der charakterloſen Eintönigkeit, die andere Hauptſtädte in ihren
neuen Stadttheilen zum Verwechſeln ähnlich macht, ſchützt Neurom
ſeine Lage, die allenthalben in Steigungen und Senkungen die
Thäler und die Kuppen der Hügel erkennen läßt. Durchſchnitte
wechſeln mit Ueberbrückungen ab; hier endet die ſchnurgerade Flucht
einer Hauptverkehrsſtraße in einem jähen Abhang, der den Wagen=
verkehr in ſchön geſchwungener Kurve die Niederung ſuchen läßt,
während Fußgänger geradeaus auf ſtattlicher Freitreppe hinabſteigen;
dort bildet für andere Straßen die hochaufragende Mauer den Ab=
ſchluß, welche die Abgrabung des angrenzenden Hügels ſtützt.
Cypreſſen und Pinien, der Reſt einer alten Gartenvilla, unterbrechen
weithin ſichtbar hier die lange Palaſtreihe der Via nazionale; dort
erhebt ſich, mit dem Wappen der Colonna geſchmückt, ein Thorweg,
der mitten aus der Via del Quirinale zu dem terraſſenförmig zur
Altſtadt ſich neigenden Garten des vornehmſten der altrömiſchen
Adelsgeſchlechter führt. Hart an einem ſeiner mittelalterlichen Streit=
thürme vorbei fällt die Hauptverkehrsſtraße Neuroms zum venezia=
niſchen Platze ab; während drüben an der Via Cavour in der
Nähe des Forums der mächtige Stumpf der Tor de' Conti, mit
Inſchriften und Wappen aus dem dreizehnten Jahrhundert, trotzig
auf die an ihm vorbeiſauſenden Wagen der elektriſchen Bahn hin=
ſchaut. Kurz, wohin man auch ſehen mag: mitten in den modernſten
Straßen von Neurom eine Fülle der reizvollſten Stadtbilder, ein
Andrang großer geſchichtlicher Erinnerungen, mit einem Wort ein
Stück Rom, Etwas von dem Rom, deſſen Name ſeit Jahrtauſen=
den einen unvergänglichen und unvergleichlichen Zauber auf ſo viele
Geſchlechter der Menſchen ausgeübt hat.

Dem flüchtigen Beſucher, der ſich in wenigen Wochen ab=
haſten muß, Roms Kirchen und Paläſte, Alterthümer und Muſeen

zu durchwandern, erschließt sich dieser malerische Reiz der neuen Stadttheile nur schwer. Er muß eilen, um die in seinem Buche angegebenen Besuchzeiten der so zahlreichen Sehenswürdigkeiten ein= zuhalten, und hat, wenn er zur Abendzeit abgemattet in sein Hotel zurückkehrt, wenig übrig, um auf das zu achten, was ihn auf Schritt und Tritt umgiebt. Aber wer Zeit hat, auf das Alltägliche zu achten, der sieht von der Höhe dieser neuen Straßenzüge mit immer reinerem Entzücken auf die weiten Ausblicke, die sich oft ganz unvermuthet mitten aus den Häuserreihen fernhin auf die Berggipfel der Sabina und der Castelli romani und hinab auf die dunklen Massen des Häusermeeres der Altstadt erschließen. Er weiß es zu würdigen, daß ihm so oft und so frei der Aufblick zum Himmel offen steht, dessen lichtverklärtes Blau jeden trüben Gedanken ver= scheucht, dessen goldiger Sonnenschein auch während der Monate, da uns „ein graulicher Tag hinten im Norden" umfängt, beseligend in die Fenster und in die Herzen hineinbringt; er sieht mit Wonne das Sternenheer am Firmament aufziehen und Luna ihr mildes Scepter über Thal und Höhen schwingen. In ihrem Licht verklärt sich der Wasserstrahl, den Berninis Triton aus seinem Muschel= horn in die Lüfte bläst, zu Silberperlen, und in verdoppeltem Glanz funkeln die Kaskaden des schönen Brunnens, der, von elektrischen Bogenlampen umgeben, den wirkungsvollen Abschluß der Via nazionale bildet.

Was Neurom für das Auge zu bieten vermag, das kann man bei festlichen Anlässen sehen, wenn durch Flaggenmasten und Blumengewinde, durch Wappenschilder und Palmentrophäen seine Straßen in Triumphwege, seine Plätze in Festsäle umgewandelt werden. Am Abend des Tages, an welchem das fünfzigjährige Bestehen der Verfassung feierlich begangen wurde, war die ganze Länge und Breite der Via nazionale durch hohe Lichtbogen quer über die Straße zu einer strahlenden Wandelhalle von wunderbarer Schönheit umgestaltet worden, in der sich Tausende von fröhlichen Menschen bis in die späte Nacht hinein ergingen oder an den Tischen vor den Weinschänken und Cafés im Freien erquickten. An solchen Tagen kann, wer Sinn dafür hat, auch die ganze Liebenswürdigkeit dieser Südländer wahrnehmen, die alle Klassen der Bevölkerung zwanglos miteinander verkehren läßt, im dichtesten

Gedränge Platz zu finden weiß und bei ausgelassener Heiterkeit doch fern bleibt von dem wüsten Johlen und Toben, in dem sich die Feststimmung des Janhagels anderer Großstädte nur allzugern Luft macht.

Altrom ist von der Stadterneuerung im Wesentlichen nach drei Richtungen angefaßt worden, durch Schaffung neuer Verkehrs= wege, durch Niederlegung der engsten und unsaubersten Winkel und durch das grandiose Werk der Tiberregulirung. Alle drei haben, wie es nicht anders sein konnte, energisch in den Körper der alten Stadt eingegriffen, ohne jedoch ihren Charakter zu verändern, oder das „was würdig schien der Dauer" zu zerstören.

Durch die Anlegung des Corso Vittorio Emanuele, der von dem venezianischen Platz in schön geschwungenen Bogenlinien mitten durch die dichtesten Partien der Altstadt bis in die Nähe der Engels= brücke eine breite Verkehrsstraße herstellt, ist in das engste Gassen= gewirr eine bisher ungeahnte Fülle von Licht und Luft eingedrungen, die nicht bloß den Anwohnern der neuen Straße, sondern ihrer ganzen Umgebung zu gute kommt. Mit großem Geschick sind die außergewöhnlichen Schwierigkeiten überwunden, die Roms Bauart dieser Neuanlage entgegenstellte. Von den zahlreichen Kirchen und Palästen, die sie berührt, ist ihr Nichts zum Opfer gefallen; mancher stolze Bau, der bisher in der ihn umschließenden Enge nicht zur rechten Geltung kam, läßt sich jetzt, bei den sanften Windungen des neuen Corso, von verschiedenen Standpunkten aus frei betrachten. Ueberall ist der Zugang erleichtert. Von dem erhabensten Monument der Römerzeit, dem Pantheon, und von dem großartigsten Palast der römischen Renaissance, dem Palast der Farnese, von den drei Brunnen der Piazza Navona und von dem Marktgewimmel des Campo de' fiori: nirgends ist man weitab von dieser großen Verkehrsader, die gleichzeitig von den Frommen, welche zu dem hohen Kuppelbau von S. Andrea della Valle oder in die weite Halle der Chiesa nuova eilen, von den Schülerscharen des neuen Gymnasiums Terenzio Mamiani und von dem Publikum des Schwurgerichtshofes belebt wird.

Eine kürzere aber nicht minder nothwendige und willkommene Verkehrsbahn ist durch die Via Arenula geschaffen worden, die vom oberen Theile des Corso Vittorio Emanuele links ab zum Tiber und über die neue Garibaldibrücke mitten durch Trastevere zur Bahnstation auf dem rechten Ufer führt. Sie durchschneidet in gerader und breiter Flucht sowohl diesseits wie jenseits des Flusses ein Gewirr der engsten und schmutzigsten Gassen und bildet die beste Zufahrt für den auf der Höhe des Janiculums angelegten Promenadenweg und für den köstlichen Park der Villa Doria Pamphili.

Eine sehr wichtige Verkehrserleichterung ist ferner durch die Verlängerung der Via del Tritone geschaffen worden. Diese Straße, welche die einzige praktikable Verbindung zwischen den hochgelegenen Stadttheilen im Norden und der Unterstadt bildet, verlor sich früher in einem Knäuel von engen und krummen Gassen. Jetzt führt sie in gerader Linie von der Piazza Barberini bis zum Corso und hat in dem neu angelegten Theil eine ausreichende Breite erhalten.

Begonnen ist die Herstellung einer Verbindungsstraße zwischen der Fontana di Trevi und dem Pantheon, geplant die Anlegung breiterer Straßen von der Piazza Navona zum Ponte Umberto, sowie vom Campo de' fiori zum Tiberufer. Wie schlechthin nothwendig diese Durchbrüche sind, weiß Jeder, der die verzwickten Wege im Innern der Altstadt kennt. Sie sind so irreführend, daß es eines ungewöhnlichen Ortssinnes bedarf, um sich in ihnen zurechtzufinden, und sie enthalten Engpässe, die in den Stunden des Marktverkehrs nur mühsam zu passiren sind. Uebrigens ist in keiner Weise zu befürchten, daß diese labyrinthischen Irrwege künftig ganz aus Rom verschwinden werden. Auch wenn die fürerst nur geplanten Durchbrüche ausgeführt sein werden, wird es in Altrom an finsteren und schmalen Gassen nicht fehlen, die sich um die hohen Mauern ragender Adelspaläste winden, wie die Via de' funari um die stolzen Bauten der Mattei und der Caetani, oder die sich, wie die Via del seminario, zwischen mächtigen Kirchen und weitläufigen alten Klostergebäuden gleich einem schmalen Ritz dahinschlängeln.

Gänzlich beseitigt ist nur ein einziger zusammenhängender kleinerer Theil der Altstadt, und das ist das Ghetto. Die Stätte, an der Jahrhunderte lang, durch Gitterthore zusammengepfercht, die Kinder Israels mitten in Rom eine unsagbar schmutzige Welt für sich gebildet haben, wo in den Trümmern altrömischer Portiken und Theater

27*

um alte Kleider und um kostbare Geschmeide, um den Plunder
des Trödelmarkts und um Schuldverschreibungen vornehmer Herren
mit gleichem Eifer und gleicher Zähigkeit gehandelt worden ist, sie
ist dem Erdboden gleich gemacht. Eine unebene grüne Wiese, auf
der einzelne Säulentrümmer liegen, in ihrer Mitte ein plätschernder
Brunnen: so sieht heute das Ghetto aus. Aber noch heut bezeugen
Inschriften an den kleinen uralten Kirchen am Rande dieser Wiese
den barbarischen Brauch der Vorzeit, der die Bewohner des Juden=
viertels zwang, zu bestimmten Zeiten an dem christlichen Gottes=
dienst theilzunehmen und die Verwünschungen mitanzuhören, die
von christlichen Priestern über das jüdische Volk ausgerufen wurden.
Unter dem Gekreuzigten an der Außenwand der kleinen Kirche
neben dem Ponte Quattro Capi, wo früher eins der Ghettothore
stand, ist noch heute die Inschrift lesbar, die den früheren Be=
wohnern des Ghetto lateinisch und hebräisch das Wort des Propheten
vor die Augen stellte: „Ich recke meine Hände aus den ganzen
Tag zu einem ungehorsamen Volk, das seinen Gedanken nachwandelt
auf einem Wege, der nicht gut ist" (Jesaias 65, 2). Und noch
heut heißt die Straße, die aus der Altstadt zum Ghetto führt, die
Straße des Wehklagens (via del pianto).

Unmittelbar an das Ghetto grenzte ein ihm an Schmutz und
Engigkeit der Gassen kaum nachstehender Stadttheil, die Rione
Regola, die jetzt durch die neue Verkehrsader der Via Arenula
mitten durchgeschnitten wird und zum Theil beseitigt worden ist.
Aber rechts und links sind noch beredte Zeugen des früheren Zu=
standes stehen geblieben. Links namentlich, dem Ghetto zugewendet,
der Palast der Cenci, deren Name durch die Familientragödie dieses
uralten Geschlechts und das bekannte Bildniß des Opfers dieser
Tragödie, der schönen Beatrice, in Rom im Volksmunde fortlebt.
Eine unheimliche Stätte, dieses finstere Schloß mit verfallenden
Zinnen, gähnendem Thorweg und bretterverschlagenen Fensterhöhlen,
eine jener Stätten, wo „der Boden haucht vergossenen Blutes
Widerschein", und wo man bei hellem Tage Gespenster sehen kann.
Auch auf der anderen Seite, in der Richtung nach Ponte Sisto
zu, sind von der Rione Regola noch Gassen übrig, die an Elend
und Schmutz den Anforderungen des stärksten Realismus vollauf
genügen.

Indessen greift auch hier, wie überall da, wo die Stadt den Fluß berührt, das größte Werk der römischen Stadterneuerung bessernd ein, die Tiberregulirung, die weitaus der stärkste Zug in dem Bilde der Umgestaltung Roms ist. Der Tiber, der die Stadt in starken Krümmungen in einem Gesamtlauf von nahezu fünf Kilometern durchströmt, ist ihr durch seine Ueberschwemmungen stets ein äußerst unruhiger, ja gefährlicher Nachbar gewesen. Bei den starken Gewitterregen, die im Herbst und im Winter in Italien nicht selten mit fast tropischer Heftigkeit niedergehen, schwillt sein Wasserstand, der bei niederem Stande 5,70 m, bei mittlerem 6,64 m erreicht, sehr beträchtlich an; er erreicht alljährlich an 21 Tagen die Höhe von 9 m, einmal jährlich den hohen Stand von 13,40 m, während bei zwölf Meter die unteren Stadttheile schon unter Wasser gesetzt wurden. Dies Anschwellen erfolgt mit um so größerer Schnelligkeit, als das Hochwasser des Tibers unmittelbar vor der Stadt noch durch den Zustrom des Anio, der ihm die Bergwasser der Sabina zuführt, vermehrt wird. Obwohl diese Plage fast regelmäßig wiederkehrt, war in Rom nichts geschehen, um sie wirksam abzuwenden. Vielmehr wirkte der Flußlauf innerhalb der Stadt mit seinen scharfen Krümmungen und vielfältigen Verengungen, mit seinem durch den Schutt der Jahrtausende verwahrlosten Bett, mit den ungenügenden Oeffnungen seiner Brückenbogen, mit Einbauten und Ruinen aller Art geradezu wie ein Stauwerk, das dem raschen Ablauf des Hochwassers ein starkes Hinderniß bereitete und die am Oberlauf aufgestaute Flut zum Austritt in die Stadt nöthigte.

Im Dezember 1870, also wenige Monate nach dem Einzuge der Italiener, hatte sich der Tiber mit einer Wassermasse über Rom ergossen, wie sie seit Jahrhunderten nicht dagewesen war. Am 28. Dezember hatte der Pegel an der Ripetta den Schrecken erregenden Stand von 17,225 m gewiesen. Durch dies mächtige Hochwasser war der Corso in einen reißenden Strom verwandelt worden. Die Abzugskanäle, die sämtlich in den Tiber münden, waren zurückgestaut worden; sie hatten ihre Deckel gesprengt und ihren Inhalt in die trüben Fluten entleert, die von dem größten Theil der Stadt Besitz ergriffen. In den unteren Stadttheilen hatte das Wasser zwei bis drei Meter, an den Stufen des Pantheons fast vier Meter über dem Straßenpflaster gestanden. Der Schaden, den diese in der Erinnerung ihrer Zeitgenossen unvergeßliche Ueberschwemmung angerichtet hatte, hat sich auf viele Millionen beziffert. Es war, als ob der Fluß die neuen Herren von Rom handgreiflichst an die Pflichten hätte erinnern wollen, die ihnen gegen die ewige Stadt oblagen.

Die italienische Regierung hat sich dieser Pflicht bewußt gezeigt. Sie berief schon am 1. Januar 1871 die ortskundigsten und erfahrensten Wasserbaumeister, um die Ursachen der Tiber-Ueberschwemmungen zu studiren und Mittel zu ihrer Abhülfe vorzuschlagen. Aus der Mitte dieser Kommission ist der von dem Ingenieur Raffaele Canevari aufgestellte Plan hervorgegangen, welcher der Tiberregulirung zu Grunde gelegt worden ist. Dieser Plan beruht auf zwei Hauptgedanken, indem er eine gründliche Verbesserung des Tiberbettes und der Tiberufer erstrebt, und indem er den Abfluß der Abzugskanäle und der unterirdischen Gewässer, die bisher innerhalb der Stadt in den Tiber mündeten, in den Unterlauf außerhalb der Stadt verlegt, um die Stadt bei eintretendem Hochwasser von dem Rückstau der Effluvien zu schützen.

Die Verbesserung des Flußbettes ist nach Canevaris Plan vollständig zur Ausführung gelangt. Unter Beseitigung der Verengerungen ist es durchgehends auf die Breite von hundert Metern gebracht, gleichzeitig aber gründlich ausgeräumt und gleichmäßig vertieft worden. Man zeigt sich noch jetzt unterhalb der Stadt am rechten Tiberufer, gegenüber S. Paolo fuori le mura, die Wiesen, welche damals mit vielen Tausenden von Kubikmetern des dem Flusse entrissenen Schuttes bedeckt worden sind. Trotz des Geschreies übereifriger Alterthumsfreunde sind ferner die Oeffnungen der antiken Brücken, namentlich der Engelsbrücke, verbreitert und vermehrt worden. So sind die Hindernisse beseitigt, welche der Zustand des Flußbettes dem raschen Abfluß des Tiberhochwassers früher bereitet hatte.

Zum Schutz der Tiberufer hatte Canevaris Plan vorgeschlagen, sie in steinerne Mauern einzufassen, deren Höhe die des voraussichtlich höchsten Wasserstandes um etwa einen Meter übersteigen sollte. Dieser Vorschlag ist theils nicht vollständig ausgeführt, indem die Aufführung der Mauern an einzelnen Stellen bisher noch unterblieben ist, theils aber dadurch überschritten worden, daß

die Ufermauern höher und die Uferstraßen, die sich an sie an=
schließen, breiter angelegt worden sind, als ursprünglich vorgesehen
war. Dadurch werden diese Uferstraßen, die zu beiden Seiten des
Flusses ein Lungotevere nach Analogie des florentinischen Lungarno
herstellen, an stattlichem, vornehmem Aussehen gewinnen. Aber
sie erheben sich nun so beträchtlich über die angrenzenden Stadt=
theile, daß ihre Verbindung unnöthig erschwert wird.

Durch die Tibereinfassung hat das Stadtbild von Rom die
stärkste Veränderung erfahren. Früher boten die Ufer des Flusses
einen Anblick dar, der malerisch ebenso reizvoll als vom Stand=
punkte der Gesundheitspflege und der Baupolizei unerhört war.
Ohne genügende Einfassung und Abgrenzung, naturwüchsig wild,
von epheuumsponnenen Trümmern und den Hinterhäusern der be=
nachbarten Straßen umgeben, zeigten sie ein tolles Durcheinander,
worin Gemäuer, Gitter= und Bollwerke, Verzäunungen aller Art
mit Durchlässen, Ställen, Thürmen, Kirchen und Palästen ab=
wechselten. Jetzt ist der Tiber von seinem Eintritte in die Stadt
bis zu seinem Ausgange auf beiden Seiten fast durchweg von
Steinmauern eingefaßt, die sich bis zur Höhe von dreizehn Metern
über dem Nullpunkt des Pegels an der Ripetta erheben und bei
mittlerem Wasserstande den Spiegel des Flusses um elf Meter
überragen. Aus soliden hellgelben Travertinquadern erbaut, von
einer breiten, mit Granitplatten gedeckten Brustwehr gekrönt, ge=
währen diese mächtigen Mauerzüge, die sich den Krümmungen des
Flußlaufs in weiten Parallelen anschließen, einen grandiosen An=
blick, der durch die breiten stattlichen Brücken noch erhöht wird.
Wenn man die Doppellinie der Gasflammen, von denen die Ufer=
straßen erhellt werden, Abends von der Höhe des Kapitols verfolgt,
so hat man einen großstädtischen Anblick vor Augen, wie ihn
wenige Städte darzubieten vermögen, und der von der Finsterniß,
in die das Rom der Päpste sich Nachts einzuhüllen gewohnt war,
sehr vortheilhaft abweicht.

Um den Tiber vor der Verunreinigung durch die Abzugs=
kanäle und diese vor dem Rückstau des Hochwassers zu schützen,
hatte Canevaris Plan einerseits die Anlage von gemauerten Ka=
nälen unter der Sohle der Uferstraßen zur Aufnahme der Abwässer
aus der unmittelbaren Nachbarschaft des Flusses, andererseits die

Anlage zweier großen Sammelkanäle vorgeschlagen, welche die
städtischen Abzüge und die unterirdischen Gewässer zu beiden Seiten
des Flusses in sich aufnehmen und erst zehn Kilometer unter=
halb der Stadt in den Tiber einmünden sollten. Hiermit sollte
eine durchgreifende Regelung der städtischen Kanalisation, deren
großartige Anfänge bis in die älteste Vorzeit der Stadt zurück=
reichen, verbunden werden. Durch die Ausführung dieses Vor=
habens wird der Untergrund Altroms von säkularer Verseuchung
befreit und mancher Fieberheerd vertilgt werden.

Inzwischen hat das große Werk der Tiberregulirung während
der Hochflut im Dezember 1900, die fast die Höhenmarke des
Jahres 1870 erreichte, eine schwere Wasserprobe zu bestehen gehabt.
Hierbei hat sich die verzögerte Ausführung der beiden Sammel=
kanäle als ein verhängnißvoller Uebelstand erwiesen. Der Rück=
stau der Abwässer in der Stadt, dem Canevaris Plan hatte vor=
beugen wollen, hat aufs Neue eine Ueberschwemmung der am
tiefsten gelegenen Theile von Altrom, namentlich um das Pantheon
herum und auf dem Forum verursacht. Am 2. Dezember 1900
schaukelten sich auf dem Platze vor der altehrwürdigen Rotonda
um den Obelisk herum abermals Kähne; die Beamten des
nahegelegenen Unterrichtsministeriums mußten sich eines Floßes
bedienen, um ihre Wirkungsstätte zu erreichen; die Piazza Navona
glich einem langen See. Schlimmer als diese bald wieder ver=
schwindenden Wassersnöthe war es aber, daß die Ufermauer
der rechten Flußseite an derjenigen Stelle, wo sie durch die
Veränderung des Flußbettes den Fluten am stärksten ausgesetzt
ist, ihrem Andrange nicht Stand zu halten vermocht hat. Am
Lungotevere Anguillara erfolgte am 4. Dezember der Einsturz einer
etwa 250 Meter langen Strecke der gewaltigen Kaimauer, die, durch
Unterspülung ihres Fundaments beraubt, in fünf Theile geborsten
in den tobenden Wogen des Tibers verschwand. Man wird der
Wiederkehr solcher schlimmen Schäden durch schleunigste Voll=
endung der Sammelkanäle, sowie durch Wiederaustiefung des
versandeten Tiberarms südlich der Insel des H. Bartholomäus und
Ablenkung des dadurch herbeigeführten allzustarken Anpralls der
Tiberflut an die rechte Uferseite, voraussichtlich mit sehr beträcht=
lichem Kostenaufwand, vorbeugen müssen.

Mit denen, die Rom unter allen Umständen so lassen wollten, wie es eben war, und die in jeder Veränderung ein crimen laesae maiestatis erblicken, ist nicht zu rechten. Sie vergessen, daß Rom auch von den früheren Herrschern nicht für unberührbar gehalten, sondern jederzeit nach Bedarf auf das Energischste verändert worden ist. Auch wenn Rom nicht die Hauptstadt Italiens geworden wäre, hätte sich die Stadt niemals zu einem todten Alterthumsmuseum einsargen lassen. Bei der Erneuerung, die seit 1870 im Gange ist, hat man das Bedürfniß überschätzt und auch sonst vielfach Mißgriffe gemacht. Aber Rom ist Rom geblieben. Die neuen Stadttheile wie die Umbauten im Innern treten gegen das, was mit voller Pietät erhalten, mehrfach von störenden Zuthaten befreit worden ist, mehr und mehr in den Hintergrund und gliedern sich dem Ganzen an, ohne seine Gesamtwirkung zu stören. Wohl aber ist durch die äußere Umgestaltung Roms schon jetzt das erreicht worden, daß die Stadt gegenwärtig gesunder, reinlicher und behaglicher geworden ist als zu irgend einem Zeitpunkte ihrer Vergangenheit.

Als die Italiener Rom in Besitz nahmen, fanden sie Nichts von einer geordneten Kommunalverwaltung vor. Die Stadtobrigkeit, die unter dem großen Namen des S. P. Q. R. in dem alten Palast der Senatoren auf dem Kapitol ihren Amtssitz hatte, war ein Scheinbild ohne Machtbefugnisse und ohne Mittel; die städtischen Angelegenheiten wurden nicht von ihr, sondern von den verschiedensten Dikasterien des Priesterregiments verwaltet. So hat neben vielem Andern auch die Stadtverwaltung Roms von Grund auf neu geschaffen werden müssen. Bedenkt man, wie viele und wie schwierige Aufgaben von den Männern, die als Stadträthe und als Vertreter der Bürgerschaft neu in diese neugeschaffne Verwaltung eintraten, unverzüglich in Angriff zu nehmen waren, so wird man begreiflich finden, daß noch Vieles unerreicht geblieben ist.

Dank der Thätigkeit und der Einsicht, mit denen die römische Gemeindebehörde die Gesundheitspflege gefördert hat, besitzt Rom jetzt hygienische Einrichtungen, die sich sehen lassen dürfen. Das Gesundheitsamt bildet einen wichtigen Bestandtheil der städtischen Verwaltung. Es erstreckt seine Fürsorge auf die Organisation eines ständigen Sanitätsdienstes, in dessen Hülfsstationen bei Unfällen jeder Art, Verwundungen, plötzlich auftretenden Erkrankungen ärztliche Hülfe geleistet und für geregelte Krankenpflege zu Haus oder in einem der zahlreichen öffentlichen Hospitäler gesorgt wird. Solche Hülfsstationen sind auch an verschiedenen Stellen außerhalb der Stadt eingerichtet; sie haben sich als ein trefflicher Beistand für die Versuche zum Wiederanbau der Campagna mehrfach bewährt, z. B. in Ostia, wo die auf ausgetrocknetem Sumpfboden errichtete Ackerbaukolonie ravennatischer Erdarbeiter die Unterstützung rühmt, die ihr im Kampf mit der Malaria von dem ständigen Gemeindearzt geleistet wird. Im Anschluß an diesen Sanitätsdienst ist eine städtische Desinfektionsanstalt und ein Laboratorium für hygienische Untersuchungen errichtet worden. Das Gesundheitsamt sorgt aber nicht minder für die Verhütung von Krankheiten durch Ueberwachung einer geregelten Gesundheitspolizei; es normirt die Anforderungen, die im Interesse der Gesundheitspflege baupolizeilich an die Luft- und Lichtverhältnisse, an Kanalisation und Wasserversorgung der Wohnräume gestellt werden; es stellt die hygienischen Gesichtspunkte fest für die Marktpolizei, für die Beschaffenheit, den Transport und die Aufbewahrung der Nahrungsmittel, der Getränke, des Schlachtviehes. Die Errichtung des neuen großen Schlachthofes am Fuße des Monte Testaccio, die der Stadt Millionen gekostet hat, ist ein Beweis dafür, daß die Gemeindebehörde vor Opfern nicht zurückscheut, wenn es sich um durchgreifende und wirksame Verbesserungen der Gesundheitspflege handelt. Hierher gehören auch die äußerst merklichen Fortschritte, welche die Reinlichkeit der Straßen und Plätze durch Einführung einer geregelten Straßenkehrung, durch reichliche Straßenbesprengung und durch die Errichtung zahlreicher Bedürfnißanstalten gemacht hat. Wie verbreitet die Unsitte der öffentlichen Verunreinigung früher war, mag die dem amtlichen Bericht der Gemeindeverwaltung entlehnte Thatsache bekunden, daß innerhalb des ersten Halbjahrs nach Erlaß der Polizeiverordnung, welche derartige Handlungen mit Strafe belegte, gegen nicht weniger als 2314 Uebertreter eingeschritten werden mußte.

Alle diese Dinge, namentlich die Gesundheitspflege der Wohnungsanlagen, lassen auch jetzt noch in Rom viel zu wünschen übrig. Aber durch Alles, was für die Sanirung der Stadt bisher geschehen ist, ist doch schon gegenwärtig eine namhafte Verbesserung ihres Gesundheitszustandes erreicht worden. Insbesondere ist es gelungen, die alte Plage der Malaria und der typhösen Fieber, an der Rom seit den ältesten Zeiten laborirt, auf ein ganz beträchtlich geringeres und minder gefährliches Maß zurückzudrängen. Die Zahl der an Malaria und am Typhus in Rom Gestorbenen hat sich seit zwanzig Jahren auf die Hälfte, oder vielmehr, wenn das gleichzeitige Anwachsen der Bevölkerungszahl berücksichtigt wird, auf fast ein Viertel der früheren Fälle vermindert. Gegenden, in denen zu verweilen vor einem Vierteljahrhundert für ungesund galt, zählen jetzt zu den bevölkertsten und gesundesten Quartieren von Rom. Noch 1871 haben ärztliche Autoritäten die Möglichkeit einer Bebauung des Esquilins wegen der Fiebergefahr bezweifelt. Jetzt steht an dem kleinen Palast an der Ecke der Via Agostino Depretis und Via Urbana der wieder in sein Recht eingesetzte klassische Vers: Nunc licet Esquiliis habitare salubribus.

Nicht bloß reinlicher und gesunder, sondern auch behaglicher ist Rom geworden. Statt der kärglich verstreuten, früh verlöschenden Laternen, die an den Ecken des päpstlichen Roms ein kümmerliches Helldunkel um sich verbreiteten, leuchten jetzt die ganze Nacht hindurch zahlreiche Gasflammen, in den Hauptstraßen die Bogenlampen des elektrischen Lichts. Ihren Strahlen sind jedoch die Lämpchen nicht gewichen, die nach altem Brauch unter dem Bilde der Madonna oder des in dem betreffenden Stadtviertel gerade besonders verehrten Santo unterhalten werden. Man trifft sie auch in den allerneuesten Quartieren, nicht selten unter einer Majolika, welche der Kunst der della Robbia anmuthig nachgebildet ist. Auch jene ewige Lampe, die oben an der Zinne des Affenthurms zum Gedächtniß an die vor langer Zeit erfolgte glückliche Rettung des von einem Affen auf diese Höhe geschleppten Wickelkindes brennt, läßt ihr rothes Licht nach wie vor auf die Straßen des Campo Marzo herabflimmern.

Während die Verkehrsmittel im Rom der Päpste sich auf eine geringe Zahl von Droschken beschränkten, von Pferdebahnen, Omnibus u. dgl. nichts vorhanden war, wird Rom gegenwärtig von zahlreichen Schienennetzen durchkreuzt, auf denen Pferdebahnen und elektrische Tramways häufige Verbindungen zwischen allen Theilen der Stadt bis weit vor die Thore unterhalten. S. Paolo fuori le mura, früher nur schwer und mit theurem Gelde zu erreichen, ist jetzt der Endpunkt einer elektrischen Straßenbahn, die am venezianischen Platz entspringt und von Einheimischen wie Fremden gut benutzt wird. Am Sylvesterplatz vor dem neuen Centralpostamt entspringt eine andere elektrische Bahn, welche durch die neuen Quartiere im Norden der Stadt zur Porta Pia hinaus bis S. Agnese fuori le mura fährt. Sie erleichtert nicht nur auf das Dankenswertheste den Besuch dieser herrlichen alten kleinen Basilika und des dicht neben ihr belegenen noch älteren Rundbaues von S. Costanza, sondern führt auch zahlreiche Spaziergänger hinaus, die es von hier nicht weit bis zur nomentanischen Brücke und zum heiligen Berge haben, um sich dort an den Ausblicken auf die Campagna und an einem guten Tropfen in den Gartenschänken zu erfreuen. Eine ungemein stark benutzte Verbindung wird durch eine dritte ebenfalls von S. Silvestro ausgehende elektrische Bahn zwischen den neuen Stadttheilen im Norden, dem Bahnhof und der Mitte der Stadt am venezianischen Platz hergestellt. Endlich wird durch eine vom venezianischen Platz ausgehende Linie eine sehr willkommene elektrische Verbindung nach dem Lateran vermittelt. Neben diesen elettrico's, deren Dienst sich regelmäßig, prompt und bequem vollzieht, kursiren zahlreiche Pferdebahnen, mit denen man ebenfalls weit hinaus gelangen kann, z. B. bis über den Ponte molle, um von dort die schönen Spaziergänge am Tiberufer nach Acqua acetosa oder hinauf zur Villa Madama am Abhang des Monte Mario zu unternehmen. Auch an Omnibus ist kein Mangel. Vor allem aber besitzt Rom gegenwärtig in dem zahlreichen Heer der Droschken ein öffentliches Fuhrwesen, das an Billigkeit, Sauberkeit und guter Bedienung kaum etwas zu wünschen übrig läßt.

Diesen Verbindungen im Innern der Stadt und in ihrer nächsten Umgebung schließen sich die großen Erleichterungen des Verkehrs mit der Nachbarschaft an. Wer früher nach Tivoli oder in die freundlichen Weinorte an den Abhängen der Albanerberge wollte, war, wenn er sich nicht einen Wagen leisten konnte, auf äußerst fragwürdige Vehikel vorsündfluthlicher Stellwagen angewiesen. Jetzt ist Tivoli nicht nur Station der Eisenbahn, welche von Rom über Sulmona bis an die Küste des adriatischen Meeres führt, sondern auch durch eine Dampfstraßenbahn, die von Porta

S. Lorenzo ausgeht, bequem zu erreichen. Nach Frascati, Marino, Castel Gandolfo und Albano führen Bahnlinien, die vom Central= bahnhof ausgehen und namentlich an Sonn= und Feiertagen fröhliche Schwärme von Wanderlustigen diesen reizenden Orten zuführen. Selbst Porto d'Anzio und Nettuno, sowie Fiumicino an der Tibermündung sind durch eigene Bahnlinien mit Rom ver= bunden. Durch die an der Station in Trastevere entspringende Bahn können sowohl einige Ausflugsorte im Norden der Stadt als auch die malerischen Ufer des Sees von Bracciano besucht werden. Man geht mit dem Plane um, die beliebtesten Zielpunkte der Fremden, Tivoli und die Castelli romani, durch elektrische Straßenbahnen noch schneller und billiger zugänglich zu machen.

Durch die Zerstörung der Villa Ludovisi und der Sallustia= nischen Gärten hat Rom einen Verlust erlitten, der von Jedem, der in dem Schatten ihrer wunderbaren Laubgänge gewandelt ist, schwer empfunden wird. Dadurch, daß andere große Gärten, namentlich der der Villa Albani, von ihren jetzigen Besitzern unbarmherzig ver= schlossen gehalten werden, wird der Schmerz über jenen Verlust noch vermehrt. Allein es wäre ungerecht, zu vergessen, daß Rom auch jetzt noch einen reichen Schatz der schönsten, leicht zugänglichen Park= anlagen und Gärten im Innern der Stadt und dicht vor den Thoren besitzt, und daß zum Ersatz für das Verlorene manches Neue und Wohlgelungene geschaffen worden ist. Die schönste Promenade der Stadt — Einige behaupten der Welt — auf dem Monte Pincio berührt mit ihren Baummassen die Wipfel der Korkeichen und der Pinien in der anstoßenden Villa Medici; an beide grenzen, nur durch die Stadtmauer getrennt, die Pinien= und Lorbeerhaine, die weiten Rasenflächen und die palmengeschmückten Terrassen der Villa Borghese an. Theils immer offen, theils leicht zugänglich, stellen diese drei großen Gärten zusammen ein Parkterrain dar, das in solchem Umfang und mit einer solchen Fülle der wunder= vollsten Aussichten in der unmittelbaren Nähe einer anderen Groß= stadt schwerlich zu finden ist. Nach wie vor öffnet der herrliche Park der Villa Doria Pamphili wöchentlich an zwei Nachmittagen seine Thore, um einen Strom eleganter Equipagen und Scharen von Spaziergängern einzulassen, die hier im Frühjahr ungezählte Sträuße der lieblichsten Wiesenblumen, im Herbst duftende Alpen=

veilchen in Menge pflücken. Ganz unberührt von der Umwandlung Roms ist die Villa Mattei geblieben, von deren Terrassen auf der Höhe des Coelius sich eine Reihe der köstlichsten Ausblicke auf die Ruinenwelt Roms, die Campagna und auf S. Peter eröffnet. Völlig neu geschaffen ist durch die Erneuerer der Stadt die Passeggiata della Regina Margherita auf dem Höhenzuge des Janiculums, eine Schmuckanlage von allererster Schönheit, die sich von dem rauschenden Brunnen der Acqua Paola bis zur Tasso=Eiche bei S. Onofrio hinzieht und eine Reihe von Aussichtspunkten leicht zugänglich macht, die sonst nur vereinzelt und auf unbequemen Zuwegen zu erreichen waren.

Etwas für Rom ganz Neues ist ferner die Errichtung von Schmuckplätzen, die an verschiedenen Stellen der neuen Stadttheile eine willkommene Unterbrechung der langen Straßenzüge bilden, und die, mit bequemen Bänken reichlich versehen, unter ihren schattigen Baumgängen und schöngefiederten Palmengruppen angenehme Ruhesitze, der Jugend aber auf ihren Rasen= und Kiesflächen eifrigst benutzte Tummelplätze für jede Art von Lauf= und Ballspielen darbieten. Unter diesen Plätzen verdient die Piazza Vittorio Emanuele wegen ihrer Größe und künstlerischen Ausstattung und des Reizes ihrer Gartenanlagen rühmend hervorgehoben zu werden. Hinter S. Maria Maggiore in der Achse der großen Straßenverbindung gelegen, die von dieser Kirche zur Porta Maggiore führt, mitten in einem vorwiegend von kleineren Leuten bewohnten Quartier, ist dieser mehrere Hektaren umfassende Platz von allen Seiten zugänglich und bietet den Umwohnern eine jederzeit vielbesuchte Erholungsstätte. Wohlgepflegte, von breiten Kieswegen durchzogene Baumwiesen umgeben klare Wasserflächen, in denen sich die Kronen edler Palmen und die malerischen Reste antiker Bauten wiederspiegeln. Die bedeutendste dieser Ruinen, ein Wasserbehälter, den man wegen der dort aufgefundenen Marmorbildwerke die Trophäen des Marius zu nennen pflegt, ist durch eine plätschernde Brunnenkaskade, durch Epheu und Trauerweiden in die Schmuckanlagen mit Geschmack und sichtlicher Liebe hineingezogen worden und vermehrt den Reiz des schönen Platzes, durch dessen Schöpfung sich die römische Gemeinverwaltung um die Behaglichkeit und um die ästhetische Erziehung ihrer Bevölkerung gleich wohl verdient gemacht hat.

Dankbar ist ferner anzuerkennen, daß die Hauptstraßen der neuen Stadttheile mit doppelten oder gar vierfachen Baumreihen versehen worden sind, meistens großblättrigen Platanen, die reich- lichen Schatten spenden und durch das Farbenspiel des Sonnen- lichts an ihren schöngefleckten Stämmen und in ihrem Laubwerk das Auge erfreuen. Endlich verdient erwähnt zu werden, daß durch die Freigebigkeit eines Deutschen, des Banquiers Hüffer, sowohl am Abhange des Quirinals, der Langseite des jetzt als Königsresidenz dienenden Palastes gegenüber, als auch inmitten der Altstadt an der Via Arenula Schmuckanlagen geschaffen worden sind, die ihren Umgebungen zur Zierde und den Umwohnern zur Erholung dienen.

So etwa das äußere Bild der italienischen Hauptstadt. Alles in Allem darf Rom mit dem Ergebniß der Umwandlungsarbeiten, was die äußere Erscheinung, die Gesundheit und die Behaglichkeit des Daseins anlangt, ganz wohl zufrieden sein. Aber damit ist die Aufgabe, die sich die Italiener stellen mußten, als sie Rom zur Metropole ihres Nationalstaats machten, keineswegs voll gelöst. Ist es ihnen gelungen, Rom auch innerlich sich einzuverleiben, Rom der Isolirung zu entreißen, in welcher die Stadt während der Jahrhunderte langen Priesterherrschaft versunken war? Ist Rom der wirthschaftliche, der geistige, der politische Mittelpunkt des nationalen Lebens geworden? Auf solche Fragen zu ant- worten ist nicht leicht, zumal für den Fremden, der sich vor ab- sprechendem Urtheil doppelt in Acht zu nehmen hat. Statt der Antwort mögen einige fragmentarische Bemerkungen dienen, die auf möglichst unbefangener Beobachtung beruhen.

Rom ist nach dem Untergang der alten Weltherrschaft niemals eine reiche oder auch nur eine wohlhabende Stadt gewesen. Immer hat ihm jene behäbige Mittelklasse gewerbfleißiger, regsam schaffender Bürger gefehlt, auf denen das wirthschaftliche Dasein eines großen Gemeinwesens fester ruht, als auf den Ausnahme-Existenzen einzelner großer Familien. Eine Industrie in großem Stil hat in Rom nie bestanden, sie ist der Stadt auch jetzt fern geblieben. Das Kunstgewerbe, das von alten Zeiten her in einzelnen Zweigen, wie der Goldschmiedekunst, der Holzbildhauerei, der Anfertigung von Cameen und geschnittenen Steinen, in Rom gut vertreten ge- wesen ist, weiß seinen alten Ruf auch gegenwärtig zu behaupten.

Mit der fast verdoppelten Zahl der Bevölkerung hebt sich das Handwerk und der Handelsbetrieb. Die Verkaufsläden am Corso und einigen anderen Verkehrsstraßen haben an Reichhaltigkeit und elegantem Aussehen gewonnen. Aber in dem überwiegend größten Theil der Stadt ist von einem Aufschwung des wirthschaftlichen Lebens wenig oder nichts wahrzunehmen. Hier macht sich das Fehlen einer reichen wohlangebauten Umgebung, der wohlhabenden Landbevölkerung, die in Rom den Markt für ihre bessere Lebenshaltung und ihre vermehrten Bedürfnisse fände, auf das Empfindlichste geltend. Trotz aller Verbesserungen der Gesundheitsverhältnisse ist der größte Theil der Campagna bis auf den heutigen Tag eine grandiose Wüstenei geblieben, die nicht einmal an Gartenfrüchten und Gemüsen das hervorbringt, was Rom bedarf. Der herumziehende Grünkramhändler, der die Straßen Roms von dem Ausruf seiner Waare wiederhallen läßt, spricht die Wahrheit, wenn er Kartoffeln und Artischocken di Napoli anpreist.

Rom ist heute lange nicht mehr in dem Maße eine Fremdenstadt wie früher. Die starke Einwanderung, die nach Verlegung des Regierungssitzes unfreiwillig durch die Versetzung Tausender von Beamtenfamilien, aber auch durch freiwilligen Zuzug aus allen Theilen Italiens erfolgte, die Anziehungskraft, welche die Denkmäler und die Kunstschätze Roms immer stärker auf Besucher aus Italien ausüben, lassen das Fremdenelement mehr und mehr zurücktreten, obgleich auch der Fremdenbesuch, namentlich aus Deutschland, bei der fortschreitenden Erleichterung und Demokratisirung des Reisens numerisch von Jahr zu Jahr steigt. Trotzdem werden in den Verkaufsläden der Stadt nach alter Gewohnheit eine Menge von Artikeln als ausländisch bezeichnet und empfohlen, die in Italien sicherlich ebenso gut zu haben sind. Es bedarf einiger Beharrlichkeit, um diese Empfehlungen abzuwehren und italienische Erzeugnisse vorgelegt zu erhalten. Den römischen Verkäufern ist das Selbstgefühl fremd, das auch im Handel und Verkehr das Vaterländische zur Geltung bringt. Ihr Geschäftsbetrieb läßt auch sonst Regsamkeit vermissen. „Das haben wir nicht" ist die Antwort, die ihnen auf Anfragen am nächsten zur Hand ist; es ist manchmal, als ob sie den Kunden als eine unwillkommene Störung möglichst bald wieder los zu werden suchten. In dieser Hinsicht wie in manchen anderen Geschäftsfragen haben die eingeborenen Römer, die Romani di Roma, wie sie sich gern nennen, von den Eingewanderten, den gewandten Neapolitanern, den praktischen Lombarden, den zuverlässigen und fleißigen Piemontesen viel zu lernen.

Anfangs und nachdem der erste Begeisterungsrausch sich ernüchtert hatte, bestand zwischen diesen Eingewanderten und den Altrömern kein gutes Verhältniß. Jene empfanden mit südlicher Lebhaftigkeit alle die Unbequemlichkeiten, denen sie und ihre Familien in der damals recht unwirthlichen Stadt ausgesetzt waren, den Wohnungsmangel, die Theuerung der Lebensmittel, die Malaria. Die Altrömer hingegen sahen sich durch den starken Zuzug der neuen Landsleute aus ihrem gewohnten Schlendrian unsanft aufgerüttelt und in die Enge getrieben; die Zugeknöpftheit der piemontesischen Beamten, das stramme Militärwesen, die scharfe Handhabung des Steuerwesens waren ihnen ebenso ungewohnte als unwillkommene Dinge. Sie rächten sich durch möglichst kühle Zurückhaltung und indem sie den Eingewanderten allerlei Unliebenswürdigkeiten nachsagten und Pasquinaden anhefteten, von denen sich der Spitzname buzzurri (Kastanienröster oder wienerisch Kaschtebrater) lange erhalten hat. Jetzt ist diese Kluft überbrückt; viele Nord- und Süditaliener haben in altrömische Familien hineingeheirathet; in der Gemeindevertretung, in der Staatsverwaltung, im Schulwesen und vor allem im Militär stehen Alt- und Neurömer Schulter an Schulter. Rom ist noch weit davon entfernt, der geistige Mittelpunkt oder auch nur der Mittelpunkt des wirthschaftlichen Lebens von Italien zu sein, aber es ist eine italienische Stadt geworden, ohne den Reiz eingebüßt zu haben, den es auf alle anderen Nationen ausübt.

Hierzu hat auf das Stärkste und Wirksamste die Volksschule beigetragen, welche, im Wesentlichen eine Neuschöpfung der römischen Gemeindeverwaltung, in der heranwachsenden Jugend die Liebe zum Vaterlande und italienisches Nationalbewußtsein großzuziehen bestrebt ist. Wer Zeit und Neigung hat, die Volksschulen zu besuchen, die, durch das bekannte Wappen der römischen Gemeinde gekennzeichnet, in allen Theilen der Stadt bis weit in die Vorstädte hinaus leicht aufzufinden sind, und wer die in diesen Schulen eingeführten Lehrbücher durchsieht, der wird wahrnehmen, daß der Unterricht der jungen Quiriten mit allem Nachdruck auf dieses Ziel

hingelenkt wird. Die Vorzüge und die Naturschönheiten des Heimat=
landes, seine große Vergangenheit, der Reichthum an Kunstschätzen
und Denkmälern, die Schönheit und die Klangfülle der Mutter=
sprache werden den römischen Volksschülern von klein auf in jeder
Form des Unterrichts vertraut gemacht. In einer eigens für den
Unterricht der oberen Elementarklassen verfaßten Vaterlandskunde
des Orientalisten Angelo de Gubernatis[1]) werden in drei Abschnitten
die physikalische, die politische Geographie und die Geschichte Italiens
im Umrisse vorgeführt; diese Abschnitte führen die charakteristische
Bezeichnung Italia bella, Italia ricca und Italia gloriosa.

Auch den Erwachsenen bemüht sich die Gemeindeverwaltung
die Zugehörigkeit zum Vaterlande auf alle Weise vor die Augen
zu führen. Die Laubgänge der Pinciopromenade sind durch Auf=
stellung zahlreicher Hermen mit den Marmorbildnissen der berühmtesten
Italiener aller Zeiten zu einem wahren Nationalmuseum geworden,
in welchem, der allgemeinen Volksanschauung entsprechend, die
römische Vorzeit durchaus als Theil der vaterländischen Geschichte
behandelt wird. Cajus Marius, die Scipionen und Gracchen stehen
neben Cavour, Garibaldi und Mazzini,[2]) Leopardi und Manzoni
neben Virgil und Horaz, Archimedes neben dem Astronomen Pater
Secchi. Kaum einer von den Künstlern, Dichtern und Denkern
der Renaissance fehlt auf diesem Marmor=Parnaß, der durch reichen
Palmen= und Blumenschmuck, durch die Musikkapellen der Stadt
und der römischen Garnison, durch das unbeschreibliche Farbenspiel
des Sonnenuntergangs alle Stände und Klassen der römischen Be=
völkerung hierher lockt und zum Lustwandeln und Spazierenfahren
vereint. Auf dem Wege zu dieser Promenade erinnert an der
Gartenmauer der Villa Medici eine von der Stadtgemeinde an=
gebrachte Bronzetafel daran, daß in diesem Palast einst Galileo
Galilei „unter der Anklage, gesehen zu haben, daß die Erde sich
um die Sonne dreht,"[3]) als Gefangener geweilt hat. Hier ist auch

---

[1]) Angelo de Gubernatis, La Patria nostra. Libro di lettura
per le classi elementari superiori. Roma 1893.

[2]) Ihnen wird sich nun wohl bald das energische Gesicht Francesco Crispi's
anreihen, mit dessen soeben gemeldeten Dahinscheiden Italien den letzten der
kühnen Männer verliert, welche die Führer der Nation bei den hervorragendsten
Akten ihrer politischen Wiedergeburt gewesen sind.

[3]) „Reo d'aver veduto la terra volgersi intorno al Sole."

das Denkmal der Brüder Enrico und Giovanni Cairoli errichtet worden, die im Jahre 1867 bei dem Versuche, Rom von der Papstherrschaft zu befreien, den Tod fanden. Unter ihrer Bronze=gruppe, die in dem Realismus der Haltung und den aufgeregten Gebärden des Brüderpaares einen peinlichen Gegensatz zu der fried=lichen, feierlichen Ruhe ihrer Umgebung bildet, stehen Garibaldis Worte: Griechenland hatte seine Leonidas, das alte Rom seine Fabier, das moderne Italien seine Cairoli.

Auch sonst wird in vielen der Denkmäler, die in Rom seit 1870 entstanden sind, der Kampf um die Freiheit und gegen die Priesterherrschaft stark betont. Am stärksten in der Bildsäule, die dem wegen Abfalls von der katholischen Kirche und Bruches seines Ordensgelübbes zum Feuertode verurtheilten Philosophen Giordano Bruno errichtet worden ist. Sie erhebt sich auf dem römischen Gemüsemarkt, dem Campo de' Fiori, wie die Inschrift hervorhebt „dort, wo der Scheiterhaufen brannte", und setzt durch die Porträt=medaillons am Sockel den italienischen Freidenker mit Vorkämpfern und Märtyrern der Glaubensfreiheit, mit Wicliffe und Huß, mit Sarpi und Servet in geistigen Zusammenhang. Es ist bekannt, daß dies Denkmal von der römischen Kurie als eine starke Heraus=forderung empfunden worden ist und ihr zu besonders heftigen Anklagen gegen das gottlose und kirchenschänderische Regiment des verhaßten Einheitsstaats Anlaß gegeben hat.

Das größte Monument der neuen Aera, das Reiterstandbild Garibaldis, erhebt sich auf der Höhe des Janiculums am schönsten Punkt der Passeggiata Margherita, nicht weit von der Stelle, wo der Volksheld während der tapferen Vertheidigung Roms gegen die französische Belagerungsarmee im Jahre 1849 sein Hauptquartier gehabt hat. Ganz Rom dominirend und von jedem der Plätze sichtbar, auf denen man das Stadtbild zu betrachten gewohnt ist, ruft dies Denkmal überall den Mann in die Erinnerung der Römer zurück, der sich die Befreiung ihrer Stadt zu seiner höchsten Lebensaufgabe gestellt und der mit dem Ruf Roma o morte die begeisterte Jugend Italiens wiederholt in den Tod geführt hat.

Für den König Victor Emanuel wird unmittelbar am Ab=hang des Kapitols ein mächtiges Nationaldenkmal erbaut, das zu=gleich das Museum der Befreiungskämpfe und die Grabstätte der

28*

Könige von Italien zu werden bestimmt ist. Unterhalb der alten Basilika der Madonna von Aracoeli erheben sich bereits Theile des imposanten Unterbaues, der das Reiterstandbild des Königs mit einem Säulenhalbrund umschließen wird. Aus gewaltigen Quadern eines marmorähnlichen weißen Kalksteins sind sie aufgeschichtet, in einem Baustil, der die klassischen Formen frei und ohne Nachahmung anwendet, von einer vornehmen Ruhe, die von der Effekthascherei anderer moderner Bauwerke dieser Art sich vortheilhaft unterscheidet. Lorbeer, Oelbaum und Eiche geben die Motive für den Schmuck der Friese, Säulenbasen und Kapitäle; Waffen, Helme, Schilder und Schwerter sind in flachen aber klaren Reliefs sparsam angebracht. Später soll Bronze reicher verwendet werden. Für die Innendekoration der Hallen sind große Mosaiken geplant, welche die wichtigsten Momente der Geschichte Italiens darstellen sollen. Wenn in dem bisherigen Tempo der Ausführung fortgefahren wird, dann wird freilich noch manches Jahr vergehen, bis dies Denkmal vollendet ist.

Inzwischen wird es in Rom schmerzlich empfunden, daß die neuen Herrscher dem Beispiel ihrer Vorgänger in Errichtung monumentaler Bauten bisher so wenig gefolgt sind. Während alle Mauern von Roms öffentlichen Gebäuden alter und neuer Zeit mit Inschriften bedeckt sind, welche die Verdienste der Päpste um die Verschönerung Roms auf das Eindringlichste und mit echt südländischer Grandiloquenz hervorheben, bringt kaum irgendwo Bild oder Wort an einem neuen Gebäude in Erinnerung, daß seit dreißig Jahren Könige aus dem Hause Savoyen in Rom über Italien herrschen. Dadurch wird die Bauthätigkeit der neuen Aera in ein falsches Licht gestellt, und auf ein wichtiges Mittel, die Verdienste der jetzigen Herren von Rom um die Erneuerung der Stadt handgreiflich vor die Augen der Bevölkerung zu führen, unnöthig Verzicht geleistet. Das ist vornehm, aber es ist nicht klug; denn die bewegliche Phantasie des Südländers will durch das Sinnfällige, in die Augen Springende angeregt und gelenkt sein; was nur aus Büchern oder aus Archiven zu ersehen ist, verschwindet leicht aus dem Gedächtniß dieses Volks. Wir Nordländer lachen, wenn wir an den Bogen altrömischer Wasserleitungen, an den Thoren der Kaiserzeit, am Coliseo und am Pantheon die Wappen und Namen von Päpsten prangen sehen, als ob ihnen diese Monumente ihre Entstehung zu verdanken hätten. Aber die Nachfolger Petri sind von jeher kluge Menschenkenner gewesen und haben es trefflich verstanden, sich an die Sinnenwelt der menschlichen Natur zu wenden.

Darum ist es auch nicht gut gethan, daß die Schaustellungen und öffentlichen Festlichkeiten, an denen der populus Romanus von den ältesten Zeiten her seine besondere Augenweide gehabt hat, unter dem Grau des jetzigen Alltagslebens ganz verkümmert oder mehr als billig zurückgedrängt worden sind. Die Einstellung der großen geistlichen Schauspiele, welche die Päpste bis 1870 bei regelmäßig wiederkehrenden Anlässen durch öffentliche Segensspendung, Aufzüge, Beleuchtung der Peterskuppel u. s. w. urbi et orbi bereiteten, gehört mit unter das Rüstzeug des passiven Widerstandes, den der Gefangene des Vatikans gegen die neue Gestaltung seiner Geschicke zu leisten fortfährt. Unter dem schaulustigen Volk wird die Pracht, die bei Aufzügen der geistlichen Hofstaaten entfaltet wurde, vielfach vermißt; sie hat weder in der Einfachheit, mit welcher der König gewöhnlich öffentlich auftritt, noch in dem militärischen Pomp, der ihn bei Revüen und Paraden umgiebt, einen für die Augen der Menge gleichwerthigen Ersatz gefunden. Verschwunden bis auf geringe und unerfreuliche Reste ist der Carneval, der sonst den Corso und die Plätze von Rom mit ausgelassener Volkslust erfüllte; die Versuche, sein oft geschildertes buntes Treiben ins Leben zurückzurufen, sind an der Gleichgültigkeit der römischen Bevölkerung gescheitert. Die Pferderennen, die am Tiberufer vor der Porta del popolo abgehalten werden, die Rennbahnen der auch in Rom zahlreichen Radfahrer interessiren nur einen bestimmten Theil des römischen Publikums und können unter die Rubrik römischer Volkslustbarkeiten kaum eingereiht werden. Sehr bedauerlich ist das Verschwinden des Ballspiels, das früher vor Tausenden von lebhaft theilnehmenden Zuschauern in künstlerischer Vollendung ausgeübt wurde. Wer das Rom früherer Tage gekannt hat, vermißt ferner ungern in der Adventszeit die malerischen Gestalten der Pifferari, die aus den Bergnestern der Abruzzen und der Sabina herabzusteigen pflegten, um vor den Madonnenbildern in den Straßen von Rom die Novenen zu singen

und den anspruchslosen Klang ihrer Dudelsäcke und Hirtenflöten
ertönen zu lassen. Wenn es zutrifft, daß die Unterdrückung dieses
anheimelnden Brauches auf einem Befehl des römischen Stadtraths
beruht, so hat die Gemeindeverwaltung hier am unrechten Orte
eine Strenge gezeigt, die gegenüber dem argen Zudrang von Bett=
lern aus den Nachbarorten weit besser am Platze wäre.

An Sang und Klang ist trotzdem in den Straßen von Rom
kein Mangel. In den breiten gradlinien Häuserreihen der neuen
Quartiere wie in den Winkeln der alten krummen Gassen lassen
Straßenvirtuosen der verschiedensten Gattungen ihre Musik erschallen,
hier ein Streichquartett von Blinden, dort eine Sängergruppe oder
ein Trupp mit Blasinstrumenten, ein auf Rädern wandelndes
Klavier oder ein Orchestrion mit dröhnendem Trompetengeschmetter.
Alle finden ein bereitwilliges, wenn auch nicht immer sehr zahlungs=
fähiges Auditorium, das in den Chor der Norma oder der Cavalleria
rusticana gern mit einstimmt. Durch die stille Nacht klingt nicht
selten der schmelzende Tenor eines Amoroso, der seiner Angebeteten,
von dem sanften Schwirren der Mandoline begleitet, sein Non ti
scordar, non ti scordar di me darbringt. Und oft genug läßt in
nachtschlafender Zeit ein Chor von Männern, denen der Weinwirth
der Stammkneipe endlich die Thüre gewiesen hat, mit eherner
Stimmenkraft die Grundmauern der Nachbarschaft durch einen Kanon
erzittern, der zwar nicht, um mit Junker Tobias in Was Ihr wollt
zu sprechen, einem Leineweber drei Seelen aus dem Leibe haspelt,
wohl aber allerlei Nachtgestalten an die Fenster bringt und ent=
rüstete oder heitere, jedenfalls laute Proteste aus allen Stockwerken
hervorruft.

Kärglicher ist es mit der Pflege der ernsten Musik in Rom
bestellt. Die Oper, die in den stattlichen Räumen des neuen Theaters
Costanzi und in der Argentina vorübergehend Platz nimmt, ist nach
italienischem Brauch durchaus von der Zusammensetzung der jeweils
auf einige Monate gastirenden Truppe abhängig. Eine feste Tra=
dition und engere Beziehungen zwischen den Künstlern und dem
Publikum können sich bei dem ephemeren Charakter und dem
raschen Wechsel dieser Leistungen nicht bilden. Auch von den
Kammermusik= und Orchesterkonzerten, die während des Winters in
weit geringerer Fülle, als wir dies in deutschen Hauptstädten ge=

wohnt sind, veranstaltet werden, hat sich keins zum Range einer ständigen, den Geschmack des Publikums läuternden Einrichtung erhoben. Die Konzerte des vor einigen Jahren entstandenen Bach= vereins gesellen eine ausgewählte Gemeinde von Verehrern Johann Sebastians des Großen zu andächtiger Bewunderung, aber sie sind noch zu wenig bekannt, um auf das musikalische Leben von Rom einen merklichen Einfluß auszuüben. Die päpstliche Kapelle, der Chor der Nonnen in S. Trinità bei Monti und andere geistliche Musikaufführungen behaupten ihren alten Ruf, doch reichen sie nicht hin, um Rom den tonangebenden Rang in der italienischen Musik zu verschaffen.

Dagegen ist Rom in den bildenden Künsten nach wie vor ein Mittelpunkt des nationalen und weit darüber hinaus des inter= nationalen Lebens. In den Maler= und Bildhauerateliers der alt= berühmten Künstlerstraßen in der Nähe des spanischen Platzes wird heut wie seit Menschengedenken von italienischen, deutschen, franzö= sischen, spanischen und englischen Meistern mit wahrem Feuereifer gemalt und gemeißelt. Den Kunstkolonien der genanten Nationen, von denen die Franzosen in ihrer Académie de France in den fürstlichen Räumen der Villa Medici, die Spanier in ihrer Akademie neben S. Pietro in Montorio Centren ihrer künstlerischen Bildung besitzen, haben sich in wachsender Zahl niederländische, skandinavische und amerikanische Künstler angereiht. Für die Pflege der modernen italienischen Kunst hat die Stadt Rom in der Hauptstraße der neuen Quartiere, der Via nazionale, einen stattlichen Palast errichtet, in dessen Räumen eine an Zahl und Werth nicht unbeträchtliche Sammlung neuerer italienischer Bilder und Skulpturen dauernde Aufstellung gefunden hat und periodisch wiederkehrende Kunstaus= stellungen veranstaltet werden. Den weltbekannten Galerien, in denen sich seit den Tagen der Renaissance die Meisterwerke der antiken Skulptur aneinanderreihen, sind durch die Ausgrabungen auf dem Forum und am Palatin, durch die Durchstiche und Aus= grabungen bei den neuen Straßenanlagen zahllose neue Funde zu= geführt worden. Aus den bei der Tiberregulirung zu Tage ge= förderten Schätzen ist mit der Errichtung des Museo nazionale begonnen worden, das eine nicht geringe Anzahl von Kunstwerken allerersten Ranges, die rührende Jünglingsgestalt aus der Villa

Neros bei Subiaco, den herrlichen Apoll, die priesterlich würdevollen Figuren der Vestalinnen, die mit realistischer Derbheit aber äußerst wirkungsvoll dargestellte Bronze des ruhenden Faustkämpfers, reizende Stuckgebilde und Malereien aus dem römischen Hause am Tiber zu einer der reichsten und anziehendsten Sammlungen Roms ver= einigt. In den Sälen des Appartamento Borgia, die durch Papst Leo XIII. ihrer langen Verwahrlosung entrissen und nach einer wohlgelungenen Restaurirung dem Publikum zugänglich gmacht worden sind, haben Roms Kunstschätze eine neue ungemein werth= volle und für die Kenntniß der Renaissance wichtige Bereicherung erhalten.

Am meisten aber hat das wissenschaftliche Leben in Rom durch den Umschwung der Dinge gewonnen. Die römische Uni= versität, die unter den Päpsten beim Mangel jeder Lehrfreiheit und dem Fehlen wichtiger Disziplinen den Namen einer universitas litterarum kaum verdiente, nimmt jetzt unter den italienischen Hoch= schulen nach Zahl und Bedeutung ihrer Lehrkräfte, nach Ausstattung des wissenschaftlichen Lehrapparats und Frequenz der Studirenden eine der ersten Stellen ein. Längst sind ihr die Hörsäle in dem klosterartigen Bau der alten Sapienza zu eng geworden; ganze Fakultäten haben an anderen Stellen untergebracht werden müssen, die Mathematiker und Ingenieure neben S. Pietro in vinculis, die Mediziner im Anschluß an die Hospitäler, die Naturwissenschaften in Klosterräumen und neu errichteten Instituten auf der Höhe des Viminalis. Schon jetzt reihen sich auf dem weiten Areal, das dort vom Staat für Universitätszwecke freigehalten wird, in Gebäuden, die allen Anforderungen der modernen Wissenschaft entsprechen, das chemische, das physikalische, das botanische und das anatomisch= physiologische Institut nachbarlich aneinander. Es liegt in der Ab= sicht, dort auch noch Gebäude für die zoologischen, geologischen und mineralogischen Sammlungen und Hörsäle zu errichten. Für alle Zweige der praktischen Heilkunde versprechen die weiten Räume des unter dem Namen des Policlinico hergestellten, nur noch der Vervollständigung durch Lazaretheinrichtungen harrenden großen Gebäudekomplexes in der Nähe des Prätorianerlagers vor Porta Pia ein ähnlicher Mittelpunkt zu werden.

Für die Erforschung der römischen Alterthümer bildet das vor mehr als sechszig Jahren unter deutscher Führung und unter Mitwirkung italienischer, französischer und britischer Kunstfreunde und Gelehrten begründete Archäologische Institut noch immer ein wissenschaftlich thätiges hochgeschätztes Centrum. Seit Jahren zu einer deutschen Reichsanstalt geworden, vereinigt das Institut in dem gastlichen Saal der Casa Tarpeia auf der Höhe des Kapitols bei seinen öffentlichen Sitzungen nach wie vor die Angehörigen verschiedener Nationen zu gemeinsamer Friedensarbeit; abwechselnd mit deutschen tragen italienische Archäologen die Ergebnisse ihrer Forschungen vor. Durch die historischen Institute, die von Preußen, Oesterreich-Ungarn, Frankreich u. a. für die Erforschung und Herausgabe der Urkundenschätze Roms errichtet worden sind, hat die ständige internationale Kolonie der Wissenschaft in Rom einen willkommenen Zuwachs erhalten.

Die älteste und angesehenste der zahlreichen Akademien Roms, die Accademia dei Lincei, die schon seit dem Anfang des 17. Jahrhunderts besteht und die den erlauchten Namen Galileo Galileis mit Stolz in ihren Mitgliederlisten führt, ist seit 1870 zum Range eines ganz Italien umfassenden wissenschaftlichen Centralinstituts erhoben worden. Dieser Nationalakademie, der nunmehr die bedeutendsten Gelehrten Italiens und auch eine Anzahl von ausländischen Berühmtheiten angehören, ist der von der Stadt angekaufte Palast Corsini in Trastevere als Residenz überwiesen worden, der jetzt die seiner neuen Bestimmung angemessene Bezeichnung des Palazzo della Scienza führt. In seinen edlen, mit hervorragenden Kunstwerken geschmückten Räumen finden auch die öffentlichen Sitzungen der Akademie statt, bei denen man neben den ersten Naturforschern und Mathematikern, Philologen und Rechtsgelehrten Italiens auch die joviale Erscheinung Giosuè Carduccis und die hohe Gestalt des einzigen weiblichen Mitgliedes, der Gräfin Ersilia Lovatelli wahrnimmt. Die Salons der ebenso gelehrten als geistvollen Dame, deren Verdienste um die Archäologie einer deutschen Universität Anlaß gegeben haben, ihr die Ehrendoktorwürde zu verleihen, sind seit Jahren der Sammelpunkt der hervorragenden Männer Italiens und des Auslandes, die sich während des Winters in Rom zusammenfinden; Ferdinand Gregorovius und Lißzt haben hier als Hausfreunde, Theodor Mommsen, Ernst Renan und Graf Schack mit Bonghi, Sella, Minghetti und Michele Amari als werthe Gäste geweilt. Auch jetzt begegnet, wer im Palast Lovatelli gastlich aufgenommen wird, dort Politikern, Künstlern, Schriftstellern und Gelehrten Italiens im lebhaften Meinungsaustausch mit Ausländern aller Nationen, die ständig oder vorübergehend sich in Rom aufhalten.

Für die Ritter der Feder bieten die stattlichen Räume, welche der große italienische Journalisten=Verein, die Associazione della Stampa in dem mit den Vejentersäulen geschmückten Palast an der Piazza Colonna inne hat, ein sehr willkommenes Stelldichein. Die glänzende Ausstattung der Lesezimmer und Festsäle, die sich auch ausländischen Fachgenossen leicht erschließen, entspricht durch= aus der Stellung, welche der Presse, als einem der hervortretendsten Faktoren des öffentlichen und des geistigen Lebens, in ganz Italien bereitwillig eingeräumt wird. Die bevorzugte Stellung der Tages= presse tritt auch in Rom allenthalben zu Tage; sie zeigt sich im Sitzungssaal der Kammer, wo zwischen den Vertretern der Presse und den Mitgliedern des Hauses der ungenirteste und lebhafteste Verkehr stattfindet, und wo der Präsident die nicht selten ziemlich laute Kritik der Journalistentribüne mit äußerster Nachsicht überhört oder mit einem freundlichen Scherz abwehrt. Sie macht sich bei Aragno geltend, wo am Pressetisch das große Wort geführt und die Unterhaltung der anderen Gäste des elegantesten römischen Cafés übertönt wird. Sie macht sich auch in dem Heidenlärm fühlbar, der allabendlich die Straßen und Plätze von Rom durch= tobt, um das Erscheinen der Tribuna, des Popolo romano, der Fanfulla oder die eben eingetroffene Ausgabe des Secolo kund zu thun und feilzubieten. Es ist jedes Mal ein den Nordländer befremdender Anblick, wenn dieses wilde Heer der Zeitungsaus= träger, Männer, Weiber und Kinder der fragwürdigsten Gestalt, aus vollem Halse schreiend in rasendem Wettlauf sich über die Stadt ergießt, um allen Vorübergehenden das noch nasse Blatt entgegen zu halten und es den Stammgästen der Restaurants und der Weinschänken möglichst schnell zu überbringen.

Mancher Ausländer, welcher die Vorstellungen, die er aus früherer Zeit von der erhabenen Ruhe Roms in Erinnerung be=

halten oder die er sich zu Haus darüber gebildet hat, von diesem Spektakel tragikomisch auf den Kopf gestellt sieht, mag geneigt sein, sich darüber zu verdrießen. Aber er sollte nicht vergessen, mit welchen Opfern geistiger Freiheit die Kirchhofsruhe des päpstlichen Roms erkauft war, wie schwer und wie einschläfernd der Druck des theokratischen Regiments auf der Bevölkerung Roms gelastet hat. Wer in dem Ende der weltlichen Herrschaft der Päpste die Beseitigung eines politisch und kirchlich unhaltbaren Anachronismus erblickt, wer die Befreiung Roms von der Priesterherrschaft als den Schlußstein der staatlichen Wiedererstehung einer edlen Nation freudig begrüßt hat, der sieht über die kleinen Störungen und Lächerlichkeiten, welche die Freiheit hier wie anderwärts mit in ihrem Gefolge hat, gelassen hinweg. Und wer Rom wahrhaft liebt, empfindet trotz der Unvollkommenheiten, welche der neuesten Phase der ewigen Stadt wie jeder früheren ihrer langen Vergangenheit und wie allem Irdischen anhaften, doch eine tiefe Genugthuung über den neuesten Wechsel ihrer wandlungsreichen Geschicke. Der Vereinsamung und Verklösterung entrissen, in welche die Siebenhügelstadt von ihren geistlichen Machthabern versenkt worden war, ist Rom als die Hauptstadt Italiens zum Brennpunkt des geistigen und des politischen Lebens geworden. Von den Lasten und Kämpfen, die den Entwickelungsgang eines mündig gewordenen Volkes begleiten, hat auch die Metropole ihren reichlichen Antheil zu tragen; manche Enttäuschung hochfliegender Hoffnungen, manche harte Arbeit stehen ihren Bürgern noch bevor. Aber statt der Abenddämmerung allmählichen Verfalls leuchtet über dem Rom der Gegenwart das Morgenroth einer besseren Zukunft: das dritte Rom darf in das neue Jahrhundert mit der sicheren Hoffnung eintreten, daß der Hauptstadt Italiens ein kraftvolles Gedeihen und eine lebensvolle Entwicklung beschieden sein wird.

Namen-, Orts- und Sachregister.

(Die fettgedruckten Ziffern bezeichnen die Seite, wo der Gegenstand vorzugsweise behandelt ist.)

Fischer. 2. Aufl.

29

29*